VIDEOSCRIPT

TO ACCOMPANY

DESTINOS

12/15/00

VIDEOSCRIPT

TO ACCOMPANY

DESTINOS

An Introduction to Spanish

A Telecourse Designed by
Bill VanPatten
University of Illinois at Urbana-Champaign

Martha Alford Marks

Richard V. Teschner
University of Texas at El Paso

Thalia Dorwick
Coordinator of Print Materials for McGraw-Hill, Inc.

McGraw-Hill, Inc.
New York St. Louis San Francisco Auckland Bogotá Caracas
Lisbon London Madrid Mexico Milan Montreal New Delhi
Paris San Juan Singapore Sydney Tokyo Toronto

This is an  book.

Videoscript to accompany
Destinos: An Introduction to Spanish

13 HAM HAM 9 0 9 8

ISBN 0-07-067202-4

This book was typed on a Macintosh by Jeannie Theriault and Byll Travis.
The editors were Thalia Dorwick, Alice Mace Nakanishi, and Ralph Kite.
The production supervisor was Louis Swaim.
Production and editorial assistance was provided by Sharla Volkersz,
Adina Carter, Kathy Melee, and Lorna Lo.
HAMCO/NETPUB Corporation was the printer and binder.

Contents

Preface

What Is *Destinos*?

Destinos is an instructional television series that premieres on PBS television stations across the country in September of 1992. The 52 half-hour programs are designed to motivate learners, to provide them with language from which they can learn, and to "take" learners to the parts of the world in which Spanish is spoken.

The exact programming schedule will vary from station to station. If you are viewing the series on television, you will need to consult local broadcast schedules carefully. However, in general, two shows will be broadcast each week for a total of 26 weeks. The *Destinos* series is also available for purchase.

What Is the Videoscript?

This Videoscript is a faithful transcription of the 52 half-hour episodes that comprise the *Destinos* television series. The script was written by a team of Hispanic writers from all parts of the Spanish-speaking world, along with the series designer, an advisory board, and Spanish-speaking consultants in the United States. The 52 episodes of the series were shot based on the script. When final editing on the series was completed, the script was adjusted for accuracy with the lines as rendered by the actors and actresses and for changes on location and in the editing process.

Using the Videoscript in the Classroom

Instructors who are using *Destinos* as a complete beginning Spanish course will note, when they examine the complete package of materials available for use with *Destinos*, that the script for the television programs is not included in the student print materials. *In general, it is not recommended that instructors make the script available to beginning students.* Students should work with the programs in a viewing/listening mode, trying to understand as much as they can *without understanding every word.* Students will understand more if they watch episodes more than once. And, as the series progresses, they will understand more and more of each episode. Review segments, which occur throughout the series, automatically build in opportunities for students to see parts of earlier episodes again and experience the satisfaction of understanding them more easily than they did the first time.

Giving beginning students access to the transcript of individual shows, especially on a regular basis, will, in fact, defeat the purpose of the shows from a comprehension-based standpoint. Students need to learn form experience that they can understand without understanding everything and that they can understand spoken Spanish without relying on the written word.

This does not mean that students cannot benefit from seeing the transcript or from working with it in a number of ways. For example, if the goals of a course in which *Destinos* is used (as a full course or as a supplement) include grammatical analysis, there are many "natural language" passages in the programs, faithfully recorded in the transcript, that can be analyzed from a grammatical point of view. Students may in fact enjoy working through the uses of the preterite and the imperfect, *ser* versus *estar*, subjunctive versus indicative, and so on, in passages taken from the shows. In this sense, the transcript of the shows can be used in much the same way that literary passages are often used, especially in intermediate and advanced language classes.*

The Videoscript and the Individual Learner or Viewer

For the individual learner or viewer, the Videoscript can serve as a reference tool: a place to "look up" particularly difficult parts of the television episodes or simply a place to verify comprehension in a reading—rather than a listening—mode. If, however, the individual learner or viewer is watching *Destinos* in order to learn more Spanish or to review the Spanish that he/she already knows, the same cautions for use of the Videoscript apply as for learners in the traditional classroom. It is best that such learners view the Videoscript as a last resort, and that they make every effort to follow the individual episodes of the series without relying on the transcription. They should in particular avoid "reading ahead" to find out what happens in upcoming episodes; doing so will dilute the benefits of watching like a first-time viewer. Home learners or viewers should literally "sit back and enjoy the show!"

* * * * *

Those involved with the development of the *Destinos* television series would like to acknowledge the work of the following individuals in the preparation of the Videoscript:
—Jeannie Theriault, for taking on and completing the enormous task of making the original script correspond with the final edited episodes of the series,
—Harry Rosser (Boston College), for checking the accuracy of the final transcription of the shows,
—Sharla Volkersz (McGraw-Hill), for her work with the Videoscript throughout work on the print materials and for her final check of this Videoscript.
Finally, a special acknowledgment to Liliana Abud ("Raquel"), for her help, advice, and encouragement on all aspects of the *Destinos* television series.

* Instructors who elect to use the transcript in this way should be alert, first, to the fact that the transcript is a faithful rendering of what the actors said and, second, that what the actors said does not always conform to textbook rules of Spanish grammar. Areas where strict grammarians will note some deviation from textbook norms include the non-use of the subjunctive in some traditionally subjunctive matrices, variations in preterite/imperfect usage, nontextbook uses of *ser* and *estar*, and so on. Language of this kind does not permeate the shows, but it does occur on occasion, just as nontextbook English usage occurs in everyday conversations and on televisions.

Episodio 1

La carta (*The Letter*)

ENGLISH NARRATOR: Welcome to *Destinos: An Introduction to Spanish. Destinos* is a 52-episode Spanish language telecourse.
ARTURO: Deme seis naranjas.
ENGLISH NARRATOR: It will introduce you to the richness and variety of the language and culture, take you on a journey through the Spanish-speaking world, and intrigue you with the search for a missing person.
DON FERNANDO: Rosario, perdóname. Perdóname.
ENGLISH NARRATOR: The story begins outside of Mexico City. Don Fernando Castillo Saavedra left his native Spain at the end of the Spanish Civil War in 1939. Old, and in ill health, he has retired to his country estate knowing that the end of his life is near. But don Fernando's past has come back to haunt him in a letter from Spain. After revealing a long-kept secret to his family, don Fernando asks his brother Pedro for help, and the family hires a lawyer, Raquel Rodríguez, to investigate the claims made in the letter. You will follow Raquel on her investigation. Her journey takes her first to Sevilla, a city in southern Spain. Sevilla is a city of churches, the famed Giralda Tower, and open-air markets.
HOMBRE: Vaya a ver qué le damos de premio.
ENGLISH NARRATOR: In Sevilla, Raquel begins her investigation. Her first contact is with this woman, Elena Ramírez. Her initial inquiries fail to reveal anything.
RAQUEL: ...¿y de don Fernando?
ELENA: No, nunca, jamás.
ENGLISH NARRATOR: While in Sevilla, Raquel gets sidetracked in a chase with a boy and his dog. Raquel soon discovers she must travel to Madrid, the capital of Spain. Madrid is cosmopolitan Europe, full of beautiful fountains, squares, and boulevards. In Madrid she uncovers the information she was sent to find.
RAQUEL: ¿Son cartas de Rosario?
SRA. SUÁREZ: Sí.
ENGLISH NARRATOR: This information leads Raquel to South America, to Buenos Aires, capital of Argentina. In the cosmopolitan melting pot of Buenos Aires, Raquel makes a surprising discovery, one that alters her investigation completely.
RAQUEL: ¿Su hermano?
ARTURO: Sí.
ENGLISH NARRATOR: With new information in hand, Raquel sets off in a different direction, and another letter comes into her possession. It is this letter which takes Raquel to another place as she continues her search . . . to the sun-drenched island of Puerto Rico, in the Caribbean. In San Juan, Raquel meets a woman who will play an important role in her investigation.
ÁNGELA: ¿Qué hace Ud. aquí?
ENGLISH NARRATOR: Together they discover another piece of the past hidden away in a sailor's trunk.
ÁNGELA: Éste era el baúl de mi padre.
ENGLISH NARRATOR: Finally, the trail leads back to Mexico. In the highlands outside Mexico City, Raquel faces a crisis that threatens the life of a young man. She does not know if she will get back to see don Fernando before it is too late.
ÁNGELA: ¡Roberto!

ENGLISH NARRATOR: Before you join Raquel on her journey, you need to know how to watch an episode of *Destinos*. First, you should understand that in each episode of *Destinos* you will hear three kinds of Spanish. First there is the conversational Spanish spoken by the characters.
MIGUEL: Mamá, esta señorita busca a la abuela.
RAQUEL: Perdone, señora, soy Raquel Rodríguez y vengo de los Estados Unidos.
ELENA: Elena Ramírez, mucho gusto.
RAQUEL: Mucho gusto. Siento mucho molestarla, pero necesito hablar con la Sra. Suárez.
ELENA: ¿Mi suegra? ¿Por qué?
RAQUEL: Bueno, es una larga historia.
ENGLISH NARRATOR: There is also the Spanish spoken by the narrator.
GUIDE: Raquel está aquí en la esquina. Ella debe virar a la izquierda. Luego debe seguir derecho...
ELENA: Pues, ya que estamos aquí, voy a comprar pan para la cena. ¿Me espera un momento?

RAQUEL: Claro, cómo no.
ENGLISH NARRATOR: Finally, there is the Spanish spoken by Raquel at the end of each episode when she reviews highlights and information from the story.
RAQUEL: Tengo unos minutos y voy a apuntar algunas cosas en mi cuadernito. Primero, ¿cómo se llama el esposo de Elena?
MIGUEL: Yo me llamo Miguel.
RAQUEL: Se llama Miguel.
ENGLISH NARRATOR: What is important to understand now is that you are not responsible for understanding every word of conversational Spanish. When characters interact, you should only be concerned with following along. Remember that context and a character's actions can help you. Here is a scene from Episode 5. Watch as the character's actions help you get the gist of the conversation.
ELENA: Yo voy por esta calle y Ud., vaya por ésa.
RAQUEL: Sí, sí. Pero, espere... ¿Dónde nos encontramos?
ELENA: En la Giralda, a las once y media.
RAQUEL: Sí, sí, pero, ¿dónde está la Giralda?
ELENA: Allí, en aquella torre.
RAQUEL: De acuerdo. ¡Buena suerte!
ENGLISH NARRATOR: You probably understood that the characters decided to go in two different directions. If you understood that they decided to meet later at the Giralda Tower, congratulate yourself for following that much conversational Spanish.
ELENA: Allí, en aquella torre.
RAQUEL: De acuerdo.
ENGLISH NARRATOR: Should you be using *Destinos* for a credited course, you should also know that the telecourse is accompanied by written materials consisting of a textbook, two workbooks, audio cassettes, and additional computer-guided study. The materials are easy to use. Before watching an episode, you should first complete that part of the lesson called "Preparación," which will review highlights of the previous episode and help you get ready to watch the current episode. After watching the episode, you should return to the textbook and complete the section called "¿Tienes buena memoria?" You should continue through the rest of the textbook lesson before beginning with the workbook. In both the textbook and the workbook are checklists to help you keep track of what you have completed before moving on to the next lesson. Now it is time to watch the first episode of *Destinos*. The story begins in Mexico not too long ago. La Gavia, a sixteenth-century hacienda near Mexico. It was just a week ago that the family doctor was summoned to the grand estate. La Gavia is now owned by a wealthy industrialist, a man in the twilight of his years, Fernando Castillo Saavedra. Julio Morelos, the family doctor, has come quickly in response to the urgent call from don Fernando's children.
RAMÓN: Julio.
JULIO: Ramón.
RAMÓN: ¿Fue largo el viaje?
JULIO: No mucho. ¿Y Fernando?
RAMÓN: Vamos. Está allí arriba.
ENGLISH NARRATOR: Ramón, Fernando's oldest son, tells the doctor about his father's failing health. Mercedes, Fernando's only daughter, suspects the worst.
JULIO: Hola, Mercedes.
MERCEDES: Hola, Julio.
JULIO: ¿Cómo está tu padre? ¿Muy mal?
MERCEDES: Sí. Ya lo verás. Pasa.
JULIO: Fernando.
DON FERNANDO: Hola, Julio. Te estaba esperando.
JULIO: ¿Y cómo estás esta mañana?
DON FERNANDO: Como siempre. ¡Estupendo!
JULIO: Tus hijos están preocupados.
DON FERNANDO: Mis hijos... sí, sí, mis hijos.
GUIDE: Ramón es hijo de Fernando. Mercedes es hija de Fernando. Hijo, hija.
DON FERNANDO: Mis hijos. Sí, sí, mis hijos.
GUIDE: ¿Tiene Fernando otros hijos? Sí. Carlos. Carlos vive en Miami. Fernando tiene otro hijo. Juan. Juan vive en Nueva York. Es profesor de literatura en la Universidad de Nueva York. En total, Fernando tiene tres hijos y una hija. ¿Y la esposa? ¿Carmen? Ya murió. Carmen está muerta.
JULIO: Como tú dices... ¡estupendo!

DON FERNANDO: No, no. Comprendo perfectmente... pero espera.
JULIO: Fernando.
DON FERNANDO: Tú, calla y bebe. Por los viejos amigos, ¡y por mí, un amigo viejo!
ENFERMERA: ...y después le traigo sus medicinas.
DON FERNANDO: ¡Qué medicina, ni qué medicina! Lo que yo quiero es bailar.
ENFERMERA: Por favor, don Fernando... Si necesita algo, estoy afuera.
ENGLISH NARRATOR: Fernando and his brother Pedro grew up in a small town in Spain. As young men, their lives were shattered by the outbreak of the Spanish Civil War in 1936. Fernando took up arms and experienced first hand the horror of war when he witnessed the bombing of Guernica. At the end of the war, the two brothers left for Mexico, seeking new lives. Although Fernando put the tragic experience of the war behind him there is one memory that still haunts him.
DON FERNANDO: Rosario...
RAMÓN (VO): Papá... Papá. ¿Estás bien?
DON FERNANDO: Sí, sí, bien.
RAMÓN: ¿Necesitas algo?
DON FERNANDO: Sí. Llama a tus hermanos, ah, y a tu Tío Pedro.
RAMÓN: Está bien. ¿Algo más?
DON FERNANDO: No. Nada más.
RAMÓN: Está bien, Papá.
ENGLISH NARRATOR: You have just watched the first episode of the *Destinos* story. In each episode, the story is followed by a segment in which Raquel reviews certain information with you. After Raquel's review, you will see one final scene from the story.
RAQUEL: Bueno. Ya saben un poco de la historia. Vamos a repasar unos datos importantes. Primero. ¿Quién es esta persona? ¿Se llama Fernando o Ramón?
RAQUEL (VO): Se llama Fernando, Fernando Castillo.
RAQUEL: ¿Vive don Fernando en California o vive en México?
RAQUEL: Don Fernando vive en México, en una hacienda.
RAQUEL (VO): La hacienda es muy importante para don Fernando. Es un símbolo para él.
RAQUEL: ¿Cómo se llama la hacienda? ¿Recuerdan?
RAQUEL: La hacienda se llama La Gavia. La Gavia es una hacienda muy vieja, de la época colonial. Bueno, también en este episodio hay dos personas muy importantes.
RAQUEL (VO): ¿Quién es esta persona? ¿Se llama Ramón o se llama Juan? Se llama Ramón.
RAQUEL: La otra persona importante que forma parte de esta historia es una mujer.
RAQUEL (VO): ¿Cómo se llama ella? Se llama Mercedes.
RAQUEL: También hay otras dos personas en esta historia que son importantes,
RAQUEL (VO): este hombre y este hombre.
RAQUEL: En el próximo episodio, tendremos más información sobre don Fernando, Mercedes, Carlos, Juan y Ramón. Por el momento, eso es todo. Ah, pero Uds. no saben nada de mí, ¿verdad? Me llamo Raquel Rodríguez. Vivo en Los Ángeles, California. Soy mexicoamericana y soy abogada. Bueno, ahora, ¿es cierto o falso? Soy cubanoamericana. Soy profesora. Vivo en Los Ángeles, California. Bueno, número uno, ¿es cierto o es falso? Soy cubanoamericana. Falso. Soy mexicoamericana. Número dos. Soy profesora. También falso. Soy abogada. Número tres. Vivo en Los Ángeles. Cierto. Vivo en Los Ángeles. Bueno, ahora sí, eso es todo. Voy a seguir trabajando.
GUIDE: Fernando tiene un secreto, un secreto importante. El secreto está en una carta, una carta importante.
ENGLISH NARRATOR: As a special preview, here are scenes from the next episode of *Destinos*. Following don Fernando's request to have the family gather at La Gavia, in this scene, Ramón places a call to his brother Carlos in Miami.
OFELIA: Buenos días. Industrias Castillo Saavedra.
RAMÓN: ¿Me podría comunicar con el señor Carlos Castillo por favor?
OFELIA: Sí. ¿Quién le llama?
RAMÓN: Su hermano, Ramón.
OFELIA: Ay, Ramón.
ENGLISH NARRATOR: Remember, don't worry if you can't understand all the conversational Spanish. For now, just let your ear get used to hearing the sounds and rhythm of Spanish.
OFELIA: Señor Castillo, su hermano Ramón está en la línea.
CARLOS: Ramón, ¡qué milagro! ¿Cómo estás?
RAMÓN: Bien, ¿y tú?

CARLOS: Bien, con mucho trabajo. ¿Qué pasa?
RAMÓN: Te tengo malas noticias.
CARLOS: ¿De Papá?
RAMÓN: Sí. Hoy vino el médico y... ¿puedes venir mañana a La Gavia?
CARLOS: Sí, claro que sí.
ENGLISH NARRATOR: Next, Ramón calls his brother Juan in New York.
JUAN: Hello.
RAMÓN: Hola, Juan, habla Ramón.
JUAN: Ramón, ¡qué milagro! ¿Cómo estás?
RAMÓN: Yo, bien, pero Papá está muy mal.
ENGLISH NARRATOR: Finally, Ramón places a call to his Uncle Pedro, don Fernando's brother.
RAMÓN: ¿Tío Pedro? Habla Ramón.
PEDRO: Hola, Ramón. ¿Qué tal? ¿Cómo estás?
RAMÓN: No muy bien. Hoy vino el médico y...
PEDRO: ¿Qué pasa? ¿Fernando está mal?
RAMÓN: Sí. ¿Cuándo puedes venir a La Gavia?
ENGLISH NARRATOR: Meanwhile, in the courtyard of La Gavia, don Fernando calls for his granddaughter, Maricarmen.
MARICARMEN: ¡Abuelito! ¡Abuelito!
DON FERNANDO: Ven con el abuelito.
MARICARMEN: Hola, abuelito. ¿Cómo estás?
DON FERNANDO: Ay, hija, triste, muy triste. Pero cántame algo. Una canción de animales.
MARICARMEN: Un elefante, se columpiaba, sobre la tela de una araña...
AMBOS: Dos elefantes, se columpiaban sobre la tela de una araña.
ENGLISH NARRATOR: The next day, the entire Castillo family arrives at La Gavia. The first to arrive is don Fernando's son Carlos, his wife Gloria, and their children Juanita and Carlitos. Next to arrive are Juan and his wife Pati. Finally, don Fernando's brother Pedro arrives. The family members gather in the kitchen and greet Lupe, longtime cook at the **hacienda.** Please join us next time when don Fernando reveals the secret of the letter to his family.
DON FERNANDO: Ahora, ya saben Uds. el motivo de esta reunión.
ENGLISH NARRATOR: And Raquel arrives in Mexico to begin her investigation.

Episodio 2
El secreto (*The Secret*)

ENGLISH NARRATOR: Welcome to Episode 2 of *Destinos: An Introduction to Spanish.* In this episode, you will learn why this letter is so important, and you will learn the secret that don Fernando has kept for so long. Remember that as you watch an episode of *Destinos,* there are three kinds of Spanish you will hear: the conversational Spanish spoken by the characters, . . .
OFELIA: Buenos días. Industrias Castillo Saavedra.
RAMÓN: ¿Me podría comunicar con el señor Carlos Castillo por favor?
OFELIA: Sí. ¿Quién le llama?
RAMÓN: Su hermano, Ramón.
OFELIA: Ay, Ramón.
ENGLISH NARRATOR: . . . the Spanish spoken by a narrator, . . .
GUIDE: Aquí está Carlos. Carlos también tiene una esposa. Se llama Gloria. Carlos y Gloria tienen dos hijos: una hija, Juanita, y un hijo, Carlitos.
ENGLISH NARRATOR: . . . and the Spanish spoken by Raquel as she reviews major and minor highlights of the episode.
RAQUEL: Fernando tiene cuatro hijos: una hija, Mercedes, y tres hijos, Ramón, Carlos y Juan.
ENGLISH NARRATOR: While you will probably understand most or all of the Spanish spoken by the narrator and by Raquel during her review segments, you are not meant to understand word for word the conversational Spanish.
PEDRO: ¿Qué pasa? ¿Fernando está mal?
RAMÓN: Sí. ¿Cuándo puedes venir a La Gavia?
ENGLISH NARRATOR: As the characters speak, let their actions and the context of their conversation guide your understanding. In this episode, you will learn how to express certain family relationships in Spanish.
DON FERNANDO: Mis hijos. Sí, sí, mis hijos.
PEDRO: Habla Pedro Castillo.
ENGLISH NARRATOR: And now, on with the story of don Fernando.
PATI: ¿Qué haces aquí?
JUAN: Pati, tengo malas noticias.
PATI: ¿Qué pasa?
JUAN: Es Papá. Está muy mal.
ENGLISH NARRATOR: In the last episode of *Destinos,* you met this man, don Fernando Castillo Saavedra. In the twilight years of his life, he has been taken ill. His son Ramón has sent for the doctor.
RAMÓN: Julio.
JULIO: Ramón.
RAMÓN: ¿Fue largo el viaje?
JULIO: No mucho. ¿Y Fernando?
RAMÓN: Vamos. Está allí arriba.
ENGLISH NARRATOR: Fernando's daughter Mercedes waits anxiously for the doctor.
JULIO: Hola, Mercedes.
MERCEDES: Hola, Julio.
JULIO: ¿Cómo está tu padre? ¿Muy mal?
MERCEDES: Sí. Ya lo verás. Pasa.
ENGLISH NARRATOR: The doctor knows the news will not be good, and later Fernando goes into his study and painfully confronts a memory.
DON FERNANDO: Rosario...
RAMÓN (VO): Papá... Papá. ¿Estás bien?
DON FERNANDO: Sí, sí, bien.
RAMÓN: ¿Necesitas algo?
DON FERNANDO: Sí. Llama a tus hermanos. Ah, y a tu Tío Pedro.
RAMÓN: Está bien. ¿Algo más?
DON FERNANDO: No. Nada más.
RAMÓN: Está bien, Papá.
GUIDE: Fernando tiene un secreto. Un secreto importante. El secreto está en una carta, una carta importante.
ENGLISH NARRATOR: As don Fernando requested, Ramón begins to call his brothers and his uncle.

OFELIA: Buenos días. Industria Castillo Saavedra.
RAMÓN: ¿Me podría comunicar con el señor Carlos Castillo por favor?
OFELIA: Sí. ¿Quién le llama?
RAMÓN: Su hermano, Ramón.
OFELIA: Ay, Ramón. Bueno, momentico por favor.
CARLOS: Sí.
OFELIA: Señor Castillo, su hermano Ramón está en la línea.
CARLOS: Gracias, Ofelia. Ramón, ¡qué milagro! ¿Cómo estás?
RAMÓN: Bien, ¿y tú?
CARLOS: Bien, con mucho trabajo. ¿Qué pasa?
RAMÓN: Te tengo malas noticias
CARLOS: ¿De Papá?
RAMÓN: Sí. Hoy vino el médico y... ¿puedes venir mañana a La Gavia?
CARLOS: Sí. Claro que sí.
RAMÓN: Bien, tengo que llamar a Juan. Te veré mañana. Adiós.
CARLOS: Bien. Te veo mañana.
OFELIA: Sí, señor Castillo.
CARLOS: Salgo para la Ciudad de México mañana.
OFELIA: Sí, bueno. Sí, sí, correcto.
JUAN: Hello.
RAMÓN: Hola, Juan, habla Ramón.
JUAN: Ramón, ¡qué milagro! ¿Cómo estás?
RAMÓN: Yo, bien, pero Papá está muy mal.
JUAN: ¿Qué pasa?
RAMÓN: Hoy vino el médico y... tenemos malas noticias. ¿Podrías venir a La Gavia?
JUAN: Sí, cómo no. Hablaré con Pati.
RAMÓN: De acuerdo. Nos vemos mañana.
JUAN: Sí, sí, está bien. Hasta luego.
RAMÓN: Adiós.
DON FERNANDO: ¿Dónde está Maricarmen?
MERCEDES: Maricarmen.
MARICARMEN: Abuelito. Abuelito. Abuelito.
DON FERNANDO: Ven con el abuelito.
MARICARMEN: Hola, abuelito. ¿Cómo estás?
DON FERNANDO: Ay, hija, triste, muy triste. Pero cántame algo. Una canción de animales.
MARICARMEN: Un elefante, se columpiaba, sobre la tela de una araña...
AMBOS: Dos elefantes, se columpiaban sobre la tela de una araña.

PATI: Eh, ¿cuándo entra el juez?
GUILLERMO: Ahora mismo.
PATI: Golpeas.
HOMBRE: Silencio atrás por favor. Puede proseguir la defensa.
DOÑA FLORA: Pati, pero mira quién está allí. Es Juan.
PATI: Cinco minutos de descanso, por favor. ¿Qué haces aquí?
JUAN: Pati, tengo malas noticias.
PATI: ¿Qué pasa?
JUAN: Es Papá. Está muy mal.

DON FERNANDO: ¿Sabes? Vamos a tener visitas.
MARICARMEN: ¿Sí?
DON FERNANDO: Sí, vienen sus tíos.
MARICARMEN: ¿Mis tíos?
DON FERNANDO: Sí, vienen de los Estados Unidos.
MARICARMEN: ¿No viene Tío Carlos?
DON FERNANDO: Sí, viene con Gloria y con tus primos, Juanita y Carlitos.
MARICARMEN: ¿Y también vienen el Tío Juan y Tía Pati?
DON FERNANDO: Ellos también vienen.
MARICARMEN: ¿No viene Tío Pedro?
DON FERNANDO: Por supuesto que viene Tío Pedro. Es mi hermano.
PEDRO: Sí, ¿bueno? Habla Pedro Castillo.

RAMÓN: ¿Tío Pedro? Habla Ramón.
PEDRO: Hola, Ramón. ¿Qué tal? ¿Cómo estás?
RAMÓN: No muy bien. Hoy vino el médico y...
PEDRO: ¿Qué pasa? ¿Fernando está mal?
RAMÓN: Sí. ¿Cuándo puedes venir a La Gavia?

RAMÓN: ¿Papá?
CARLOS: Sí.
FERNANDO: Mis hijos, sí, sí, mis hijos.
PEDRO: Sí, ¿bueno? Habla Pedro Castillo.
GUIDE: En total, Fernando tiene cuatro hijos: Mercedes, Juan, Carlos y Ramón, pero los hijos de Fernando también tienen sus propias familias. Ramón tiene una esposa. Se llama Consuelo. Ramón y Consuelo tienen una hija. Se llama Maricarmen. Aquí está Carlos. Carlos también tiene una esposa. Se llama Gloria. Carlos y Gloria tienen dos hijos: una hija, Juanita, y un hijo, Carlitos.
RAMÓN: ¡Carlos!
GUIDE: Más tarde, llega Juan, otro hijo de don Fernando. Juan tiene una esposa también. Se llama Pati. Juan y Pati no tienen hijos.
ENGLISH NARRATOR: The family members are naturally drawn to the kitchen where Lupe, the longtime cook, is setting out a meal.
LUPE: ¡Ay, qué buen...! Pero, ahorita voy a preparar su desayuno. Tengo unas, tengo unos tamales riquísimos.
CARLOS: ¡Ah, ja, ja, ja!
LUPE: ¡Ay! Suéltame. Suéltame. Suéltamente. Niño precioso.
CARLOS: Está igualita.
JUAN: Guadalupe...
PATI: Guadalupe, ¿cómo estás?
JUAN: ¿Cómo estás, Guadalupe?

ENGLISH NARRATOR: Finally, don Fernando's brother Pedro arrives. With his family gathered around him, Fernando begins to tell them a story he has kept secret all his life. As a young man in Spain, he met a beautiful woman named Rosario. They fell in love and married at the outbreak of the Spanish Civil War. The northern town of Guernica was bombed. Fernando believed that Rosario had died in the bombing and, like many Spaniards, he left Spain at the end of the Civil War as Francisco Franco set up his military dictatorship. Fernando set out for a new life in Mexico, leaving his past behind and burying the painful memories of the war. He never mentioned Rosario to his new family or to his friends. But now, a letter written by a woman from Sevilla, Spain, has forced Fernando finally to talk about Rosario. In the letter, the woman claims that Rosario survived the bombing. Fernando must find out if this is true, for when Fernando last saw Rosario, she was carrying their child.
DON FERNANDO: «No sé si me crea, pero es la verdad y me apena ser yo quien le dé esta noticia. Pero creo conveniente que sea así por la amistad que a Rosario me unió. Atentamente Teresa Suárez.» Ahora, ya saben Uds. el motivo de esta reunión. Es posible que tenga otro hijo. Pedro, necesito tu ayuda.
PEDRO: Sí, sí, claro.
ENGLISH NARRATOR: Naturally, Pedro agreed to help his brother in this delicate matter, but he was unwilling to leave the family to undertake a long investigation. So Pedro called his affiliate law office in Los Ángeles and asked for Raquel Rodríguez, someone whose investigative talents he had admired for some time. Raquel agreed to travel to Mexico City and to meet Pedro Castillo in his office.
PEDRO: Gracias, Raquel. Esto es muy importante para mí.
RAQUEL: No hay de qué. Bueno, ya me voy. Debo repasar la información sobre la familia.
PEDRO: Bien. Adiós.
RAQUEL: Adiós, Pedro. Bueno, vamos a repasar los miembros de la familia Castillo. ¿Quién es el padre de la familia Castillo?
RAQUEL (VO): ¿Pedro? ¿O Fernando? Fernando es el padre. ¿Cuál es la relación entre Pedro y Fernando? ¿Son padre e hijo? ¿O son hermanos?
RAQUEL: Pedro y Fernando son hermanos. ¿Y Fernando? ¿Tiene hijos?
RAQUEL (VO): Sí, tiene cuatro hijos: Mercedes, Ramón, Carlos y Juan.
RAQUEL: ¿Quiénes de los hijos viven en La Gavia?
RAQUEL (VO): ¿Carlos y Ramón? No. Mercedes y Ramón viven en La Gavia.

RAQUEL: ¿Dónde vive Carlos?

RAQUEL (VO): ¿En la Ciudad de México o en Miami? Carlos vive en Miami. ¿Y Juan? ¿Dónde vive? ¿En la Ciudad de México o en Nueva York? Juan vive en Nueva York.

RAQUEL: Entonces, la familia Castillo Saavedra consiste en Fernando, el padre, y Pedro, su hermano. Fernando tiene cuatro hijos. Una hija, Mercedes, y tres hijos, Ramón, Carlos y Juan. Mercedes y Ramón viven en La Gavia, pero Carlos vive en Miami y Juan vive en Nueva York. Ah, esposos y esposas...

RAQUEL (VO): Ramón tiene una esposa. ¿Cómo se llama?

RAMÓN: Hola. Yo soy Ramón Castillo. Ella es mi esposa, Consuelo...

RAQUEL (VO): La esposa de Ramón se llama Consuelo. ¿Consuelo y Ramón tienen hijos?

RAMÓN: ...y ella mi hija, Maricarmen.

MARICARMEN: Hola.

RAQUEL (VO): Sí, Consuelo y Ramón tienen una hija. Carlos también tiene una esposa. ¿Cómo se llama?

CARLOS: Hola. Yo soy Carlos Castillo. Ella es mi esposa. Se llama Gloria.

RAQUEL (VO): La esposa de Carlos se llama Gloria. ¿Carlos y Gloria tienen hijos?

CARLOS: Ellos son mis hijos. Ella se llama Juanita. Él se llama Carlitos. Ésta es mi familia.

RAQUEL (VO): Carlos y Gloria tienen dos hijos. Juan tiene una esposa. ¿Cómo se llama?

JUAN: Hola. Yo me llamo Juan Castillo. Ella es mi esposa. Se llama Pati.

RAQUEL (VO): La esposa de Juan se llama Pati. Juan y Pati no tienen hijos. Mercedes no tiene esposo. El esposo de Mercedes está muerto.

RAQUEL: Bueno, ya terminamos con la información sobre la familia Castillo. ¡Ah!, y lo más importante, las esposas de Fernando. Una de las esposas de Fernando se llama Carmen. Es la madre de Mercedes, Ramón, Carlos y Juan. Carmen ya murió. Carmen está muerta. ¿Cómo se llama la otra esposa de Fernando?

RAQUEL (VO): Se llama Rosario. La otra esposa de Fernando se llama Rosario. Y Rosario, ¿está muerta? ¿Tiene Fernando otro hijo con Rosario?

RAQUEL: Ése es el gran misterio.

DON FERNANDO: Rosario, ¿eres tú? Es imposible. Rosario, perdóname, perdóname.

Episodio 3

El comienzo (*The Beginning*)

ENGLISH NARRATOR: Welcome to *Destinos: An Introduction to Spanish.* As our story unfolds, most of what you hear will be in conversational Spanish.
RAQUEL: Hola.
MIGUEL (HIJO): Hola.
RAQUEL: Hola. Ando buscando a una señora, la Sra. Teresa Suárez. ¿La conocen?
MIGUEL: Sí. Es mi abuela.
RAQUEL: Ah. ¿Vive con Uds.?
MIGUEL: Ya no.

ENGLISH NARRATOR: You will not understand every word you hear. Let the actions and the situations guide your understanding.
ELENA: Jaime, ¿qué haces aquí?
JAIME: Ahí está una señorita que busca a la abuela Teresa.
AMIGA: Bueno, yo me marcho, ¿eh?
ELENA: Bien.
MIGUEL: Mamá, esta señorita busca a la abuela.

ENGLISH NARRATOR: At other times, you will hear narration in a more comprehensible Spanish spoken just for you.
GUIDE: Raquel viaja de la Ciudad de México a Sevilla, una ciudad de España. España... un país europeo.

ENGLISH NARRATOR: As you enjoy the story, you will also hear how certain numbers are expressed in Spanish. Pay particular attention to the numbers one through twenty-one, and get a sense of how they sound.
RECEPCIONISTA: Uno, dos, tres, cuatro, cinco, seis,...
JAIME: ...siete, ocho, nueve, diez, once,...
GUIDE: ...doce, trece, catorce, quince, dieciséis, diecisiete, dieciocho, diecinueve, veinte, veintiuno.

ENGLISH NARRATOR: At the end of the episode, Raquel will review some of the story with you.
RAQUEL: Tengo esta carta. ¿Quién le escribió a don Fernando?... ¿La Sra. Suárez?... ¿O la Sra. Ramírez?... La Sra. Suárez le escribió esta carta.

ENGLISH NARRATOR: Sit back now, and relax, as we follow Raquel on her journey. This letter has revealed a secret from the past, and this lawyer, Raquel Rodríguez . . . is on her way from Mexico City to Sevilla, Spain. It is Raquel's mission to find the truth that will put the secret to rest and bring peace to a dying old man. In the chapel of the Hacienda La Gavia, just outside Mexico City, don Fernando Castillo prays for forgiveness. What is the secret of his past that he has so tried to forget?
DON FERNANDO: Rosario, ¿eres tú?
ENGLISH NARRATOR: As a young man in Spain, he met a beautiful woman named Rosario. They fell in love and married on the eve of the Civil War. Fernando thought Rosario had perished in the bombing of Guernica. Having moved to Mexico and remarried, he buried his painful memory and never mentioned her to his family, . . . to his daughter, Mercedes, to his sons, Ramón, Carlos, and Juan, nor to his younger brother, Pedro. This letter says that Rosario had survived the bombing. Raquel's search: to find the letter writer and uncover the truth.

GUIDE: Raquel viaja de la Ciudad de México a Sevilla, una ciudad de España. España... un país europeo. Al norte está Francia... y el Mar Cantábrico. Al oeste está Portugal y el Océano Atlántico. Al sur está África. Y al este, el Mar Mediterráneo... España se compone de diferentes regiones y entre las más conocidas están: Cataluña... el País Vasco... Asturias... Galicia... las dos Castillas... y Andalucía. La investigación de Raquel comienza en Sevilla. Sevilla—una ciudad de iglesias... con el sonido de sus campanadas... y mercados llenos de personas... Los sevillanos... y su exuberante cultura... la Catedral... y la Torre de la Giralda... El Alcázar... y su tradición árabe... Los toros... y la famosa cerámica sevillana. El Hotel Doña María... el hotel donde está alojada Raquel Rodríguez.

GUIDE: ¿Estamos todos? A ver... uno, dos, tres, quatro, cinco, seis, siete, ocho, nueve. ¿Quién falta? ¿Y Juan? ¿Dónde está Juan? ¿Juan?... Bien, ya estamos los diez. Bueno, Sevilla nos espera.

RECEPCIONISTA: Cuatrocientos, uno, dos, tres, cuatro, cinco...
RAQUEL: Perdone.
RECEPCIONISTA: ¿Sí, señorita?
RAQUEL: ¿Ud. sabe dónde está la calle Pureza?
RECEPCIONISTA: Sí. Está en el barrio de Triana.
RAQUEL: ¿Está muy lejos?
RECEPCIONISTA: Un poco.
GUIDE: El recepcionista usa un plano turístico para explicarle a Raquel dónde está la calle Pureza. Los planos turísticos siempre tienen números. Aquí, en este plano de Sevilla, hay quince números... uno, dos, tres, cuatro, cinco, seis, siete, ocho, nueve, diez... y también once, doce, trece, catorce y quince.
RECEPCIONISTA: Estamos aquí, en el número diez. Pase Ud. por la Puerta de Jerez y vaya por esta calle hasta la Torre del Oro. Aquí en el plano es el número once. Siga por esta calle, el Paseo de Cristóbal Colón, hasta aquí. En el plano, es el número doce. Éste es el puente de Isabel II. Entonces, cruce el puente y estará en el barrio de Triana. Ésta es la calle Pureza.
RAQUEL: Gracias.
RECEPCIONISTA: Ah, y otra cosa...
RECEPCIONISTA (VO): ...si desea visitar algunos lugares interesantes e históricos, mire, aquí, el número trece es el mercado. El número catorce es la Capilla de la Esperanza de Triana. Y la Iglesia de Santa Ana está aquí, en el número quince.
RAQUEL: Tiene razón. Me parece un poco lejos.
RECEPCIONISTA: Si no conoce Sevilla, debería de tomar un taxi.
RAQUEL: Gracias.
RECEPCIONISTA: Adiós. Muy bien. Hasta luego. ¡Ah! Llaves, llaves y más llaves. Mi vida no es nada más que llaves. ¡Ah!

RAQUEL: Taxi.
TAXISTA: Buenos días.
RAQUEL: Buenos días. Tengo que ir a la calle Pureza, número veintiuno. ¿Ud. sabe dónde está?
TAXISTA: Sí, claro. Éste es en mi barrio, el barrio de Triana. Suba, por favor.
GUIDE: Y Raquel comienza su búsqueda.

RECEPCIONISTA (VO): Cuatrocientos seis, siete, ocho, nueve, diez, once, doce, trece, catorce y quince. ¡Ah!

TAXISTA: Ud. no es española, ¿verdad?
RAQUEL: No, no. Soy de los Estados Unidos.
TAXISTA: ¿Le gusta Sevilla? Es muy bonita, ¿no?
RAQUEL: Ah, sí. Es preciosa.
TAXISTA: ¿A qué número va en la calle Pureza?
RAQUEL: Al veintiuno.
TAXISTA: ¿Tiene familia allí?
RAQUEL: No, señor.

GUIDE: En la calle Pureza, Raquel y el taxista buscan el número veintiuno, casa de la Sra. Suárez. Pasan por el dieciséis A, el dieciséis B, el diecisiete A, el diecisiete B, el dieciocho A, el dieciocho B, el diecinueve A, el diecinueve B, el veinte A y el veinte B.
RAQUEL: Aquí es, el veintiuno. ¿Me podría esperar unos minutos?
TAXISTA: Sí, claro. Pero tendrá que pagar.
RAQUEL: Por supuesto.
TAXISTA: Cómo se llama la señora que busca?
RAQUEL: La Sra. Teresa Suárez.
TAXISTA: ¡Oiga! ¿Está la Sra. Suárez? ¡Oiga! No contestan. ¿La llevo al hotel?
RAQUEL: No, yo tengo que hablar con esa señora. ¿Puede esperar cinco minutos más?
TAXISTA: Sí, sí, como Ud. quiera.
RAQUEL: Gracias. ¿Ud se llama...?
TAXISTA: Roberto García. ¿Y Ud.?

RAQUEL: Raquel Rodríguez.

DOÑA FLORA: Espérate un momento, por favor.
TAXISTA: ¡Señora! ¡Señora!
DOÑA FLORA: ¿Eh?
TAXISTA: ¿Conoce Ud. a la señora del número veintiuno?
DOÑA FLORA: ¿Eh? ¿Cómo?
TAXISTA: ¿Que si conoce Ud. a la señora del número veintiuno?
DOÑA FLORA: Ah, sí, sí.
TAXISTA: ¿No está en casa?
DOÑA FLORA: ¿Eh?
TAXISTA: ¿No está en casa?
DOÑA FLORA: Ah, no. Ha ido al mercado.
TAXISTA: ¿Y sabe cuándo va a volver?
DOÑA FLORA: No sé. Pero creo que pronto.
TAXISTA: Gracias.
RAQUEL: Si no le importa esperar...
TAXISTA: No. ¡Si no le importa pagar!
DOÑA FLORA: ¡Muchas gracias!

RAQUEL: ...y mi cliente es de México.
TAXISTA: ¡Qué interesante! ¿Cúanto tiempo va a esperar a esa señora?
RAQUEL: ¿Esperamos cinco minutos más?
TAXISTA: Vale. Tengo una idea. Venga.

ENGLISH NARRATOR: The taxi driver begins to tell Raquel about the traditions of Sevilla. One of them is **la Semana Santa,** or Holy Week. And he is proud to tell Raquel about his church, **la iglesia de Santa Ana.**
TAXISTA: Ésta es mi iglesia.
ENGLISH NARRATOR: Roberto takes Raquel inside to show her one of the church's treasured statues, la Virgen de la Esperanza.
TAXISTA: Ésta es la Virgen de la Esperanza. Yo soy hermano en esta cofradía.
ENGLISH NARRATOR: **Cofradías** . . . the brotherhoods of Sevilla. These congregations, representing all the **barrios** of the city, participate in one of the most breathtaking traditions of Spain. **Cofradías,** dressed in costumes dating back to the sixteenth century, take their processions into the streets of Sevilla during la Semana Santa. Sometimes twenty strong, they carry statues of Christ or the Virgin Mary from their church on their shoulders.
TAXISTA: Y así es la Semana Santa en Sevilla.
RAQUEL: ¡Qué emocionante!
TAXISTA: (Whistle) ¡Eh! Chico, ven por favor.
RAQUEL: Hola.
MIGUEL: Hola.
RAQUEL: Hola. Ando buscando a una señora, la Sra. Teresa Suárez. ¿La conocen?
MIGUEL: Sí. Es mi abuela.
RAQUEL: ¡Ah! ¿Vive con Uds.?
MIGUEL: Ya no.
RAQUEL: ¿Y dónde vive ahora?
MIGUEL: Ahora vive en Madrid.
RAQUEL: Ah, en Madrid... ¿Y saben su dirección en Madrid?
MIGUEL: No. Pero la sabe mi madre.
RAQUEL: ¿Y... dónde está tu mamá?
JAIME: Mamá está en el mercado.
RAQUEL: ¿Me pueden llevar allí?
JAIME y MIGUEL: Sí, sí. Vamos.

ENGLISH NARRATOR: Having paid the taxi driver and said goodbye, Raquel and the two boys head for the **Mercado de Triana.** In the **mercado,** Raquel will talk to Elena Ramírez, the boys' mother. She should be able to give Raquel the information about Sra. Suárez.
ELENA: Jaime, ¿qué haces aquí?
JAIME: Ahí está una señorita que busca a la abuela Teresa.

AMIGA: Bueno, yo me marcho, ¿eh?
ELENA: Bien.
MIGUEL: Mamá, esta señorita busca a la abuela.
RAQUEL: Perdone, señora. Soy Raquel Rodríguez, y vengo de los Estados Unidos.
ELENA: Elena Ramírez. Mucho gusto.
RAQUEL: Mucho gusto. Siento mucho molestarla. Pero necesito hablar con la Sra. Suárez.
ELENA: ¿Mi suegra? ¿Por qué?
RAQUEL: Bueno. Es una larga historia. ¿Podríamos hablar unos minutos?
ELENA: Por supuesto que sí.

ENGLISH NARRATOR: As Raquel and Elena look for a place to sit and chat, Jaime is sent off with his older brother, Miguel, to the barber.
ELENA: ...dan mucho trabajo.
RAQUEL: ¿Por qué no nos sentamos? Esta carta se la escribió la señora Suárez a mi cliente, don Fernando Castillo.
RAQUEL (VO): Mi cliente, don Fernando, vive en México. Está gravemente enfermo. Este señor tiene cuatro hijos: Mercedes, su hija y tres hijos, Ramón, Carlos y Juan. Mercedes y Ramón viven con Fernando, pero Carlos vive en Miami y Juan en Nueva York. Todos están muy preocupados por la salud de su padre. La esposa de don Fernando, Carmen, murió. Don Fernando ha revelado últimamente un secreto a su familia. Carmen no fue su única esposa. Él no nació en México. Nació en el norte de España. Antes de la Guerra Civil, conoció a una mujer joven y bella—Rosario. Rosario era amiga de Teresa Suárez. Don Fernando siempre creyó que Rosario había muerto en la guerra. Pero la Sra. Suárez dice que no. Y además, don Fernando cree que tiene un hijo con Rosario.
RAQUEL: ¿Sabe Ud. algo de esto?
ELENA: Todo esto es nuevo para mí.
RAQUEL: ¿La señora Suárez nunca le habló de Rosario o de don Fernando?
ELENA: No. Nunca. Jamás. Posiblemente le haya mencionado algo a mi esposo.
RAQUEL: ¿Podría hablar con su esposo?
ELENA: Por supuesto que sí. ¡Esto es fascinante! Mi esposo ahora está trabajando, pero esta noche puede hablar con él.
RAQUEL: ¿Puedo ir a su casa?
ELENA: Tengo una idea mejor.

ENGLISH NARRATOR: Elena suggests that they meet this evening at her husband's favorite café-bar Giralda. In the meantime, Raquel accompanies Elena to the Barbería Los Pajaritos to pick up Jaime and Miguel.
ELENA: Hola, Pepe.
PEPE: Hola. Buenas.
ELENA: Pepe. Ésta es Raquel Rodríguez, que viene de los Estados Unidos.
PEPE: Mucho gusto.
RAQUEL: Mucho gusto.
PEPE: El gusto es mío.
RAQUEL: ¡Qué curiosos los pajaritos!
PEPE: Sí, sí, sí. Son pajaritos porque cantan mucho y son muy alegres.
RAQUEL: ¿Cuántos tiene Ud. en total?
PEPE: Pues, tengo dos allí, dos allá, y tres allí.
JAIME: ¡Siete! Uno, dos, tres, cuatro, cinco, seis, siete, ocho, nueve, diez, once, doce, trece, catorce, quince, dieciséis, diecisiete, dieciocho, diecinueve, veinte, veintiuno.
ELENA: Perdone, perdone, don Pepe, pero los chicos y yo tenemos que volver a casa. Y Raquel a su hotel. Pues, Raquel, tengo curiosidad por saber toda la historia de Fernando y Rosario. No se olvide. A las seis en La Giralda.
RAQUEL: Por supuesto.
PEPE: Que siga bien. Que siga bien.
ELENA: Buenas.
PEPE: Buenas.

RAQUEL: Tengo esta carta. ¿Quién le escribió a don Fernando?... ¿La Sra. Suárez?... ¿O la Sra. Ramírez?... La Sra. Suárez le escribió esta carta. ¿Vive la Sra. Suárez en Sevilla? No. Vive en Madrid. La Sra. Suárez vive en Madrid. ¿Qué información hay en la carta? Una descripción de la familia Castillo... el secreto de don Fernando... una invitación a Sevilla. El secreto de don Fernando. Antes de hablar del secreto de don Fernando, vamos a repasar quiénes son los miembros de su familia. ¿Cuántos hijos tiene don Fernando? ¿Tres... cuatro... o cinco? Don Fernando tiene cuatro hijos: una hija, Mercedes, y tres hijos, Ramón, Carlos y Juan. ¿Quién vive con don Fernando en México? Mercedes y Ramón viven con don Fernando. ¿Y dónde viven Carlos y Juan? ¿Aquí en España? ¿O en los Estados Unidos? Viven en los Estados Unidos. Carlos vive en Miami... y Juan vive en Nueva York. Entonces, don Fernando tiene cuatro hijos: una hija, Mercedes y tres hijos, Ramón, Carlos y Juan. Mercedes y Ramón viven en México con don Fernando. Pero Carlos y Juan viven en los Estados Unidos. Y doña Carmen, la esposa de don Fernando, es la madre de Mercedes, Ramón, Carlos y Juan. Ella ya murió. Doña Carmen está muerta. ¿Cuál es el secreto que hay en esta carta? ¿Qué es lo que sabe la Sra. Suárez que es tan importante? La primera esposa de don Fernando no murió en la Guerra Civil española... Mercedes no es la hija de don Fernando...La Sra. Suárez es la esposa de Fernando. La primera esposa de don Fernando no murió en la Guerra Civil española. ¿Y cómo se llama la primera esposa de don Fernando? Se llama Rosario. Y Rosario es el gran misterio.

DON FERNANDO (ECHO VO): Rosario...

Episodio 4

Perdido (*Lost*)

ENGLISH NARRATOR: Welcome to *Destinos: An Introduction to Spanish.* As our story unfolds, most of what you hear will be in conversational Spanish.
MIGUEL (PADRE): Bueno, es un poco tarde, tenemos que irnos.
ELENA: Sí, es tarde, es verdad.
MIGUEL (PADRE): Camarero, por favor.

RECEPCIONISTA: Hay un mensaje para Ud., señorita.
ENGLISH NARRATOR: You will not understand every word you hear. Let the actions and the situations guide your understanding.
RAQUEL: Tengo que hacer una llamada de larga distancia. Tengo que llamar a México.
RECEPCIONISTA: Eh, muy bien. ¿Adónde?
RAQUEL: A la Ciudad de México.

ENGLISH NARRATOR: At other times, you will hear narration in Spanish that is spoken just for you.
GUIDE: Miguel va al Colegio de San Francisco de Paula. Miguel es un buen estudiante. Estudia mucho.
ENGLISH NARRATOR: As you enjoy the story, you will also learn the names of certain school subjects in Spanish.
GUIDE: Historia... matemáticas... ciencias naturales... religión... lengua española... inglés y educación física.
RAQUEL: Tu mamá dice que tienes siete asignaturas. ¿Qué materia te gusta más?
MIGUEL (HIJO): Bueno, realmente me gustan todas. Pero la verdad es que mis favoritas son las ciencias naturales.
RAQUEL: Tengo unos minutos y voy a apuntar...

ENGLISH NARRATOR: At the end of the episode, Raquel will review some of the story with you.

RAQUEL: Primero, ¿cómo se llama el esposo de Elena?
MIGUEL (PADRE): Hola. Yo me llamo Miguel.
RAQUEL: Se llama Miguel.

ENGLISH NARRATOR: Sit back now, and relax, as we join Raquel on her journey through Spain.

ELENA: ¡Jaime!
RAQUEL: ¡Jaime!
ELENA: ¡Jaime!
JAIME: ¡Osito!

ENGLISH NARRATOR: This is Sevilla, a city in southern Spain. This is Raquel Rodríguez, a lawyer from southern California.
TAXISTA: Ud. no es española, ¿verdad?
RAQUEL: No, no. Soy de los Estados Unidos.

ENGLISH NARRATOR: Why is Raquel here? What has brought her to Spain, and to Sevilla?
MIGUEL: Esta señorita busca a la abuela.
RAQUEL: Esta carta se la escribió la Sra. Suárez a mi cliente, don Fernando Castillo.
RAQUEL (VO): Mi cliente, don Fernando, vive en México. Está gravemente enfermo. Antes de la Guerra Civil, conoció a una mujer joven y bella—Rosario. Rosario era amiga de Teresa Suárez. Don Fernando siempre creyó que Rosario había muerto en la guerra. Pero la Sra. Suárez dice que no. Y además, don Fernando cree que tiene un hijo con Rosario.
RAQUEL: ¿Sabe Ud. algo de esto?
ELENA: Todo esto es nuevo para mí.
RAQUEL: ¿La Sra. Suárez nunca le habló de Rosario o de don Fernando?
ELENA: No. Nunca. Jamás.

ENGLISH NARRATOR: And so Raquel must now talk to Miguel Ruiz, Elena's husband, and son of

Teresa Suárez.
RAQUEL: Hola, Elena.
ELENA: Éste es mi esposo, Miguel Ruiz.
RAQUEL: Mucho gusto, Miguel.
MIGUEL (PADRE): Mucho gusto.
MIGUEL (HIJO): Hola, Raquel.
MIGUEL (PADRE): ¿Qué va a tomar ? ¿Un vino? ¿Una cerveza? Aquí sirven un fino estupendo.
RAQUEL: ¿Un fino?
MIGUEL (PADRE): Sí, el jerez es un vino fino.
RAQUEL (VO): Un fino está bien.
MIGUEL (PADRE): ¡Oiga! Un fino para la señorita, por favor.

GUIDE: La especialidad de la casa es la tortilla española. La tortilla española se hace con patatas, huevos y cebolla. Primero se calienta el aceite y después se fríen las cebollas.
MIGUEL (HIJO): ¿Papá?
MIGUEL (PADRE): ¿Sí?
MIGUEL (HIJO): ¿Podemos salir?
MIGUEL (PADRE): Sí, pero cuida a tu hermano, ¿eh?
GUIDE: Se agrega sal a los huevos y éstos se baten. Se mezcla todo junto y se fríe. Se voltea la tortilla y se acaba de cocinar. Se corta y se sirve.
MIGUEL (PADRE): Gracias. Pruebe la tortilla.
RAQUEL: Mmm, ¡está rica!
ELENA: Tome unas aceitunas.
RAQUEL: Gracias. Mmmm. Miguel, ¿Elena le ha contado lo de la carta?
MIGUEL (PADRE): Sí, y además ya hablé con mi madre por teléfono.

ENGLISH NARRATOR: Earlier in the day, Miguel had called his mother to tell her about Raquel's investigation.
MIGUEL: Aquí está una señorita de los Estados Unidos. Tiene una carta tuya que le escribiste a un señor en México.
RAQUEL: ¿Y qué dijo? ¿Mencionó algo de Rosario?
MIGUEL (PADRE): Realmente, no.
RAQUEL: ¿Dijo algo de mi cliente don Fernando?
MIGUEL (PADRE): No, no dijo nada.
RAQUEL: Mi cliente don Fernando quiere saber qué pasó con Rosario. ¿Podría yo hablar por teléfono con su madre?
MIGUEL (PADRE): No creo. Mi madre prefiere que Ud. vaya a Madrid.

MIGUEL: ¿Quieres que te llame por teléfono?
SRA. SUÁREZ: Dile que me visite a Madrid.
MIGUEL: ¿A Madrid? Pero, Mamá...
SRA. SUÁREZ: Nada de «peros». Dile a esa señorita que vaya a verme a Madrid.
RAQUEL: ¿A Madrid? Entonces tengo que ir.
MIGUEL (PADRE): Pues, si está de viaje...
RAQUEL: Voy a ver si puedo salir para Madrid mañana.
MIGUEL (PADRE): Mañana, no.
RAQUEL: ¿Por qué no?
MIGUEL (PADRE): Porque mi madre no está ahora en Madrid.
RAQUEL: ¿Dónde está?
MIGUEL (PADRE): En Barcelona, con uno de mis hermanos.
RAQUEL: ¿Y cuándo regresa a Madrid?
MIGUEL (PADRE): Pasado mañana.
RAQUEL (VO): Pasado mañana.

ENGLISH NARRATION: The day after tomorrow is the day Raquel will finally meet Teresa Suárez, and discover the truth about Rosario. Raquel says she will travel by plane to Madrid.
MIGUEL: ¿Avión? No, no. Debe tomar el tren.
ELENA: Ah, sí, es verdad. Para conocer España debe viajar en tren.
MIGUEL (PADRE): Bueno, es un poco tarde, tenemos que irnos.
ELENA: Sí, es tarde, es verdad.

MIGUEL (PADRE): Camarero, por favor. ¿Cuánto es?
CAMARERO: Mil doscientas. Muchas gracias.
MIGUEL: Gracias.
ELENA: ¿Piensa volver al hotel ahora?
RAQUEL: Sí. Pensaba tomar un taxi.
MIGUEL: Nada de taxi. Vamos a caminar. El aire está fresco.

ENGLISH NARRATOR: It's a beautiful night in Sevilla—and even though it's eight o'clock, people are out shopping. Young Miguel remembers something he needs for school.
MIGUEL (HIJO): Mamá, ¿me das doscientas pesetas para comprar una carpeta?
ELENA: Sí, hijo. ¿Para qué la necesitas?
MIGUEL: Para clases de matemáticas.
RAQUEL: ¿En qué año está Miguel?
ELENA: Está en octavo.

GUIDE: Miguel va al Colegio de San Francisco de Paula. Él tiene siete asignaturas: historia... matemáticas... ciencias naturales... religión... lengua española... inglés y educación física.
RAQUEL: Tu mamá dice que tienes siete asignaturas. ¿Qué materia te gusta más?
MIGUEL (HIJO): Bueno, realmente me gustan todas. Pero la verdad es que mis favoritas son las ciencias naturales.
RAQUEL: ¿Ciencias naturales? ¿Quieres ser científico?
MIGUEL (HIJO): Sí, me gustan mucho todas las ciencias.
ELENA: Miguel es muy serio, y es muy buen estudiante.

GUIDE: Como dice Elena, Miguel es muy buen estudiante. El sistema de calificación de los exámenes es de diez puntos. Una nota de diez puntos es excelente. Una nota de cero, uno o dos es muy mala. Diez... matrícula de honor; nueve... sobresaliente; siete a ocho... notable; seis... bien; cinco... suficiente; tres a cuatro... insuficiente; cero, uno, dos... deficiente. Miguel siempre saca buenas notas en sus exámenes finales.
RAQUEL: Jaime, ¿y tú, en qué año estás?
JAIME: Estoy en el primer año.
GUIDE: Jaime también asiste al Colegio de San Francisco de Paula. Él tiene seis asignaturas: lengua española... religión... ciencias naturales... matemáticas... ciencias sociales... y educación física. Su materia favorita es la educación física.
RAQUEL: ¿Y eres buen estudiante?
JAIME: Sí, pero no me gusta mucho la escuela.
RAQUEL: ¿No quieres ser científico como tu hermano?
JAIME: No. Quiero ser guía turístico como mi papá.

HOMBRE CIEGO: Me quedan ocho iguales para ...
ENGLISH NARRATOR: On their way to Raquel's hotel, the boys see a man selling lottery tickets and decide to buy one.
MIGUEL (HIJO): ¿Mamá, podemos comprar un cupón?
ELENA: Sí, cómo no.
MIGUEL (HIJO): ¿Me da todo de uno, por favor.

ENGLISH NARRATOR: After the Ruiz family and Raquel enjoy their stroll, they arrive at Raquel's hotel, where Elena suggests that Raquel join them the next day for their trip to the pet fair.
ELENA: Raquel, mañana vamos al mercadillo de animales. ¿Quiere venir?
MIGUEL: Sí, claro. ¿Le gustan los animales?
RAQUEL: Por lo general, me gustan mucho. Sobre todo los perros.
MIGUEL (PADRE): Bueno, pues, vamos todos.
RAQUEL: ¡De acuerdo!
ELENA: ¿Por qué no pasamos por Ud. a las diez de la mañana? ¿Vale?
RAQUEL: Perfecto.
MIGUEL (PADRE): Hasta mañana.
RAQUEL: Hasta mañana y muchas gracias por todo.
ELENA: Hasta mañana, Raquel.
RAQUEL: Hasta mañana. Mucho gusto, Miguel, y gracias de nuevo.
MIGUEL (HIJO): Ha sido un placer. Hasta mañana.

ELENA: Dale un beso a Raquel.
RAQUEL: Adiós, Jaime. Hasta mañana.
JAIME: Adiós.

RAQUEL: Quiero la llave de la habitación cuatrocientos quince, por favor.
RECEPCIONISTA: Muy bien, señorita. Hay un mensaje para Ud., señorita.
RAQUEL: Ah, gracias. Tengo que hacer una llamada de larga distancia. Tengo que llamar a México.
RECEPCIONISTA: Eh, muy bien. ¿Adónde?
RAQUEL: A la Ciudad de México.
RAQUEL: El número es dos...
RECEPCIONISTA: Dos...
RAQUEL: Veintiuno...
RECEPCIONISTA: Veintiuno...
RAQUEL: Treinta...
RECEPCIONISTA: Treinta...
RAQUEL: Doce...
RECEPCIONISTA: Doce...
RAQUEL: Está bien. Muchas gracias. ¿Bueno? Ah, sí, sí, gracias.
PEDRO: Hola, Raquel. ¿Me oyes?
RAQUEL: Hola, Pedro. ¿Cómo estás?
PEDRO: Sí, muy bien, Raquel, ¿y tú? ¿Cómo va todo?
RAQUEL: Pues, yo estoy bien. Pero la Sra. Suárez ya no vive en Sevilla. Vive en Madrid con uno de sus hijos.
PEDRO: ¿Vas a Madrid, entonces?
RAQUEL: Sí. Pero no mañana. Resulta que la Sra. Suárez está en Barcelona con otro de sus hijos.
PEDRO: Sí, sí, sí, sí. Comprendo. No hay ningún problema. Ve a Madrid y llámame cuando puedas.
RAQUEL: Por supuesto, Pedro.
PEDRO: Muy bien. Pues, que disfrutes tu estancia en España.
RAQUEL: Gracias, Pedro. Saludos a don Fernando.
PEDRO: Gracias, Raquel, muy bien. Hasta luego.
RAQUEL: Hasta luego, Pedro.

DON FERNANDO (ECHO VO): Perdóname, Rosario. Perdóname.

RAQUEL (VO): ¿La Sra. Suárez nunca le habló de Rosario o de don Fernando?
ELENA: Nunca. Jamás.
SRA. SUÁREZ: Dile que me visite a Madrid.
MIGUEL (PADRE): ¿A Madrid?
SRA. SUÁREZ: Dile a esa señorita que vaya a verme a Madrid.

DON FERNANDO (ECHO VO): Rosario...

GUIDE: Al día siguiente, Raquel y la familia Ruiz van al mercadillo de los animales en la Plaza Alfalfa. Allí venden animales de todo tipo: peces tropicales y pájaros... como canarios, loros y patitos. También venden tortugas, gatos y por supuesto, perros.
JAIME: Mira este perrito, Mamá.
MIGUEL (PADRE): ¿Cuánto vale este perro?
VENDEDOR: Cinco mil pesetas.

ENGLISH NARRATOR: As in many open air markets in Spain and other countries, it is expected that some bargaining will take place. In the **mercadillo de animales,** Miguel bargains with the pet owner.
MIGUEL (PADRE): Me parece enfermo. Tres mil ochocientas.
ENGLISH NARRATOR: . . . and finally, they agree on a price.
VENDEDOR: Se lo dejo en cuatro mil.
MIGUEL (PADRE): Cuatro mil está bien.
RAQUEL: ¿Y cómo se llama tu perro, Jaime? Tienes que ponerle un nombre.
JAIME: No sé.
MIGUEL: ¿Por qué no le pones Einstein?
JAIME: ¿Einstein? Ése no es nombre de perro. Le voy a poner Osito.

RAQUEL: Osito me gusta mucho. Es un buen nombre, me parece muy apropiado.
MIGUEL (PADRE): A ver si lo cuidas bien, ¿eh? Tener un perro es una gran responsabilidad.
JAIME: Sí, Papá.
RAQUEL: Y ahora, ¡a celebrar! ¿Por qué no vamos a esa pastelería de allí?

GUIDE: Raquel y la familia Ruiz entran en la pastelería del mercado. En este lugar, se venden pasteles de todo tipo, y también unos muy especiales en formas de peces... pájaros... gatos... y perros.
MIGUEL (PADRE): Jaime, Osito no puede entrar. Debes atarlo bien a este poste.
JAIME: Sí, Papá.
ELENA: Yo no quiero pastel, ¿eh?
MIGUEL (PADRE): Ah, ya empezamos. ¿Tú quieres?
MIGUEL (HIJO): Yo de nata.
MIGUEL (PADRE): Nata, ¿y tú?
JAIME: ¿Hay de fresa?
ELENA: Fresa.
MIGUEL (PADRE): Pues, ya la tendrás.
ELENA: Yo, nada.
MIGUEL (PADRE): ¿Vamos?
MIGUEL (PADRE): Hasta ahora, Osito. Por favor, no pones... Gracias.
VENDEDOR: Gato, gato. ¿Quién quiere un gato? Un gatito barato.

ELENA: ¿Se fijó en Miguel, «el científico»?
RAQUEL: Sí, quería ponerle Einstein al perro. Me dio tanta risa.
ELENA: Pues, ya que estamos aquí, voy a comprar pan para la cena. ¿Me espera un momento?
RAQUEL: Claro, cómo no.

MIGUEL (PADRE): Mira. ¡Perro... Osito!
JAIME: Hola, Osito.
MIGUEL (PADRE): Ay, qué solito ha estado. Ya estamos aquí.

RAQUEL: Tengo unos minutos y voy a apuntar algunas cosas en mi cuadernito. Primero, ¿cómo se llama el esposo de Elena?
MIGUEL (PADRE): Hola. Yo me llamo Miguel.
RAQUEL: Se llama Miguel.
MIGUEL (PADRE): Soy esposo de Elena y soy también hijo de Teresa Suárez.
RAQUEL (VO): ¿Sabe Miguel algo de Rosario? ¿Qué tengo que hacer para hablar con la madre de Miguel?
MIGUEL: ¿Quieres que te llame por teléfono?
SRA. SUÁREZ: Dile que me visite a Madrid.
RAQUEL (VO): Tengo que ir a Madrid. ¿Qué me recomienda Miguel? ¿Debo ir en avión? ¿O debo ir en tren? Según la recomendación de Miguel, debo ir en tren.

RAQUEL: Para resumir, el hijo de la Sra. Suárez se llama Miguel. Miguel no sabe nada de Rosario. Su madre insiste en hablar conmigo personalmente. Entonces, tengo que ir a Madrid. Miguel, que es guía turístico, dice que debo ir en tren. También he conversado con Miguel, Elena y sus dos hijos. ¿Recuerdan algo de Miguel? ¿Qué asignatura prefiere? ¿Historia o ciencias naturales? Miguel prefiere ciencias naturales. Y Jaime, ¿también prefiere las ciencias? No. Jaime prefiere la educación física. En total, Miguel tiene siete asignaturas: historia... matemáticas... ciencias naturales... religión... lengua española... inglés y educación física. En cambio, Jaime tiene seis asignaturas porque la primaria es diferente. Él estudia: lengua española... religión... ciencias naturales... matemáticas... ciencias sociales y educación física. Los dos son buenos muchachos, ¿no creen? Ah, y el mercadillo de los animales. Lo más interesante de hoy. ¿Qué tipo de animal compró Jaime? ¿Un pájaro... un pez... un gato... o un perro? Jaime compró un perro. ¿Y cómo se llama el nuevo perro de Jaime? ¿Osito o Einstein? Se llama Osito.
MIGUEL (PADRE): Bien, háblenos, Osito.
VENDEDOR: ¿Quién quiere un gato? Un gatito barato. ¡Ay, ay, el gato! ¡Eh, oye, gato!
MIGUEL (PADRE): ¡Osito! Ven aquí.
ELENA: ¡Miguel, Miguel! ¿Por qué corres? ¡Miguel!
RAQUEL: ¡Elena!
ELENA: Espera un momento.

MIGUEL (PADRE): ¡Jaime, Jaime!
ELENA: ¡Jaime… Jaime!

JAIME: ¡Osito!
ELENA: ¡Jaime, Jaime! ¡Jaime, Jaime!
RAQUEL: ¡Jaime!
ELENA: ¡Jaime!
RAQUEL: Elena, creo que se ha perdido.
JAIME: ¡Osito!

Episodio 5

La despedida (*The Farewell*)

ENGLISH NARRATOR: Welcome to the fifth episode of *Destinos: An Introduction to Spanish.* As you know, much of what you will hear is in conversational Spanish.
ELENA: ...por esta calle y Ud., vaya por esa.
RAQUEL: Sí, sí. Pero espere... ¿Dónde nos encontramos?
ELENA: En la Giralda, a las once y media.

ENGLISH NARRATOR: You should not be concerned about understanding every word. Let the actions and the situations help you follow the story.
RAQUEL: ¿Has visto un perrito negro, así de este tamaño?
JOVEN: No, no lo ví.
RAQUEL: También estoy buscando a un niño. Tiene seis años... así de alto. ¿Lo has visto?
JOVEN: Sí, por allí.

ENGLISH NARRATOR: At various times, you will hear Spanish that is spoken just for you and you should try to understand as much of it as you can.
GUIDE: Al día siguiente, Raquel y la familia Ruiz llegan a la estación de tren. Son las once y cinco de la mañana.
ENGLISH NARRATOR: You will also learn how days of the week are expressed in Spanish.
GUIDE: Lunes... martes... miércoles... jueves... viernes... sábado... domingo.
ENGLISH NARRATOR: In addition, you will also learn how to express time in Spanish.
MIGUEL (PADRE): ...las once y media.
CARLITOS: Ahora, ¿qué horas son? Ahora son las tres.
RAQUEL: ¿Dónde está Jaime?
ENGLISH NARRATOR: Now sit back and relax as we join Raquel in Spain.
RAQUEL: ¡Jaime!

ENGLISH NARRATOR: It's early Sunday morning and the pet market is already crowded. Raquel is here as a guest of this family. They invited her to join them as they shop for a dog for their youngest son.
MIGUEL (PADRE): ¿Cuánto vale este perro?
ENGLISH NARRATOR: Miguel Ruiz is the son of Teresa Suárez. Yesterday he informed Raquel that he knew nothing about the letter . . . and that he had called his mother to tell her about Raquel .
MIGUEL (PADRE): Aquí está una señorita de los Estados Unidos. Tiene una carta tuya que le escribiste a un señor en México.
ENGLISH NARRATOR: Tomorrow Raquel will travel to Madrid . . . to finally meet the woman who has changed Fernando Castillo's life. While relaxing and enjoying a snack at the **mercadillo de animales**, something unexpected happened.
MIGUEL (PADRE): ¡Osito! Ven aquí.
ELENA: ¡Miguel, Miguel!
ELENA: ¡Jaime, Jaime! ¡Jaime!
RAQUEL: ¡Jaime!

GUIDE: En México, Pedro le dice a Fernando que Teresa Suárez ya no vive en Sevilla.
PEDRO: Todavía no. Resulta que la señora Suárez ya no vive en Sevilla. Está en Madrid con otro de sus hijos.
DON FERNANDO: Entonces, ¿Raquel tiene que ir a Madrid?
PEDRO: Por supuesto. Sale mañana...
DON FERNANDO: Uh, huh.
PEDRO: ...y me va a llamar después de hablar con la Sra. Suárez.
DON FERNANDO: Mmm, mmm, está bien, Pedro. Gracias.

GUIDE: Con estas noticias de Raquel, Fernando piensa en estos últimos días.
DON FERNANDO: No te preocupes.
GUIDE: Lunes (*Monday*),... el doctor viene a La Gavia.
JULIO: ¿Fernando?
DON FERNANDO: Hola, Julio. Te estaba esperando.

JULIO: ¿Y cómo estás esta mañana?
DON FERNANDO: Como siempre, estupendo.
JULIO: Tus hijos están preocupados.
DON FERNANDO: ¿Mis hijos? Sí, sí. Mis hijos.
GUIDE: Martes,... los hijos de Fernando llegan a La Gavia.
GUIDE: Miércoles,... Fernando revela su secreto.
DON FERNANDO: Ya saben Uds. el motivo de esta reunión. Es posible que tenga otro hijo. Pedro, necesito tu ayuda.
GUIDE: Jueves,... Raquel acepta este trabajo especial.
PEDRO: Gracias, Raquel. Esto es muy importante para mí.
RAQUEL: No hay de qué. Bueno, ya me voy. Debo repasar la información sobre la familia.
PEDRO: Bien.
GUIDE: Viernes,... Raquel viaja a España. Sábado,... Raquel comienza a buscar a Teresa Suárez.
ELENA: Éste es mi esposo, Miguel Ruiz.
RAQUEL: Mucho gusto.
MIGUEL (PADRE): Mucho gusto.
MIGUEL (HIJO): Hola, Raquel.
MIGUEL (PADRE): ¿Qué va a tomar ?
GUIDE: Domingo,... el día del mercadillo de los animales.
JAIME: Mira este perrito, Mamá.
MIGUEL (PADRE): ¿Cuánto vale este perro?
RAQUEL: ¿Y cómo se llama tu perro, Jaime? Tienes que ponerlo un nombre.
JAIME: No sé.
ELENA: Yo voy por esta calle y Ud., vaya por esa.
RAQUEL: Sí, sí. Pero espere... ¿Dónde nos encontramos?
ELENA: En la Giralda, a las once y media.
RAQUEL: Sí, sí, pero, ¿dónde está la Giralda?
ELENA: Allí, en aquella torre.
RAQUEL: De acuerdo. ¡Buena suerte!
GUIDE: Jaime corre por las calles.
JAIME: ¡Osito! ¡Osito!
GUIDE: Le pregunta a un niño si ha visto a su perro.
JAIME: ¿Has visto un perrito negro?
GUIDE: Raquel le pregunta a un niño si ha visto a Jaime.
RAQUEL: ¿Has visto un perrito negro, así de este tamaño?
JOVEN: No, no lo vi.
RAQUEL: También estoy buscando a un niño. Tiene seis años... así de alto. ¿Lo has visto?
JOVEN: Sí, por allí.
RAQUEL: ¡Ah! Gracias.
GUIDE: Las calles están desiertas...
RAQUEL: ¡Jaime!
JAIME: ¡Osito!
RAQUEL: ¡Jaime!
JAIME: ¡Osito! Osito,... ven aquí...

GUIDE: La Plaza de las Tres Cruces... Un señor llega y encuentra una sorpresa.
HOMBRE CIEGO: Oiga. ¿Quién es? ¿Quién anda por allí? ¿Qué es esto? ¡Ah! Un perro. ¡Dios mío! ...y tan amistoso... Ja.

CARLITOS: ¡Ah¡ Es muy temprano Maricarmen. Son las seis de la mañana. Mira... ten cuidado... Son las seis de la mañana, mira.
MARICARMEN: No sé cómo decir la hora, Carlitos. Enséñame a decir la hora.
CARLITOS: A ver... préstame para decirlo.
MARICARMEN: No.
CARLITOS: Bueno. A ver, vamos a ver... ¿Qué horas son aquí ahora?
JUANITA: Yo sé, yo sé. Son las... ¡tres!
CARLITOS: Mm, mm. No. Son las tres y cuarto. Y ahora vamos a ver qué horas son aquí... Déjame ver... ahí, a ver... ¿Ahora qué horas son? ¿Quién sabe? Ahora son las tres. Y ahora Uds. Vamos a ver qué horas son aquí. Ahora, ¿qué horas son? Ahora son las cuatro. Ahora miren. Vamos a ver... Ahora así, son las cuatro y cuarto. Eh, ¿me entienden? ¡Ahora, son las cuatro y media! ¿Ya?

Ahora, vamos a ver... ahora, cinco menos cuarto, ¿me entienden?
MARICARMEN y JUANITA: Sí, sí.
MARICARMEN: Enséñanos más.
JUANITA: Sí, enséñanos más, Carlitos. ¿Sí?
CARLITOS: Vamos a ver... ahora, ¿qué horas son, Juanita?
JUANITA: Es... la una y cuarto.
CARLITOS: Bien, ahora así... vamos a ver... ¿qué horas son?
MARICARMEN: La una y media.
CARLITOS: Bien.
CARLOS: ¿Por qué están haciendo tanto ruido? ¿Saben qué horas son?
CARLITOS: No.
CARLOS: Son las seis de la mañana. ¡Por dios! ¡Deberían estar durmiendo!
JUNTOS: Sí, Papá.

MIGUEL (PADRE): ...las once y media... y éstos sin aparecer. Vamos, Miguel.
RAQUEL: Son las once y media. Debo ir a la Giralda. ¡Dios mío! ¿Dónde está Jaime? ¡Jaime!
JAIME: ¡Osito! ¡Osito! ¡Osito! ¡Osito!... Osito.
RAQUEL: Ah, ¡Jaime! Te hemos buscado por todo el barrio de Santa Cruz... Ah, ¿dónde encontraste a Osito?
JAIME: Este señor lo encontró.
RAQUEL y HOMBRE CIEGO: Ja, ja.
RAQUEL: Muchas gracias, señor. Estábamos todos muy preocupados.
HOMBRE CIEGO: No hay de qué. Realmente fue el perro que me encontró a mí. ¿Es Ud. la madre de este niño?
RAQUEL: No, no. Soy una amiga de la familia.
HOMBRE CIEGO: ...quedan ocho iguales para hoy—¡Oiga! ¡Los últimos!
RAQUEL: ¿Vende Ud. lotería?
HOMBRE CIEGO: Pues, claro. ¿Ud. no es de aquí, verdad?
RAQUEL: No. Soy de los Estados Unidos, de California. ¿Y hoy no vende?
HOMBRE CIEGO: ¿Hoy? ¡Qué va! Hoy es domingo.
RAQUEL: Y los domingos, ¿no le gusta vender?
HOMBRE CIEGO: Ja, ja. No es eso. Es que está prohibido vender la lotería los domingos.
RAQUEL: Ah, ¿sí? En California es diferente. Ahí se puede comprar un billete de lotería cualquier día de la semana.
HOMBRE CIEGO: ¿Y allí la lotería es para los ciegos?
RAQUEL: ¿Para los ciegos? Pues, no...
ENGLISH NARRATOR: One of the most interesting as well as important features of the Spanish lottery is that tickets can be purchased from an organization called O.N.C.E.
HOMBRE CIEGO: ...me encontró a mí.
RAQUEL: ¿Once? ¿Por qué se llama once?
HOMBRE CIEGO: O.N.C.E. quiere decir Organización Nacional de Ciegos Españoles. Es una organización muy importante en nuestro país.
RAQUEL: ¿Y Uds. controlan la lotería?
HOMBRE CIEGO: Sí. Tenemos la venta exclusiva del cupón.
ENGLISH NARRATOR: The man tells Raquel where and when he sells his tickets.
HOMBRE CIEGO: Los lunes, martes, miércoles, jueves y viernes, estoy en la calle Sierpes de las ocho de la mañana hasta la una. Después de la siesta, a las cuatro de la tarde, vuelvo y vendo hasta las ocho u ocho y media de la tarde.
RAQUEL: Perdone, señor, pero tenemos que irnos. Tus padres nos esperan en la Giralda.
HOMBRE CIEGO: Oye, chico. Ten cuidado con tu perro. Recuerda que tener un perro es una gran responsabilidad.
JAIME: Sí, señor.
RAQUEL: Ah, gracias, señor. Ha sido un placer conversar con Ud.
HOMBRE CIEGO: El gusto es mío, señorita.
RAQUEL: ¡Adiós!
HOMBRE CIEGO: Adiós.

GUIDE: Raquel y Jaime llegan tarde a la Torre de la Giralda. Ya son las doce.
RAQUEL: ¡Ay, no veo a tus padres!
JAIME: Yo tampoco.

RAQUEL: Parece que ese señor vende caramelos. ¿Quieres?
JAIME: ¡Mmm!
RAQUEL: Bueno, pero espérame aquí. No te muevas de aquí, ¿entiendes? No quiero que te pierdas otra vez.
VENDEDOR DE CARAMELOS: Pipas, caramelos, palomitas, alcahueces, chochetes. Buenos caramelos! Caramelos de goma.
RAQUEL: Hola.
VENDEDOR DE CARAMELOS: ¿Desea algo, señorita?
RAQUEL: Sí, quiero una bolsa de caramelos.
VENDEDOR DE CARAMELOS: ¿De qué desea Ud? ¿Aquí? ¿aquí?
RAQUEL: Ésta. ¿Cuánto cuesta ésta?
VENDEDOR DE CARAMELOS: Cien pesetas.
RAQUEL: Cien pesetas...
VENDEDOR DE CARAMELOS: De cinco mil...
RAQUEL: Gracias. ¡Ah! Mi bolsa.
VENDEDOR DE CARAMELOS: Nada. No hay de qué. ¡Pipas! ¡Caramelos! ¡Chocolatinas!
RAQUEL: ¡Jaime! ¡Jaime! Ah, allí está. Jaime...
NIÑO: No, no soy Jaime.
ELENA: ¡Jaime! ¡Jaime!
MIGUEL (PADRE): ¡Por Dios, hijo! ¿Dónde te habías metido? Anda, Osito, no sabéis el susto que nos habéis dado. Oye, Raquel, ¿dónde está?
JAIME: Raquel está comprando unos caramelos.
MIGUEL (PADRE): Ajá. ¡Vaya, por Dios!
ELENA: No la veo.
MIGUEL (padre e hijo): Ni yo.
MIGUEL (PADRE): ¿Se fue hace mucho?
JAIME: No.
ELENA: Allí está.
RAQUEL: ¡Ah, Dios mío! Yo pensaba que Jaime se había perdido otra vez.
JAIME: No, Raquel. Ud. se había perdido. ¿Y dónde están mis caramelos?
MIGUEL (PADRE): ¡Jaime!
RAQUEL: Jaime, me causas tantos problemas, y ahora quieres dulces. Toma... y en el futuro...
ELENA: ¿Y qué hacemos ahora?
MIGUEL (PADRE): ¿Por qué no llevamos a Raquel a dar un paseo por el Alcázar?
RAQUEL: ¿Al Alcázar?
ENGLISH NARRATOR: The Alcázar . . . the Palace of Sevilla . . . was built by the Moors in the eleventh century and was rebuilt by Pedro el Cruel in the mid-fourteenth century. At various times, the Alcázar was expanded by different monarchs, including Isabel and Fernando . . . and Carlos V (quinto).
MIGUEL (PADRE): ...esta muralla fue construida por los árabes...
ENGLISH NARRATOR: All across southern Spain, vestiges of the Moorish expansion into Europe can be found. Moorish architecture is stunningly exemplified in Granada . . . home of the Alhambra . . . the last Moorish stronghold in Spain. And in Córdoba . . . there is the Mezquita with its beautiful array of arches and ceilings.
ELENA: Miguel, ya es la una, no podemos entrar.
GUIDE: Es la una y no pueden entrar al Alcázar. Entonces, la familia acompaña a Raquel a su hotel... y más tarde, van al restaurante Río Grande... donde disfrutan de un plato típico de España.
MIGUEL (PADRE): Aquí está la paella.
GUIDE: La paella.
RAQUEL: ¡Se ve riquísima! ¡Mmm!
GUIDE: Después de esa magnífica cena, Raquel vuelve a su hotel. Mañana sale para Madrid, donde finalmente va a conocer a la Sra. Suárez. Al día siguiente, Raquel y la familia Ruiz llegan a la estación de tren. Son las once y cinco de la mañana. La estación de tren está llena de gente. Como Raquel, muchos van a Madrid.
RAQUEL: Quisiera un billete para Madrid en el rápido de las once y media, por favor.
ELENA: Cuando vuelva a Sevilla, recuerde que aquí tiene amigos ¿vale?
RAQUEL: Gracias, Elena. Han sido muy amables.
MIGUEL (PADRE): Aquí tiene la dirección y el número de teléfono de mi madre.
RAQUEL: ¿El rápido?
MIGUEL (PADRE): Sí, sí, sí, el rápido. Este vagón no es... Es no fumador, ¿no?

RAQUEL: Sí, no fumador.
MIGUEL (PADRE): Pues entonces, seguramente es el siguiente. Aquí está.
RAQUEL: Bueno, pues nuevamente, muchas gracias por todo.
ELENA: Vuelva pronto.
RAQUEL: Gracias. Adiós, Jaime. Adiós. Gracias.
MIGUEL (HIJO): ¡Ah, Raquel! Casi se me olvida.
GUIDE: Miguel tiene algo para su abuela, la Sra. Suárez. Es una fotografía.
MIGUEL (PADRE) y ELENA: Adiós.
MIGUEL (PADRE): Jaime, ven aquí.
ELENA: ¡Jaime!
MIGUEL (HIJO): Adiós.
ELENA: Adiós, Raquel.
MIGUEL (PADRE): Adiós. ¡Jaime!

RAQUEL: Bueno, ahora voy a Madrid. La Sra. Suárez no vive en Sevilla y yo tengo que ir a Madrid para hablar con ella personalmente. Bueno, estos últimos días en Sevilla han sido inolvidables. ¿No creen?
MIGUEL (PADRE): ...bien a este poste.
RAQUEL (VO): ¿Recuerdan Uds. el episodio con el perro Osito?
MIGUEL (PADRE): ¡Osito!
RAQUEL (VO): Osito se escapa y uno de los hijos de Miguel y Elena lo va a buscar y se pierde. ¿Quién se pierde? ¿Jaime o Miguel? Jaime se pierde.
ELENA: ¡Jaime!
RAQUEL (VO): Lo buscamos por todas partes. Por fin yo lo encuentro. Jaime está hablando con una persona... una persona que vende algo. ¿Qué vende este señor? ¿Vende cupones de la lotería o vende caramelos? El señor vende cupones de la lotería. A las once y media, Jaime y yo vamos a la Catedral a buscar a sus padres, pero Jaime se pierde otra vez. ¿En dónde busco a Jaime? ¿En la Catedral o en el Alcázar? Busco a Jaime en la Catedral. Por fin encuentro a la familia de Jaime en frente de la Catedral y vamos a un lugar histórico. ¿Adónde vamos? Vamos al Alcázar. El Alcázar es un lugar histórico de la época árabe. Pero el Alcázar está cerrado los domingos después de la una.
RAQUEL: Y eso es todo. Mañana, si tengo suerte, voy a ver a la Sra. Suárez. He pasado varios días en España y aún no sé nada de Rosario.
LUPE: Don Fernando, don Fernando. ¿Se siente mal don Fernando? ¡Sr. Ramón! ¡Sr. Ramón!

Episodio 6
¿Maestra? (*Teacher?*)

ENGLISH NARRATOR: Welcome to Episodio 6 of *Destinos: An Introduction to Spanish.* Most of what you will hear and see in this episode will be familiar to you as Raquel reviews her notes on what happened in Sevilla.
RAQUEL: ¿Ud. sabe dónde está la calle Pureza?

ENGLISH NARRATOR: As before, you will not understand every word, but your experience with previous episodes will help you understand Raquel's review. As Raquel reviews what has happened to her in Sevilla, you will notice that she is using past tenses.
RAQUEL (VO): Cuando llegué a Sevilla, fui directamente al hotel. Después comencé la investigación. Fui en un taxi a la calle Pureza para buscar a Teresa Suárez.
ENGLISH NARRATOR: For now, don't worry about any new verb forms. Pay attention to what Raquel says and writes and try to understand as much as possible. In addition, Raquel will have a few new experiences on the train ride to Madrid.
ALFREDO: Esta maestra de primaria es la Sra. Díaz. Su clase de sexto grado le compró un cupón y...
RAQUEL: Perdone. Creo que se ha equivocado.
ALFREDO: Ud. estará muy contenta de su buena suerte.

ENGLISH NARRATOR: Don't worry about understanding every word of the conversational exchanges. As long as you get the gist of the interactions between the characters, you're doing fine.
ALFREDO: ...compartimento. ¡Qué lata!
ENGLISH NARRATOR: Occasionally, the narrator's voice will describe something to you in Spanish.
MIGUEL (PADRE) y ELENA: ¡Adiós!
GUIDE: Raquel toma un tren de Sevilla a Madrid. El viaje de Sevilla a Madrid dura seis horas y media en tren.
ENGLISH NARRATOR: Remember that when the narrator speaks, try to understand as much as possible.
ALFREDO: ¿...de la Organización de Ciegos?
RAQUEL: Perdone, pero no sé de qué habla.

GUIDE: En Sevilla, Raquel conoce a estas personas: Jaime...
RAQUEL: Jaime, te hemos buscado por todo el barrio de Santa Cruz. ¿Dónde encontraste a Osito?
GUIDE: Miguel,... hermano mayor de Jaime...
RAQUEL: Soy Raquel Rodríguez...
GUIDE: Elena, su madre, y Miguel, padre de Jaime y Miguel. Este señor, Miguel, es uno de los hijos de esta señora, la Sra. Teresa Suárez. En Madrid, Raquel espera conocer a la Sra. Suárez,...
ELENA: ¡Jaime!
MIGUEL (PADRE): Adiós.
ELENA: Adiós, Raquel.
GUIDE: ...la única persona que sabe algo de Rosario.

GUIDE: Raquel toma un tren de Sevilla a Madrid. El viaje de Sevilla a Madrid dura seis horas y media en tren. Raquel sale a las once y media de la mañana y llega a Madrid a las seis de la tarde.

RAQUEL (VO): Hasta el momento, mi viaje a España no tiene los resultados esperados. Estoy aquí en España para buscar a la Sra. Teresa Suárez. Necesito hablar con ella acerca de Rosario del Valle, la primera esposa de mi cliente, don Fernando Castillo. Don Fernando creía que Rosario había muerto en la Guerra Civil española.
DON FERNANDO: Rosario...
RAMÓN: ¿Papá? ¿Estás bien?
DON FERNANDO: Sí, sí, bien.
RAMÓN: ¿Necesitas algo?
DON FERNANDO: Sí, llama a tus hermanos. Ah, y a tu Tío Pedro.
RAMÓN: Está bien, Papá.
DON FERNANDO: Es posible que tenga otro hijo. Pedro, necesito tu ayuda.
PEDRO: Sí, sí, claro.

PEDRO: Gracias, Raquel.
RAQUEL: No hay de qué. Bueno, ya me voy. Debo repasar la información sobre la familia.
RAQUEL (VO): Cuando llegué a Sevilla, fui directamente al hotel. Después, comencé la investigación. Fui en un taxi a la calle Pureza para buscar a Teresa Suárez...
RAQUEL: ...diecisiete A...
TAXISTA: ¡Señora!
DOÑA FLORA: ¿Eh?
TAXISTA: ¿Conoce Ud. a la señora del número veintiuno?
DOÑA FLORA: ¿Eh? ¿Cómo?
TAXISTA: ¿Que si conoce Ud. a la señora del número veintiuno?
DOÑA FLORA: Ah, sí, sí.
TAXISTA: ¿No está en casa?
DOÑA FLORA: ¿Eh?
TAXISTA: ¿No está en casa?
DOÑA FLORA: Ah, no. Ha ido al mercado.
TAXISTA: ¿Y sabe cuándo va a volver?
DOÑA FLORA: No sé. Pero creo que pronto.
TAXISTA: Gracias.

RAQUEL: La Sra. Teresa Suárez. ¿La conocen?
MIGUEL (HIJO): Sí. Es mi abuela.
RAQUEL: Ah. ¿Vive con Uds.?
MIGUEL: Ya no.
RAQUEL: ¿Y dónde vive ahora?
MIGUEL: Ahora vive en Madrid.
RAQUEL: Ah, en Madrid... ¿Y saben su dirección en Madrid?
MIGUEL: No. Pero la sabe mi madre.
RAQUEL: ¿Y... dónde está tu mamá?
JAIME: Mamá está en el mercado.
ELENA: Jaime, ¿qué haces aquí?
JAIME: Ahí está una señorita que busca a la abuela Teresa.
AMIGA: Bueno, yo me marcho, ¿eh?... Hasta luego.
ELENA: Bien.
MIGUEL: Mamá, esta señorita busca a la abuela.
RAQUEL: Perdone, señora. Soy Raquel Rodríguez, y vengo de los Estados Unidos.
ELENA: Elena Ramírez. Mucho gusto.
RAQUEL (VO): Mi cliente, don Fernando, vive en México. Está gravemente enfermo. Antes de la Guerra Civil, conoció a una mujer joven y bella—Rosario. ¿La Sra. Suárez nunca le habló de Rosario o de don Fernando?
ELENA: No. Nunca. Jamás. Posiblemente le haya mencionado algo a mi esposo.

RAQUEL (VO): Elena Ramírez, me invitó a tomar algo con ella y su esposo, Miguel Ruiz.
ELENA: Éste es mi esposo, Miguel Ruiz.
RAQUEL: Mucho gusto, Miguel.
MIGUEL (PADRE): Mucho gusto.
MIGUEL (HIJO): Hola, Raquel.
MIGUEL (PADRE): ¿Qué va a tomar? ¿Un vino? ¿Una cerveza? Aquí sirven un fino estupendo.
RAQUEL: ¿Un fino?
MIGUEL (PADRE): Sí, el jerez es un vino fino.
RAQUEL: Un fino está bien.
MIGUEL (PADRE): Oiga. Un fino para la señorita, por favor.

MIGUEL (PADRE): ¿Quieres que te llame por teléfono?

RAQUEL (VO): Miguel es uno de los hijos de Teresa Suárez. Posiblemente, Miguel sabía algo de Rosario y de la carta que la Sra. Suárez le escribió a don Fernando.

RAQUEL: ¿Tortilla? ¿Qué tipo de tortilla?
MIGUEL (PADRE): Tortilla española. ¡Una tapa de tortilla, por favor! Gracias. Pruebe la tortilla.
RAQUEL: Mmm, mmm. ¡Está rica!

ELENA: Tome unas aceitunas.
RAQUEL: Gracias. Mmm. Miguel, ¿Elena le ha contado lo de la carta?
MIGUEL: Sí, y además ya hablé con mi madre por teléfono.

MIGUEL: ¿Mamá?
SRA. SUÁREZ: ¿Qué tal, Miguel?
MIGUEL: Aquí está una señorita de los Estados Unidos. Tiene una carta tuya que le escribiste a un señor en México.
RAQUEL: ¿Y qué dijo? ¿Mencionó algo de Rosario?
MIGUEL: Realmente, no.
RAQUEL: ¿Dijo algo de mi cliente don Fernando?
MIGUEL: No, no dijo nada.
RAQUEL: Mi cliente don Fernando quiere saber qué pasó con Rosario. ¿Podría yo hablar por teléfono con su madre?
MIGUEL: No creo. Mi madre prefiere que Ud. vaya a Madrid.

MIGUEL: ¿Quieres que te llame por teléfono?
SRA. SUÁREZ: Dile que me visite a Madrid. Dile a esa señorita que vaya a verme a Madrid.

RAQUEL (VO): Ahora tengo que ir a Madrid para hablar con la Sra. Suárez. ¿Qué clase de persona es ella? ¿Por qué insiste en que yo viaje a Madrid? ¿Por qué no quiere hablar conmigo por teléfono? Bueno, durante mi estancia en Sevilla, he comido en algunos lugares interesantes,...
TODOS: ¡Mmm!
MIGUEL (PADRE): Aquí está la paella.
RAQUEL: Se ve riquísima. Mmm.
RAQUEL (VO): ...he visitado lugares históricos y famosos,...
TAXISTA: Tengo una idea. Ésta es la Virgen de la Esperanza. Yo soy hermano en esta cofradía.
RAQUEL (VO): ...y he conocido a la familia Ruiz y donde viven.
MIGUEL (HIJO): ¡Jaime, mira, mira! Peces tropicales.
RAQUEL (VO): Ah, y el mercadillo de los animales. A mi me gustó mucho, porque, por lo general, me gustan los animales.
RAQUEL: Y ahora, ¡a celebrar! ¿Por qué no vamos a esa pastelería de allí?
RAQUEL (VO): Fuimos a tomar un café y el perro se escapó.
MIGUEL (PADRE): ¡Osito! Veamos por allí.
ELENA: ¡Miguel, Miguel! ¿Por qué corres?... Yo voy por esta calle y Ud., vaya por esa.
RAQUEL: Sí, sí. Pero espere. ¿Dónde nos encontramos?
ELENA: En la Giralda, a las once y media.

RAQUEL (VO): Fuimos a buscar a Jaime y el perro. Elena por una calle y yo por otra.
JAIME: ... ¿viste un perrito negro? Osito.
HOMBRE CIEGO: ¿Quién es?
RAQUEL: ¡Ah, Jaime! Te hemos buscado por todo el barrio de Santa Cruz... Ah, ¿dónde encontraste a Osito?
JAIME: Este señor lo encontró.
RAQUEL y HOMBRE CIEGO: Ja, ja.
RAQUEL: Muchas gracias, señor. Estábamos todos muy preocupados.
HOMBRE CIEGO: No hay de qué. Realmente fue el perro que me encontró a mí. ¿Es Ud. la madre de este niño?
RAQUEL: No, no. Soy una amiga de la familia.
HOMBRE CIEGO: ¿Ud. no es de aquí, verdad?
RAQUEL: No. Soy de los Estados Unidos, de California. Perdone, señor, eh, tenemos que irnos. Tus padres nos esperan en la Giralda.
HOMBRE CIEGO: Oye, chico, ten cuidado con tu perro. Recuerda que tener un perro es una gran responsibilidad.
JAIME: Sí, señor.
RAQUEL: Ah, gracias, señor. Ha sido un placer conversar con Ud.
HOMBRE CIEGO: El gusto es mío, señorita.
RAQUEL: ¡Adiós!
HOMBRE CIEGO: Adiós.

RAQUEL: ¡Ay! No veo a tus padres.
JAIME: Yo tampoco.
RAQUEL: Parece que ese señor vende caramelos. ¿Quieres?
JAIME: ¡Mmm!
RAQUEL: Bueno, pero, espérame aquí. No te muevas de aquí, ¿entiendes? No quiero que te pierdas otra vez.
VENDEDOR DE CARAMELOS: Alcahueces, chochetes, buenos caramelos! Caramelos de goma. ¿Le sirvo señorita?
RAQUEL: Sí, quiero una bolsa de caramelos.
VENDEDOR DE CARAMELOS: ¿De qué los quiere Ud? ¿De aquí? ¿De aquí?
RAQUEL: Ésta.
VENDEDOR DE CARAMELOS: Pipas ¡Caramelos!
RAQUEL: ¡Jaime! Ah, allí está. Jaime...
NIÑO: No, no soy Jaime.
ELENA: ¡Jaime!
MIGUEL (PADRE): ¡Por Dios, hijo! ¿Dónde te habías metido? Anda, Osito, no sabéis el susto que nos habéis dado. Oye, Raquel, ¿dónde está?
JAIME: Raquel está comprando unos caramelos.
MIGUEL (PADRE): ¡Vaya, por Dios!
ELENA: No la veo. Allí está.
RAQUEL: ¡Ah, Dios mío! Yo pensaba que Jaime se había perdido otra vez.

RAQUEL (VO): Ahora sigo con la búsqueda. ¿Dónde estará Rosario? ¿Habrá muerto ella? ¿Qué sabe la Sra. Suárez de ella?

ALFREDO: ¡Aquí está! ¿Grabando?
JOSÉ MARÍA: Sí, grabando.
ALFREDO: Buenas tardes a todos. Aquí estoy en el rápido de Sevilla a Madrid. Conmigo está la ganadora del premio especial de la Organización Nacional de Ciegos.
RAQUEL: ¿La lotería?
ALFREDO: Ud. estará muy contenta de su buena suerte.
RAQUEL: Perdone, pero no sé de qué habla.
ALFREDO: Esta maestra de primaria es la Sra. Díaz. Su clase de sexto grado le compró un cupón, y...
RAQUEL: Perdone, creo que se ha equivocado. Yo no soy la Sra. Díaz y tampoco soy maestra.
ALFREDO: ¿Qué dice?
RAQUEL: Que no soy la Sra. Díaz. Me llamo Raquel Rodríguez.
ALFREDO: Entonces, ¿Ud. no es la persona que ha ganado el premio especial de la Organización de Ciegos?
RAQUEL: No, señor.
ALFREDO: ¿Y Ud. no es la maestra de sexto a quien su clase le compró el cupón?
RAQUEL: No.
ALFREDO: ¡Corta! Hay un error. Ésta no es la señora que buscamos. Sí, éste es el compartimento doce en el vagón número quince. ¿Y no está por aquí la Sra. Díaz?
RAQUEL: No. Como puede ver, aquí sólo estoy yo.
ALFREDO: ¡Vaya! La Sra. Díaz debería estar en este tren... y en este compartimento. ¡Qué lata!
RAQUEL: Posiblemente esté en otro compartimento.
ALFREDO: Es posible. Pero no entiendo por qué diablos me han dado esta información.
RAQUEL: Pronto la encontrará.
ALFREDO: Disculpe tanta molestia, ¿eh?
RAQUEL: No hay de qué.
ALFREDO: Ud. es mexicana, ¿no?
RAQUEL: Soy norteamericana, de ascendencia mexicana. Nací y vivo en Los Ángeles, California.
ALFREDO: Bueno. Pues, muy bien, Srta. Rodríguez. Muchas gracias... y que tenga buen viaje.
RAQUEL: Gracias.
ALFREDO: Vamos. Por favor, ¿alguien de Uds. es la Sra. Díaz?

SR. DÍAZ: Buenos días. Éste es el compartimento doce, ¿verdad?
RAQUEL: Sí.

GUIDE: Mientras Raquel viaja en tren, lee una novela española, titulada *Don Quijote de La Mancha*,

una de las novelas más importantes en la literatura española.
ALFREDO: ¿No ha llegado?
RAQUEL: Todavía no.
ALFREDO: Vamos a seguir buscándola.
SR. DÍAZ: Veo que es Ud. aficionada a los libros clásicos.
RAQUEL: ¿Mande?
SR. DÍAZ: Digo que es Ud. aficionada a los libros clásicos. Está leyendo *Don Quijote de la Mancha.*
RAQUEL: Sí. En la escuela leí una versión para niños, pero nunca leí la novela original.
SR. DÍAZ: Le va a gustar. Perdone. ¿Tiene Ud. hora?
RAQUEL: Sí, son las dos y cuarto.
SR. DÍAZ: Muchas gracias. Voy a buscar algo de comer. Perdone.
RAQUEL (VO): ¿Algo de comer? Ahora tengo hambre.

RAQUEL: Hola. ¿Me puede dar un bocadillo de jamón serrano y... y una botella pequeña de vino tinto?
CAMARERO: Sí.
RAQUEL: Gracias. ¿Cuánto es?
CAMARERO: Cuatrocientas setenta.
RAQUEL: Aquí está. Gracias.
ALFREDO: Muy buenas. Quería un bocadillo de chorizo y unas poquitas aceitunas.
CAMARERO: Un bocadillo de chorizo y unas aceitunas.
ALFREDO: ¿Cuánto es?
CAMARERO: Trescientas ochenta.

ALFREDO: A propósito, yo soy Alfredo Sánchez, y éste es José María.
RAQUEL: Mucho gusto. ¿Sabe cuánto falta para llegar a Madrid?
ALFREDO: A ver... Son las dos y media. El tren llega a las seis... faltan cuatro horas y media.
SR. DÍAZ: Perdón. Faltan tres horas y media.
ALFREDO: Tiene Ud. razón. Gracias.
SR. DÍAZ: No hay de qué.
ALFREDO: Y Ud., ¿qué hace en España? ¿Está de vacaciones?
RAQUEL: No. Busco a una persona.
ALFREDO: ¿A una amiga?
RAQUEL: Bueno, en realidad, es la amiga de otra persona.
ALFREDO: Ud. subió en Sevilla... ¿Vive allí esta amiga?
RAQUEL: Antes, sí. Pero ahora vive en Madrid.
ALFREDO: ¿Y la otra persona es americana o española?
RAQUEL: Bueno, nació en España. Pero ha vivido en México desde la Guerra Civil.
ALFREDO: Me tiene que perdonar si le hago muchas preguntas—soy reportero.
RAQUEL: Le comprendo perfectamente. Yo soy abogada y también hago muchas preguntas por mi trabajo.
ALFREDO: ¿Abogada? ¿Es esta persona un cliente?
RAQUEL: No le puedo decir más nada. Es un secreto.
ALFREDO: ¿Un secreto? Si es un secreto, creo que el caso puede ser muy interestante para un reportero de la televisión.
RAQUEL: Quizás sí, quizás no.
ALFREDO: Ah.

GUIDE: Más tarde, en el compartimento...
SR. DÍAZ: ¿Está gozando de su viaje?
RAQUEL: Sí, mucho.
SR. DÍAZ: Me alegro. España es un país fenomenal.
RAQUEL: No sé mucho de España, pero me gustaría saber más.

GUIDE: Durante el resto de su viaje a Madrid, Raquel conversa con este señor. Hablan de muchas cosas diferentes... de política... de literatura... y también de la historia española.
SR. DÍAZ: ...hasta la época prerromana.

GUIDE: Y las horas pasan rápidamente para Raquel.
RAQUEL: ¿Es Madrid?

SR. DÍAZ: Sí, es Madrid.

ALFREDO: ¿Quiere que le ayude?
RAQUEL: Ay, gracias. Ah...
ALFREDO: Quería decirle adiós y desearle buena suerte.
RAQUEL: Ah, gracias. Yo también le deseo buena suerte en su próximo reportaje.
ALFREDO: Le acompaño hasta la parada de taxis.
RAQUEL: Gracias.
ALFREDO: Le va a gustar Madrid.
RAQUEL: Ah, allí hay un taxi. Muchas gracias, Sr. Sánchez.
ALFREDO: Alfredo.
RAQUEL: Muchas gracias, Alfredo.
ALFREDO: Que disfrute de su estancia en Madrid. ¿En qué hotel se queda?
RAQUEL: En el Hotel Príncipe de Vergara. Gracias, Alfredo.
ALFREDO: Al Hotel Príncipe de Vergara. Adiós, señorita...
RAQUEL: Raquel.
ALFREDO: Adiós, Raquel.

ALFREDO: Sí, habla Alfredo Sánchez. Necesito información sobre una persona que vive en México. Sí,... Hola, Felipe. Habla Alfredo. Oye, necesito información sobre un tal Fernando Castillo. Es un español y vive en México... Sí, desde la guerra, sí.

RAQUEL: Voy al Hotel Príncipe de Vergara, por favor. ¿Me puede decir la hora?
TAXISTA: Son las siete.
RAQUEL: Gracias.

ALFREDO: Sí, sí, vale... Vale... ¡Qué interesante!... Bueno, Felipe, muchísimas gracias, ¿eh?

TAXISTA: ...y ésa es la Plaza de Las Cibeles.
RAQUEL: Me parece que Madrid es una ciudad muy bella.

ALFREDO: Vamos, José María. Creo que tenemos un nuevo caso...

Episodio 7
La cartera (*The Wallet*)

ENGLISH NARRATOR: Welcome to *Destinos: An Introduction to Spanish.* As you know, much of what you hear will be in conversational Spanish.
RAQUEL: ¿Hay algún mensaje para mí?
RECEPCIONISTA: No, hasta el momento no, señorita.

ENGLISH NARRATOR: Of course, you will not understand every word. Relax and let the actions of the characters and your knowledge of the story guide your comprehension.
RAQUEL: Perdone. Creo que dejé mi cartera en el taxi. ¿Lo vio salir?
PORTERO: Lo siento, señorita.
RAQUEL: ¡Ah!
ENGLISH NARRATOR: At other times, you will hear a narration in Spanish spoken directly to you.
GUIDE: Raquel llama a Pedro a México, pero no está en casa. Entonces, Raquel le deja un mensaje.
ENGLISH NARRATOR: As usual, Raquel will review highlights of the episode with you.
RAQUEL: Primero, llego al hotel, ¿y qué pasa?
RAQUEL: No encuentro mi cartera. Estará en el taxi. Perdone. No puedo encontrar mi cartera. ¡Ah! ¡Qué vergüenza!
ENGLISH NARRATOR: In today's episode, you will learn the Spanish words for some common articles of clothing.
RAQUEL: Dos blusas...
GUIDE: Dos blusas...
RAQUEL: ...dos suéteres...
GUIDE: ...dos suéteres... La ropa de Federico...
ENGLISH NARRATOR: In this episode, there will be some confusion between these two people: Federico Ruiz . . .
FEDERICO: ¿...hablar con la señorita Raquel Rodríguez?
ENGLISH NARRATOR: . . . and Alfredo Sánchez . . .
ALFREDO: ...habla Alfredo.
ENGLISH NARRATOR: . . . and the identity of this man will be revealed. Now let's join Raquel for this episode of *Destinos: An Introduction to Spanish.* In a previous episode, Raquel leaves Sevilla on a train to Madrid to meet Sra. Suárez. Raquel does not know that in México don Fernando has been taken to the hospital. On the train, Raquel is startled by this man, Alfredo Sánchez, a TV reporter in pursuit of a story about a lottery winner.
ALFREDO: ¿Ud. no es la persona que ha ganado el premio especial de la Organización de Ciegos?
RAQUEL: No, señor.
ALFREDO: ¿Y Ud. no es la maestra de sexto, a quien su clase le compró el cupón?
RAQUEL: Perdone, creo que...
ENGLISH NARRATOR: Raquel assures him that she is not the lottery winner, and he apologizes.
RAQUEL: ...tampoco soy maestra.
ENGLISH NARRATOR: Raquel arrives in Madrid at six P.M. and Alfredo, the TV reporter, helps her to her taxi.
RAQUEL: Gracias, Alfredo.
ENGLISH NARRATOR: Alfredo senses an interesting TV story in Raquel's investigation. Having found out who Raquel's client is, he calls his office and is given permission to pursue the story.
ALFREDO: Hola, Felipe. Habla Alfredo. Oye, necesito información sobre un tal Fernando Castillo. Es un español y vive en México...
GUIDE: Madrid, la capital de España... el centro de la vida política del país. ¿Qué sistema político tiene España? España es una monarquía parlamentaria. Hay un rey. También están las Cortes. Las Cortes son una institución política muy importante. Durante mucho tiempo, España tuvo una monarquía absoluta. Algunos de los reyes más famosos son: Alfonso X (décimo), el Sabio, Fernando e Isabel, Carlos I (primero) y Felipe II (segundo).

ALFREDO: Vamos, José María, creo que tenemos un nuevo caso.
TAXISTA: ¿Ve ese arco? Es la Puerta de Alcalá.

GUIDE: Madrid... ciudad de grandes bulevares... bellas fuentes... numerosas plazas.
TAXISTA: Ésa es la Plaza de las Cibeles.

RAQUEL: Me parece que Madrid es una ciudad muy bella.
GUIDE: Madrid,... la capital de España, una ciudad grande y cosmopolita.
TAXISTA: ...y ése es el Palacio de Comunicaciones. Muy impresionante, ¿no?
RAQUEL: Sí, realmente es muy bello. ¿Qué es eso?
TAXISTA: No sé.
RAQUEL: Soy Raquel Rodríguez Orozco. Tengo reservada una habitación para esta noche.
RECEPCIONISTA: Ah, sí, la Srta. Rodríguez. Sí, aquí está. Rellene esta tarjeta y firme aquí, por favor. ¿Me permite su pasaporte, por favor?
RAQUEL: Sí, cómo no. Aquí lo tiene. ¿Hay algún mensaje para mí?
RECEPCIONISTA: No, hasta el momento no, señorita.
RAQUEL: Me gustaría pagar con tarjeta de crédito.
RECEPCIONISTA: No es necesario en este momento, señorita.
RAQUEL: ¡Huy! No encuentro mi cartera. Estará en el taxi. Perdone... Perdone. Creo que dejé mi cartera en el taxi. ¿Lo vio salir?
PORTERO: Lo siento, señorita.
RAQUEL: ¡Ay! ¡Qué tonta! ¿Cómo es posible que la haya dejado en el taxi?
ALFREDO: ¡Hola! ¿Qué tal?
RAQUEL: No muy bien... y Ud., ¿qué hace aquí?
ALFREDO: ¿No se acuerda? ¿La lotería? La Sra. Díaz está alojada aquí. ¿Qué ocurre?
RAQUEL: Me siento como una tonta. Dejé mi cartera en el taxi.
ALFREDO: ¿En el taxi que tomó en la estación?
RAQUEL: ¿Sí?
ALFREDO: Nosotros lo vimos. Creo que era el... el número 7096.
RAQUEL: ¿Sí? ¿Sabe en qué dirección iba?
ALFREDO: No se preocupe. José María y yo se lo vamos a buscar.
RAQUEL: ¡Ay! Gracias, Alfredo. Se lo agradecería mucho.
ALFREDO: Vamos, José María. ¡Ah!
RAQUEL: Ya se fue el taxi pero un amigo lo va a buscar.
RECEPCIONISTA: No se preocupe, señorita. Si hay alguna cosa que podamos hacer por Ud....
RAQUEL: Por el momento, nada. Muchas gracias.
RECEPCIONISTA: De nada. ¡Botones! A la 631. Buenas tardes y que tenga una feliz estancia.
RAQUEL: Gracias. Buenas tardes.
BOTONES: ¡Qué pena lo de la cartera! ¡Ojalá la encuentre pronto!
RAQUEL: Gracias. Un amigo está buscando el taxi ahora mismo. ¿Me puede hacer el favor de dejar un mensaje con el recepcionista?
BOTONES: Um, hm, con mucho gusto, señorita.
RAQUEL: Cuando vuelva mi amigo, que me llame por teléfono.
BOTONES: ¿Y cómo se llama su amigo?
RAQUEL: Alfredo Sánchez. Bueno, realmente no es mi amigo. Es un reportero que conocí en el tren... y bueno, verá, estábamos platicando justamente...
BOTONES: A ver, ¿cómo se llama ese señor? Federico Sánchez.
RAQUEL: No sé si tengo suficiente ropa para este viaje. A ver. ¿Qué tengo? Dos blusas, dos suéteres, una falda, un vestido, dos pares de zapatos, unas medias y un par de pantalones. ¡Ah! Ahora estoy segura de que no tengo suficiente ropa.
GUIDE: La ropa de Raquel: dos blusas, dos suéteres, una falda, un vestido, dos pares de zapatos, unas medias y un par de pantalones. Raquel llama a Pedro a México pero no está en casa. Entonces, Raquel le deja un mensaje.
RAQUEL: ...Estoy en la habitación número 631 del Hotel Príncipe de Vergara y el número de teléfono es cinco, sesenta y tres, veintiséis, noventa y cinco. Sí, sí. Bueno. Adiós.

RECEPCIONISTA: Sí, aquí está su reserva. Ah, Ud. es el maestro que ganó el premio especial de la lotería.
SR. DÍAZ: Sí, mis estudiantes me regalaron el cupón.
RECEPCIONISTA: Viene de Sevilla, ¿no?
SR. DÍAZ: Sí, de Sevilla.
RECEPCIONISTA: Pues, bienvenido a Madrid. Si fuera tan amable, ¿podría rellenar esta tarjeta y firmar aquí? Perdón. Hay un error. La tarjeta está a nombre de la señora Díaz.
SR. DÍAZ: Si me lo cambia por señor, me hará un gran favor.
RECEPCIONISTA: Por supuesto. No queremos confusiones innecesarias, ¿verdad?
SR. DÍAZ: Claro que no.

RECEPCIONISTA: ¡Botones! Acompaña al Sr. Díaz a la 632, por favor. Sí, señor, dígame.
FEDERICO: Estoy buscando a una Srta. Raquel Rodríguez.
RECEPCIONISTA: Ah, sí. La señorita lo estaba esperando. Le ha dejado un mensaje. Si quiere llamarla, allí están los teléfonos.
FEDERICO: Gracias.

ALFREDO: Soy Alfredo. Ya he conseguido su cartera.
RAQUEL: ¡Ay! ¡Fantástico! ¡Ud. es una maravilla!
ALFREDO: No hay de qué.
RAQUEL: Oiga. Por ser tan amable, lo invito a tomar algo.
ALFREDO: ¡Estupendo! La busco en el hotel en media hora.
RAQUEL: Bueno, me llama en cuanto llegue, ¿eh?
ALFREDO: Vale.
RAQUEL: Adiós.

FEDERICO: Por favor, me pone con la habitación 631.

SRA. SUÁREZ: Sí, dígame... Federico. ¿Dónde estás?... ¿En el hotel? ¿Qué pasa? Pues, llámala otra vez. No, no. Espera allí. Bueno. Adiós. ¡Ooh! ¡Este chico! ¡Ha dejado la ropa tirada por todas partes! La camisa, ¡oh! la camiseta, los calcetines, la corbata, la chaqueta, ¡oh! y los pantalones aquí en el suelo. ¡Qué barbaridad! ¡Ooh! ¡Dios mío! ¡Y mira dónde está la bufanda!... y el jersey... el jersey aquí. ¡Ay! Vamos a arreglarla.
GUIDE: La ropa de Federico: la camisa, la camiseta, los calcetines, la corbata, la chaqueta, los pantalones, la bufanda, el jersey.
FEDERICO: Sí, la Srta. Raquel Rodríguez, por favor.
OPERADORA: Sí, señor, seis, tres, dos.
SR. DÍAZ: Dígame.
FEDERICO: Este, quisiera hablar con la Srta. Raquel Rodríguez.
SR. DÍAZ: Lo siento. Aquí no hay nadie con ese nombre.
FEDERICO: Perdone.
RAQUEL: Sí, habla la Srta. Rodríguez de la 631. ¿Ha regresado el señor con mi cartera?
RECEPCIONISTA: Ah, sí, sí. Hace unos minutos.
RAQUEL: ¡Estupendo! Por favor, ¿le dice que voy a bajar en un minuto?
RECEPCIONISTA: Cómo no, señorita. Dile a ese señor que la Srta. Rodríguez va a bajar en un minuto.
BOTONES: Vale. Perdone. La Srta. Rodríguez va a bajar en un segundo.
FEDERICO: Gracias...
ALFREDO: Buenas. Perdone, ¿los teléfonos?
RECEPCIONISTA: Allí están.
ALFREDO: Gracias.
SR. DÍAZ: ¡Hombre!
ALFREDO: ¿Qué tal?
SR. DÍAZ: Bien. ¿Qué haces aquí?
ALFREDO: Esperando a Raquel. Vale.

ALFREDO: Por favor, la habitación 631. Gracias.
GUIDE: Como Alfredo no puede comunicarse con Raquel, decide buscarla en el restaurante del hotel.
ALFREDO: Hola. ¿Qué tal?
SR. DÍAZ: Bien. Gracias. Bien.
ALFREDO: Oiga, ¿ha visto Ud. a la Srta. Rodríguez? ¿La que viajaba con Ud. en el tren?
SR. DÍAZ: No. ¿Está alojada aquí?
ALFREDO: Sí, y aquí tengo su cartera. Si la ve, por favor, ¿le dice que la estoy buscando?
SR. DÍAZ: Cómo no.

FEDERICO: Perdone. ¿Es Ud. la Srta. Raquel Rodríguez?
RAQUEL: Sí...
FEDERICO: ¡Por fin! Estuve llamando, pero estaba comunicando. Mucho gusto. Soy Federico Ruiz.
RAQUEL: ¡Ah, sí! ¡Mucho gusto! El hijo de la Sra. Teresa Suárez.
FEDERICO: Mi hermano Miguel ha llamado para contarnos de Ud. También nos ha contado la historia de Jaime y el perro.

AMBOS: Ja, ja.
RAQUEL: ¡Y qué historia!
FEDERICO: Mi madre está muy agradecida y quiere invitarla a cenar con nosotros en casa esta noche.
RAQUEL: Será un placer. Tengo muchas ganas de ver a su madre, pero no quiero causar molestias.
FEDERICO: Por favor, no es una molestia y para mi madre será un placer. Vamos. Tengo el coche en frente.
RAQUEL: Federico, lo siento, pero estoy esperando a un señor, pero no lo veo por aquí. Voy a preguntar a la recepción.

SR. DÍAZ: ¿Así es que Ud. es reportero?...
GUIDE: Entonces, Raquel va al restaurante para buscar a Alfredo, pero no lo ve.
ALFREDO: ...fabuloso.
SR. DÍAZ: Sí.
RAQUEL: Perdone, el señor no está en el salón. ¿Le podría dejar un mensaje?
RECEPCIONISTA: Sí, señorita.
GUIDE: Mientras Federico espera en el carro, Raquel escribe una nota para Alfredo.
RAQUEL: Alfredo, ¿Qué pasó? Lo busqué y no lo encontré...
ALFREDO: «...Resulta que tengo que reunirme con una persona. Por favor, deje mi cartera en la recepción. Me podría llamar esta noche o mañana? Raquel Rodríguez.» ¿Tiene una bolígrafo por favor?
RECEPCIONISTA: Cómo no, señor.
ALFREDO (VO): Raquel, le traigo la cartera mañana por la mañana.

FEDERICO: ¡Mamá! Mamá, ya estamos aquí.
GUIDE: Cuando Raquel y Federico llegan a la casa de la Sra. Suárez, ella está leyendo una carta de su vieja amiga Rosario.
FEDERICO: Mamá, ¿qué te pasa?
SRA. SUÁREZ: Nada.

RAQUEL: Pobre Sra. Suárez. Este asunto de Rosario y don Fernando tiene que ser muy doloroso para ella. Estoy pensando en mi primera noche aquí en Madrid. Este viaje está lleno de sorpresas, ¿no? Primero llego al hotel, ¿y qué pasa?
RAQUEL: ¡No encuentro mi cartera! Estará en el taxi. Perdone. No puedo encontrar mi cartera. ¡Ay, qué vergüenza!
RAQUEL: Entonces voy para buscarla en el taxi, ¿y qué?
RAQUEL: Perdone. Creo que dejé mi cartera en el taxi. ¿Lo vio salir?
PORTERO: Lo siento, señorita.
RAQUEL: El taxi no está.
RAQUEL (VO): Gracias a Dios que Alfredo, el reportero, aparece. Él y su asistente salen a buscar la cartera.
RAQUEL: Bueno, al llegar a mi habitación hago una llamada a México...
RAQUEL (VO): Pregunto por Pedro, pero no está. Toda la familia está en el hospital... Don Fernando está muy mal.
RAQUEL: Bueno. Por fin me llama Alfredo.
ALFREDO: Soy Alfredo. Ya he encontrado su cartera.
RAQUEL (VO): Encontró mi cartera y viene al hotel para dármela. ¡Qué suerte!
RAQUEL: Bueno, al bajar a buscar a Alfredo, ¿a quién encuentro?
FEDERICO: Perdone. ¿Es Ud. la Srta. Raquel Rodríguez?
RAQUEL: Sí.
FEDERICO: Por fin.
RAQUEL (VO): Exacto. Encuentro a Federico Ruiz, otro hijo de la Sra. Suárez. La madre de Federico me invita a su casa a cenar. Yo acepto, pero primero tengo que encontrar a Alfredo y recoger mi cartera. Lo busco en el salón, pero no lo veo. Entonces le dejo una nota con el recepcionista, y vengo aquí con Federico para conocer a la Sra. Suárez y hablar con ella.
RAQUEL: ¿Dónde está Alfredo? ¿Por qué no apareció con mi cartera?

Episodio 8

El encuentro (*The Encounter*)

ENGLISH NARRATOR: Welcome to the eighth episode of *Destinos: An Introduction to Spanish.* Remember that most of what you hear will be in conversational Spanish. As in previous episodes, you'll be hearing more past tense verb forms as the characters interact, and as Raquel reviews. You need not learn these verb forms yet. Let the actions of the characters and the context guide your understanding.
SRA. SUÁREZ: Mucho gusto, señorita. Siéntese.
RAQUEL: Gracias por su invitación. Es Ud. muy amable.
SRA. SUÁREZ: No hay de qué.
ENGLISH NARRATOR: You will learn a little about the differences between Madrid and Sevilla.
SRA. SUÁREZ: En Sevilla, claro. Es allí donde conocí a Rosario.
RAQUEL: ¿Y dónde vive Rosario ahora? ¿Vive aquí en Madrid?
GUIDE: Madrid, la capital de España. Ciudad de impresionantes edificios... ciudad moderna y cosmopolita... una ciudad muy diferente de Sevilla. Sevilla está situada en el sur de España en la región de Andalucía. Madrid está en el centro del país, en la región de Castilla. Andalucía y Castilla son dos regiones muy diferentes. En Andalucía, hay vastos terrenos cultivados de olivares. Abundan las casas blancas, y la arquitectura muestra la fuerte tradición árabe. En Castilla, abundan los pueblos medievales, y se notan más las influencias gótica y europea. Raquel llega al hotel y descubre que ha dejado su cartera en el taxi.
ALFREDO: ...creo que era el... el número...
GUIDE: Alfredo y su asistente le ofrecen ayuda a Raquel.
ALFREDO: No se preocupe. José María y yo se lo vamos a buscar.
RAQUEL: ¡Ay! Gracias, Alfredo. Se lo agradecería mucho.
ALFREDO: Vamos, José María.

RECEPCIONISTA: Sí, señor. Dígame.
FEDERICO: Estoy buscando a una Srta.—Raquel Rodríguez.
RECEPCIONISTA: Ah, sí. La señorita le estaba esperando.
GUIDE: La Sra. Suárez manda a su hijo Federico a buscar a Raquel en el hotel.
FEDERICO: ...la Srta. Raquel Rodríguez por favor.
SR. DÍAZ: Aquí no hay nadie con ese nombre.
GUIDE: Federico tiene la intención de invitar a Raquel a cenar en casa, pero esto no es fácil.
RAQUEL: Habla la Srta. Rodríguez de la 631. ¿Ha regresado el señor con mi cartera?
RECEPCIONISTA: Ah, sí, sí. Hace unos minutos.
RAQUEL: ¿Le dice que voy a bajar en un minuto?
BOTONES: Perdone. La Srta. Rodríguez va a bajar en un segundo.
FEDERICO: Gracias.
GUIDE: Mientras Alfredo habla con el Sr. Díaz, Federico conoce a Raquel.
FEDERICO: Mucho gusto. Soy Federico Ruiz.
RAQUEL: ¡Ah, sí! ¡Mucho gusto! El hijo de la Sra. Teresa Suárez.
FEDERICO: Mi hermano Miguel ha llamado para contarnos de Ud.
GUIDE: Federico invita a Raquel a cenar en casa de su madre...
FEDERICO: Mi madre está muy agradecida y quiere invitarla a cenar con nosotros en casa esta noche.
RAQUEL: ¡Ah! Será un placer. Tengo muchas ganas de ver a su madre, pero no quiero causarle molestias.
FEDERICO: Por favor, no es una molestia. Y para mi madre será un placer. Vamos. Tengo el coche en frente.
RAQUEL: Ah, Federico, lo siento, pero estoy esperando a un señor.
GUIDE: Raquel busca a Alfredo... pero no lo encuentra. Le deja un mensaje y sale con Federico.
RAQUEL: ...lo busqué y no lo encontré.
GUIDE: Finalmente, Raquel conoce a la Sra. Suárez.
FEDERICO: Mamá, te presento a Raquel Rodríguez.
RAQUEL: Mucho gusto, Sra. Suárez.
SRA. SUAREZ: Tanto gusto, señorita. Siéntese.
RAQUEL: Gracias por su invitación. Es Ud. muy amable.
SRA. SUÁREZ: No hay de qué. Federico, ofrécele algo a la señorita.
FEDERICO: Les traigo un poco de jerez, ¿vale?

SRA. SUÁREZ: Un fino estaría bien.
RAQUEL: Sí, gracias.
SRA. SUÁREZ: Bueno, Ud. está aquí porque quiere saber algo más de Rosario.
RAQUEL: Sí, así es. Mi cliente, el Sr. Fernando Castillo...
SRA. SUÁREZ: Sí, sí, yo le escribí una carta a él.
RAQUEL: Sí. En su carta Ud. le dice que Rosario no murió en la guerra...
SRA. SUÁREZ: Es verdad. Rosario no murió. Gracias a Dios, escapó de esa tragedia... pero ella creía que Fernando había muerto.
RAQUEL: Oh...
SRA. SUÁREZ: Sí. Todo este asunto es muy triste.
RAQUEL: También en su carta, Ud. le dice que Rosario tuvo un hijo.
SRA. SUÁREZ: Sí.
RAQUEL: ¿Y qué nombre le puso?
SRA. SUÁREZ: Ángel... Ángel Castillo.
RAQUEL: ¿Y dónde nació Ángel?
SRA. SUÁREZ: En Sevilla, claro. Es allí donde conocí a Rosario.
RAQUEL: ¿Y dónde vive Rosario ahora?
SRA. SUÁREZ: Después de la guerra se fue a vivir a la Argentina.
RAQUEL: ¿A la Argentina?
SRA.SUÁREZ: Sí, sí. Como Ud. sabe, muchos españoles salieron del país después de la guerra.
RAQUEL: ¿Y sabe dónde se estableció Rosario?
SRA. SUÁREZ: Muy cerca de Buenos Aires. La última carta que recibí de ella fue cuando se casó de nuevo.
RAQUEL: ¿Se casó de nuevo?
SRA. SUÁREZ: Pues, sí. Rosario era muy atractiva, muy simpática. Y como ella creía que Fernando había muerto...
RAQUEL: Sí, sí. Lo comprendo. ¿Y con quién se casó?
SRA. SUÁREZ: Con un hacendado, un argentino, llamado Martín Iglesias.
RAQUEL: Martín Iglesias. ¿Y sabe Ud. la dirección?
SRA. SUÁREZ: Sí, un momento.
RAQUEL: ¿Son cartas de Rosario?
SRA. SUÁREZ: Sí. En ellas está la dirección.
RAQUEL: Estancia Santa Susana.
SRA. SUÁREZ: ¿Ya tiene Ud. la información que buscaba?
RAQUEL: Sí. No sé cómo agradecerle...
SRA. SUÁREZ: ¿Me permite a mí hacerle unas preguntas?
RAQUEL: ¡Cómo no!
SRA. SUÁREZ: ¿Es Ud. pariente de Fernando?
RAQUEL: No. Soy abogada. La familia de él me pidió que investigara el paradero de Rosario.
SRA. SUÁREZ: Así que tampoco es amiga cercana de la familia...
RAQUEL: Realmente, no. Conozco bien a Pedro, el hermano de don Fernando.
SRA. SUÁREZ: Una señorita como Ud.... tan atractiva, bien educada... ¡Y abogada! Eso era casi imposible cuando yo tenía su edad. Y ahora es tan corriente.
RAQUEL: Tiene razón. Las cosas han cambiado mucho.
SRA. SUÁREZ: ¿Qué piensa hacer ahora? ¿Ir a la Argentina?
RAQUEL: Sí. Tengo que seguir buscando a Rosario. Ud. no sabe de esto, pero don Fernando está muy mal. Lo han llevado al hospital de urgencia.
SRA. SUÁREZ: Pobre. ¡Que Dios lo cuide!
RAQUEL: No sé si le queda mucho tiempo...
SRA. SUÁREZ: Pues, tengo esta carta para Rosario. Por favor, se la da cuando la vea.
RAQUEL: Sí, con mucho gusto. Quiero hacerle otra pregunta. ¿Cómo supo que don Fernando vivía en México?
SRA. SUÁREZ: ¡Ah, sí! Tiene el mismo nombre... las circunstancias son iguales. No podía ser pura coincidencia.
RAQUEL: Ojalá mi viaje dé buenos resultados... para todos.
SRA. SUÁREZ: Gracias, Raquel.
FEDERICO: Raquel...
RAQUEL: ¡Ay, gracias!
FEDERICO: Mamá...
SRA. SUÁREZ: Gracias.

FEDERICO: Salud.
SRA. SUÁREZ: Salud.
RAQUEL: Salud.
SRA. SUÁREZ: ¿Sabe?... Ud. me recuerda un poco a Rosario...
RAQUEL: ¿Sí?
SRA. SUÁREZ: Sí. Las dos son muy simpáticas. Bueno. Basta. Vamos a comer. Voy a preparar la sopa. Tardaré unos diez minutos.
FEDERICO: Mi madre es la mejor cocinera de Madrid. ¿Quiere pasar a la cocina?
RAQUEL: No, no, Federico. No quiero molestar...
FEDERICO: No, no, está en su casa. Vamos... Mamá. Raquel y yo queremos ver cómo preparas la sopa.
SRA. SUÁREZ: No creo que a Raquel le interese mi cocina...
FEDERICO: Vamos, madre.
SRA. SUÁREZ: Bueno, estoy ya empezando a prepararla ahora.
SRA. SUÁREZ: ¡Federico! ¡Deja eso! Anda. Pon la mesa.
FEDERICO: ¡Vale! ¡Vale!

RAMÓN: Todavía no hay noticias de Raquel, ¿no?
MERCEDES: No.
RAMÓN: Mercedes, ¿tú crees que Rosario todavía esté viva?
MERCEDES: No sé.
RAMÓN: ¿En qué piensas?
MERCEDES: En Mamá. Ella no sabía que Papá se había casado en España.

SRA. SUÁREZ: Fede, sírvele más vino a Raquel.
FEDERICO: Atención, atención, damas. Un brindis por la Srta. Rodríguez, la abogada americana, quien, con su infinita capacidad de investigadora, ha encontrado a Jaime y a su perro en las calles de Sevilla.
SRA. SUÁREZ y FEDERICO: ¡Salud!
RAQUEL: Salud. Gracias, señores... Señora, le traje algo muy importante de Sevilla... algo relacionado con esa famosa aventura, pero...
SRA. SUÁREZ: ¿Pero qué?
RAQUEL: ...pero está en mi cartera... y no la tengo conmigo en este momento.
FEDERICO: ¿Qué ha traído de Sevilla?
RAQUEL: Una fotografía de Miguel, Jaime y su perro. La causa de toda la confusión en Sevilla fue el perro.
SRA. SUÁREZ: ¡Yo le he dicho a Miguel que no compre perros! ¡Que los perros no dan más que problemas!
RAQUEL: En realidad, fue algo muy cómico. Verán...
RAQUEL (VO): Esa mañana fuimos al mercadillo de los animales. A mí me gustó mucho porque por lo general me gustan los animales. Había peces, pájaros, y claro, perros. Bueno, Miguel encontró un perrito de color negro... y a Jaime le gustó inmediatamente.
MIGUEL: ¿Cuánto vale este perro?
VENDEDOR: Cinco mil pesetas.
RAQUEL (VO): Entonces Miguel padre regateó con el dueño y así Jaime consiguió su perro. Más tarde fuimos a tomar un café y el perro se escapó. Jaime lo siguió y los dos se perdieron por las calles. Fuimos a buscarlos. Elena por una calle, yo por otra. Por fin yo encontré a Jaime hablando con un ciego, un vendedor de lotería. Después, Jaime y yo fuimos a la Catedral... y otra vez Jaime y el perro se perdieron.
RAQUEL: ¡Jaime!
RAQUEL (VO): Los busqué... y por fin los encontré afuera con la familia.
RAQUEL: Cuando recupere la cartera, le daré la foto.
GUIDE: Mientras Raquel cena con la Sra. Suárez y su hijo Federico, el reportero y el Sr. Díaz toman unos finos en un bar.
ALFREDO: Me encanta este bar. Se llama La Torre del Oro. Bueno, debería irme. Mañana tengo un día muy ocupado.
SR. DÍAZ: Yo también. Tengo grandes planes para mañana.
ALFREDO: ¿Por ejemplo?
SR. DÍAZ: Voy al Prado. Nunca tuve oportunidad de visitarlo anteriormente.
ALFREDO: El Prado. Le va a gustar.

SR. DÍAZ: Estoy seguro. La cuenta por favor.
CAMARERO: Dos mil setecientas noventa.
ALFREDO: ¡Oh!...

RAQUEL: Gracias por su amabilidad. Fue una noche muy agradable.
SRA. SUÁREZ: Gracias. Nos vemos mañana, ¿no? No se olvide de la foto.
RAQUEL: Por supuesto que no. Y gracias por darme los datos sobre Rosario. Especialmente por darme su dirección.
SRA. SUÁREZ: ¡Ojalá la encuentre! Bueno. No se olvide de la carta para ella.
RAQUEL: Aquí la tengo.
FEDERICO: Raquel, se hace tarde. ¿Nos vamos?
RAQUEL: Buenas noches.
SRA. SUÁREZ: Buenas noches.
FEDERICO: Hasta luego, Mamá.
SRA. SUÁREZ: Adiós, Federico.
GUIDE: Federico ofrece llevar a Raquel al hotel. Mientras caminan al carro, Raquel le explica a Federico que necesita obtener un documento muy importante: una copia del certificado de nacimiento de Ángel Castillo. Federico le dice que debe llamar a Elena a Sevilla.
FEDERICO: Elena es estupenda. Ella la va a ayudar. Oiga, si no tiene nada que hacer, ¿por qué no me visita mañana en mi taller? Creo que le gustará.
RAQUEL: ¡Ah! ¿En qué trabaja, Federico?
FEDERICO: Podemos tutearnos.
RAQUEL: Ah, de acuerdo. Es que nosotros usamos mucho Ud.
FEDERICO: Aquí es más común tratarse de tú.
RAQUEL: Está bien. ¿En qué trabajas Federico?
FEDERICO: Fabrico guitarras. Vamos al coche.
RAQUEL: Claro. Ah, ¿guitarras? ¡Eso es muy interesante!
FEDERICO: Mañana te muestro algunas en el taller .
RAQUEL: Me gustaría. Como tengo que esperar el certificado de nacimiento de Ángel...
FEDERICO: Bueno. Al hotel.
RAQUEL: Gracias, Federico. Te llamaré mañana. Y dale las gracias a tu madre otra vez. Buenas noches.
FEDERICO: Buenas noches.
RAQUEL: ¡Huy, qué exhausta estoy! Bueno, han pasado cosas importantes. Primero, fui a casa de la Sra. Suárez.
FEDERICO: ¿Mamá? Mamá, ya estamos aquí.
RAQUEL: Después de un momento, la Sra. Suárez aparece y las dos nos sentamos a hablar.
RAQUEL: Mucho gusto, Sra. Suárez.
SRA. SUÁREZ: Tanto gusto, señorita. Siéntese.
RAQUEL: Gracias por su invitación. Es Ud. muy amable.
SRA. SUÁREZ: No hay de qué.
RAQUEL: La señora empieza a contarme la triste historia de Rosario.
RAQUEL (VO): Rosario no murió en el bombardeo de Guernica. En verdad, escapó con vida.
SRA. SUÁREZ: Rosario no murió. Gracias a Dios, escapó de esa tragedia, pero ella creía que Fernando había muerto.
RAQUEL (VO): Para mí, esto es lo más trágico de todo. Don Fernando creía que Rosario había muerto. Ella creía que él había muerto. Ninguno de los dos sabía la verdad. También nos dice la Sra. Suárez que Rosario sí tuvo un hijo.
RAQUEL: También en su carta Ud. le dice que Rosario tuvo un hijo.
SRA. SUÁREZ: Sí.
RAQUEL: ¿Y qué nombre le puso?
SRA. SUÁREZ: Ángel... Ángel Castillo.
RAQUEL (VO): También la señora me dice que Rosario se fue a vivir a la Argentina.
SRA. SUÁREZ: ...Sevilla. Es allí donde conocí a Rosario.
RAQUEL: ¿Y sabe dónde se estableció Rosario?
SRA. SUÁREZ: Muy cerca de Buenos Aires.
RAQUEL (VO): Finalmente me dice la señora que Rosario se había casado de nuevo.
RAQUEL: ¿Se casó de nuevo?
SRA. SUÁREZ: Pues, sí. Rosario era muy atractiva, muy simpática. Y como ella creía que Fernando había muerto...

RAQUEL: Lo comprendo. ¿Y con quién se casó?
SRA. SUÁREZ: Con un hacendado—un argentino llamado Martín Iglesias.
RAQUEL: Entonces, hasta el momento, ésta es la historia: Rosario no murió en el bombardeo de Guernica y sí tuvo un hijo. El hijo se llama Ángel. Ángel nació en Sevilla. Rosario y Ángel no viven en España. Después de la guerra, Rosario y el niño fueron a vivir a la Argentina. Allí, Rosario se casó de nuevo con un argentino llamado Martín Iglesias. Bueno, más o menos, eso es todo lo que sabemos de Rosario por el momento. ¡Ay! La Guerra Civil española fue algo horrible. Imagínense, ver a los amigos morir, o irse, ver la separación entre los esposos. La señora también me dio la dirección de Rosario en Buenos Aires. Ahora tengo que ir a la Argentina para seguir buscando a Rosario. Pero antes, debo llamar a Elena a Sevilla. ¿Recuerdan para qué?
RAQUEL: Tengo que llamar a Elena a Sevilla. Necesito su ayuda para obtener el certificado de nacimiento de Ángel.
FEDERICO: ¿Sí?
RAQUEL: Por supuesto. Estos documentos son muy importantes para mi cliente.
RAQUEL: Bueno, ahora tengo que llamar a Elena.
GUIDE: Entonces Raquel llama a Elena Ramírez. Raquel quiere pedirle un favor.
RAQUEL: ¿Elena? Habla Raquel... Raquel Rodríguez. Sí, sí. Ah, es una maravilla y lo pasé tan bien en su casa. Oiga, tengo un gran favor que pedirle si es tan amable. Necesito obtener el certificado de nacimiento del hijo de Rosario. Sí, nació en Sevilla. Ángel Castillo del Valle. En 1937. Sí, estoy en el Hotel Príncipe de Vergara. Sí, la dirección aquí es Príncipe de Vergara, 92, código postal 28006, Madrid. ¡Ah! Eso sería estupendo. No sé cómo agradecerle... Ah, perdone, alguien está en la puerta. Eh, tengo que colgar. Sí, gracias. Y saludos a la familia. Sí, adiós. ¿Quién es?
BOTONES: Botones. Un telex para Ud., señorita.
RAQUEL: Gracias.

Episodio 9

Estaciones (*Seasons*)

ENGLISH NARRATOR: Welcome to *Destinos: An Introduction to Spanish.* As you watch our story unfold, remember: don't try to understand every word while the characters speak in conversational Spanish. Listen and try to understand as best you can.
RAQUEL: ¡Ah! Alfredo. Buenos días.
ALFREDO: Buenos días, Raquel. ¿Qué tal pasó su primera noche en Madrid?
RAQUEL: Estupendamente, gracias.
ALFREDO: Mire, aquí le traigo su cartera.
ENGLISH NARRATOR: You should use the context and the characters' actions to get the general idea of what's being said.
ALFREDO: Un momento.
RAQUEL: ¡Ah! Alfredo. Yo sé que Ud. me hizo un gran favor al encontrar mi cartera, pero...
ALFREDO: No diga pero.
RAQUEL: ...pero soy abogada y tengo la obligación de respetar la confidencialidad de mi cliente.
ENGLISH NARRATOR: At other times, you will hear a narrator tell you something about the story in Spanish.
GUIDE: Todas las mañanas Teresa Suárez va al quiosco y compra un cupón de lotería....
ENGLISH NARRATOR: In this episode, you will learn the seasons and months of the year in Spanish.
GUIDE: Primavera, verano, otoño, invierno.
ENGLISH NARRATOR: You will also learn the words for some basic colors.
EMPLEADA: Color morado, blanco, verde, rojo...
RAQUEL: ¡Ah! «Querida Raquel, Fernando está peor. Me urge comunicarme contigo.»
GUIDE: En un apartamento madrileño, Raquel espera a la Sra. Teresa Suárez... la mujer que le escribió una carta a su cliente, don Fernando Castillo. La Sra. Suárez es la única persona que sabe si Rosario murió o no en la tragedia de Guernica.
SRA. SUÁREZ: Rosario no murió. Gracias a Dios, escapó de esa tragedia.
GUIDE: Raquel le hace una serie de preguntas: ¿Murió Rosario durante el bombardeo de Guernica? ¿Tuvo un hijo? La Sra. Suárez le contesta que Rosario no murió. Tuvo un hijo y se fue con él a vivir a la Argentina. En Buenos Aires se casó de nuevo con un hacendado argentino, Martín Iglesias.
RAQUEL: ¿Y sabe dónde se estableció Rosario?
SRA. SUÁREZ: Muy cerca de Buenos Aires.
GUIDE: Raquel tiene una fotografía para la Sra. Suárez—una fotografía de Miguel, Jaime y su perro. Pero la fotografía está en la cartera de Raquel... la cartera que Raquel olvidó en el taxi. Alfredo Sánchez, el reportero español y amigo reciente de Raquel, conversa con el Sr. Manuel Díaz. Alfredo no sabe que el Sr. Díaz es la persona que él busca.
ALFREDO: Soy Alfredo. Ya he conseguido su cartera.
GUIDE: Alfredo ya encontró la cartera de Raquel, pero no quiere dejársela en la recepción. En realidad, Alfredo tiene otros motivos. Quiere hablar con Raquel porque quiere saber más sobre el caso de Fernando Castillo. Es una noche tranquila.
RAQUEL: Ah, perdone, alguien está en la puerta. Eh, tengo que colgar. Sí, gracias. Y saludos a la familia. Sí, adiós.
GUIDE: Pero la tranquilidad es breve...
RAQUEL: ¿Quién es?
BOTONES: Botones. Un telex para Ud., señorita.
RAQUEL: Gracias. ¡Ah! «Querida Raquel, Fernando está peor. Me urge comunicarme contigo. Llámame al hospital: 3-95-72-83. Saludos, Pedro.» ¡Ay! Tengo que llamar a Pedro.
PEDRO: Bueno.
RAQUEL: ¡Ay! Pedro. Habla Raquel. Acabo de recibir su telegrama.
PEDRO: Gracias por llamar. Ayer trajeron a Fernando al hospital.
RAQUEL: ¿Y cómo está ahora?
PEDRO: Mucho mejor. El médico dice que ya pasó el peligro.
RAQUEL: ¡Ay! Me alegro.
PEDRO: ¿Y qué noticias tienes?
RAQUEL: Bueno, tengo muchas pero no son todas buenas.
PEDRO: A ver, dime.
GUIDE: Otro día en Madrid y la vida continúa. Federico llega al taller donde trabaja. Allí espera la

llamada de Raquel. Mientras tanto, la Sra. Suárez comienza su rutina diaria. Sale a la calle y camina hacia la Plaza Mayor. Todas las mañanas Teresa Suárez va al quiosco y compra un cupón de lotería. Entra al mercado y hace las compras para el día. La señora siempre busca las frutas y verduras más frescas. La Sra. Suárez sale del mercado y hace las últimas compras del día en una farmacia... y así, la vida diaria de Teresa Suárez es como la vida diaria de muchos habitantes de Madrid.

ALFREDO: Buenos días.

RAQUEL: Ah, Alfredo. Buenos días.

ALFREDO: Buenos días, Raquel. ¿Qué tal pasó su primera noche en Madrid?

RAQUEL: Estupendamente, gracias.

ALFREDO: Mire, aquí le traigo su cartera.

RAQUEL: ¡Por fin! ¡Ah! No sé cómo agradecerle.

ALFREDO: Y esta fotografía se cayó de la cartera. Aquí la tiene.

RAQUEL: Gracias, gracias. Alfredo, espero que me perdone por lo de anoche. Lo estuve buscando aquí en el salón pero no lo encontré. Y luego...

SR. DÍAZ: Buenos días.

RAQUEL: Buenos días.

ALFREDO: Buenos días.

ALFREDO: Misión cumplida, ahí tiene su cartera.

SR. DÍAZ: ¡Ah, estupendo!

CAMARERO: Buenos días. ¿Qué van a tomar?

RAQUEL: Un café, nada más.

CAMARERO: ¿Señor?

ALFREDO: Pan tostado y un café con leche, por favor.

RAQUEL: Gracias.

ALFREDO: Raquel, tengo una idea.

RAQUEL: ¿Sí?

ALFREDO: ¿Sabe. Todavía no he encontrado a la persona que ganó la lotería. Me gustaría escribir una historia para la televisión... una historia basada en el caso que Ud. investiga.

RAQUEL: Lo siento, Alfredo, pero eso es imposible.

ALFREDO: Un momento.

RAQUEL: Alfredo. Yo sé que Ud. me hizo un gran favor al encontrar mi cartera, pero...

ALFREDO: No diga pero.

RAQUEL: ...pero soy abogada y tengo la obligación de respetar la confidencialidad de mi cliente.

ALFREDO: Entonces, ¿no me va a decir nada?

RAQUEL: Lo siento, pero no.

ALFREDO: Pues, vaya suerte la mía. He perdido la oportunidad de hacer el reportaje de una maestra que ganó el premio especial de la lotería. Una maestra, a quien su clase del sexto grado...

SR. DÍAZ: Perdone, pero creo que la información que tiene es incorrecta.

ALFREDO: ¿Cómo?

SR. DÍAZ: La maestra no es una maestra, sino un maestro. Es un hombre. Y además, no da clase en el sexto grado sino en el octavo.

ALFREDO: ¿Un hombre? ¿y cómo lo sabe Ud.?

SR. DÍAZ: Porque ese maestro soy yo.

ALFREDO: ¡Esto es increíble! Ud. es la maestra y ha estado aquí todo el tiempo.

SR. DÍAZ: Sí. Excepto que soy el maestro.

RAQUEL: Bueno, pues, me alegro de que por fin se hayan encontrado. Felicitaciones a los dos. Y ahora, si me perdonan, tengo que hacer una llamada.

ALFREDO: Sí, vale.

RAQUEL: Hasta luego.

ALFREDO/SR. DÍAZ: Hasta luego.

ALFREDO: Bueno, cuénteme la historia del cupón...

SR. DÍAZ: La historia es sencilla. No tiene gran complicación...

RAQUEL: ...Sí, Federico. Ya tengo la cartera y la foto. Sí, voy a tomar un taxi ahora mismo. Perfecto. Bueno, hasta luego.

AMIGOS DE FEDERICO: ¿Cómo estás Federico? Hola, chico, hola.

GUIDE: Federico saluda a sus amigos, unos músicos de la universidad.

FEDERICO: Esperad un momento que en seguida os la traigo, ¿eh?

AMIGOS: Vale.

GUIDE: Estos cuatro jóvenes pertenecen a una tuna. Las tunas son grupos musicales formados por

estudiantes universitarios.
FEDERICO: Ha quedado como nueva.
FEDERICO: Pruébala y verás.
GUIDE: Las tunas se visten con trajes medievales... y tocan música típica de la España medieval. Aquí, una tuna canta «Noche plateada», una canción típica. Una vez al año, las tunas participan en un gran concurso, una competencia musical. Las tunas, así como la celebración de Semana Santa en Sevilla, son otra faceta de las ricas tradiciones medievales de España.
RAQUEL: ¡Bravo, bravo, bravo! Cantan muy bien, ¿eh?
FEDERICO: ¿Qué tal estás?
RAQUEL: ¿Cómo estás?
FEDERICO: Bueno, chicos, nos vemos esta noche entonces.
AMIGOS: De acuerdo.
FEDERICO: Hasta luego.
AMIGOS: Hasta luego.
RAQUEL: Que les vaya bien.
AMIGOS: Gracias. Adiós. Adiós.
FEDERICO: ¿Verdad que son muy buenos?
RAQUEL: Sí. ¡Excelentes! Mira, Fede...
GUIDE: Raquel quiere darle la foto a Federico, pero él tiene otra idea...
FEDERICO: Mi novia trabaja allí, tú podrás...
GUIDE: Federico invita a Raquel a acompañarles a él y su mamá esta noche.
RAQUEL: Gracias.
FEDERICO: ¿Vas a alguna parte ahora?
RAQUEL: Sí.
GUIDE: Así, Raquel podrá dar la foto a la Sra. Suárez personalmente.
FEDERICO: Vale. ¿Pasamos por ti a las nueve? Así podemos ir a la escuela de baile y luego a cenar juntos.
RAQUEL: De acuerdo. Entonces, a las nueve.
FEDERICO: Hasta luego.
RAQUEL: Hasta luego.
GUIDE: Después de la visita con Federico, Raquel va a una agencia de viajes.
AGENTE: Sí, señorita. Dígame.
RAQUEL: Buenos días. Tengo una reservación para ir a Buenos Aires mañana.
AGENTE: Ah, sí. Ud. será la Srta. Rodríguez.
RAQUEL: Sí. Raquel Rodríguez.
AGENTE: Sí. Aquí está. Le va a gustar mucho la Argentina. La primavera en Buenos Aires es muy bonita.
RAQUEL: ¿La primavera? ¡Huy, sí! ¡Allá es primavera! No recordaba eso.
GUIDE: Primavera, verano, otoño, invierno. Son las estaciones del año. Los meses de invierno en España son diciembre, enero y febrero. Los meses de primavera son marzo, abril y mayo. Los meses de verano son junio, julio y agosto. Los meses de otoño son septiembre, octubre y noviembre. Pero en la Argentina es diferente. El mundo está dividido en dos hemisferios: el hemisferio norte y el hemisferio sur. Cuando en el hemisferio norte es invierno, en el hemisferio sur es verano. Así que cuando en España es invierno, en la Argentina es verano. Cuando en España es verano, en la Argentina es invierno y cuando en España es otoño, es primavera en la Argentina. ¿Se refiere la oración a España o a la Argentina? Es noviembre y es primavera. Se refiere a la Argentina. Es agosto y es verano. Se refiere a España. Es julio y es invierno. Se refiere a la Argentina. Es abril y es otoño. Se refiere a la Argentina. Es mayo y es primavera. Se refiere a España. Bueno, volvamos a nuestra historia. Después de conseguir su pasaje a Buenos Aires, Raquel decide ir de compras. Decide tomar el metro, el sistema de transporte que usan miles de madrileños en su rutina diara. El tren que toma Raquel la lleva al Corte Inglés, un almacén muy grande.
RAQUEL: Me gustaría ver algunos conjuntos. ¿Algo azul o de color salmón?
EMPLEADA: Un minuto. Tengo un conjunto de color salmón muy bonito.
RAQUEL: ¿Me lo puedo probar?
EMPLEADA: Claro. Por aquí. Mientras lo prueba, le voy sacando blusas de diferentes colores.
RAQUEL: Gracias.
EMPLEADA: Bueno, color morado, blanco, verde, rojo, azul, amarillo y blanco con diferentes colores. Le queda muy bien. El color salmón le favorece muchísimo.
RAQUEL: Gracias.

EMPLEADA: Perdone, señorita. Voy a contestar el teléfono.

RAQUEL: ¡Tantas cosas que recordar! Anoche, recibí un telegrama muy importante. ¿Recuerdan de quién era?

RAQUEL (VO): «Querida Raquel,»...

RAQUEL: Exacto. Recibí un telegrama de Pedro. El telegrama contenía una noticia muy importante sobre don Fernando. ¿Qué noticia contenía? Fernando está muy bien. Don Fernando está muy mal. Don Fernando murió. Precisamente. Bueno. Ahora, mi cartera. Por fin encontré a Alfredo. Y así fue cómo recobré mi cartera. Y después desayuné con Alfredo. Yo tomé sólo un café pues no me gusta desayunar fuerte. Después del desayuno, fui al taller donde trabaja Federico. En el taller conocí a unos músicos, ¿recuerdan? ¿Recuerdan cómo se llaman estos grupos? Se llaman tunas y los músicos son estudiantes universitarios. Bueno, vamos a resumir. Anoche recibí un telegrama de Pedro sobre don Fernando. Don Fernando está muy mal. Esta mañana recobré mi cartera y desayuné con Alfredo. Después fui al taller de Federico y conocí a unos músicos. Por la tarde fui al Corte Inglés y aquí estoy. Recuerden que necesito comprar ropa. Ropa de primavera. Y ahora, llevo un conjunto de color salmón que creo que voy a comprar.

DON FERNANDO: Dime lo que pasa.

PEDRO: Fernando, las noticias de España no son todas buenas.

DON FERNANDO: Sigue, sigue.

PEDRO: Como sospechabas, Rosario no murió en la guerra. Y según Raquel... pues,... sí tuvo un hijo. Al final de la guerra, se fue a vivir a la Argentina.

DON FERNANDO: Sigue.

PEDRO: Se casó de nuevo.

DON FERNANDO: Bien. Entonces, no estaba sola todos estos años. ¿Rosario sabe algo de mí?

PEDRO: No. Raquel sale mañana para Buenos Aires. Nos llamará tan pronto como tenga noticias.

DON FERNANDO: Bien. Pedro...

PEDRO: ¿Sí?

DON FERNANDO: ¿Qué nombre le puso Rosario a nuestro hijo?

PEDRO: Ángel.

Episodio 10
Cuadros (*Paintings*)

ENGLISH NARRATOR: Welcome to *Destinos: An Introduction to Spanish.* By now you are accustomed to hearing conversational Spanish:
RAQUEL: Aquí tengo una foto de Jaime y de Miguel.
SRA. SUAREZ: ¡Qué guapos son!
RAQUEL: Sí, son preciosos.
ENGLISH NARRATOR: Remember . . . let the characters' actions and the context guide your understanding.
RAQUEL: ¿Qué tal la historia del Sr. Díaz?
ALFREDO: ¡Estupenda! Este señor sabe más de arte que el mismo Picasso. Ja, ja.
ENGLISH NARRATOR: You may also have noticed that increasing amounts of Spanish are spoken directly to you, Spanish that should be more comprehensible to you than the conversational Spanish of the characters.
GUIDE: En el Museo del Prado, se encuentran algunas de las obras de arte más importantes... no sólo de España, sino también de Italia... Francia... Holanda... y otros países europeos.
ENGLISH NARRATOR: When the narrator speaks to you in Spanish, you should pay special attention and try very hard to understand most of what is said. In this episode, you will learn some basic terms for describing people . . . words such as **alto** for tall, . . . **bajo** for short . . . and others. As you learn how physical description is expressed in Spanish, you will also see the art of three important Spanish painters: El Greco . . . Velázquez . . . and Goya.
RAQUEL: ...lo pasé tan bien en su casa.
GUIDE: En el episodio previo, Raquel habla por teléfono con Elena Ramírez.
RAQUEL: ...amable. Necesito obtener el certificado de nacimiento del hijo de Rosario Sí, nació en Sevilla. Ángel Castillo del Valle.
GUIDE: Ahora que Raquel sabe que Rosario vive en Buenos Aires, hace preparativos para un viaje a la Argentina.
AGENTE: Sí, señorita. Dígame.
RAQUEL: Buenos días. Tengo una reservación para ir a Buenos Aires mañana.
AGENTE: Ah, sí. Ud. será la Srta. Rodríguez.
RAQUEL: Sí, Raquel Rodríguez.
AGENTE: Aquí está. Le va a gustar mucho la Argentina. La primavera en Buenos Aires es muy bonita.
RAQUEL: ¿La primavera? ¡Huy, sí! ¡Allá es primavera!
GUIDE: Alfredo, el reportero, quiere saber más del caso de don Fernando. Pero Raquel no le dice nada.
RAQUEL: ¡Ah, Alfredo! Yo sé que Ud. me hizo un gran favor al encontrar mi cartera, pero...
ALFREDO: No diga pero.
RAQUEL: ...pero soy abogada y tengo la obligación de respetar la confidencialidad de mi cliente.
ALFREDO: Entonces, ¿no me va a decir nada?
RAQUEL: Lo siento, pero no.
GUIDE: El reportero está frustrado porque no puede encontrar a la persona que busca—una maestra—pero pronto, recibe una sorpresa.
ALFREDO: ...del sexto grado...
SR. DÍAZ: Perdone, Alfredo, pero esa información que tiene es incorrecta.
ALFREDO: ¿Cómo?
SR. DÍAZ: La maestra no es una maestra, sino un maestro. Es un hombre. Y además, no da clase en el sexto grado sino en el octavo.
ALFREDO: ¿Un hombre? ¿Y cómo lo sabe Ud.?
SR. DÍAZ: Porque ese maestro soy yo.
GUIDE: Esta noche, Raquel va a conocer a María... la novia de Federico.
MARÍA: ...muy alto, muy alto el pecho. Vamos a tener un cambio. Las pasamos por delante y al pasar delante agachamos un poco, cogemos la falda y empezamos, ¿de acuerdo?
BAILADORAS: ¡Olé!
MARÍA: Gracias, chicas, señoras, buenas noches y hasta mañana. Vale. ¡Hola, Fede!
FEDERICO: Hola, cariño.
MARÍA: ¿Qué tal?
FEDERICO: Bien, ¿y tú?

MARÍA: Bien. Hola.
FEDERICO: María, te presento a Raquel Rodríguez.
MARÍA: Mucho gusto.
RAQUEL: Igualmente. Me gustó mucho la presentación.
MARÍA: Gracias...
FEDERICO: Perdonad, pero yo estoy muerto de hambre. Vamos a comer. Así podemos hablar más tranquilamente, ¿vale?
MARÍA: Voy a cambiarme de ropa. ¿Me esperas un minuto, Fede?
FEDERICO: Muy bien.
GUIDE: Es una noche de otoño muy bonita en Madrid... y Raquel cena con la Sra. Suárez, Federico y María. Después, en frente del restaurante...
RAQUEL: Es tarde y debo hacer muchas cosas antes de mi viaje a Buenos Aires.
SRA. SUÁREZ: Vale. Federico, ¿por qué no pides un taxi para Raquel?
FEDERICO: Con mucho gusto.
RAQUEL: Gracias, Federico. Te lo agradecería.
FEDERICO: Vamos, María. En seguida volvemos.
SRA. SUÁREZ: Bien. ¿Qué le parece? Parece una buena chica, ¿verdad?
RAQUEL: Yo creo que sí. Y parecen muy contentos.
SRA. SUÁREZ: Y es muy guapa. Y tan delgada.
RAQUEL: Mire. Aquí tengo una foto de Jaime y de Miguel.
SRA. SUÁREZ: ¡Qué guapos son!
RAQUEL: Sí, son preciosos.
SRA. SUÁREZ: Miguel tiene los ojos de su padre, pero Jaime tiene los ojos de su madre. ¡Oh! ¡Pero qué delgado está Miguel! ¿Y éste es el perro que causó tantas dificultades?
RAQUEL: El mismo.
SRA. SUÁREZ: ¡Qué feo! No tiene los ojos bonitos. A mí me gustan los perros con los ojos bonitos... ojos expresivos. Es feo, es un perro feo.
RAQUEL: Ja, ja.
FEDERICO: Aquí está tu taxi, Raquel.
RAQUEL: ¡Ah! Gracias, Federico. Les deseo mucha suerte a los dos.
FEDERICO y MARÍA: Gracias.
RAQUEL: Adiós, señora.
SRA. SUÁREZ: Adiós.
RAQUEL: Adiós, María.
MARÍA: Adiós.
RAQUEL: Adiós, Federico.
FEDERICO: Adiós. Y que tengas un buen viaje a la Argentina.
RAQUEL: Gracias.
MARÍA: Raquel, ¿no tienes tiempo para visitar el Museo del Prado?
RAQUEL: Mañana voy. Mi vuelo no sale hasta las cinco.
MARÍA: A mí me encanta ir al Prado. Te va a gustar mucho.
RAQUEL: Ya lo creo. Señora, le diré a Rosario que le escriba pronto. Aquí tengo su carta. No me voy a olvidar de ella.
SRA. SUÁREZ: Gracias, Raquel. Que tenga muy buen viaje.
RAQUEL: Gracias, señora.
SRA. SUÁREZ: Si vuelve otra vez a Madrid, ya sabes que aquí tiene unos amigos.
RAQUEL: Muchas gracias.
SRA. SUÁREZ: Y algo más. Hay algo más en la vida que el trabajo. Hay que dedicarle tiempo al corazón.
GUIDE: En su hotel, Raquel comienza los preparativos para ir a Buenos Aires, porque al día siguiente va a visitar un lugar de mucha importancia cultural—el famoso Museo del Prado. El Museo del Prado es un edificio de color gris, de estilo neo-clásico con figuras greco-romanas en las paredes, y con grandes columnas en la entrada. En el Museo del Prado se encuentran algunas de las obras de arte más importantes... no sólo de España, sino también de Italia... Francia... Holanda... y otros países europeos. Primero, Raquel va al Salón de El Greco, gran pintor español del siglo XVI. El Greco es conocido por las figuras en sus pinturas religiosas. En este cuadro están los ejemplos de San Andrés y San Francisco. Los santos de El Greco siempre son altos y delgados. El Greco nunca pintó personas bajas,... o gordas,... como otros pintores. Los santos siempre llevan barba. En este cuadro, San Andrés ya está viejo. Tiene el pelo y la barba blancos. San Francisco es más joven. Tiene el pelo y la barba de color castaño. En las figuras de El Greco, el pelo de los hombres

es siempre corto. El Greco nunca pintó los santos con pelo largo. El color del pelo es siempre blanco o castaño. El Greco nunca pintó personas de pelo rubio... como se ve en este cuadro de otro pintor. Muy importante en las pinturas de El Greco son los ojos. Los ojos de los santos son muy expresivos. Los ojos reflejan una fuerte devoción religiosa. Aquí en este cuadro están todos los elementos característicos de los santos del Greco: un santo alto... delgado... con barba, de pelo corto, no largo... y ojos expresivos. Después de ver las obras de El Greco, Raquel entra al Salón de Velázquez. Como es evidente en estos cuadros, Velázquez y El Greco tenían estilos muy distintos. Sus estilos representan diferentes valores artísticos. En sus pinturas, Velázquez no ponía mucho énfasis en temas religiosos. Más que todo, Velázquez pintó escenas de la vida típica... y también retratos de la familia real. Las personas que aparecen en las pinturas de Velázquez, son muy diferentes de las de El Greco. Hay personas bajas... gorditas... rubias... de pelo largo... de diferentes rasgos físicos. Velázquez pintó la realidad. En este Salón, Raquel encuentra uno de los cuadros más famosos de Velázquez. Se llama *Las Meninas*. En este cuadro están los elementos que distinguen el arte de Velázquez del arte de El Greco. Primero, la variedad de tipos de personas. Hay personas de pelo rubio... de pelo negro... de pelo castaño.... Hay personas altas... bajas.... Hay personas delgadas... bonitas... y también gorditas. Durante la última parte de su visita al Prado, Raquel se encuentra con una clase de primaria. La maestra les está dando una lección a sus estudiantes sobre Goya.

MAESTRA: ...en Andalucía, en Italia y en Francia. En este cuadro tenemos el famoso retrato de la familia real de Carlos IV (cuarto). A los setenta años, Goya entró en un período diferente de su arte: el famoso período negro. En las pinturas de este período predominan escenas horribles y grotescas. En esta época Goya estaba triste y desilusionado... y su actitud se refleja en las pinturas de este período.

ARTISTA: ¿Qué le parece?

RAQUEL: Muy interesante.

ARTISTA: Gracias. Es difícil pintar los ojos, ¿sabe? El resto es fácil, pero los ojos—los ojos son muy difíciles.

ALFREDO: Bueno. Ahora, venga Ud. por aquí. ¿Dónde estará José María? ¡José! ¡José María!

RAQUEL: Ja, ja. Hola, Alfredo.

ALFREDO: Raquel, ¿qué hay?

RAQUEL: Hola, Sr. Díaz.

SR. DÍAZ: ¿Qué tal, Raquel?

RAQUEL: Bien, gracias, bien. ¿Qué tal la historia del Sr. Díaz?

ALFREDO: Estupenda. Este señor sabe más de arte que el mismo Picasso. Ja, ja.

SR. DÍAZ ¿Qué le parece el Prado? Magnífico, ¿verdad?

RAQUEL: Sin duda. ¡Ah, hay tanto que ver!

ALFREDO: Perdonen, yo voy a ir a buscar a José María. ¿Nos... nos busca en la entrada en unos veinte minutos?

SR. DÍAZ: Vale, de acuerdo.

ALFREDO: Hasta ahora.

SR. DÍAZ: Vamos. Las obras de Goya me impresionan tanto...

RAQUEL: Sí, a mí también, pero a mí también me gustan mucho las obras de El Greco.

SR. DÍAZ: Ah, entonces, Ud. debe visitar Toledo. Allí hay un museo especial dedicado a El Greco. Y en la Catedral de Toledo están algunas de sus pinturas más famosas.

RAQUEL: Seguramente será en otro viaje. Hoy salgo para Buenos Aires.

SR. DÍAZ: Ah.

ALFREDO: Perdone, Sr. Díaz. Necesitamos filmar algunas escenas fuera del museo, quizás en el parque.

SR. DÍAZ: Bueno. Vale. Srta. Rodríguez, ha sido un placer. Le deseo muy buen viaje.

RAQUEL: Gracias. Que disfrute aquí en Madrid.

SR. DÍAZ: Oh, por eso no se preocupe.

ALFREDO: Gracias, Raquel, por ayudarme a encontrar al Sr. Díaz.

RAQUEL: No, no. Gracias a Ud. por encontrarme la cartera.

ALFREDO: Cuando vuelva a Madrid, quizás me cuente del caso de Fernando Castillo. Siempre busco algo interesante para la televisión.

RAQUEL: Ud. es muy persistente, Alfredo.

ALFREDO: ¿Qué quiere? Soy reportero.

RAQUEL: Ja, ja, ja. Adiós, Alfredo.

ALFREDO: Adiós, Raquel. Que tenga buen viaje.

GUIDE: Éste es el gran parque de Madrid... el Parque del Retiro. Raquel ha venido para escribir unas tarjetas postales.

RAQUEL: Queridos Mamá y Papá,

Aquí me encuentro en un banco pensando en otro viaje que tengo que hacer. Esta vez, es a la Argentina. No puedo creer que salga para la Argentina. Me gustaría pasar unos días más en Madrid... ¡hay tanto que ver! Hoy fui al Museo del Prado. Fue una verdadera experiencia. Vi algunas obras de tres artistas españoles. ¿Recuerdan quiénes son esos artistas? El Greco, Velázquez y Goya. ¡Ah, me encanta el arte! ¿Recuerdan algunas de las diferencias en la obra de estos artistas? Por ejemplo, ¿cuál de estos tres artistas pintó santos y otras figuras religiosas? El Greco pintó santos. Y también El Greco usó un estilo constante. Los santos de sus pinturas tienen simpre la misma forma. A ver, díganme Uds. ¿cuál es? Aquí en este cuadro, están todos los elementos característicos de los santos de El Greco. Un santo alto, delgado, con barba, de pelo corto, no largo y ojos expresivos. Es fácil saber si una pintura es de El Greco o no. En cambio, Velásquez pintó personas de su época, especialmente la familia real. Y su estilo fue muy diferente de el de El Greco. Velázquez pintó figuras de gran variedad en sus rasgos físicos. En sus pinturas, hay personas bajas, gorditas y rubias de pelo largo. Y finalmente vi unas pinturas de Goya. Para mí lo interesante de él son las pinturas de su período negro. Durante esa época, Goya pintó unas escenas horribles. En el Museo del Prado vi al Sr. Díaz y también a Alfredo.

RAQUEL: Hola, Alfredo.

ALFREDO: Raquel, ¿qué hay?

RAQUEL: Hola, Sr. Díaz.

SR. DÍAZ: ¿Qué tal, Raquel?

RAQUEL: Bien, gracias, bien. ¿Qué tal la historia sobre el Sr. Díaz?

ALFREDO: Estupenda. Este señor sabe más de arte que el mismo Picasso. Ja, ja.

RAQUEL: Ahora estoy aquí en este hermoso parque . Bueno. Debo terminar de escribir mis tarjetas. Salgo para la Argentina a las cinco. ¡Ojalá pueda encontrar a Rosario y a su hijo en Buenos Aires! ¿Uds. qué creen? ¿Vive Rosario todavía en Buenos Aires? Y el pobre don Fernando. ¿Qué va a pasar con él?

RECEPCIONISTA: Sr. Martín, esto es para Ud.

SEÑOR: Oh, muchas gracias.

RAQUEL: ¿Me pone éstas en el correo, por favor?

RECEPCIONISTA: Sí. Cómo no, señorita. Ah, esto llegó para Ud.

RAQUEL: Ah, muchas gracias. Esto sí es importante.

Episodio 11

La demora (*The Delay*)

ENGLISH NARRATOR: Welcome to Episodio 11 of *Destinos: An Introduction to Spanish.* In this episode, Raquel concludes her stay in Spain.
ELENA y MIGUEL: Adiós, Raquel. Adiós.
ENGLISH NARRATOR: Most of what you will see and hear is a review of previous episodes as Raquel reflects on her investigation in Spain.
ALFREDO: ¿Abogada? ¿Es esta persona un cliente?
RAQUEL: No le puedo decir nada más. Es un secreto.
ENGLISH NARRATOR: Most of the conversational Spanish that you will hear will already be familiar to you.
ALFREDO: ...que disfrute de su estancia en Madrid. ¿En qué hotel se queda?
RAQUEL: En el Hotel Príncipe de Vergara.
ENGLISH NARRATOR: And while you may not understand every word, your knowledge of previous episodes should help make it easier to understand.
RAQUEL: En su carta, Ud. le dice que Rosario no murió en la guerra.
SRA. SUÁREZ: Es verdad. Rosario no murió. Gracias a Dios, escapó de esa tragedia.
ENGLISH NARRATOR: As in previous episodes, you will hear a narrator's voice in Spanish.
GUIDE: Raquel trata de llamar a la agencia de viajes, pero nadie contesta. Decide ir a la agencia para preguntar qué pasa con su reservación.
RAQUEL: Voy a la agencia de viajes. ¿Le dice al botones que baje mis maletas?
RAQUEL: ¿Son cartas de Rosario?
SRA. SUÁREZ: Sí. En ellas está la dirección.
RAQUEL: Estancia Santa Susana.
GUIDE: En el episodio previo, Raquel conoce a María, la novia de Federico. Después de cenar con ellos y la Sra. Suárez, Raquel se despide.
SRA. SUÁREZ: Si vuelve otra vez a Madrid, ya sabes que aquí tiene unos amigos.
RAQUEL: Muchas gracias.
SRA. SUÁREZ: Y algo más. Hay algo más en la vida que el trabajo. Hay que dedicarle tiempo al corazón.
GUIDE: Antes de salir para Buenos Aires, Raquel va al Museo del Prado. Allí ve algunas obras de artistas españoles muy importantes: El Greco... Velázquez... y Goya. Al final de su visita al Museo del Prado, Raquel se encuentra con Alfredo y el Sr. Díaz.
RAQUEL: Ja, ja. Hola, Alfredo.
ALFREDO: Raquel, ¿qué hay?
RAQUEL: Hola, Sr. Díaz.
SR. DÍAZ: ¿Qué tal, Raquel?
RAQUEL: Bien, gracias, bien.
RAQUEL: ¿Me pone éstas en el correo, por favor?
RECEPCIONISTA: Sí. Cómo no, señorita. Ah, esto llegó para Ud.
RAQUEL: Ah, muchas gracias. Esto sí es importante.
RECEPCIONISTA: También hay este mensaje para Ud. Es de la agencia de viajes.
RAQUEL: Ay, ay, ¿me permite usar el teléfono?
RECEPCIONISTA: Sí, cómo no.
GUIDE: Raquel trata de llamar a la agencia de viajes, pero nadie contesta. Decide ir a la agencia para preguntar qué pasa con su reservación.
RAQUEL: Voy a la agencia de viajes. ¿Le dice al botones que baje mis maletas?
RECEPCIONISTA: Sí, sí, cómo no, señorita.
AGENTE: Perdone, señorita, lo siento mucho. Hemos confirmado su asiento en el vuelo 897.
RAQUEL: Entonces, vine por nada. Debo ir al aeropuerto en seguida.
AGENTE: Pues, hay otro problema...
RAQUEL: ¿Sí?
AGENTE: Hay una demora en ese vuelo.
RAQUEL: ¿Una demora?¿De cuánto tiempo?
AGENTE: Cuatro horas por lo menos. La nueva hora de salida es a las nueve. No tiene que estar en el aeropuerto hasta las siete.
RAQUEL: Bueno, entonces, tengo un poco de tiempo. Muchas gracias.
AGENTE: No hay de qué, y perdone la molestia.

RECEPCIONISTA: Ah, Srta. Rodríguez. Aquí está la cuenta si la quiere revisar... y el botones ya ha bajado la maleta.
RAQUEL: Muchas gracias. Pero tengo un problema. Hay una demora en mi vuelo. No sale hasta las nueve.
RECEPCIONISTA: ¿Desea Ud. tener la habitación por unas horas más?
RAQUEL: Si es posible, sí.
RECEPCIONISTA: No hay problema, señorita. ¡Botones! Sube la maleta a la 631 de nuevo.
RAQUEL: Muchísimas gracias. Me gustaría pagar ahora.
RECEPCIONISTA: Cómo no, señorita.
GUIDE: Raquel le da su tarjeta de crédito al recepcionista y revisa la cuenta. Después, ella sube a su habitación para descansar unas horas. En la habitación Raquel decide tomar una siesta. Pero antes, llama a la recepción para pedir que la despierten.
RAQUEL: Por favor, ¿me podría llamar en una hora para despertarme? Gracias. Sí.
RAQUEL (VO): Seis días en España. ¿Qué voy a recordar de mi estancia aquí? La Sra. Teresa Suárez. ¿La conocen?
MIGUEL (HIJO): Sí, es mi abuela.
RAQUEL: ¿Y dónde vive ahora?
MIGUEL (HIJO): Ahora vive en Madrid.
ELENA y MIGUEL: Adiós, Raquel. Adiós.
RAQUEL: ¡Qué cansada!
ALFREDO: ¿Grabando?
JOSÉ MARÍA: Sí, grabando.
ALFREDO: Buenas tardes a todos. Aquí estoy en el rápido de Sevilla a Madrid. Conmigo está la ganadora del premio especial de la Organización Nacional de Ciegos...
RAQUEL: ¿La lotería?
ALFREDO: Ud. estará muy contenta de su buena suerte.
RAQUEL: Perdone, pero no sé de qué habla.
ALFREDO: Esta maestra de primaria es la Sra. Díaz. Su clase de sexto grado le compró un cupón y...
RAQUEL: Perdone, creo que se ha equivocado. Yo no soy la Sra. Díaz y tampoco soy maestra.
ALFREDO: ¿Qué dice?
RAQUEL: Que no soy la Sra. Díaz. Me llamo Raquel Rodríguez.
ALFREDO: Entonces, ¿Ud. no es la persona que ha ganado el premio especial de la Organización de Ciegos?
RAQUEL: No, señor.
ALFREDO: ¿Y Ud. no es la maestra de sexto a quien su clase le compró el cupón?
RAQUEL: No.
ALFREDO: ¡Corta! Hay un error. Ésta no es la señora que buscamos. éste es el compartimento doce en el vagón número quince. ¿Y no está por aquí la Sra. Díaz?
RAQUEL: No. Como puede ver, aquí sólo estoy yo.
ALFREDO: ¡Vaya! La Sra. Díaz debería estar en este tren... y en este compartimento. ¡Qué lata!
RAQUEL: Posiblemente esté en otro compartimento.
ALFREDO: Es posible. Pero no entiendo por qué diablos me han dado esta información.
RAQUEL: Pronto la encontrará.
ALFREDO: Disculpe tanta molestia, ¿eh?
RAQUEL: No hay de qué.
ALFREDO: Ud. es mexicana, ¿no?
RAQUEL: Soy norteamericana, de ascendencia mexicana. Nací y vivo en Los Ángeles, California.
ALFREDO: Bueno. Pues, muy bien, Srta. Rodríguez. Muchas gracias... y que tenga buen viaje. Vamos.
RAQUEL: Gracias.
SR. DÍAZ: Buenos días. Éste es el compartimento doce, ¿verdad?
RAQUEL: Sí.
ALFREDO: Perdón. ¿No ha llegado?
RAQUEL: Todavía no.
ALFREDO: Vamos a seguir buscándola.
SR. DÍAZ: Veo que es Ud. aficionada a los libros clásicos.
RAQUEL: ¿Mande?
SR. DÍAZ: Digo que es Ud. aficionada a los libros clásicos. Está leyendo *Don Quijote de la Mancha.*
RAQUEL: Sí. En la escuela leí una versión para niños, pero nunca leí la novela original.

SR. DÍAZ: Le va a gustar. Perdone. ¿Tiene Ud. hora?
RAQUEL: Sí, son las dos y cuarto.
SR. DÍAZ: Muchas gracias. Voy a buscar algo de comer.
ALFREDO: A propósito, yo soy Alfredo Sánchez, y éste es José María.
RAQUEL: Mucho gusto. ¿Sabe cuánto falta para llegar a Madrid?
ALFREDO: A ver... son las dos y media... el tren llega a las seis... faltan cuatro horas y media.
SR. DÍAZ: Perdón. Faltan tres horas y media.
ALFREDO: Tiene Ud. razón. Gracias.
SR. DÍAZ: No hay de qué.
ALFREDO: Y Ud., ¿qué hace en España? ¿Está de vacaciones?
RAQUEL: No. Busco a una persona.
ALFREDO: ¿A una amiga?
RAQUEL: Bueno, en realidad, es la amiga de otra persona.
ALFREDO: Ud. subió en Sevilla... ¿Vive allí esta amiga?
RAQUEL: Antes, sí. Pero ahora vive en Madrid.
ALFREDO: ¿Y la otra persona es americana o española?
RAQUEL: Bueno, nació en España. Pero ha vivido en México desde la Guerra Civil.
ALFREDO: Me tiene que perdonar si le hago muchas preguntas. Soy reportero.
RAQUEL: Le comprendo perfectamente. Yo soy abogada y también hago muchas preguntas por mi trabajo.
ALFREDO: ¿Abogada? ¿Es esta persona un cliente?
RAQUEL: No le puedo decir nada más. Es un secreto.
ALFREDO: ¿Un secreto? Si es un secreto, creo que el caso puede ser muy interestante para un reportaje de la televisión.
RAQUEL: Quizás sí, quizás no.

RAQUEL: ¿Es Madrid?
SR. DÍAZ: Sí, es Madrid.

RAQUEL: Ah, allí hay un taxi. Muchas gracias, Sr. Sánchez.
ALFREDO: Alfredo.
RAQUEL: Muchas gracias, Alfredo.
ALFREDO: Que disfrute de su estancia en Madrid. ¿En qué hotel se queda?
RAQUEL: En el Hotel Príncipe de Vergara. Gracias, Alfredo.
ALFREDO: Al Hotel Príncipe de Vergara. Adiós, señorita...
RAQUEL: Raquel.
ALFREDO: Adiós, Raquel.

RAQUEL: Voy al Hotel Príncipe de Vergara, por favor. Me parece que Madrid es una ciudad muy bella.
RAQUEL: Tengo reservada una habitación para esta noche. Me gustaría pagar con tarjeta de crédito. ¡Huy! No encuentro mi cartera. Estará en el taxi. Perdone.
ALFREDO: ¿Qué tal?
RAQUEL: No muy bien... y Ud., ¿qué hace aquí?
ALFREDO: ¿No se acuerda? ¿La lotería? La Sra. Díaz está alojada aquí. ¿Qué ocurre?
RAQUEL: Me siento como una tonta. Dejé mi cartera en el taxi.
ALFREDO: ¿En el taxi que tomó en la estación?
RAQUEL: Sí.
ALFREDO: Nosotros lo vimos. Creo que era el... el número 7096.
RAQUEL: ¿Sí? ¿Sabe en qué dirección iba?
ALFREDO: No se preocupe. José María y yo se lo vamos a buscar.
RAQUEL: ¡Ay! Gracias, Alfredo, se lo agradecería mucho.
ALFREDO: Vamos, José María.
ALFREDO: ¡Ah! Soy Alfredo. Ya he conseguido su cartera.
RAQUEL: ¡Ay! ¡Fantástico! ¡Ud. es una maravilla!
ALFREDO: La busco en el hotel en media hora.
RAQUEL: Bueno, me llama en cuanto llegue, ¿eh?
ALFREDO: Vale.
RAQUEL: Adiós. Ah, Alfredo. Buenos días.
ALFREDO: Buenos días, Raquel. ¿Qué tal pasó su primera noche en Madrid?

RAQUEL: Estupendamente, gracias.
ALFREDO: Mire, aquí le traigo su cartera.
RAQUEL: ¡Por fin! ¡Ah! No sé cómo agradecerle.
ALFREDO: Y esta fotografía se cayó de la cartera. Aquí la tiene.
RAQUEL: Gracias, gracias. Alfredo, espero que me perdone por lo de anoche. Lo estuve buscando aquí en el salón pero no lo encontré....
SR. DÍAZ: Buenos días.
RAQUEL: Buenos días.
ALFREDO: Buenos días.
ALFREDO: Misión cumplida, ahí tiene su cartera.
SR. DÍAZ: Ah, ¡estupendo!
ALFREDO: Raquel, tengo una idea.
RAQUEL: ¿Sí?
ALFREDO: ¿Sabe? Todavía no he encontrado a la persona que ganó la lotería. Me gustaría escribir una historia para la televisión... una historia basada en el caso que Ud. investiga.
RAQUEL: Lo siento, Alfredo, pero eso es imposible.
ALFREDO: Un momento.
RAQUEL: Alfredo. Yo sé que Ud. me hizo un gran favor al encontrar mi cartera, pero...
ALFREDO: No diga pero.
RAQUEL: ...pero soy abogada y tengo la obligación de respetar la confidencialidad de mi cliente.
ALFREDO: Entonces, ¿no me va a decir nada?
RAQUEL: Lo siento, pero no.
ALFREDO: Pues, ¡vaya suerte la mía! He perdido la oportunidad de hacer el reportaje de una maestra que ganó el premio especial de la lotería. Una maestra, a quien su clase del sexto grado...
SR. DÍAZ: Perdone, Alfredo. Pero creo que la información que tiene es incorrecta.
ALFREDO¿Cómo?
SR. DÍAZ: La maestra no es una maestra, sino un maestro. Es un hombre. Y además, no da clase en el sexto grado sino en el octavo.
ALFREDO: ¿Un hombre? ¿Y cómo lo sabe Ud.?
SR. DÍAZ: Porque ese maestro soy yo.
ALFREDO: ¡Esto es increíble! Ud. es la maestra y ha estado aquí todo el tiempo.
SR. DÍAZ: Sí. Excepto que soy el maestro.
RAQUEL: Bueno, pues, me alegro de que por fin se hayan encontrado. Felicitaciones a los dos. Y ahora, si me perdonan, tengo que hacer una llamada.
ALFREDO: Sí, vale.
RAQUEL: Hasta luego.
ALFREDO/SR. DÍAZ: Hasta luego.
RAQUEL (VO): Tengo la obligación de respetar la confidencialidad de mi cliente.

RAQUEL: ¿La Sra. Suárez nunca le habló de Rosario o de don Fernando?
ELENA: Posiblemente le haya mencionado algo a mi esposo.
RAQUEL: ¿Y qué dijo? ¿Mencionó algo de Rosario?
MIGUEL (PADRE): Realmente, no.
RAQUEL: ¿Dijo algo de mi cliente don Fernando?
MIGUEL (PADRE): No, no dijo nada.
RAQUEL: Mi cliente don Fernando quiere saber qué pasó con Rosario. ¿Podría yo hablar por teléfono con su madre?
MIGUEL (PADRE): No creo. Mi madre prefiere que Ud. vaya a Madrid. Aquí tiene la dirección y el número de teléfono de mi madre. Vive con mi hermano Federico.

FEDERICO: Perdone. ¿Es Ud. la Srta. Raquel Rodríguez?
RAQUEL: Sí...
FEDERICO: ¡Por fin! Estuve llamando, pero estaba comunicando. Mucho gusto. Soy Federico Ruiz.
RAQUEL: ¡Ah, sí! ¡Mucho gusto! El hijo de la Sra. Teresa Suárez.
FEDERICO: Mi hermano Miguel ha llamado para contarnos de Ud. También nos ha contado la historia de Jaime y el perro.
AMBOS: Ja, ja.
RAQUEL: ¡Y qué historia!
FEDERICO: Mi madre está muy agradecida y quiere invitarla a cenar con nosotros en casa esta noche.
RAQUEL: ¡Ah! Será un placer. Tengo muchas ganas de ver a su madre, pero no quiero causarle

molestias.
FEDERICO: Por favor, no es una molestia. Y para mi madre será un placer. Vamos. Tengo el coche en frente. ¡Mamá! ¡Mamá! Ya estamos aquí. Siéntese, por favor.
RAQUEL: Gracias.
FEDERICO: Tendrá que perdonar a mi madre. Leía una carta de su vieja amiga Rosario y ahora está un poco alterada.
RAQUEL: Comprendo. Será muy doloroso para ella todo este asunto.
FEDERICO: Voy a hablar con ella unos minutos. ¿Le molesta?
RAQUEL: No, no. Claro que no.
FEDERICO: No, no, Raquel. Pronto se sentirá mejor. Siéntese.
SRA. SUÁREZ: Dile a esa señorita que vaya a verme a Madrid.
FEDERICO: Mamá, te presento a Raquel Rodríguez.
RAQUEL: Mucho gusto, Sra. Suárez.
SRA. SUÁREZ: Tanto gusto, señorita. Siéntese.
RAQUEL: Gracias por su invitación. Es Ud. muy amable.
SRA. SUÁREZ: No hay de qué. Federico, ofrécele algo a la señorita.
FEDERICO: Les traigo un poco de jerez, ¿vale?
SRA. SUÁREZ: Un fino estaría bien.
RAQUEL: Sí, gracias.
SRA. SUÁREZ: Bueno. Ud. está aquí porque quiere saber algo más de Rosario.
RAQUEL: Sí, así es. Mi cliente, el señor Fernando Castillo...
SRA. SUÁREZ: Sí, sí, yo le escribí una carta a él.
RAQUEL: Sí. En su carta Ud. le dice que Rosario no murió en la guerra...
SRA. SUÁREZ: Es verdad. Rosario no murió. Gracias a Dios, escapó de esa tragedia... pero ella creía que Fernando había muerto.
RAQUEL: Oh...
SRA. SUÁREZ: Sí. Todo este asunto es muy triste.
RAQUEL: También en su carta, Ud. le dice que Rosario tuvo un hijo.
SRA. SUÁREZ: Sí.
RAQUEL: ¿Y qué nombre le puso?
SRA. SUÁREZ: Ángel... Ángel Castillo.
RAQUEL: ¿Y dónde nació Ángel?
SRA. SUÁREZ: En Sevilla, claro. Es allí donde conocí a Rosario.
RAQUEL: ¿Y dónde vive Rosario ahora?
SRA. SUÁREZ: Después de la guerra se fue a vivir a la Argentina.
RAQUEL: ¿A la Argentina?
SRA. SUÁREZ: Sí, sí. Como Ud. sabe, muchos españoles salieron del país después de la guerra.
RAQUEL: ¿Y sabe dónde se estableció Rosario?
SRA. SUÁREZ: Muy cerca de Buenos Aires. La última carta que recibí de ella fue cuando se casó de nuevo.
RAQUEL: ¿Se casó de nuevo?
SRA. SUÁREZ: Pues, sí. Rosario era muy atractiva... muy simpática. Y como ella creía que Fernando había muerto...
RAQUEL: Sí, sí. Lo comprendo. ¿Y con quién se casó?
SRA. SUÁREZ: Con un hacendado... un argentino, llamado Martín Iglesias.
RAQUEL: Martín Iglesias. ¿Y sabe Ud. la dirección?
SRA. SUÁREZ: Sí, un momento.
RAQUEL: ¿Son cartas de Rosario?
SRA. SUÁREZ: Sí. En ellas está la dirección.
RAQUEL: Estancia Santa Susana.
SRA. SUÁREZ: ¿Ya tiene Ud. la información que buscaba?
RAQUEL: Sí. No sé cómo agradecerle...
SRA. SUÁREZ: ¿Me permite a mí hacerle unas preguntas?
RAQUEL: ¡Cómo no!
SRA. SUÁREZ: ¿Es Ud. pariente de Fernando?
RAQUEL: No. Soy abogada. La familia de él me pidió que investigara el paradero de Rosario.
SRA. SUÁREZ: Así que tampoco es amiga cercana de la familia...
RAQUEL: Realmente, no. Conozco bien a Pedro, el hermano de don Fernando.
SRA. SUÁREZ: Una señorita como Ud.... tan atractiva, bien educada... ¡Y abogada! Eso era casi imposible cuando yo tenía su edad. Y ahora es tan corriente.

RAQUEL: Tiene razón. Las cosas han cambiado mucho.
SRA. SUÁREZ: ¿Qué piensa hacer ahora? ¿Ir a la Argentina?
RAQUEL: Sí. Tengo que seguir buscando a Rosario.
RAQUEL (ECHO VO): Tengo que seguir buscando a Rosario.
RAQUEL: ¿Bueno? Ah, sí, gracias. Ah.

AGENTE: El vuelo sale por la puerta número catorce. Que tenga Ud. bien viaje.
RAQUEL: Muchas gracias.
RAQUEL: Señora, le diré a Rosario que le escriba pronto.
SRA. SUAREZ: Gracias, Raquel. Que tenga muy buen viaje. Y algo más. Hay algo más en la vida que el trabajo. Hay que dedicarle tiempo al corazón.

Episodio 12

Revelaciones (*Revelations*)

ENGLISH NARRATOR: Welcome to Episodio 12 of *Destinos: An Introduction to Spanish*. In this episode, you will begin hearing and experiencing a different variety of Spanish as Raquel interacts with natives of Argentina.
CIRILO: Así que, ¿Ud. anda buscando a la Sra. Rosario?
RAQUEL: Sí. ¿Ud. la conoce?
CIRILO: ¡Claro que la conozco! Muy buena la doña. Lástima que se ha mudado para la capital.
ENGLISH NARRATOR: As in previous episodes, you should not be concerned if you do not completely understand the conversational Spanish. Getting the gist of the conversation by relying on actions and context is fine.
RECEPCIONISTA: No tengo ninguna doble disponible para hoy.
CHOFER: Ud. no es de aquí ¿no?
RAQUEL: No. Soy de Los Ángeles. Éste es mi primer viaje.
CHOFER: ¡Los Ángeles¡ Yo tengo un amigo en Los Ángeles. Se llama Carlos López. Claro Ud. no lo conocerá, ¿no?
ENGLISH NARRATOR: Aside from the story itself, in this episode you will learn how the numbers 100 through 1000 are expressed in Spanish.
RAQUEL: Cien, doscientos, trescientos,...
GUIDE: ...cuatrocientos, quinientos, seiscientos, setecientos,...
RECEPCIONISTA: 814.
CHOFER: Aquí estamos en el novecientos.
RAQUEL: ¡Qué bien!
ENGLISH NARRATOR: You will also get a first hand glimpse of Argentinian history. And now, *Destinos: An Introduction to Spanish.*

GUIDE: En México, don Fernando todavía espera recibir noticias de Rosario. Raquel, la abogada que hace la investigación para la familia de don Fernando, hace un viaje a Madrid y habla con la Sra. Teresa Suárez. La señora sabe dónde está Rosario y gracias a la Sra. Suárez, Raquel ahora tiene su dirección en Buenos Aires, Argentina.
RAQUEL: ¿Son cartas de Rosario?
SRA. SUÁREZ: Sí. En ellas está la dirección.
RAQUEL: Estancia Santa Susana.
GUIDE: El avión pasa por la costa africana, cruza el Océano Atlántico y hace una breve escala en Río de Janeiro con destino a Buenos Aires, capital de la República Argentina. Buenos Aires es un puerto, el puerto más grande de la Argentina. Aquí viven muchos descendientes de inmigrantes de Europa: españoles, ingleses, franceses, alemanes y sobre todo, italianos. Como Buenos Aires es la capital, aquí se encuentra el Congreso Nacional y también la Casa Rosada donde vive el presidente. La república de Argentina es una democracia, pero la democracia es frágil y en varias ocasiones, hubo gobiernos militares. Ésta es la zona céntrica de Buenos Aires. Y muy cerca está el Hotel Alvear. Es aquí donde llega Raquel después de su largo viaje transatlántico. Raquel baja del taxi en frente del hotel. Está exhausta y quiere subir a su habitación para descansar.
RAQUEL: Buenas tardes.
RECEPCIONISTA: Buenas tardes, señorita.
RAQUEL: Tengo una habitación reservada.
RECEPCIONISTA: ¿A nombre de quién?
RAQUEL: Raquel Rodríguez .
RECEPCIONISTA: A ver, un momento, por favor. Sí, tengo su nombre, pero la reserva no es para hoy.
RAQUEL: ¿Cómo?
RECEPCIONISTA: Lo siento, señorita. La reserva es para pasado mañana.
RAQUEL: ¡No es posible! Mire Ud. Vengo de muy lejos, de Madrid. Estoy muy cansada. No es posible que...
RECEPCIONISTA: Lo siento, pero así es. Veamos qué tengo. Ud. pidió una habitación doble, con cama matrimonial, ¿no es cierto?
RAQUEL: Sí, señor.
RECEPCIONISTA: ...mmn... No. No tengo ninguna doble disponible para hoy.
RAQUEL: ¿Qué hay entonces?

RECEPCIONISTA: Un momento, por favor. Sí, Andrea. ¿Está disponible la habitación 314? ¿Y la 414? No. ¿Y las suites? Pues, ¿cuál está disponible? La 514, la 614, la 714 y la 814. Gracias. Tengo una suite. Pasado mañana, si lo desea, se cambia a la doble.
RAQUEL: ¿Y cuánto cuesta?
RECEPCIONISTA: Es económica, doscientos dólares por día.
RAQUEL: Está bien. La tomo.
GUIDE: Raquel sube directamente a su habitación. Le da una propina al botones.
RAQUEL: ¡Ah! ¡Oh!
GUIDE: Aunque está muy cansada, Raquel decide contar el dinero que le queda de su viaje a España.
RAQUEL: Cien, doscientos, trescientos, cuatrocientos, quinientos, seiscientos, setecientos, ochocientos, novecientos y mil. Bueno, ahora no tengo porque preocuparme por dinero.
PEDRO: Gracias, Raquel. Esto es muy importante para mí.
RAQUEL: ¿Ud. me dice que Rosario tuvo un hijo?
SRA. SUÁREZ: Sí, Ángel Castillo.
RAQUEL: ¿Son cartas de Rosario?
SRA. SUÁREZ: Sí. En ellas está la dirección.
DON FERNANDO (ECHO VO): Rosario.

RAQUEL: Estancia Santa Susana.
GUIDE: Al día siguiente, Raquel sale en busca de Rosario en la estancia Santa Susana.
RAQUEL: ¿Ud. conoce la estancia?
CHOFER: Sí, conozco toda la zona. Ahora estamos por Escobar, cerca de Los Cardales. ¿Ud. no es de aquí, no?
RAQUEL: No, soy de Los Ángeles. Éste es mi primer viaje...
CHOFER: ¡Los Ángeles! Yo tengo un amigo en Los Ángeles. Se llama Carlos López... Claro, Ud. no lo conocerá, ¿no?
RAQUEL: No hay ninguna señal...
CHOFER (VO): No se preocupe. Falta poco.
GUIDE: La estancia Santa Susana ahora es un lugar para turistas. Los turistas escuchan la música folklórica, disfrutan de una comida especial y miran los juegos de los gauchos. Por fin Raquel llega a la estancia Santa Susana. En la estancia, Raquel se encuentra con un señor joven. El señor le dice que Rosario no vive allí y que la única persona que posiblemente sepa algo de Rosario es Cirilo.
SEÑOR JOVEN: ...tal vez Cirilo la sepa.
CIRILO: Buenas, moza. Para mí es un gusto conocerla. Así que, ¿Ud. anda buscando a la Sra. Rosario?
RAQUEL: Sí. ¿Ud. la conoce?
CIRILO: ¡Claro que la conozco! Muy buena la doña. Lástima que se ha mudado para capital.
RAQUEL: ¿Y Ud. sabe la dirección?
CIRILO: Vea, moza, ella vivía con el hijo, el doctor...
RAQUEL: ¿El hijo es médico?
CIRILO: ¡Claro! Y muy buen hombre. Vivía en la calle Gorostiaga... al novecientos, eso. Una casa blanca, muy linda casa.
RAQUEL: En la calle Gorostiaga...
CIRILO: Gorostiaga.
RAQUEL: Número novecientos...
CIRILO: Novecientos.
RAQUEL: Pues, muchas gracias, señor.
CIRILO: Por nada.
RAQUEL: Hasta luego.
CIRILO: Que le vaya bien, moza.
GUIDE: Como en Sevilla, una vez más Raquel busca el número de una casa. Pasan por el cien, doscientos, trescientos, cuatrocientos, quinientos, seiscientos, setecientos, ochocientos. Finalmente, llegan al novecientos, pero no saben el número exacto.
CHOFER: Bueno, tampoco en el novecientos cuarenta, ni en el novecientos cincuenta ni en el novecientos sesenta... todos abogados y dentistas.
RAQUEL: Voy a preguntar en esta casa a ver si conocen a Ángel Castillo.
EL AMA DE CASA: Buenas tardes.
RAQUEL: ¿Está el doctor?
EL AMA DE CASA: Sí, por supuesto, pase. Tome asiento.
RAQUEL: Gracias.

ARTURO: Sí, adelante.
EL AMA DE CASA: Tiene una paciente, doctor.
ARTURO: Bueno. Buenas tardes. Adelante, por favor. Pase.
RAQUEL: Bien.
ARTURO: Por aquí. Tome asiento. ¿Quién la envía?
RAQUEL: Perdone Ud. Mi nombre es Raquel Rodríguez. Soy abogada y vengo de Los Ángeles. Estoy buscando a una persona.
ARTURO: ¡Ah! Disculpe. Pensé que era una paciente. Bien. ¿En qué la puedo servir?
RAQUEL: Mire Ud. Mi cliente, un señor de México, me ha enviado a buscar a su primera esposa, una señora llamada Rosario del Valle de Iglesias. Tengo entendido que su hijo, Ángel Castillo, es médico y vive, o vivía, en esta calle. Perdone que lo haya molestado, pero pensé que siendo colegas, tal vez Ud. podría conocerlo.
ARTURO: Señorita, Ud. está hablando de mi madre y de mi hermano....
RAQUEL: ¿Su hermano?
ARTURO: Sí, Ángel. Bueno, quiero decir el... mi medio hermano. Lleva el apellido de su padre, pero el primer esposo de mi madre murió. Debe haber un error... él murió en la Guerra Civil española. Este señor de México no puede ser el padre...
GUIDE: El doctor duda de la historia de Fernando y Rosario. Entonces, Raquel le da la carta de Teresa Suárez... la carta en que la verdad se revela.
SRA. SUÁREZ: Rosario no murió. Gracias a Dios, escapó de esa tragedia, pero ella creía que Fernando había muerto.
RAQUEL: Necesito hablar con su madre. Tengo también una carta para ella, de parte de Teresa Suárez. ¿Está en casa?
ARTURO: Señorita, mis padres... murieron hace años.
RAQUEL: Lo siento mucho. ¡Pobre don Fernando! Pero al menos podrá conocer a Ángel. ¿Dónde vive?
ARTURO: No lo sé. Perdimos contacto hace muchos años...
RAQUEL: ¿Perdieron contacto? ¡Qué lástima! ¿Y puedo saber lo que pasó?
GUIDE: Más tarde, Arturo lleva a Raquel al cementerio... a la tumba familiar.
ARTURO: Ésta es la tumba familiar. Aquí están enterrados mis padres.
RAQUEL: ¿Puedo tomar una foto para mostrársela a don Fernando?
ARTURO: Sí, por supuesto.
RAQUEL: ¿Le molesta que hablemos de esto ahora?
ARTURO: No.
GUIDE: Allí, Arturo le cuenta de la triste historia de su hermano, Ángel Castillo.
ARTURO (VO): Mi padre era un hombre muy estricto. Quería que Ángel estudiara ciencias económicas. Pero Ángel tenía otras inclinaciones. Mi madre siempre tuvo un afecto especial por mi hermano. Ángel fue su primer hijo. Una vez mis padres y yo vinimos a Buenos Aires a visitar a Ángel. En esa visita, mi padre descubrió que Ángel había abandonado sus estudios. Hubo una escena horrible pues mi padre estaba furioso. Esa misma noche, mi padre sufrió de un ataque cardíaco. Yo nunca perdoné a Ángel. Dicen que Ángel se embarcó como marinero y que se fue de Buenos Aires. Un día llegó una carta para mi madre, pero Ángel nunca volvió a Buenos Aires.
RAQUEL: Ud. sabe que yo tengo que buscar a su hermano, ¿verdad?
ARTURO: Sí, claro. Y por mi parte, creo que ya es hora que yo perdone a mi hermano... que resuelva este asunto. Srta. Rodríguez, ¿podría ayudarla en su investigación?
RAQUEL: Su ayuda será indispensable.
ARTURO: Bien. Salgamos de aquí... y pensemos en nuestra estrategia.
ARTURO (VO): Ésta es mi ciudad. La ciudad de los porteños. Una ciudad de inmigrantes.
RAQUEL: ¿Y la familia de su padre, doctor?
ARTURO: Por favor, basta de doctor. Arturo. Podemos tutearnos. Yo te trato de **vos**, como hacemos aquí, y vos me tratás de **tú**, como dicen Uds.
RAQUEL: ¡De acuerdo!
ARTURO: Si me permitís, tengo que hacer una llamada importante.
RAQUEL: Está bien. Bueno, mi viaje a Buenos Aires está lleno de sorpresas. Primero llegué y no habían reservado mi habitacíon. El recepcionista me ofreció otra habitación, ¿recuerdan?
RECEPCIONISTA: Tengo una suite. Pasado mañana, si lo desea, se cambia a la doble.
RAQUEL: ¿Y cuánto cuesta?
RECEPCIONISTA: Es económica, doscientos dólares por día.
RAQUEL: Está bien. La tomo. Subí directamente a mi habitación porque estaba exhausta y no hice nada anoche. Conté mi dinero y descansé. Cien, doscientos, trescientos,... Pero esta mañana, fui a

la dirección que me dio la Sra. Suárez, la estancia Santa Susana. Cuando toqué a la puerta, ¿quién contestó? ¿Rosario? No. Rosario no contestó la puerta. Contestó un hombre joven. El joven creía que Rosario se había mudado a la capital pero no sabía su dirección. ¿Quién sabía la dirección de Rosario?

RAQUEL (VO): Cirilo sabía la dirección. Según Cirilo, Rosario se mudó a la ciudad...

RAQUEL: ...para vivir con su hijo, un doctor. Cirilo me dio el nombre de la calle, pero no sabía el número exacto.

RAQUEL (VO): Entonces, volví a la ciudad. El chofer y yo buscamos el número novecientos. Entonces, pregunté por Ángel en una casa.

RAQUEL: Voy a preguntar en esta casa a ver si conocen a Ángel Castillo.

RAQUEL: ¿Y qué descubrí en ese momento? Arturo era hijo de Rosario. ¡Qué sorpresa y qué coincidencia! Arturo y yo fuimos al cementerio y allí él me contó la historia de Rosario y de su hijo, Ángel. ¿Y qué pasó? Ángel se fue a la capital a estudiar ciencias económicas. ¿Completó sus estudios? ¿O abandonó sus estudios?

RAQUEL (VO): Ángel abandonó sus estudios y se dedicó a pintar.

RAQUEL: Rosario y su segundo esposo, Martín, no sabían nada de esto. Cuando Martín descubrió la verdad, hubo una escena horrible. Y poco después, ¿qué pasó? Martín murió poco después. Bueno, ¿y cuál es la información más importante para mi cliente, don Fernando? ¿Vive Rosario en Buenos Aires o no?

RAQUEL (VO): No. Rosario no vive en Buenos Aires. Rosario murió en 1987. ¡Qué triste para don Fernando! ¿Verdad? ¡Ah! Esta investigación no es fácil. Primero, voy a España y tengo dificultad en hablar con la Sra. Suárez. Ahora estoy en la Argentina, ¿y qué pasa? Rosario ya ha muerto y Ángel ha desaparecido. Si Ángel se fue de Buenos Aires, no será fácil encontrarlo. ¿Dónde estará?

ARTURO: Le traje un poco de agua. Salud.

RAQUEL: Salud.

ARTURO: Vení que te quiero mostrar mi ciudad. Aquella es la Torre de los Ingleses, frente a la Estación Retiro. Y ésa es la Plaza San Martín, y la Avenida del Libertador... y allí es la zona del puerto de Buenos Aires. Mañana comenzaremos la búsqueda de Ángel.

Episodio 13

La búsqueda (*The Search*)

ENGLISH NARRATOR: Welcome to *Destinos: An Introduction to Spanish*. In this episode, Raquel begins her search for Ángel, the son of Rosario and Fernando. Remember to let the actions and the situations guide your understanding.
ARTURO: Se llama Ángel Castillo.
MARIO: ¡Ah! El que puede saber es José.
MARINERO: ¡¡Joséééé!!
ARTURO: ...Ud. puede conocer a Ángel Castillo, mi hermano...
JOSÉ: ¿Ya hablaron con Héctor?
ARTURO: No, ¿quién es?
ENGLISH NARRATOR: In this episode you will hear the words for fish and shellfish . . .
PESCADERO: ¡Claro! Todo el pescado y los mariscos que hay aquí están frescos.
CLIENTE 1: A ver...
ENGLISH NARRATOR: . . . as well as other seafood items. You will also learn the words for several other food items.
CLIENTE 1: Aquí tengo el pan... el arroz... el otro pan... y el aceite.
ENGLISH NARRATOR: You will get a glimpse of the geography of Argentina.
GUIDE: ...Chile, al oeste; Bolivia y el Paraguay, al norte; el Brasil y el Uruguay...
ARTURO (VO): Tengo una imagen en mi memoria... Ángel está en un barco, pero no sé si es real... o imaginaria...
DOÑA FLORA: ¿Quién es?
MARIO: ¡Mario, doña Flora! ¡Unos señores quieren ver a José!
DOÑA FLORA: ¿A José? ¿Para qué?

GUIDE: Raquel llega a Buenos Aires después de un largo viaje. Tiene problemas con su reservación en el hotel, pero el recepcionista le da la suite número 714. Exhausta, Raquel cuenta su dinero... luego descansa. Al día siguiente, Raquel va a la estancia Santa Susana. Allí habla con un gaucho, Cirilo. Cirilo le dice que Rosario se mudó a la capital y que ya no vive en la estancia. En la ciudad, Raquel conoce a un hombre. Raquel le pregunta si conoce a Ángel Castillo. Descubre en ese momento que este hombre también es hijo de Rosario.
RAQUEL: ¿Su hermano?
ARTURO: Sí.
GUIDE: Arturo le cuenta a Raquel la historia de Ángel... de cómo abandonó sus estudios... de la reacción de Martín Iglesias, segundo esposo de Rosario... de cómo Ángel se hizo marinero... y de la muerte de Rosario. Arturo quiere ayudarle a Raquel en su búsqueda y deciden comenzar al día siguiente.
ARTURO (VO): ...mañana comenzaremos la búsqueda de Ángel.
GUIDE: La Argentina está situada en Sudamérica. Los países vecinos son Chile, al oeste; Bolivia y el Paraguay, al norte; el Brasil y el Uruguay, al este. La Argentina es un país grande. De todos los países de Latinoamérica, sólo el Brasil es más grande que la Argentina y la Argentina es el país más grande de todos los países donde se habla español. Al oeste hay montañas altas—la famosa cordillera de los Andes. En el centro, la región que se llama la Pampa—una gran extensión llana. Al norte, el Chaco—una región semiárida. En el noreste está la Mesopotamia—una región de mucha vegetación. Y al sur, está la Patagonia—una región con zonas frías. Pero es aquí, en Buenos Aires, donde Raquel y Arturo empiezan su búsqueda. Arturo llega al hotel. Tiene algo importante que mostrarle a Raquel.
ARTURO: Encontré esto entre las cosas de mi madre. Éste es Ángel, a los veinte años.
RAQUEL: Arturo, esto es estupendo. ¡Hay que hacer una copia para don Fernando!
ARTURO: ¡Claro! Además nos va a servir para la búsqueda.
GUIDE: La búsqueda los lleva a esta sección de Buenos Aires, La Boca. La Boca es una zona en el puerto de Buenos Aires.
ARTURO: Ésa es la calle Caminito. La última vez que vi a mi hermano, fue aquí. Sus amigos vivían por aquí. El problema es encontrar a alguien que lo recuerde.
RAQUEL: ¿Y si preguntamos en las tiendas?
ARTURO: Empecemos por ahí.
CLIENTE 1: ¿Y están frescos?
PESCADERO: ¡Claro! Todo el pescado y los mariscos que hay aquí están frescos.

CLIENTE 1: A ver... a mi marido le gustan los langostinos...
PESCADERO: Langostinos.
CLIENTE 1: ...y también los mejillones.
PESCADERO: Mejillones. Bueno, mire estos mejillones. ¿Ehhh? ¿No le gustan los calamares? Tengo unos calamares bien bonitos.
CLIENTE 1: No. Déme medio kilo de langostinos... de los grandes, ¿eh?
PESCADERO: Agustín, medio kilo de langostinos... de los grandes, ¿eh?
CLIENTE 2: Buenos días.
PESCADERO: Buenos días.
CLIENTE 2: ¿Qué pescado tiene hoy?
PESCADERO: De pescado, tengo varios. Tengo salmón, merluza. También tengo lenguado.
CLIENTE 2: Déme un kilo de lenguado, por favor.
PESCADERO: Un kilo de lenguado. Mire qué lenguado. Buenos días, señores. ¿Desean algún pescado para el almuerzo? ¿O prefieren langostino, mejillones? Tengo de todo y muy fresco.
ARTURO: No. Estamos buscando una persona que frecuentaba esta zona. Ésta es su fotografía.
PESCADERO: No, no lo conozco. ¿Por qué no preguntan en el negocio de al lado? La señora conoce a todo el mundo.
ARTURO: Muchas gracias.
PESCADERO: ¿Seguro que no desean un pescado bien fresco? Tengo lenguados, merluzas, calamares, los langostinos.
ARTURO: Buenos días.
TENDERA: Buen día.
ARTURO: Estoy buscando a mi hermano, con el cual perdí contacto hace muchos años...
TENDERA: Si es tan buen mozo como Ud., a lo mejor yo lo tengo escondido.
ARTURO: Se llama Ángel Castillo.
CLIENTE 1: Oiga, ¿no hay nadie que me atienda aquí?
TENDERA: Espere. ¡Allá voy! ¿Qué deseaba, señora?
CLIENTE 1: Mire. Aquí tengo el pan... el arroz... el otro pan... y el aceite. Y no encuentro la manteca.
TENDERA: No hay manteca. Hubo problemas.
CLIENTE 1: ¡Pufff! Cóbreme esto.
TENDERA: Bueno, el arroz, son cuatrocientos cuarenta australes, este pan son doscientos veinte australes, este otro pan, cuatrocientos sesenta australes y el aceite, mil cincuenta australes. Total: tres mil doscientos australes.
CLIENTE 1: Gracias.
TENDERA: Gracias, señora. Bueno, a ver la foto.
ARTURO: Se llama Ángel Castillo. Tenía amigos aquí en el barrio...
TENDERA: No.
ARTURO: Gracias, ¿eh?
TENDERA: De nada.
ARTURO: Hasta luego.
CLIENTE 1: Tome. Y que la próxima vez haya manteca.
ARTURO: Buenas tardes.
MARIO: Buenas tardes.
ARTURO: Estamos buscando a mi hermano... y lo último que supimos es que se había embarcado como marinero y tenía amigos por aquí... A lo mejor, Ud. lo pueda reconocer.
MARIO: Mmnn... sí, creo que lo recuerdo... pero, no estoy seguro. Lo siento.
RAQUEL: Por favor, trate de recordar. Es muy importante.
MARIO: No, al principio me pareció... pero no, no lo conozco.
ARTURO: Bueno, gracias.
MARIO: Nada.
ARTURO: Vamos.
MARIO: ¡Ah! El que puede saber es José.
ARTURO y RAQUEL: ¿José?
MARIO: Sí, José. El fue marinero. Vive acá al lado. Vengan. ¡Doña Flora! ¡¡Doña Floooraaa!!
DOÑA FLORA: ¿Quién es?
MARIO: ¡Mario, doña Flora! ¡Unos señores quieren ver a José!
DOÑA FLORA: ¿A José? ¿Para qué?
MARIO: Son amigos, doña Flora...
DOÑA FLORA: ¿Amigos? ¿Y no lo buscaron en el bar?
MARIO: Pero, doña Flora, a esta hora está trabajando, ¿no?

DOÑA FLORA: Bueno. Entonces, vayan a buscarlo donde trabaja... en el barco.
MARIO: Gracias, doña Flora. Debe estar por allá, pasando el puente.
ARTURO: ¡Buenos días! ¿Alguno de Uds. es José?
MARINERO: ¡¡Josééé!!
JOSÉ: ¿Qué?
MARINERO: ¡Te buscan!
JOSÉ: ¿Quién?
MARINERO: ¡Tu mujer! Ah, ya sabe de tus escapadas, ¿eh? Ja, ja.
JOSÉ: Yo soy José. Sí, señor.
ARTURO: Disculpe la molestia. Mario nos dijo que tal vez Ud. puede conocer a Ángel Castillo, mi hermano.
JOSÉ: ¿Ángel Castillo?
ARTURO: Sí, es mi hermano. Perdimos contacto hace muchos años. Tenía amigos acá. Pintaba. Le gustaban los barcos.
JOSÉ: Lo siento, no lo conozco. ¿Ya hablaron con Héctor?
ARTURO: No, ¿quién es?
JOSÉ: Sí. Tienen que hablar con Héctor. Él ha vivido siempre en este barrio. Conoce a todo el mundo. Seguro que conoció a su hermano.
RAQUEL: ¿Y dónde podemos encontrar a Héctor?
GUIDE: José les dice que él va a buscar a Héctor. Mientras tanto, Raquel y Arturo deciden almorzar.
CAMARERO: ¿Necesitan algo más?
RAQUEL: No, gracias. Los mejillones son fabulosos y también el arroz con calamares.
ARTURO: El lenguado también. Muy rico.
GUIDE: Como dice Arturo, el lenguado es muy rico y es una de las especialidades de La Barca. En La Barca, sirven muchos tipos de pescado: el lenguado, el salmón. También sirven muchos mariscos: mejillones, langostinos, calamares y arroz con calamares. El pan está fresco. La mantequilla es rica y la ensalada con aceite es muy buena.
JOSÉ: No pude hablar con Héctor, pero sé dónde encontrarlo mañana por la noche...
RAQUEL: ¿Mañana por la noche?
GUIDE: José les explica que mañana por la noche, hay una gran fiesta en la cantina Piccolo Navio. Allí, Raquel y Arturo seguramente van a encontrar a Héctor, posible amigo de Ángel. Entonces, Raquel y Arturo regresan a su carro que está cerca de la calle Caminito. Mientras caminan por la calle Caminito, Arturo habla de su hermano.
ARTURO (VO): Tengo una imagen en mi memoria... Ángel está en un barco... pero no sé si es real... o imaginaria...
RAQUEL: Es posible que Héctor y Ángel hayan sido marineros del mismo barco.
ARTURO: Tal vez. ¡Ojalá que sí!
RAQUEL: Bueno. Y ahora, ¿qué hacemos?
ARTURO: Nada. Tenemos que esperar hasta la fiesta. ¿Alguna vez probaste parrilladas?
RAQUEL: Todavía no.
ARTURO: Tenés que probar las mejores brochettes de Buenos Aires.
RAQUEL: ¿Y dónde preparan esas brochettes?
ARTURO: Naturalmente, las preparo yo en mi propia parrilla...
RAQUEL: ¿Tienes una parrilla?
ARTURO: Sí. En el jardín de mi casa... pero sólo para clientes especiales.
RAQUEL: Está bien. Pero primero tengo que ir al hotel para llamar a México.
ARTURO: Bueno. Yo te llevo.
GUIDE: Raquel llama a México para hablar con Pedro. Necesita informarle a la familia Castillo que Rosario ya murió.
PEDRO: Bueno. Sí, soy yo. ¿Qué? ¿Que Rosario ya murió? ¿Cuándo? Sí. Sí. ¿Y Arturo no sabe qué pasó con Ángel? Entiendo, sí. Pues, sigue buscándolo, Raquel. No. Está... está bien. Adiós. Rosario ya murió...
RAQUEL: ¡Ah! Como he dicho, esta investigación no es fácil. Primero, Arturo llegó al hotel y me mostró una fotografía. ¿De quién es la fotografía? ¿De Rosario o de Ángel?
ARTURO: Éste es Ángel, a los veinte años.
RAQUEL: Arturo, esto es estupendo.
RAQUEL: Arturo me mostró una fotografía de Ángel. La fotografía es útil para la búsqueda. Luego, fuimos a una zona de Buenos Aires llamada La Boca. Allí le preguntamos a un vendedor de pescado. ¿Reconoció este hombre a Ángel?
ARTURO: Estamos buscando a una persona que frecuentaba esta zona. Ésta es su fotografía.

PESCADERO: No, no lo conozco.
RAQUEL: No reconoció a Ángel. Después, fuimos a una tienda y le preguntamos a una señora. ¿Reconoció esta señora a Ángel?
TENDERA: Bueno, a ver la foto.
ARTURO: Se llama Ángel Castillo.
TENDERA: No.
RAQUEL: No. La señora tampoco reconoció a Ángel. Finalmente, un señor que se llama Mario, recordó a otro señor, un marinero. ¿Recuerdan el nombre de este marinero? Se llama José. Entonces, Arturo y yo fuimos a buscar a José. Lo encontramos en un barco. José no reconoció a Ángel pero mencionó el nombre de otro marinero, Héctor.
JOSÉ: ¿Ya hablaron con Héctor?
ARTURO: No, ¿quién es?
JOSÉ: Sí. Tienen que hablar con Héctor.
RAQUEL: Después de hablar con José, ¿qué hicimos Arturo y yo? Fuimos a buscar a Héctor. Hablamos con doña Flora. Fuimos a almorzar a un restaurante. Después de hablar con José, fuimos a almorzar a un restaurante.
CAMARERO: ¿Necesitan algo más?
RAQUEL: Bueno, José no encontró a Héctor, pero según José, mañana por la noche hay una fiesta. Allí podemos encontrar a Héctor. Después, Arturo volvió a su casa y yo regresé al hotel. Llamé a México y hablé con Pedro. Ah... y aquí estoy. Mañana vamos a continuar con la búsqueda, pero esta noche Arturo me ha invitado a su casa. Va a preparar una cena. Arturo me cae muy bien. Es tan simpático... y tan guapo.
ARTURO: Hola, Raquel. ¡Qué linda estás!
RAQUEL: Gracias, Arturo. Bueno, aquí está tu cliente especial. ¿No me invitas a pasar?
ARTURO: Sí. ¡Encantado! El restaurante está abierto.

Episodio 14

En el extranjero (*Abroad*)

GUIDE: En este episodio, Raquel y Arturo siguen con la búsqueda de Ángel, el hijo de Rosario y Fernando.
ARTURO: Héctor.
CAMARERO: ¿Cómo?
ARTURO: Héctor, Héctor.
CAMARERO: Ah, ¡Héctor! Sí, allí.
GUIDE: También en este episodio, Raquel comienza a conocer más a Arturo.
ARTURO: …pero ya pasó.
GUIDE: En este episodio, vamos a aprender más vocabulario relacionado con la comida: carne de vaca, carne de cerdo, chorizos, panceta, tomates, cebollas, pimientos. También vamos a aprender algo acerca de una figura histórica muy importante, el General José de San Martín. Con frecuencia, se ve el nombre de San Martín. ¿Quién fue San Martín? ¿Por qué es importante para los argentinos?
HÉCTOR: Ah, claro que lo recuerdo bien. Era mi amigo.
RAQUEL: ¿Sabe dónde se encuentra?
GUIDE: Raquel y Arturo comienzan a buscar a alguien que hubiera conocido a Ángel Castillo, hijo de Rosario y Fernando. Les preguntan a diferentes personas si conocen al hermano de Arturo… pero nadie reconoce al hombre de la fotografía.
TENDERA: No. Es una lástima porque buen mozo sí que es.
GUIDE: Finalmente, hay una posibilidad.
JOSÉ: ¿Ya hablaron con Héctor?
ARTURO: No, ¿quién es?
GUIDE: José les dice que tienen que hablar con Héctor. Según José, Héctor conoce a todo el mundo. Mañana por la noche, hay una fieste en la cantina Piccolo Navio. Raquel y Arturo esperan encontrar a Héctor en esa fiesta. Mientras tanto, Arturo invita a Raquel a cenar en su casa esta noche.
RAQUEL: …cliente especial. ¿No me invitas a pasar?
ARTURO: Sí. ¡Encantado! El restaurante está abierto.
GUIDE: Raquel lleva ya tres días en Buenos Aires. Esta noche va a cenar en casa de su nuevo amigo, Arturo. Arturo es el medio hermano de Ángel.
RAQUEL: Tu casa es muy hermosa. ¿Vives solo?
ARTURO: Sí. Desde que me divorcié. Bueno, me organizo bastante bien solo. Bueno, por aquí.
ARTURO: Espero que te guste el vino…
RAQUEL: Sí, por supuesto.
ARTURO: ¿Qué preferís, el vino tinto o el vino blanco?
RAQUEL: Si vamos a comer carne, vino tinto, ¿no?
ARTURO: Bien. Tengo un vino tinto excelente. ¡Salud, dinero y amor!
RAQUEL: Y tiempo para disfrutarlos.
ARTURO: Aquí hay queso. Tengo de varios tipos.
RAQUEL: Mmmn. Me gusta mucho el queso.
ARTURO: ¿Me abrís la puerta?
GUIDE: Mientras Arturo prepara las brochetas, le sirve a Raquel un tipo de queso especial y también conversan sobre el matrimonio de Arturo.
RAQUEL: ¿Y tú? ¿Cuánto tiempo estuviste casado?
ARTURO: Cinco años. Mi esposa era del Perú.
RAQUEL: ¿Y qué hacía? Tenía alguna profesión?
ARTURO: No, y creo que eso fue la razón de nuestra incompatibilidad. En esa época, yo vivía obsesionado con mi trabajo.
RAQUEL: Extrañaba mucho el Perú, me imagino.
ARTURO: Al final decidió regresar a su país.
RAQUEL: Habrá sido doloroso.
ARTURO: Lo fue… pero ya pasó. ¡Ah! Ya deben estar listas las brochettes.
RAQUEL: ¡Qué porción tan grande! A ver… ¡Mmmnn!… ¡Delicioso!
ARTURO (VO): Preparo las brochettes con… riñoncitos, carne de vaca, carne de cerdo, chorizos y panceta.
RAQUEL: ¿Panceta? ¿Qué es eso?

ARTURO: Creo que Uds. le llaman tocino.
RAQUEL: ¡Ah, sí!
ARTURO: Y también... pimiento morrón, tomate, cebolla y ciruela para darle el toque artístico y agridulce.
RAQUEL: En España, probé unos jamones deliciosos.
ARTURO (VO): Sí, los jamones españoles tienen gran fama.
RAQUEL: La carne argentina también tiene gran fama, sobre todo la carne de vaca.
ARTURO: Se te gusta el pollo, tengo una receta fabulosa—pollo a la inglesa. Se prepara con limón y mayonesa.
GUIDE: Raquel y Arturo siguen conversando, mientras comen la deliciosa cena... quesos, pan, carnes de todos tipos, carne de vaca, carne de cerdo, chorizos, panceta, pollo, vino tinto, vino blanco, tomates, cebollas, pimientos.
RAQUEL: ¿Todavía sigues obsesionado por tu trabajo?
ARTURO: Me gusta mucho mi trabajo, pero ya no estoy obsesionado.
RAQUEL: ¿Tienes muchos pacientes?
ARTURO: Estás mirando mi album de fotos.
RAQUEL: Ja. Sí.
ARTURO: Ésas son las cataratas del Iguazú.
RAQUEL: Son muy impresionantes. ¿Están en la Argentina?
ARTURO: Sí. Están en el límite de la Argentina y el Brasil... pero por supuesto, el lado argentino es el mejor. Ja, ja.
RAQUEL: ¿Y por qué te ríes?
ARTURO: Bueno, los argentinos decimos que tenemos lo mejor, lo más grande del mundo.
RAQUEL: ¿Y no es cierto?
ARTURO: Bueno, para nosotros sí. Decimos que el río de la Plata es el más ancho del mundo, la avenida 9 de Julio, la más ancha del mundo y la avenida Rivadavia, la más larga del mundo.
RAQUEL: Yo creía que la más larga era el Bulevar Wilshire, en Los Ángeles.
ARTURO: Bueno. Estamos en competencia. Ja, ja, ja.
RAQUEL: Y nosotros tenemos el río Misisipí.

GUIDE: Raquel y Arturo siguen conversando un poco mientras miran las fotografías y toman su café. Después, Arturo lleva a Raquel a su hotel. Allí, Raquel llama a su mamá en California.
RAQUEL: Sí, Mamá, estoy muy bien. ¿Y Uds.?
MARÍA: Bien, bien, hijita, bien, pero te echamos de menos. ¿Te gusta Buenos Aires?
RAQUEL: Sí, mucho. Y la investigación va muy bien.
MARÍA: Me preocupo porque estás sola...
RAQUEL: Mamá, no te preocupes... ya tengo un amigo.
MARÍA: ¿Un amigo? ¿Quién es?
RAQUEL: El hermano de la persona que busco. Es muy amable... y me está ayudando mucho. Se llama Arturo.
MARÍA: Está bien, pero cuídate, ¿eh?
RAQUEL: Sí, mamacita, sí.
MARÍA: ¿Comes bien?
RAQUEL: Ah, sí. Esta noche comí en casa de Arturo. Ay, ¡qué cena tan deliciosa!
MARÍA: ¿Qué comiste?
RAQUEL: Unas brochetas.
MARÍA: ¿Unas qué?
RAQUEL: Unas brochetas... de carne de vaca, de cerdo, chorizos, panceta...
MARÍA: ¿Panceta?
RAQUEL: Eh, digo, tocino. Le llaman panceta en la Argentina.
MARÍA: Mira, dos días en Buenos Aires y ya hablas como los gauchos.
RAQUEL: No exageres, Mamá...
MARÍA: Oye, cuando regreses a la casa te voy a preparar unos buenos tamales.
RAQUEL: Está bien, Mamá. Bueno, tengo que colgar.
MARÍA: Bien, hijita. Cuídate.
RAQUEL: Sí, Mamá. Y besos para Papá. Adiós.
GUIDE: Otro día en Buenos Aires, capital de la Argentina. Con frecuencia se ve el nombre de San Martín: el Teatro General San Martín, el Centro Cultural San Martín, la Plaza San Martín y el monumento al General San Martín. ¿Quién fue San Martín? ¿Por qué es tan importante para los argentinos? En los siglos XVIII y XIX, las colonias americanas iniciaron sus respectivas

revoluciones. José de San Martín fue el líder militar de la liberación de la Argentina en 1812, de Chile en 1817 y del Perú en 1821. Es el héroe nacional de los argentinos. Por fin, llega la noche de la fiesta. Raquel y Arturo buscan la cantina Piccolo Navio en la calle Necochea. En la fiesta, una de estas personas es Héctor, posible amigo de Ángel.

CANTANTE: Es hora de alegrar los corazones, de traer alegría al espíritu... y nada mejor que, para eso, contar con la presencia de alguien que honra la velada del Piccolo Navio. Señoras y señores, ¡tengo el honor de presentarles a alguien que nos va a deleitar con sus canciones!... ¡Señores y señoras!... ¡Nada más y nada menos queee... ¡Héctor Condotti!

ARTURO: Perdón, pero conoce Ud. a un Héctor.

CAMARERO: ¿Cómo?

ARTURO: ¡Héctor!

CAMARERO: ¿Eh?

ARTURO: ¡Héctor!

CAMARERO: Héctor. Sí, allí.

TODOS: ¡¡¡HÉÉÉCTOOORRR!!! ¡Que cante! ¡Que cante!

HÉCTOR: Dicen que preguntan por mí.

ARTURO: Sí, quisiéramos hablar con Ud., pero, con este ruido... ¿Podríamos hablar afuera?

HÉCTOR: Sí, salgamos...

RAQUEL: ¿Y ahora qué pasa?

ARTURO: Creo que está bailando otra vez.

RAQUEL: Claro, con mi suerte, debe ser el personaje más popular en todo Buenos Aires.

ARTURO: Voy a buscarlo.

HÉCTOR: Acompáñenme a casa... ¿Qué querían? Ángel... Claro que lo recuerdo bien. Era mi amigo.

RAQUEL: ¿Sabe dónde se encuentra?

HÉCTOR: Viajamos mucho juntos. No era un buen marinero, pero lo recomendé igual... era un buen chico. Ángel consiguió trabajo en un barco de carga... Creo que iba al Caribe... pero de eso hace muchos años...

RAQUEL: ¿Al Caribe? ¿Está seguro?

VECINO (VO): ¡A ver si dejan dormir!

HÉCTOR: Una vez recibí una carta de él...

DOÑA FLORA (VO): ¡Héctor!

HÉCTOR: ¡Ay!

DOÑA FLORA (VO): ¡Héctor! ¡Desgraciado, ya sé que estás ahí! ¡Mentiroso! ¡Yo sabía! ¿Sabés la hora que es? ¡Salí, atorrante! ¡Siempre lo mismo...

VECINOS (VO): ¡Dejen dormir!

DOÑA FLORA (VO): ...pasando la tarde con tus amigotes!

RAQUEL: ¿Y ahora qué hacemos?

ARTURO: No sé. Por lo menos sabemos dónde vive. Podemos venir mañana.

RAQUEL: Tal vez sea lo mejor...

HÉCTOR: Oigan. Este cuadro me lo dio Ángel.

ARTURO: ¿Ud. no sabe dónde podemos encontrar a Ángel?

HÉCTOR: No. Recibí una carta de él... hace años. Ángel se había quedado a vivir en el extranjero... en otro país.

RAQUEL: ¿Se quedó a vivir en el extranjero?

HÉCTOR: Sí... no recuerdo bien qué país era, ¿saben? Creo que era Puerto Rico, pero no estoy seguro. Era un país en el Caribe... no sé si Puerto Rico, pero estoy seguro que era en el Caribe... sí, posiblemente Puerto Rico.

RAQUEL: ¿Y la carta?

HÉCTOR: ¡Claro! ¡La carta! La tengo que buscar.

ARTURO: Es muy importante para mí.

HÉCTOR: Sí, comprendo. Mire, Uds. saben dónde encontrarme. Necesito un par de días para buscar la carta.

ARTURO: Bueno. Se lo agradezco muchísimo.

HÉCTOR: No hay de qué. Ángel era mi amigo.

ARTURO: Tome.

HÉCTOR: No, no, no. Es para Ud. Es de su hermano.

ARTURO: Bueno, gracias de nuevo. Buenas noches.

HÉCTOR: Buenas noches. Buenas noches.

DOÑA FLORA (VO): ¡Héctor!

HÉCTOR: Muy buenas noches. Buenas noches. Buenas noches. Buenas noches. Shht. La la la...

RAQUEL: Es una buena pintura. Tenía razón cuando decía que Ángel tenía talento.
ARTURO: Sí. Ángel tenía talento. Bueno, es tarde. ¿Quieres tomar un café?
ARTURO: Voy a preparar el café.
RAQUEL: Me han pasado muchas cosas muy interesantes aquí en Buenos Aires, ¿no? Por ejemplo, anoche cené con Arturo. ¿Fuimos a un restaurante o me invitó a su casa?
ARTURO: ¡Salud, dinero y amor!
RAQUEL: Y tiempo para disfrutarlos.
RAQUEL: Arturo me invitó a cenar a su casa. Y fue una cena muy buena. ¿Y qué preparó Arturo para la cena? Preparó unas brochetas. Durante la cena, Arturo me contó algo de su vida. ¿Recuerdan? Primero, vive solo. No tiene familia. Segundo, está divorciado y su esposa—digo, su exesposa—regresó al Perú. ¡Ah! Y también sabemos que es psiquiatra y que su profesión es muy importante para él. Después de la cena, tomamos un poco de café. Vi unas fotografías que Arturo tomó.
RAQUEL: Son muy impresionantes.
ARTURO: Mm, hm.
RAQUEL: Al final de la cena, Arturo me llevó al hotel. Y ya en el hotel, llamé a mi familia. Hablé con mi madre. Hoy continuamos con la búsqueda. Fuimos al Piccolo Navio, un restaurante en el barrio italiano. ¿Con quién hablamos?
ARTURO: Quisiéramos hablar con Ud. Pero, con este ruido... ¿Podemos hablar afuera?
RAQUEL: Hablamos con Héctor, un marinero. ¿Y Héctor recordó a Ángel?
HÉCTOR: Ángel... Claro que lo recuerdo bien. Era mi amigo.
RAQUEL: Sí. Héctor recordó a Ángel. Eran buenos amigos. ¿Y qué dijo Héctor de Ángel? Héctor dijo que Ángel se fue a vivir a un país del Caribe. Posiblemente a Puerto Rico. Bueno, Héctor no está muy seguro de que sea Puerto Rico, pero tiene una carta, una carta con la dirección de Ángel. Va a buscar esa carta y dentro de unos días, Arturo y yo vamos a saber dónde vive Ángel. Otra vez alguien me va a dar una carta con una dirección importante. Quizás en el futuro, si escribo una autobiografía, le voy a poner *Cartas*.

Episodio 15
Culpable (*Guilty*)

MARIO: ¡Doña Flora! ¡¡Doña Floooraaa!!
DOÑO FLORA: ¿Quién es?
GUIDE: En este episodio, Raquel y Arturo siguen con la búsqueda de Ángel, el hijo de Rosario y Fernando. También, Raquel y Arturo pasan más tiempo juntos. Durante el episodio, vamos a aprender más vocabulario relacionado con la comida: los nombres de varias frutas.
MALABARISTA: Manzana. Luego, una naranja.
ARTURO: ...un kilo de bananas, medio kilo de esas uvas...
MALABARISTA: Melón...
GUIDE: Y finalmente, vamos a hablar un poco de uno de los productos más conocidos de la Argentina, los artículos de cuero. En el episodio previo, Raquel habla con su mamá por teléfono. Le habla de su investigación y de su nuevo amigo, Arturo Iglesias.
ARTURO: ¡Salud, dinero y amor!
GUIDE: Raquel le cuenta a su madre de la fabulosa cena que preparó Arturo. Durante esa cena, Arturo le cuenta a Raquel de su matrimonio y de cómo terminó en divorcio. Raquel y Arturo caminan por la calle Necochea en el barrio italiano, La Boca. Buscan a un señor, posible amigo de Ángel. Este señor se llama Héctor y esta noche hay una fiesta en la cantina Piccolo Navio. Mientras Raquel y Arturo acompañan a Héctor a su casa, Héctor habla de Ángel, su amigo.
HÉCTOR: Claro que lo recuerdo bien. Era mi amigo.
RAQUEL: ¿Sabe dónde se encuentra?
GUIDE: Héctor les muestra a Arturo y Raquel algo muy especial.
HÉCTOR: Este cuadro me lo dio Ángel.
RAQUEL: ¿Y la carta?

GUIDE: Más tarde, ya en casa de Arturo, Raquel nota que Arturo está muy pensativo.
RAQUEL: Espero que Héctor encuentre la carta.
ARTURO: ¿Hmm? Sí.
RAQUEL: ¿En qué piensas?
ARTURO: En Ángel. ¿Qué quería de la vida? ¿Qué buscaba?
RAQUEL: ¿Te sientes bien? ¿Qué te pasa?
ARTURO: No te preocupes. No es nada.
RAQUEL: Ya verás. Pronto podrás hablar con tu hermano. Arturo, dime por favor, ¿qué es lo que te pasa?
ARTURO: Me tenés que perdonar, Raquel. Es que...
RAQUEL: ¿Sí... ?
ARTURO: Tengo un mal presentimiento... ¿Qué pasa si Ángel...?
RAQUEL: Arturo...
ARTURO: Estoy cansado. Y vos también estarás cansada.
RAQUEL: Voy a llamar un taxi.
ARTURO: No. Yo te llevo. Voy a buscar las llaves.
RAQUEL: ¿De veras te sientes bien?
ARTURO: De veras. No te preocupes.
RAQUEL: Arturo, ¿qué presentimiento tienes?
ARTURO: Es que... por un momento pensé que es posible que Ángel haya muerto.
RAQUEL: Arturo, no tienes motivos para pensar eso.
ARTURO: Sí, ya sé... No tengo motivos...
RAQUEL: Ángel es joven todavía. Apenas pasa de los cincuenta años.
ARTURO: Pero algo me dice que...
RAQUEL: ¿Que qué?
ARTURO: Bueno, es que me siento mal. Me siento... culpable. No hice nada para ir a buscarlo.
RAQUEL: Arturo, ¡tú no tienes la culpa de nada! Yo voy a buscar a Ángel. Ya verás que lo encuentro.
ARTURO: Espero que sea así. Vamos. Te paso a buscar mañana.
RAQUEL: Si voy al Caribe, debería ir de compras.
ARTURO: Bueno. Te paso a buscar y nos vamos de compras.
GUIDE: Al día siguiente, Raquel y Arturo pasan por la calle Florida, una de las calles más conocidas de Buenos Aires.
MALABARISTA: Ahora, señoras y señores, Uds. verán al gran Jaime Bolas con su nuevo espectáculo,

«Ensalada de fruta». Bueno, ¿qué necesitamos para hacer una ensalada de fruta? Primero, una manzana, una manzana... luego, una naranja, naranja... y después, otra naranja más. Entonces, mi primera ensalada consiste en una manzana, una naranja y otra naranja. ¡Vamos! ¡Jop! Eso. Bueno. Gracias, muchas gracias. Y ahora, para los aficionados a los chimpancés, vamos a hacer una ensalada de fruta de bananas, para la cual vamos a usar una banana, dos bananas, y tres bananas, para mis amigos los simios. Bueno. ¿Y qué nos queda? Un melón, melón. No, dos, dos melones. ¡Señores! No, dos melones y una naranja. Entonces, esta ensalada va con dos melones y una naranja. Atención. ¡Vamos! Tírele. Eso.

RAQUEL: ¡Qué gracioso! Ahora tengo ganas de comer una ensalada de fruta.

ARTURO: ¿Verdad que tenés hambre?

RAQUEL: No, no tengo. Pero las frutas me recuerdan a California. Sobre todo las naranjas. En Estados Unidos, California tiene gran fama por su fruta y sus verduras. ¡En el sur de California puedes encontrar las mejores naranjas del mundo!

ARTURO: Sí, yo sé. También tiene los Estados Unidos el río Misisipí, el Bulevar Wilshire, el Empire State...

GUIDE: Raquel y Arturo entran en una tienda de artículos de cuero. Raquel quiere comprar una bolsa.

ARTURO: Ésa sí es Linda, ¿no?

RAQUEL: Sí, verdad. ¿Y cuánto cuesta?

VENDEDORA: Cincuenta mil australes.

RAQUEL: Muy bien.

GUIDE: La Argentina tiene mucha fama por sus artículos de cuero. Los artículos de mejor calidad son hechos a mano. Es decir, no son hechos por máquina. Personas expertas trabajan el cuero para producir los artículos más finos.

RAQUEL: Es muy elegante.

ARTURO: Veamos cómo te queda.

RAQUEL: Sí, es linda, pero lo que necesito es una blusa. Además, recuerda que voy al Caribe. No creo que pueda usar una chaqueta de cuero allí. Muchas gracias.

ARTURO: Bueno, no se pierde nada con mirar. Recordá que es muy difícil encontrar artículos de cuero como tiene la Argentina.

RAQUEL: Sí, sí, sí. Además, tienen las calles más grandes, los mejores vinos y claro, los mejores psiquiatras del mundo, ¿no?

GUIDE: Después de la calle Florida, Arturo y Raquel se separan. Arturo necesita volver a su oficina. Raquel va a La Cuadra donde sigue haciendo sus compras.

VENDEDORA: Buenas tardes.

RAQUEL: Buenas tardes. Quisiera probarme unos pantalones.

VENDEDORA: Cómo no. A ver... ¿Qué le parecen éstos?

RAQUEL: Mmm, no. Prefiero estos pantalones blancos.

VENDEDORA: Mm, hm, bueno, muy bien.

RAQUEL: También quisiera probarme una blusa. Ésta está muy bien.

VENDEDORA: ¡Bárbaro! Con los pantalones queda justo. Eso.

RAQUEL: ¿Bueno?

ARTURO: ¡Hola! ¿Raquel?

RAQUEL: Ah, sí, Arturo...

ARTURO: ¿Qué tal te fue con las compras?

RAQUEL: Bien, compré varias cosas. La Cuadra fue una excelente idea.

ARTURO: Me alegro. Bueno, mirá, tengo noticias importantes: me llamó Héctor.

RAQUEL: ¡Por fin! ¿Encontró la carta?

ARTURO: Sí, la encontró.

RAQUEL: ¿Y cuándo lo vamos a ver?

ARTURO: Mañana me va a llamar...

RAQUEL: ¿Mañana? ¿Por qué no podemos verlo esta noche?

ARTURO: No lo sé. Mañana debe ser su día libre.

RAQUEL: Arturo, tengo que concluir esta investigación. No me gusta encontrar un obstáculo a cada paso. ¡Ay! Normalmente tengo mucha paciencia pero en este momento, no.

ARTURO: Lo comprendo, Raquel. Pero no puedo hacer nada. Si Héctor no quiere vernos hasta mañana, ¿qué puedo hacer? Mirá. Dada la situación, tenemos el día libre. ¿Qué tenés ganas de hacer?

RAQUEL: Bueno, vi en unas postales un parque muy bonito.

ARTURO: ¿Un parque? ¿Cuál?
RAQUEL (VO): Es un parque con jardines, un lago, se llama... algo de rosas, o rosales...
ARTURO: ¿El Rosedal?
RAQUEL (VO): ¡Eso! El Rosedal.
ARTURO (VO): Ah, ¿Y tenés ganas de ir?
RAQUEL (VO): Sí, ¿por qué no? ¿No te gusta?
ARTURO: No... quiero decir... bueno, si querés, vamos. Buenas.
VENDEDOR DE FRUTAS: ¿Desea alguna fruta? Toda esta fruta es fresca y muy deliciosa.
ARTURO: Sí. Déme seis naranjas, tres manzanas, medio kilo de esas uvas...
VENDEDOR DE FRUTAS: ¿Algo más?
ARTURO: ¿Melones tiene?
VENDEDOR DE FRUTAS: Sí, señor, allá están. Mire.
ARTURO: Déme uno. ¿Están dulces?
VENDEDOR DE FRUTAS: Ah, sí, bien dulces, señor. ¿Algo más?
ARTURO: Sí. Un kilo de bananas. Es todo.
VENDEDOR DE FRUTAS: ¿No quiere llevar algunos duraznos? ¿O frutillas?
ARTURO: Ah, no, gracias. Eso es todo.
VENDEDOR DE FRUTAS: Medio kilo de uvas, un melón, un kilo de bananas, seis naranjas, y tres manzanas. Mil cuatrocientos veinte australes, señor. Muchas gracias.
ARTURO: Ahora, me falta comprar pan, queso y una botella de vino.

ARTURO: Ah, no, no, no, Raquel. Por favor, no...
RAQUEL: ¿No?... debe ser divertido... ¿Vamos?
ARTURO: ¿En serio?
RAQUEL: ¡En serio! ¿No te gusta? ¡Vamos!
ARTURO: Bueno, está bien. Si vos querés...
RAQUEL: ¿Qué pasa? ¿No te gusta? ¡Te da vergüenza! Mira lo rojo que estás!
ARTURO: Raquel, todos nos están mirando...
RAQUEL: Anda. ¡Vamos! Vamos, debe ser divertido. Ven.

ARTURO: Sigamos.
RAQUEL: Ay, muchas gracias. Fue un paseo muy bonito.
CHOFER: Al contrario.
RAQUEL: Gracias.
CHOFER: Conque al hombre le gustó.
ARTURO: ¿Cuánto le debo?
CHOFER: Treinta mil, como arreglamos.
ARTURO: Bueno.
CHOFER: Muy bien. Que la pasen bien. ¡Felicidades!
RAQUEL: ¡Mira! ¡Allí está uno de tus pacientes!
ARTURO: ¿Dónde?
RAQUEL: Ja, ja. ¡El famoso Dr. Iglesias tiene vergüenza!
ARTURO: ¡Si me viera uno de mis pacientes...
RAQUEL: Sí, y todos tus colegas de la universidad...
ARTURO: ...sería mi fin!
RAQUEL: Ja, ja. ¡Ah!
ARTURO: ¿Estás contenta?
RAQUEL: Muchísimo. ¿Y tú?
ARTURO: Yo también. ¿Tenés hambre?
RAQUEL: Todavía no. ¿Y tú?
ARTURO: Yo tampoco.
RAQUEL: ¿Cuándo me vas a decir lo que tienes en la canasta?
ARTURO: Más tarde, señorita, más tarde. Ah, es una sorpresa, señorita.
RAQUEL: Mira.
ARTURO: ¡No, no, no, Raquel, no! ¡Por favor, no!... ¿Por dónde, capitana Rodríguez?
RAQUEL: Una vuelta entera, Dr. Iglesias.
ARTURO: Sí, sí, capitana.
RAQUEL: ¿En qué estás pensando?
ARTURO: Nada, nada de importancia.
RAQUEL: ¡Qué bueno, porque yo lo estoy pasando muy bien!

ARTURO: Yo también, porque me gustás mucho.
RAQUEL: Tú también me gustas.
GUIDE: Cada minuto que pasa, Raquel y Arturo se sienten más y más atraídos el uno al otro.
RAQUEL y ARTURO: Ja, ja, ja, ja.

RAQUEL: Otra vez he pasado una noche y un día interesantes en Buenos Aires. Anoche, después de hablar con Héctor, Arturo y yo volvimos a su casa. Allí conversamos un poco. Pero durante la conversación, Arturo estaba muy pensativo. ¿Qué te pasa?
ARTURO: Estoy bien. Sólo pensaba...
RAQUEL: Arturo estaba muy pensativo porque tuvo un mal presentimiento. Arturo cree que su hermano Ángel ha muerto. Pero no hay motivos para que crea eso. Lo que pasa es que Arturo se siente culpable.
ARTURO: Pero algo me dice que...
RAQUEL: ¿Que qué?
ARTURO: Bueno, es que me siento mal, me siento culpable.
RAQUEL: Arturo se siente culpable porque después de que Ángel se fue de casa, nunca hizo nada por buscarlo. Bueno, todo eso ocurrió anoche. Hoy fue un día más alegre. Primero, fui con Arturo de compras. Entramos a una tienda de artículos de cuero. Vi una chaqueta. Era bonita y de buena calidad. Pero no la compré. Al final compré una bolsa. Ésta. Es muy linda, ¿no creen Uds.? Después de la tienda, Arturo y yo nos separamos. El volvió a su casa y yo seguí haciendo mis compras.
RAQUEL: Ah, gracias.
RAQUEL: Yo seguí con las compras y compré varias cosas para mi viaje a Puerto Rico. Compré una blusa, un pantalón, un vestido y un traje de baño. Más tarde, ya aquí en el hotel, Arturo me llamó.
ARTURO: Tengo noticias importantes: me llamó Héctor.
RAQUEL: ¿Encontró la carta?
ARTURO: Sí, la encontró, tiene la dirección.
RAQUEL: Pero no pudimos hablar con Héctor hoy. Tenemos que esperar hasta mañana. Entonces, Arturo y yo pasamos el resto del día juntos. Fuimos al Parque del Rosedal. ¡Qué bien lo pasamos! Todavía no me has dicho lo que traes en la canasta.
ARTURO: Ah, es una sorpresa.
RAQUEL y ARTURO: Ja, ja.
RAQUEL (VO): Primero, anduvimos en mateo. Fue muy divertido para mí pero para Arturo fue un escándalo. ¡Ja, ja! Luego, anduvimos en bote. Finalmente, tuvimos un picnic muy especial.
RAQUEL: Arturo sirvió frutas frescas: manzanas, melones, naranjas, bananas y uvas. Y también comimos pan y queso. ¡Lo pasé muy bien! Arturo es una persona extraordinaria, ¿no creen Uds.? ¿Quién es?
BOTONES: ¿Srta. Rodríguez?
RAQUEL: Sí.
BOTONES: Llegó esto para Ud.
RAQUEL: Gracias.
ARTURO (VO): Raquel, he pasado unos días lindísimos contigo. Esta campera es para que tengas un recuerdo especial de mí. Arturo.

Episodio 16

Caras (*Faces*)

GUIDE: En este episodio, Raquel y Arturo siguen con la búsqueda de Ángel, el hijo de Rosario y Fernando. El viejo amigo de Ángel, Héctor, llama a Arturo. Tiene una carta con la dirección de Ángel en San Juan, Puerto Rico.
ARTURO: Hola, Héctor.
GUIDE: También, la atracción entre Raquel y Arturo es cada vez más profunda.
ARTURO: Te voy a extrañar.
RAQUEL: Yo también a ti.
GUIDE: En este episodio, vamos a aprender vocabulario relacionado con las legumbres y las verduras.
RAQUEL (VO): ...cebolla, chícharos, ejotes, lechuga, tomates, zanahorias, papas, chiles.
GUIDE: Y vamos a ver cuáles son algunas de las ciudades más importantes de la Argentina. En el centro del país está Córdoba, una ciudad histórica de un millón de habitantes. En el oeste, casi en el límite con Chile, está Mendoza.
HÉCTOR: Señorita, ¿está bien el señor?
GUIDE: En el episodio previo, Raquel se preocupa por Arturo. Arturo está muy pensativo porque tiene un mal presentimiento sobre Ángel, su hermano.
RAQUEL: ¿Sí?...
ARTURO: Tengo un mal presentimiento...
GUIDE: Raquel trata de calmarlo y después Arturo la lleva al hotel. Visitan algunas tiendas de artículos de cuero, industria muy importante en la Argentina. Finalmente, Raquel compra una bolsa blanca. Raquel no lo sabe, pero Arturo le compra un regalo especial. Arturo llama a Raquel. Tiene noticias de Héctor... e información sobre la carta.
ARTURO: Mañana me va a llamar.
RAQUEL: ¿Mañana?
GUIDE: Entonces Raquel y Arturo pasan la tarde en el Parque del Rosedal. En el parque, pasean en mateo... van en bote... y Arturo le prepara a Raquel un picnic con mucha fruta.
RAQUEL: Mira, yo soy mejor que tú. Mira.
RAQUEL y ARTURO: Ja, ja, ja, ja.
GUIDE: Finalmente llega el próximo día, otro día en Buenos Aires para Raquel. En casa de Arturo, esperan la llamada de Héctor, quien tiene una carta importante con la dirección de Ángel Castillo.
RAQUEL: Mira. Me gusta mucho esta foto.
ARTURO: Mm.
RAQUEL: ¿La has visto? El fotógrafo debe ser muy imaginativo.
ARTURO: Es bien cómica, ¿no?
RAQUEL: Mira cómo ha usado las verduras.
RAQUEL: Ésta aquí es una hoja de lechuga. Y éste es un tomate.
ARTURO (VO): ¿Un tomate? No puede ser. Ja, ja.
RAQUEL (VO): Sí, sí. Y éstas aquí son cebollas. Éstas son aceitunas.
ARTURO (VO): ¿Aceitunas?
RAQUEL (VO): Sí, aceitunas. ¡no te hagas el tonto! Y éstos son chícharos.
ARTURO (VO): ¿Chícharos?
RAQUEL: Sí, chícharos. En México y en California los llamamos chícharos.
ARTURO: Aquí les decimos arvejas.
RAQUEL (VO): Ésta es una zanahoria. Y éstos son ejotes.
ARTURO (VO): Y éstos son ajíes.
RAQUEL (VO): ¿Cómo? ¿Ajíes?
ARTURO (VO): Sí, pero Uds. les llaman chiles, ¿no?
RAQUEL: Sí. ¿Pues, qué querías mostrarme?
ARTURO: Vení, es una sorpresa.
GUIDE: Raquel ha encontrado una fotografía bastante interesante... y cómica. En la foto se ve la cara de una persona, hecha con varias legumbres y verduras. Lechuga, tomate, una zanahoria, aceitunas, ejotes, cebolla, chiles y chícharos. Bueno, ¿adónde fueron Arturo y Raquel?
RAQUEL: Arturo, siempre salgo mal en las fotos.
ARTURO: ¡Tonterías!
RAQUEL: Es verdad. Por favor...
ARTURO: Shht. Quieta para sacar la foto. ¿Qué pasó?

RAQUEL: Te digo, es una señal. Salgo mal en las fotos y la cámara lo sabe.
ARTURO: Shht, Raquel, basta ya de eso. Quiero una foto de nosotros y vamos a sacarla. No comprendo por qué no funciona.
RAQUEL: ¿Estás seguro de que sabes operarla?
ARTURO: Shht, Raquel, ¿te estás burlando de mí? !Ay!
RAQUEL: Arturo, quizás necesita gasolina.
ARTURO: ¿Qué tiene esta maldita...? No entiendo.
RAQUEL: Ja, ja. ¿Por qué no le chequeas el agua? ¿O el aceite?
ARTURO: Ahora va.
RAQUEL y ARTURO: Ja, ja, ja, ja...
RAQUEL: ¡De veras, Arturo! Siempre salgo muy mal en las fotos.
ARTURO: Raquel, eso es absurdo. A ver, mostráme.
RAQUEL: ¿Qué cosa?
ARTURO: Mostráme una foto tuya. De tu pasaporte, por ejemplo.
EL AMA DE CASA: Disculpe, doctor, lo llaman por teléfono. Un Sr. Héctor...
ARTURO: ¡Por fin!... Vamos a ver lo que dice. Hola, Héctor. Sí, ¿qué tal? ¿Cómo le va?
GUIDE: Héctor dice que va a pescar y que Raquel y Arturo deben ir a buscarlo en el puerto de Buenos Aires. El puerto de Buenos Aires es el más importante de la Argentina. Por aquí pasan numerosos barcos con las diferentes exportaciones e importaciones que son vitales para el país. Claro, hay otras ciudades en la Argentina que son importantes también. En el centro del país está Córdoba, una ciudad histórica de un millón de habitantes. En el oeste, casi en el límite con Chile, está Mendoza. Esta ciudad es importante por la agricultura, sobre todo por las uvas, ingrediente esencial en la producción del vino. Al norte de Buenos Aires quedan Tucumán y Rosario. Tucumán, como Córdoba, es una ciudad histórica y hermosa. Rosario, en cambio, es una ciudad industrial en las riberas del río Paraná. Aunque estas ciudades son importantes, el centro político y económico de la Argentina es Buenos Aires. Ahora, el puerto tiene importancia personal para Raquel y Arturo en su búsqueda de Ángel Castillo.
RAQUEL: ¿Estás seguro de que es aquí?
ARTURO: Me dijo que aquí.
RAQUEL: ¡Arturo! ¡Está aquí abajo!
ARTURO: Está fechada en San Juan de Puerto Rico. Le da las gracias por su recomendación... dice que no es un verdadero marinero... y que sigue pintando... ha viajado por muchos países, Francia, Inglaterra, Alemania y también España, su país de origen. Piensa quedarse a vivir en Puerto Rico. No quiere volver nunca más a la Argentina. Aquí está su dirección.
HÉCTOR: Señorita, ¿está bien el señor?
ARTURO: Otra vez este presentimiento... algo me dice que Ángel ya murió.
RAQUEL: No, Arturo. Ángel es joven todavía.
ARTURO: Ya sé... pero uno se puede morir joven, ¿no?
HÉCTOR: Doctor, no diga esas cosas.

ARTURO: ¿Sabés? Ángel es el único pariente que tengo. ¿Ya decidiste cuando te vas a ir?
RAQUEL: Debería tomar el primer vuelo... don Fernando está muy mal. Y no puedo tardarme mucho.
ARTURO: Hace unos pocos días que te conozco y parece como si hiciera muchos años.
RAQUEL: Yo siento lo mismo.
ARTURO: Te voy a extrañar.
RAQUEL: Yo también a ti.
ARTURO: Aunque... tal vez...
RAQUEL: ¿Tal vez...?
ARTURO: Tal vez yo podría ir a Puerto Rico y los dos continuar la búsqueda de Ángel.
RAQUEL: ¿Quieres decir que irías a Puerto Rico?
ARTURO: ¿Te gustaría?
RAQUEL: ¡Claro que sí! ¡Mucho! Pero, ¿tú puedes?
ARTURO: Creo que sí.
RAQUEL: ¿Y tu trabajo? ¿Tus pacientes?
ARTURO: Bueno, no sería fácil dejar todo. Pero yo quiero ir.

RAQUEL: Gracias, Ramón. Saludos a Pedro cuando lo vea. Claro. Y dígale a don Fernando que le mando mis mejores deseos. Adiós, Ramón.
DON FERNANDO: Rosario... ¿Dónde está nuestro hijo? ¿Dónde está Ángel?

ENFERMERA: Shh... cálmese, cálmese, shh.
RAQUEL: ¿Bueno?
ARTURO (VO): ¿Raquel? Te tengo otra sorpresa.
RAQUEL: ¿Otra?
ARTURO (VO): Sí. ¿Querés venir?
RAQUEL: Sí, cómo no.
ARTURO (VO): Te paso a buscar en quince minutos.
RAQUEL: No, Arturo. Voy a tomar un taxi. Tengo algunas cosas que hacer todavía.
ARTURO (VO): Está bien. Chau.
RAQUEL: Hasta luego. Y ahora, señor doctor, yo tengo una sorpresa para Ud.
RAQUEL (VO): A ver, cebolla, chícharos, ejotes, lechuga, tomates, zanahorias, papas, chiles. Me hacen falta las aceitunas.
GUIDE: Más tarde, Raquel está en casa de Arturo. Los dos están revelando la foto que tomaron durante el día.
ARTURO: ¿Ves que no salís mal en las fotos? Ja, ja.
RAQUEL: Eso es gracias al fotógrafo. Yo también tengo una sorpresa para ti.
ARTURO: ¿Sí?
RAQUEL: Sí. Pero me tienes que dar unos minutos para prepararla.
ARTURO: Ah, entonces debe ser muy buena.
RAQUEL: Ya verás...
GUIDE: Entonces, Raquel sale para preparar la sorpresa mientras Arturo se queda a revelar las fotos. Arturo está muy contento con la idea de viajar a Puerto Rico... pero todavía tiene malos presentimientos sobre su hermano, Ángel.
ARTURO (VO): Ángel. ¿Es verdad que estás en Puerto Rico? ¿Por qué este presentimiento? ¿Me podés perdonar que nunca hice nada para buscarte?
RAQUEL (VO): ¡Arturo! Ya está listo. ¡Puedes venir a la cocina!
ARTURO: ¿Y qué?
RAQUEL: Tienes que cerrar los ojos primero.
ARTURO: Ja, ja.
RAQUEL: Ya puedes abrir los ojos.
ARTURO: Ja, ja. ¿Qué es esto? ¿Cómo se te ocurrió?
RAQUEL: ¿Te gusta?
ARTURO: ¿Que si me gusta? ¡Por supuesto! No sabía que tenías tanto talento artístico!
RAQUEL: Bueno, tanto talento no tengo.
ARTURO: Esto es excepcional que lo vamos a guardar para la posteridad.
RAQUEL: ¿Qué quieres decir con eso?
ARTURO: Esperá un momento que voy a buscar algo.
RAQUEL: Arturo es muy buena persona, ¿no? Me gusta mucho. ¿Qué fue a buscar? Bueno, hoy sabemos más de Ángel. Por una carta, sabemos de su paradero. Pero, el día no empezó con una carta. El día empezó con una cámara... una cámara poco cooperativa, ¿no?
ARTURO: No comprendo por qué no funciona.
RAQUEL: ¿Estás seguro de que sabes operarla?
ARTURO: Shht, Raquel, ¿te estás burlando de mí? ¡Ay!
RAQUEL: Arturo, quizás necesita gasolina. ¡Pobre Arturo! Le gusta tener toda su vida muy ordenada. Se puso muy enfadado cuando la cámara no funcionó.
ARTURO: ¿Qué tiene esta maldita...? ¡No entiendo!
RAQUEL: Ja, ja. Bueno, después de la sesión fotográfica, tuvimos noticias de Ángel. Héctor llamó a Arturo. Héctor tenía la carta de Ángel y quería dársela a Arturo. ¿Recuerdan adónde fuimos para buscar a Héctor? ¿Fuimos a su casa? No. No fuimos a su casa. Fuimos al puerto para buscarlo. Allí lo encontramos. Estaba pescando.
RAQUEL (VO): Le dio la carta a Arturo. Arturo estaba muy nervioso. Empezó a leer la carta en voz alta.
ARTURO: Está fechada en San Juan de Puerto Rico.
RAQUEL: Después de leer la carta, Arturo se quedó muy pensativo. ¡Ay! Pobre Arturo. Una vez más tuvo ese mal presentimiento.
ARTURO: Otra vez este presentimiento... algo me dice que Ángel ya murió.
RAQUEL: No, Arturo.
RAQUEL: Más tarde, hablamos sobre mi viaje a Puerto Rico. ¿Y qué idea se le ocurrió a Arturo?
ARTURO: Tal vez, yo podría ir a Puerto Rico, y los dos continuar la búsqueda de Ángel.
RAQUEL: ¿Quieres decir que irías a Puerto Rico?

ARTURO: ¿Te gustaría?

RAQUEL: Claro. La idea me gustó mucho. Bueno, después de eso, volví a mi hotel y llamé a México. Hablé con Ramón. Le conté a Ramón las últimas noticias: le hablé de la carta de Ángel y del mal presentimiento de Arturo. Ramón me dijo que él también tenía un mal presentimiento. Entonces,...

RAQUEL (VO): ...Arturo me llamó. Me invitó a su casa para revelar las fotos.

RAQUEL: Sí, cómo no.

RAQUEL: Antes de ir a su casa, preparé una sorpresa para él. ¿Recuerdan adónde fui y qué compré?

RAQUEL: ...cebollas, chícharos, ejotes, lechuga, tomates, zanahorias, papas, chiles. Me hacen falta las aceitunas.

RAQUEL: En la casa de Arturo, mientras él revelaba las fotos, yo hice dos caras con verduras. Fue una gran sorpresa para Arturo. Le gustaron mucho. Bueno. Aquí estoy. Arturo fue a buscar algo. Pero no sé qué. Me pregunto, ¿qué va a pasar en Puerto Rico? ¿Encontraré a Ángel finalmente? Y ahora tengo un interés personal. ¿Qué va a pasar entre Arturo y yo?

ARTURO: Podemos guardar para la posteridad tus obras maestras con esta cámara. Y si querés, podés llevarte esta cámara a Puerto Rico.

RAQUEL: ¡Qué generoso, doctor!

ARTURO: ¿Cómo querés pasar tu última noche en Buenos Aires?

RAQUEL: Quiero que sea inolvidable.

ARTURO: Ah, ¿inolvidable?

RAQUEL: Sí. Quiero bailar un tango.

ARTURO: ¡Ajá! Tango. Pero no en cualquier parte se baila buen tango.

RAQUEL: ¿Y dónde se baila buen tango?

ARTURO: Yo conozco un lugar... ¡fantástico, por supuesto! Vení. Yo te voy a llevar. ¡Vamos!

Episodio 17

Inolvidable (*Unforgettable*)

ARTURO: Bien. Pedí vos primero.
RAQUEL: ¿Yo?
ARTURO: Por supuesto.
RAQUEL: Les pido a las primeras cien estrellas que veo esta noche, que podamos encontrar a Ángel en Puerto Rico...
GUIDE: Raquel pasa su último día en la Argentina con Arturo. En este episodio vamos a aprender algo sobre Jorge Luis Borges, el escritor más conocido de la Argentina. También vamos a ver algo sobre la historia del tango y vamos a visitar ciertos lugares que tienen gran importancia en la historia y cultura de la Argentina.
ARTURO: ¿Cuándo te vas?
RAQUEL: Mañana, a las ocho de la noche.
ARTURO: Bueno. Tenemos tiempo.
RAQUEL: Sí, casi todo el día.
GUIDE: Arturo decide sacar una fotografía de él y Raquel juntos pero la sesión fotográfica resultó bastante cómica.
ARTURO: Raquel, ¿te estás burlando de mí?
RAQUEL: Arturo, quizás necesita gasolina.
ARTURO: ¿Qué tiene esta maldita... ? ¡No entiendo!
RAQUEL: Ja, ja, ja...
GUIDE: Más tarde, Arturo recibe una llamada de Héctor. Tiene la carta pero Raquel y Arturo lo tienen que ir a buscar al puerto. Entonces, Raquel y Arturo van al puerto. Allí esperan... y esperan... y esperan. Por fin Raquel encuentra a Héctor.
RAQUEL: ¡Arturo! Está aquí abajo.
GUIDE: Héctor le da la carta de Ángel a Arturo, que está muy ansioso de leerla. La abre y la lee en voz alta...
ARTURO: Piensa quedarse a vivir en Puerto Rico. No quiere volver nunca más a la Argentina.
GUIDE: Muy importante ahora es la atracción mutua que sienten Arturo y Raquel, una atracción que le lleva a Arturo a tomar una decisión.
RAQUEL: ¿Quieres decir que irías a Puerto Rico?
ARTURO: Yo quiero ir.
ARTURO: ¿Cómo querés pasar tu última noche en Buenos Aires?
RAQUEL: Quiero que sea inolvidable.
ARTURO: Ah, ¿inolvidable?
RAQUEL: Sí. Quiero bailar un tango.
GUIDE: Y después, Arturo le enseña a Raquel a bailar el tango. El tango es la música típica del río de la Plata, de la Argentina. Al comienzo, el tango era la música de los barrios bajos, es decir, no era muy popular entre todos los argentinos. Pero gracias al cantante Carlos Gardel, quien murió trágicamente en un accidente de aviación en 1935, el tango se hizo popular no sólo en la Argentina sino en todo el mundo. Relata largas historias de amores frustrados.
ARTURO: ¿Cuándo te vas?
RAQUEL: Mañana, a las ocho de la noche.
ARTURO: Bueno... tenemos tiempo.
RAQUEL: Sí, casi todo el día.
ARTURO: Vení. Hay una tradición en mi familia que quiero compartir con vos.
ARTURO: ¿Qué ves?
RAQUEL (VO): Veo la luna... las estrellas... y a ti...
ARTURO: ¿Alguna vez le pediste un deseo a una estrella?
RAQUEL: Sí. Cuando era una niña pequeña, en California.
ARTURO: Bien. Pedí vos primero.
RAQUEL: ¿Yo?
ARTURO: Por supuesto.
RAQUEL: Les pido a las primeras cien estrellas que veo esta noche, que podamos encontrar a Ángel en Puerto Rico... que esté bien, y que por fin, esta familia pueda reunirse definitivamente.
ARTURO: Yo también les pido lo mismo. Que podamos encontrar a mi hermano y que él pueda conocer a su padre, don Fernando. Y que esta persona, esta mujer sea parte importante de mi vida... y que yo sea parte importante de su vida también.

RAQUEL: Es curioso... Siento que te conozco desde hace mucho tiempo, y sin embargo, sé muy poco de ti.
ARTURO: Ja. ¿Y vos? Yo no sé nada de vos... Algún hombre habrá habido en tu vida.
RAQUEL: Hubo uno. Nos conocimos en la Universidad de California. Él estudiaba administración de empresas.
ARTURO: ¿Y?
RAQUEL: Después de graduarse, consiguió un buen trabajo en Nueva York y se fue a vivir allá.
ARTURO: ¿No se volvieron a ver?
RAQUEL: Bueno. Yo también conseguí un puesto, pero en Los Ángeles. Con la distancia, nos fuimos alejando. A mí, me gustaba mi trabajo. Ahora estoy muy contenta. Me gusta mucho vivir en Los Ángeles. Y gracias a mi trabajo, viajo y conozco a mucha gente interesante...
ARTURO: ¿Siempre has vivido en Los Ángeles?
RAQUEL: Pues, ¿sabes? Nací allí. Pero he pasado parte de mi juventud en México.
ARTURO: ¿Y por qué?
RAQUEL: Mis padres insistían en que éramos tanto mexicanos como norteamericanos. Pasé los veranos en Guadalajara con unos parientes. Y una vez fui por un año entero.
ARTURO: ¿Y te gustó eso?
RAQUEL: ¿Que si me gustó? ¡Uy, sí, me encantó! Ah, estuvo delicioso. ¡No sabía que tenía tanta hambre!
ARTURO: Es el tango. ¡Bailar el tango siempre despierta el apetito!
RAQUEL: Ésta es una noche realmente inolvidable...
ARTURO: Sí.
RAQUEL: ...y tú también eres ya una persona inolvidable para mí.
ARTURO: Raquel,... yo...
RAQUEL: Por favor, déjame terminar. Lo que quiero decir, es que... no es fácil decir estas cosas. Todo ha sido tan... tan rápido... Necesito tiempo para pensar.
ARTURO: Comprendo, claro.
RAQUEL: Gracias, Arturo.
ARTURO: Bueno. Me imagino que es hora de llevarte al hotel.

RAQUEL: ¿Bueno?
ARTURO (VO): ¡Hola! ¡Es un día hermoso!
RAQUEL: ¿Arturo? ¿Qué hora es?
ARTURO (VO): Son casi las siete. Tengo planeado un gran día, ¡y no quiero perder ni un solo momento! Te paso a buscar a las nueve... Chau.
RAQUEL: ¿Arturo?... ¿Arturo?... Ah...
RECEPCIONISTA: ¿Y vuelve Ud. a los Estados Unidos ahora?
RAQUEL: Ahora no. Tengo que ir a Puerto Rico primero.
RECEPCIONISTA: ¡Qué lindo! Me gustaría conocer Puerto Rico algún día. Aquí tiene.
RAQUEL: Muchas gracias.
RECEPCIONISTA: Gracias a Ud., y que tenga buen viaje.
RAQUEL: Hasta luego.
RECEPCIONISTA: Adiós.
ARTURO: Hola.
RAQUEL: Hola. Vamos a ver. Me has prometido un día inolvidable.
ARTURO: Sí, ya vas a ver.
RAQUEL: Ay, Arturo. ¡Qué rosa más bonita! Muchas gracias.
ARTURO: La rosa es la primera de las sorpresas. Hay otras.
RAQUEL: Me encantan las sorpresas.
ARTURO: ¡Ya lo sé! ¿Estás lista?
RAQUEL: Creo que sí.
ARTURO: Bueno. Me alegro, porque vamos a empezar la excursión especial de La Agencia Arturo Iglesias. Te voy a mostrar los más importantes lugares históricos y culturales de mi país.
RAQUEL: ¡Qué buena idea! Realmente no he tenido oportunidad.
ARTURO: ¿Sabés? Los argentinos somos más que la carne y el tango. Ja, ja.
ARTURO (VO): Bueno. Aquí llegamos a la primera parada de la excursión. Ése es el Teatro Colón. Aquí se presentan conciertos, óperas y espectáculos de ballet.
RAQUEL (VO): El exterior es muy elegante.
ARTURO (VO): Tenés que ver lo que es el interior.
GUIDE: El interior del Teatro Colón sí es impresionante. De forma semicircular, es un teatro grande.

En el centro, hay una cúpula, con frescos pintados por Raúl Soldí. Y la candelabra es una de las más grandes del mundo. En este teatro dan conciertos, óperas, ballets y otros espectáculos con personas de fama internacional.

ARTURO: Cuando volvamos con Ángel de Puerto Rico, los tres podremos venir a ver un espectáculo.

RAQUEL: Entonces, ¿es cierto? ¿Vas a ir a Puerto Rico?

ARTURO: Sí. Saldré dentro de tres días.

RAQUEL: Ah, no sabes cómo me alegro.

ARTURO: Yo también. Bueno, sigamos con tu excursión personal.

RAQUEL: ¿Quieres decir que hay más?

ARTURO: Pero, por supuesto. Ya te dije: somos más que la carne y el tango.

ARTURO (VO): Ésta es la Plaza de Mayo. ¿Ves a esas mujeres? Son las Madres de la Plaza de Mayo.

RAQUEL (VO): Ah, sí. Vi un programa en la televisión sobre ellas...

GUIDE: La historia política de la Argentina ha sido tumultuosa. La constitución estableció un gobierno con un presidente y un congreso nacional. Pero en varias ocasiones, hubo gobiernos militares, con pocas libertades, especialmente poca libertad de expresión. Hubo una época en la historia argentina cuando la represión era particularmente dura. Durante esta época, miles de personas con ideas políticas diferentes a las del gobierno desaparecieron por completo.

MADRE 1: Por favor, ¡ayúdanos! ¡Ayúdanos, por favor!

GUIDE: Durante los años setenta, un pequeño grupo de mujeres empezaron a protestar contra el gobierno. Querían saber el paradero de sus hijos.

MADRE 2: ...con las madres venimos y tenemos el compromiso: día por día a seguir luchando para poder lograr eso que pedimos. El hijo, como el hijo de mi compañera, el que secuestró, torturó, tiene que estar detrás de las rejas.

GUIDE: Aunque el gobierno ha cambiado, las protestas continúan.

ECHO (VO): ¡No olvidaremos! ¡No perdonaremos!

RAQUEL (VO): ¡Qué tristeza! Perder a un hijo y no saber nada de él; si está vivo o está muerto.

ARTURO (VO): Es un episodio horrible en nuestra historia. Y no debemos olvidarnos de que estas cosas ocurren...

GUIDE: Después de la Plaza de Mayo, Arturo lleva a Raquel a un barrio de Buenos Aires.

ARTURO: Bueno, aquí es. Parada número tres en la excursión.

RAQUEL: Si me permites una observación, Arturo. Yo no veo nada.

ARTURO: Bueno, nada de nada, no. Ésta es la antigua residencia del más famoso escritor argentino, Jorge Luis Borges.

GUIDE: Jorge Luis Borges. Borges fue poeta, cuentista y ensayista. Fue uno de los grandes escritores argentinos de este siglo. Como escritor, Borges fue muy original, único. Sus temas eran la realidad y la fantasía, especialmente la fantasía como una extensión de la realidad. Entre sus colecciones más conocidas están El Aleph... y Ficciones. Borges viajó mucho durante su vida. Le gustaba conversar, contar historias. Entre los escritores latinoamericanos, Borges es uno de los que ha recibido más atención mundial.

BORGES: ...las dejas de mi muerte, los jinetes, las crines, los caballos se ciernen sobre mí. Y el primer golpe, y el duro hierro que me raja el pecho...

ARTURO: Hablando de cultura, pensaba llevarte a otro lugar. Vamos.

RAQUEL: ¿Adónde?

ARTURO: Ya vas a ver. ¡Vamos!

GUIDE: Después visitan el Museo Nacional de Bellas Artes. Este museo contiene las obras de los pintores argentinos más conocidos. Arturo le explica a Raquel quiénes son estos pintores y le muestra sus obras más importantes. Le muestra las obras de Collivadino, de Pueyrredón, de Della Valle y también de de la Cárcova. Y finalmente, Arturo lleva a Raquel al Parque Tres de Febrero donde le muestra una estatua importante.

ARTURO (VO): Ésta es la estatua de Domingo Sarmiento. Es un personaje importante en la historia de la Argentina. Fue escritor, legislador y hasta presidente. Tuvo mucha influencia en la modernización del país durante el siglo pasado.

ARTURO: Son las cinco. ¿A qué hora tenés que estar en el aeropuerto?

RAQUEL: A las seis.

ARTURO: Bien. Tenemos tiempo de tomar algo y descansar.

RAQUEL: ¡Ah! Buenísima idea.

ARTURO: Bueno, voy a buscar un helado. Vos descansá y quedate si querés.

RAQUEL: ¡Ay! ¡Ay, qué cansada estoy! Y hoy es mi último día en Buenos Aires. ¡Qué pena que me tenga que ir! Pero la búsqueda de Ángel Castillo es lo más importante, ¿no? ¡Ah! Me han pasado tantas cosas. Anoche en la casa de Arturo...

RAQUEL (VO): ...bailamos el tango. Y después, salimos al jardín para mirar las estrellas.
RAQUEL: En el jardín, les pedimos a las estrellas que nos concedieran unos deseos. Yo pedí primero y luego pidió Arturo. Yo pedí algo para la familia de don Fernando. Pedí algo para otras personas, para mis clientes. ¿Y Arturo? Arturo pidió algo para él. Algo sobre mí.
ARTURO: ...y que esta persona, esta mujer sea parte importante de mi vida...
RAQUEL: Más que un deseo, fue una declaración, una declaración de amor. No sé. Arturo me gusta mucho. Es muy buena persona, pero todo está sucediendo demasiado rápido para mí, ¿no creen? Me gustaría pasar más tiempo con él, conocerlo mejor. Yo sé algo de Arturo, pero no mucho.
RAQUEL (VO): Hablamos un poco esta noche. Arturo me dijo que estudió en la Universidad de Buenos Aires y que él y su esposa no tuvieron hijos.
RAQUEL: Durante la conversación, yo también hablé de mí. Le dije a Arturo que...
RAQUEL (VO): ...estudié en la Universidad de California... que conocí a un chico especial en la universidad... que el muchacho se fue a vivir a Nueva York... que yo me quedé a vivir en Los Ángeles.
RAQUEL: Arturo y yo tenemos mucho en común. Los dos somos profesionales y la búsqueda de Ángel nos une, ¿entienden? Pero, es muy pronto para pensar en una relación permanente. A ver, esta mañana me levanté muy temprano. ¡A las siete de la mañana!
RAQUEL: ¿Arturo? ¿Qué hora es?
RAQUEL: Me levanté temprano porque Arturo me llamó. Arturo tenía planeado un día muy especial. Quería mostrarme diferentes lugares de Buenos Aires. Como él dice, la Argentina es «más que la carne y el tango». Fuimos a muchos lugares muy interesantes, de mucha importancia cultural.
RAQUEL (VO): Primero fuimos a un teatro. Ah sí, el Teatro Colón. Es muy elegante. Me impresionó mucho.
RAQUEL: Después de eso, fuimos a la Plaza de Mayo. En la Plaza de Mayo las madres protestan por sus hijos desaparecidos.
RAQUEL (VO): Para mí, fue algo muy impresionante y también triste. Tantos miles de personas desaparecidas y las pobres madres no saben nada de ellos...
RAQUEL (VO): Después, Arturo me llevó a la casa de un escritor muy conocido, Jorge Luis Borges. La casa no es nada espectacular, pero imagínense, Borges vivió aquí y anduvo por estas calles. Y depués, vinimos aquí. ¡Qué día! ¿No les parece? ¡Ha sido un día maravilloso! ¿Arturo? Cada vez me gusta más. No sé dónde va a parar nuestra relación. ¡Ah, muchas gracias!
RAQUEL (VO): Creo que Buenos Aires es la ciudad más hermosa del mundo, Arturo.
ARTURO (VO): ¿Sí? Es posible que vuelvas entonces.
RAQUEL (VO): Sí. Es posible. Es muy posible.

Episodio 18

Estimada Sra. Suárez (*Dear Mrs. Suárez*)

GUIDE: En este episodio, Raquel sale para Puerto Rico. Mientras espera su vuelo, escribe una carta. En la carta Raquel describe lo que ha pasado en la Argentina.
RAQUEL (VO): Estimada Sra. Suárez: ¡Ojalá que cuando reciba esta carta se encuentre bien de salud!
GUIDE: No hay vocabulario nuevo en este episodio. Tampoco hay nueva información sobre la Argentina.
RAQUEL: ¿Ud. conoce la estancia?
CHOFER: Sí, conozco toda la zona. Ahora estamos por Escobar, cerca de Los Cardales.
GUIDE: Vamos a recordar y repasar los puntos más importantes de la investigación de Raquel en Buenos Aires.
ARTURO: Empecemos por allí.
JOSÉ: No lo conozco.
ARTURO: No quiere volver nunca más a la Argentina.
RAQUEL: ¿Quieres decir que irías a Puerto Rico?
ARTURO: ¿Cómo querés pasar tu última noche en Buenos Aires?
RAQUEL: Quiero que sea inolvidable.
GUIDE: En el episodio previo, la última noche de Raquel en Buenos Aires, ella y Arturo bailan el tango. Después salen al jardín y piden unos deseos a las estrellas.
RAQUEL: Les pido a las primeras 100 estrellas que veo esta noche, que podamos encontrar a Ángel en Puerto Rico...
GUIDE: Al día siguiente, Arturo lleva a Raquel a conocer unos lugares de importancia histórica y cultural.
RAQUEL: Me has prometido un día inolvidable.
ARTURO: Sí, ya vas a ver.
GUIDE: El Teatro Colón, la Plaza de Mayo, la casa de Borges y el Museo de Bellas Artes. Ahora Raquel sale para San Juan y tiene que despedirse de Arturo.
RAQUEL: Gracias por todo, Arturo. Sin ti...
ARTURO: No, no. Soy yo quien debe darte las gracias. Si no fuera por vos, no sabría nada de mi hermano. No quiero que te vayas sin un recuerdo mío.
RAQUEL: Pero, Arturo. Con la chaqueta y todo lo que has hecho... tengo ya muchos recuerdos tuyos.
ARTURO: Tomá. La campera era porque te quedaba muy bien. Esto es porque sos especial para mí.
RAQUEL: ¡Ay, qué linda! ¡Es tan preciosa, Arturo!
ARTURO: Me alegro de que te guste.
RAQUEL: Gracias, Arturo. Prometo llamarte de San Juan.
ARTURO: Debería estar triste, pero no lo estoy porque sé que te voy a ver en un par de días.
RAQUEL: Y además, cuando te llame, tendré noticias de Ángel.
ARTURO: ¿Vamos? ¿Te acompaño?
RAQUEL: No, Arturo. No me gustan las despedidas.
ARTURO: Comprendo. ¡Que tengas buen viaje!
RAQUEL: Gracias. Adiós, Arturo.
ARTURO: Adiós, no. Hasta pronto. Te olvidaste la cámara de fotos.
RAQUEL: Ja, ja.
ARTURO: ¿Estás contenta?
RAQUEL: Muchísimo, ¿y tú?
ARTURO: Yo también.
ARTURO: ¿Qué pasa si Ángel... ?
RAQUEL: ...¡Tú no tienes la culpa de nada! Yo voy a buscar a Ángel. Ya verás que lo encuentro.
ARTURO: Espero que sea así.
RAQUEL (VO): Estimada Sra. Suárez: ¡Ojalá que cuando reciba esta carta se encuentre bien de salud! Mi viaje a Buenos Aires ha resultado fructífero, gracias a su bondad en ayudarme,...
RAQUEL: Buenas tardes.
RECEPCIONISTA: Buenas tardes, señorita.
RAQUEL: Tengo una habitación reservada.
RECEPCIONISTA: ¿A nombre de quién?
RAQUEL: Raquel Rodríguez.
RECEPCIONISTA: ...un momento, por favor.
RAQUEL (VO): ...pues la dirección de la estancia me sirvió bastante. Sin embargo, me da mucha pena

tener que decirle que su buena amiga Rosario murió hace algunos años. En la estancia, averigüé que la familia Iglesias ya no vivía allí.
CIRILO: Buenas, moza. Para mí es un gusto conocerla. Así que, ¿Ud. anda buscando a la Sra. Rosario?
RAQUEL: Sí, ¿Ud. la conoce?
CIRILO: Claro que la conozco, muy buena la doña. Lástima que se ha mudado para capital.
RAQUEL: ¿Y Ud. sabe la dirección?
CIRILO: Vea, moza, ella vivía con el hijo, el doctor...
RAQUEL: ¿El hijo es médico?
CIRILO: ¡Claro! Y muy buen hombre. Vivía en la calle Gorostiaga...al novecientos, eso. Una casa blanca, muy linda casa.
RAQUEL: La calle Gorostiaga...
CIRILO: Gorostiaga.
RAQUEL: Número novecientos...
CIRILO: Novecientos.
RAQUEL: Pues, muchas gracias, señor.
CIRILO: Por nada.
RAQUEL: Hasta luego.
CIRILO: Que le vaya bien, moza.
RAQUEL (VO): ¿Por qué no paramos aquí?
CHOFER: Bueno, tampoco en el novecientos cuarenta, ni en el novecientos cincuenta ni en el novecientos sesenta... todos abogados y dentistas.
RAQUEL: Ah, sigamos adelante, por favor. Voy a preguntar en esa casa a ver si conocen a Ángel Castillo.
RAQUEL (VO): Imagínese Ud. la sorpresa que tuve al encontrarme con un hijo de Rosario.
ARTURO: Tome asiento. ¿Quién la envía?
RAQUEL: Eh, perdone Ud.... mi nombre es Raquel Rodríguez. Soy abogada y vengo de Los Ángeles. Estoy buscando una persona.
ARTURO: ¡Ah! Disculpe. Pensé que era una paciente. ¿Y en qué la puedo servir?
RAQUEL: Mire Ud. Mi cliente, un señor de México, me ha enviado a buscar a su primera esposa, una señora llamada Rosario del Valle de Iglesias. Tengo entendido que su hijo, Ángel Castillo, es médico y vive, o vivía, en esta calle. Perdone que lo haya molestado, pero pensé que, siendo colegas, tal vez Ud. podría conocerlo...
ARTURO: Señorita, Ud. está hablando de mi madre y de mi hermano...
RAQUEL: ¿Su hermano?
ARTURO: Sí, Ángel.
RAQUEL (VO): Fue durante esa conversación que el hijo, Arturo Iglesias, que así se llama, me contó que Rosario había muerto.
ARTURO: Señorita, mis padres... murieron hace años...
RAQUEL: Lo siento mucho. ¡Pobre don Fernando!
RAQUEL (VO): En el cementerio, conseguí pruebas de la muerte de Rosario.
ARTURO: Esta es la tumba familiar. Aquí están enterrados mis padres.
RAQUEL: ¿Puedo tomar una foto para mostrársela a don Fernando?
ARTURO: Sí, por supuesto.
RAQUEL (VO): Y allí, Arturo me contó que Ángel Castillo se fue de la casa por una pelea que tuvo con su padrastro. A causa de ese doloroso episodio, Arturo perdió contacto con su hermano. Al día siguiente, comenzamos juntos la búsqueda del paradero de Ángel.
ARTURO: Encontré esto entre las cosas de mi madre. Éste es Ángel, a los veinte años.
RAQUEL: Arturo, esto es estupendo. ¡Hay que hacer una copia para don Fernando!
ARTURO: ¡Claro! Además nos va a servir para la búsqueda.

ARTURO: Ésta es la calle Caminito. La última vez que vi a mi hermano, fue aquí. Sus amigos vivían por aquí.
RAQUEL: ¿Y si preguntamos en las tiendas... ?
ARTURO: Empecemos por ahí.
RAQUEL (VO): Preguntamos por Ángel Castillo en varios lugares del barrio italiano, La Boca.
ARTURO: Buenos días.
TENDERA: Buen día.
ARTURO: Estoy buscando a mi hermano, con el cual perdí contacto desde hace muchos años...
TENDERA: Si es tan buen mozo como Ud., a lo mejor yo lo tengo escondido.
ARTURO: Se llama Ángel Castillo. Tenía amigos aquí en el barrio...

TENDERA: No.
ARTURO: Estamos buscando una persona que frecuentaba esta zona. Ésta es su fotografía.
PESCADERO: No, no lo conozco.
RAQUEL (VO): Pero nadie se acordaba de Ángel.
MARIO: No, no lo conozco.
ARTURO: Bueno, gracias... Vamos.
MARIO: Nada. ¡Ah! El que puede saber es José.
ARTURO y RAQUEL: ¿José?
MARIO: Sí, José. El fue marinero. Vive acá al lado. Vengan. ¡Doña Flora! ¡¡Doña Floooraaa!!
DOÑA FLORA: ¿Quién es?
MARIO: ¡Mario, doña Flora! ¡Unos señores quieren ver a José!
DOÑA FLORA: ¿A José? ¿Para qué?
RAQUEL (VO): Finalmente dimos con un hombre…
JOSÉ: ¿Ya hablaron con Héctor?
ARTURO: No, ¿quién es?...
JOSÉ: Sí. Tienen que hablar con Héctor. Él ha vivido siempre en este barrio. Conoce a todo el mundo. Seguro que conoció a su hermano.
RAQUEL: ¿Y dónde podemos encontrar a Héctor?
RAQUEL (VO): Ud. no tiene idea de lo difícil que nos fue conseguir la información que buscábamos.
CANTANTE: Señoras, señores, tengo ahora el honor de presentarles a alguien que nos va a deleitar con sus canciones.
ARTURO: ¡Héctor, Héctor!
CAMARERO: Ah, ¡Héctor! Sí, allí. ¡
CANTANTE: Nada más y nada menos queee... Héctor Condotti!
TODOS: ¡¡¡HÉÉÉCTOOORRR!!! ¡Que cante! ¡Que cante!...
CANTANTE: Vamos, Héctor.
HÉCTOR: ¿Qué querían? Ángel… Claro que lo recuerdo bien. Era mi amigo.
RAQUEL: ¿Sabe dónde se encuentra?
HÉCTOR: …creo que iba al Caribe... pero de eso hace muchos años...
RAQUEL: ¿Al Caribe?
HÉCTOR: Una vez recibí una carta de él….
RAQUEL: ¿Y la carta?
HÉCTOR: ¡Claro! ¡La carta! La tengo que buscar.
ARTURO: Es muy importante para mí.
HÉCTOR: Sí, comprendo. Mire, Ud. sabe dónde encontrarme. Necesito un par de días para buscar la carta.
RAQUEL (VO): Después de varios días, Héctor llamó a Arturo para decirle que había encontrado la carta.
ARTURO: Hola, Héctor. Sí, ¿qué tal?, ¿cómo le va?
RAQUEL (VO): Regresamos a La Boca para reunirnos con Héctor.
RAQUEL: ¿Qué hubo?
ARTURO: Tiene la carta, pero se va a pescar.
RAQUEL: ¿A pescar?
ARTURO: Sí. Vamos a buscarlo al puerto.
RAQUEL: ¿Estás seguro de que es aquí?
ARTURO: Me dijo que aquí.
RAQUEL: ¡Arturo! ¡Está aquí abajo!
ARTURO: ¡Héctor!
HÉCTOR: ¡¡Shhhh!! Me van a ahuyentar los peces.
ARTURO: Está fechada en San Juan de Puerto Rico. No quiere volver nunca más a la Argentina.
HÉCTOR: Señorita, ¿está bien el señor?
ARTURO: Otra vez este presentimiento… algo me dice que Ángel ya murió.
RAQUEL: No, Arturo. Ángel es joven todavía.
ARTURO: Ya sé... pero uno se puede morir joven, ¿no?
HÉCTOR: Doctor, no diga esas cosas.
RAQUEL (VO): Sabiendo que Ángel se quedó a vivir en Puerto Rico y con la dirección de su casa en San Juan, hice los preparativos para salir de Buenos Aires. En verdad, le estoy escribiendo esta carta desde el aeropuerto. Tendría que decirle que mi estancia en Buenos Aires no ha sido nada más que trabajo. En primer lugar, he tenido la oportunidad de conocer un poco la ciudad.
MALABARISTA: ¡Melón! Melón.

RAQUEL (VO): Pude hacer unas compras, pues como Ud. sabrá, en la Argentina hay muchos artículos de cuero muy bonitos.
ARTURO: Esa sí es muy bonita.
RAQUEL: Sí, verdad. ¿Y cuánto cuesta?
VENDEDORA: Cincuenta mil australes.
RAQUEL: Muy bien.

VENDEDORA: Buenas tardes.
RAQUEL: Buenas tardes. Quisiera probarme unos pantalones.
VENDEDORA: Cómo no. A ver… ¿Qué le parecen estos?
RAQUEL: Mmm, no. Prefiero estos pantalones blancos.
VENDEDORA: Mm, hm, bueno, muy bien.
RAQUEL: También quisiera probar una blusa. Ésta está muy bien.
VENDEDORA: ¡Bárbaro! con los pantalones queda justo. Eso.
RAQUEL (VO): Y claro, también comí…
CAMARERO: ¿Necesitan algo más?
RAQUEL: No, gracias. Los mejillones son fabulosos y también el arroz con calamares.
ARTURO: El lenguado también. Muy rico.
RAQUEL (VO): Y comí…
RAQUEL: Qué porción tan grande. A ver, mmmm, delicioso.
RAQUEL (VO): Y comí…
RAQUEL y ARTURO: Ja, ja.
RAQUEL (VO): Y comí mucho…
RAQUEL: ¿Que si me gustó? Uy, sí, me encantó. Ah, estuvo delicioso. ¡No sabía que tenía tanta hambre!
ARTURO: Es el tango. ¡Bailar el tango siempre despierta el apetito!
RAQUEL (VO): Si me permite la confianza, quisiera decirle que seguí sus consejos. El hermano de Ángel, Arturo, se ha hecho buen amigo mío. Para decir la verdad, siento un afecto muy especial por él.
RAQUEL: Ésta es una noche realmente inolvidable…
ARTURO: Sí.
RAQUEL: …y tú también eres ya una persona inolvidable para mí.
RAQUEL: ¿Su hermano?
ARTURO: Éste es Ángel, a los veinte años.
RAQUEL: Arturo, esto es estupendo.
RAQUEL: ¿Y dónde preparan esas brochetas?
ARTURO: Naturalmente, las preparo yo en mi propia parrilla...
RAQUEL: Raquel, ¡qué linda estás!
RAQUEL: Gracias, Arturo.
ARTURO: ¡Salud, dinero y amor!
RAQUEL: ¡Te da vergüenza! Mira lo rojo que estás!
ARTURO: Raquel, todos nos están mirando…
RAQUEL: Anda. ¡Vamos! Vamos, debe ser divertido. Ven, vamos.
RAQUEL: ¿Cuándo me vas a decir lo que tienes en la canasta?
ARTURO: Ah, es una sorpresa, señorita.
RAQUEL y ARTURO: Ja, ja, ja, ja.
ARTUROs: ¿Ya decidiste cuando te vas a ir?
RAQUEL: Debería tomar el primer vuelo… don Fernando está muy mal. Y no puedo tardarme mucho.
ARTURO: Hace unos pocos días que te conozco y parece como si hiciera muchos años.
RAQUEL: Yo siento lo mismo.
ARTURO: Te voy a extrañar.
RAQUEL: Yo también a ti.
ARTURO: No comprendo por qué no funciona.
RAQUEL: ¿Estás seguro de que sabes operarla?
ARTURO: Shht, Raquel, ¿te estás burlando de mí? !Ay!
RAQUEL: Arturo, quizás necesita gasolina.
ARTURO: ¿Qué tiene esta maldita… ? ¡No entiendo!
RAQUEL: Ja, ja.
ARTURO: ¿Ves que no salís mal en las fotos? Ja, ja.

RAQUEL: Eso es gracias al fotógrafo.
ARTURO (VO): Ángel. ¿Es verdad que estás en Puerto Rico? ¿Por qué este presentimiento? ¿Me podés perdonar que nunca hice nada para buscarte?
RAQUEL: Les pido a las primeras cien estrellas que veo esta noche, que podamos encontrar a Ángel en Puerto Rico... que esté bien, y que por fin, esta familia pueda reunirse definitivamente.
ARTURO: Tal vez yo podría ir a Puerto Rico y los dos continuar la búsqueda de Ángel.
RAQUEL: ¿Quieres decir que irías a Puerto Rico?
ARTURO: ¿Te gustaría?
RAQUEL: ¡Claro que sí! ¡Mucho! Pero, ¿tú puedes?
ARTURO: Creo que sí.
RAQUEL: ¿Y tu trabajo? ¿Tus pacientes?
ARTURO: Bueno, no sería fácil dejar todo. Pero yo quiero ir.
RAQUEL (VO): Resulta que Arturo me va a visitar en San Juan en un par de días. Así concluye mi estancia en Buenos Aires. Siento mucho la muerte de su buena amiga tanto por Ud. como por don Fernando. ¡Ojalá mi viaje a Puerto Rico tenga los resultados deseados, que encuentre a Ángel Castillo y que por fin se reúna con su padre! Reciban Ud. y su familia un saludo cordial de Raquel Rodríguez.
RAQUEL (VO): Les pido a las primeras cien estrellas que veo esta noche, que podamos encontrar a Ángel en Puerto Rico... que esté bien, y que por fin, esta familia pueda reunirse definitivamente.

Episodio 19

Por fin... (*Finally . . .*)

GUIDE: Bienvenidos al Episodio 19 de *Destinos: An Introduction to Spanish.* En este episodio, vamos a acompañar a Raquel a otra parte del mundo hispano: Puerto Rico. Así que vamos a oír cómo hablan el español los puertorriqueños.

TAXISTA: Creo que está a mano derecha. Cuando encuentre la calle Sol, si se pierde, pregunte. Todo el mundo conoce esa calle.

GUIDE: También vamos a conocer a nuevos personajes en este episodio.

VECINA: Señorita, ¿a quién busca?

GUIDE: Por ejemplo, ¿quién es esta señora? ¿Qué le estará diciendo a Raquel? Y esta señorita, ¿quién será ella? ¿Tiene información sobre Ángel Castillo? También vamos a aprender el vocabulario relacionado con los mapas de una ciudad y cómo seguir instrucciones. Raquel está aquí en la esquina. Ella debe virar a la izquierda. Luego debe seguir derecho hasta la bocacalle. Luego debe virar a la derecha. Y también vamos a aprender ciertas cosas sobre la geografía de Puerto Rico.

ÁNGELA: ¿Qué hace Ud. aquí?

RAQUEL: Estoy tomando una foto.

ÁNGELA: ¿De la tumba de mis padres?

GUIDE: En el episodio previo, Raquel se despidió de Arturo Iglesias, el medio hermano de Ángel Castillo. Raquel y Arturo sienten un afecto muy especial el uno para el otro y la despedida fue triste, especialmente para Arturo. Raquel hace otro largo viaje para llegar aquí, San Juan, capital de Puerto Rico. San Juan queda en el norte de Puerto Rico, en la costa del Atlántico de la isla. Otras ciudades importantes son Caguas, en el centro de la isla, Ponce, en el sur en la costa del Caribe y Mayagüez, en el oeste. Pero San Juan, por ser la capital, es la ciudad principal de la isla. En realidad, cuando se habla de San Juan, se habla de un San Juan moderno, con edificios altos, de ciudades vecinas como Hato Rey, Río Piedras, donde está la universidad y Santurce y de la famosa zona turística, la Playa del Condado. Y también del Viejo San Juan, el San Juan histórico. Aquí en el Viejo San Juan hay iglesias, casas, murallas y edificios, todos de la época colonial. Y es aquí, en el Viejo San Juan, donde Raquel comienza a buscar a Ángel Castillo.

TAXISTA: ...que todas la calles estén en estas condiciones. Mire esto. ¿Qué diablos están haciendo aquí que todas las calles están bloqueadas?

RAQUEL: No me importa caminar de aquí si no está lejos la calle Sol.

TAXISTA: ¿Qué número busca Ud.?

RAQUEL: El cuatro.

TAXISTA: Mire, ¿ve la esquina?

RAQUEL: Sí.

TAXISTA: Tome a la izquierda...

RAQUEL: A la izquierda...

TAXISTA: ...en el próximo bloque, vire a la derecha.

RAQUEL: A la derecha...

TAXISTA: Camine derecho hasta que encuentre unas escaleras a la izquierda.

RAQUEL: ...a la izquierda...

TAXISTA: Baje las escaleras y cuando encuentre la calle Sol... ¿cuál es el número que busca?

RAQUEL: El cuatro de la calle Sol.

TAXISTA: Entonces, creo que está a mano derecha. Cuando encuentre la calle Sol, si se pierde, pregunte. Todo el mundo conoce esa calle.

RAQUEL: ¿Cuánto le debo?

TAXISTA: El metro marcó cinco dólares.

RAQUEL: Mm. Aquí tiene. Muchas gracias.

TAXISTA: No hay que hablar. Que le vaya bien.

RAQUEL: Gracias.

GUIDE: Raquel está aquí en la esquina. Ella debe virar a la izquierda. Luego debe seguir derecho hasta la bocacalle. Luego debe virar a la derecha. Debe seguir derecho hasta las escaleras. Debe virar a la izquierda y bajar las escaleras. Al final de las escaleras, debe virar a la derecha.

RAQUEL: Disculpe.

ESTUDIANTE: Sí.

RAQUEL: Estoy buscando la calle del Sol, número cuatro.

ESTUDIANTE: La calle del Sol, es ésa que está enfrente, el número cuatro es a la derecha.

RAQUEL: ¿A la derecha?

ESTUDIANTE: Exacto.
RAQUEL: Gracias.
ESTUDIANTE: De nada.
VECINA: Señorita, ¿a quién busca?
RAQUEL: Buenos días, señora. Busco al Sra. Ángel Castillo.
VECINA: ¿No sabe Ud., señorita? El Sr. Castillo murió.
RAQUEL: ¿Cuándo murió?
VECINA: Hace poco. Es una pena, tan buenos vecinos que eran. Pero el pobre...
RAQUEL: ¿Ángel?
VECINA: Sí, Ángel Castillo... nunca se repuso de la muerte de su esposa.
RAQUEL: ¿Entonces era casado?
VECINA: Sí, su señora era una mujer muy linda. Era escritora. Pero murió ya hace varios años. Los dos están enterrados en el antiguo cementerio de San Juan.
RAQUEL: En el cementerio... ¿y podría decirme cómo llegar allí?
VECINA: Por supuesto. Siga por esta calle. Entonces, vire a la izquierda. Luego va a encontrar una bocacalle y vire a la derecha y allí está el Morro. Al lado está el cementerio.
RAQUEL: ¿Sigo por esta calle, luego a la izquierda, encuentro una bocacalle, allí a la derecha, allí está el Morro y, ¿al lado el cementerio?
VECINA: Así es.
RAQUEL: Muchas gracias, señora.
VECINA: Por favor, señorita, ¿quién es Ud.?
RAQUEL: Una amiga de la familia.
RAQUEL: Buenos días.
PICAPEDRERO: Buenos días.
RAQUEL: Perdone. Busco la tumba de Ángel Castillo.
PICAPEDRERO: Siga Ud. derecho, hacia la capilla, allí, doble hacia la derecha. Tres líneas más, la encontrará.
RAQUEL: Gracias.
ÁNGELA: Perdone. ¿Qué hace Ud. aquí?
RAQUEL: Estoy tomando una foto.
ÁNGELA: ¿De la tumba de mis padres?
RAQUEL: ¿De sus padres?
ÁNGELA: Sí. De mis padres.
RAQUEL: Perdóneme. Tengo que sentarme.
ÁNGELA: ¿Se siente mal? ¿Por qué no nos vamos a la sombra?
GUIDE: Entonces, Raquel y la señorita comienzan a charlar. Raquel le cuenta la historia de don Fernando y Rosario y de su búsqueda en España y la Argentina. La señorita se llama Ángela Castillo y es la hija de Ángel. Ángela no sabe nada de la historia que Raquel le acaba de contar.
ÁNGELA: ¡No puedo creerlo! ¡Tengo un abuelo que vive en México!
RAQUEL: Así es, Ud. tiene un abuelo que vive en México.
ÁNGELA: ¿Y mi abuelo creía que Rosario había muerto?
RAQUEL: Exactamente. Y Rosario también creía que Fernando había muerto.
ÁNGELA: ¡Qué historia! Tengo que llamar a mi familia. Y Ud. debe venir conmigo. Mi familia querrá hacerle muchas preguntas.
RAQUEL: ¿Vamos en carro a su casa?
ÁNGELA: Por favor, ¿nos tuteamos?
RAQUEL: Bueno. ¿Vamos en carro a tu casa?
GUIDE: Raquel se sorprende al saber que van en carro porque las calles cerca de la Calle del Sol están bloqueadas, pero Ángela conoce otra ruta y no tardan mucho en llegar.
ÁNGELA: ¡Milagro! Un lugar donde estacionar. Mi apartamento está a la vuelta. Cruzamos la plaza y luego vamos a la derecha.
RAQUEL: ¡Qué suerte! La vecina me dijo que tu mamá fue escritora.
ÁNGELA: Pues sí. Mamá escribió cuentos para niños. Entra.
RAQUEL: Gracias.
ÁNGELA: ¡Tengo una sed increíble! Voy a traer limonada para las dos.
RAQUEL: Ah... ¡Perfecto! Tienes un apartamento muy lindo.
ÁNGELA: Gracias. Pero voy a mudarme pronto.
RAQUEL: ¿Te mudas? ¿De aquí? ¿Por qué?
ÁNGELA: No aguanto este lugar sin mis padres. Y tú, ¿cómo puedes viajar tanto? ¿No tienes problemas con la oficina?

RAQUEL: ¿Yo? No. Éste es un caso especial. Además, yo llamo a mi oficina de vez en cuando.
ÁNGELA: Voy a ver si están mis tíos.
RAQUEL: De acuerdo. ¡Qué magnífica vista!
ÁNGELA: Sí. Desde aquí tenemos una buena vista de la bahía.
RAQUEL: ¡Qué maravilla!
ÁNGELA: ¿Sabes, Raquel? Aquellos cuadros fueron pintados por mi padre.
RAQUEL: ¡Qué lindos! ¿Puedo tomarles una foto?
ÁNGELA: Si quieres. No están. Todo esto me parece increíble.
RAQUEL: Es la pura verdad.
ÁNGELA: Quiero que le repitas toda la historia a mi familia.
RAQUEL: Claro. Es importante que lo sepan todo.
ÁNGELA: Seguiré llamando a mis tíos.
GUIDE: Entonces, mientras Ángela sigue llamando a sus tíos por teléfono, Raquel visita la casa blanca. Allí, encuentra a un amigo de la familia Castillo y él le muestra la casa. La Casa Blanca fue construida en 1521 para el famoso explorador español, Ponce de León. Pero Ponce de León, nunca vivió en esa casa. Murió en Cuba en 1523. Sus descendientes ocuparon la casa por doscientos cincuenta años. En el siglo XVIII, el gobierno español la declaró residencia militar y luego, en 1898, pasó a manos del gobierno norteamericano. Ahora es un museo, donde se puede ver cómo era la vida diaria en la época colonial. La casa también tiene un balcón con una vista de todo el Viejo San Juan, incluyendo una vista de la calle del Sol.
ANTONIO: ... allí a la puerta de San Juan donde estamos ahorita.
ÁNGELA: ¡¡Hola, turistas!!
ANTONIO: Hola, Ángela. Aquí estoy de guía en la Casa Blanca. Le encanta a tu amiga.
ÁNGELA: No le creas lo que te diga, Raquel.
RAQUEL: ¿Conseguiste hablar con tu familia?
ÁNGELA: Sí. Con mi Tía Olga. Están en camino.
RAQUEL: Ahora vuelvo.
ÁNGELA: No, no. No te apures. Tardarán una hora en llegar.
ANTONIO: ¡Muy bien! Así podemos...
GUIDE: Como los tíos de Ángela tardan en llegar, Ángela decide llevar a Raquel a otras partes del Viejo San Juan.
ÁNGELA: Éste es el Parque de las Palomas.
RAQUEL: ¡Hay palomas por todas partes!
ÁNGELA: Ésta es la Capilla del Cristo. Tengo unas pinturas que mi padre pintó aquí. Vamos.
RAQUEL: No puedo creer que quieras vender este apartamento. Realmente es bonito.
ÁNGELA: Ven. Siéntate. Van a llegar pronto. Voy a llamar a mi novio, Jorge. Está ahora en Nueva York.
RAQUEL: ¿En Nueva York?
ÁNGELA: Sí. Jorge va a los Estados Unidos con frecuencia. Perdona.
RAQUEL: Ah, aquí en San Juan comencé la búsqueda de Ángel Castillo, pero... ¿comencé en el moderno San Juan? ¿o en el Viejo San Juan? Comencé la búsqueda en el Viejo San Juan. Varias de las calles estaban bloqueadas y el taxi no podía pasar hacia la calle Sol. Entonces decidí seguir caminando. ¿Quién me dio las instrucciones para llegar a la calle Sol, número cuatro?
TAXISTA: Mire, ¿ve la esquina?
RAQUEL: Sí.
TAXISTA: Tome a la izquierda...
RAQUEL: A la izquierda...
TAXISTA: ...en el próximo bloque, vire a la derecha.
RAQUEL: A la derecha...
RAQUEL (VO): El taxista me dio las instrucciones.
RAQUEL: Bueno. Por fin encontré la casa. Pero, ¿qué pasó? Llegué y Ángel Castillo contestó la puerta. Llegué y una mujer vecina me habló. Llegué y encontré a la hija de Ángel. Llegué y una mujer vecina me habló. La vecina me dio unos datos muy importantes: primero, que Ángel estaba casado y segundo, que Ángel murió este año.
VECINA: Los dos están enterrados en el antiguo cementerio de San Juan.
RAQUEL: En el cementerio... Por fin llegué al cementerio. Encontré la tumba de Ángel Castillo y de su esposa. Mientras yo tomaba una fotografía, ¿quién llegó al cementerio?
ÁNGELA: Perdone. ¿Qué hace Ud. aquí?
RAQUEL: Estoy tomando una foto.
ÁNGELA: ¿De la tumba de mis padres?

RAQUEL (VO): Ángela Castillo llegó al cementerio. En casa, Ángela trató de hablar con sus familiares. ¿Habló con ellos o no?
ÁNGELA: No están.
RAQUEL: No. No los consiguió. Entonces yo salí para dar un paseo. Primero, fui a la Casa Blanca, el museo. Luego, fui con Ángela al Parque de las Palomas y también vi la Capilla del Cristo.
ÁNGELA: Ésta es la Capilla del Cristo.
RAQUEL: La visita a la Casa Blanca fue interesante. Era la casa de Ponce de León, el explorador. Pero Ponce de León murió en Cuba. Nunca vivió en esa casa. Finalmente, volvimos al apartamento. Ángela está hablando por teléfono. ¿Con quién está hablando?
RAQUEL (VO): Está hablando con su familia. Está hablando con una amiga. Está hablando con su novio. Ángela está hablando con su novio. Bueno, ahora es necesario que yo hable con la familia de Ángela. ¿Cómo van a reaccionar ellos? ¿Qué van a decir? Ángela no sabía nada de la historia de Rosario y don Fernando. Pero, ¿sabe algo la familia?
ÁNGELA: Jorge no lo puede creer.
RAQUEL: ¿A qué hora llega tu familia?
ÁNGELA: Deben estar por llegar.
RAQUEL: ¿Quién es?
ÁNGELA: Ah, es mi hermano, Roberto.
RAQUEL: ¿Su hermano?

Episodio 20

Relaciones estrechas (*A Close Relationship*)

RAQUEL: Lamentablemente, lo de Ángel es cierto.
GUIDE: Bienvenidos al Episodio 20 de *Destinos: An Introduction to Spanish.* En este episodio, Raquel sigue la investigación en Puerto Rico. Primero, conoce a la familia de Ángela.
OLGA: Este señor Castillo. Si es el padre de Ángel, ¿por qué no vino en persona?
ÁNGELA: Mi abuela quiere conocerte. ¿Puedes ir conmigo mañana a visitarla?
RAQUEL: Si es necesario para que tú puedas ir a México. ¿Vive cerca de San Juan?
ÁNGELA: No, vive en el suroeste de la isla. Mira. Allí es, San Germán.
GUIDE: Además de ver lo que sucede en este episodio, también vamos a aprender más vocabulario relacionado con la familia. La abuela, doña Carmen y el abuelo. Los tíos. Raquel también apunta que había relaciones muy estrechas entre doña Carmen y Ángel. Eran suegra y yerno. Ángela también tiene tres primas. También vamos a aprender algo sobre la historia de la isla de Puerto Rico. Los indios que habitaban la isla se llamaban los taínos y su isla se llamaba Borinquén.
RAQUEL: ...y como don Fernando está gravemente enfermo en el hospital, es importante que Ángela vaya a México pronto.
OLGA: Creo que eso va a ser imposible.
GUIDE: En el episodio previo, Raquel viaja a San Juan, Puerto Rico.
TAXISTA: No hay que hablar. Que le vaya bien.
GUIDE: Gracias a un marinero argentino, tiene la dirección de la casa de Ángel Castillo.
RAQUEL: Disculpe.
ESTUDIANTE: Sí, dígame.
RAQUEL: Estoy buscando la calle del Sol, número cuatro.
ESTUDIANTE: La calle del Sol, es ésa que está allá enfrente, el número cuatro es a la derecha.
RAQUEL: A la derecha?
ESTUDIANTE: Exacto.
RAQUEL: Gracias.
ESTUDIANTE: De nada.
GUIDE: Una vecina le da a Raquel la triste noticia de que Ángel y su esposa, María Luisa, ya han muerto. En el cementerio, Raquel conoce a esta mujer, Ángela Castillo, hija de Ángel Castillo. Raquel le dice que tiene unos familiares en México.
ÁNGELA: ¡No puedo creerlo! ¡Tengo un abuelo que vive en México!
GUIDE: Más tarde, Ángela habla con sus parientes por teléfono. Quieren conocer a Raquel. En una hora, llegan.
RAQUEL: ¿Quién es?
ÁNGELA: Ah, es mi hermano, Roberto.
GUIDE: La investigación de Raquel sobre el paradero de Ángel Castillo la trae aquí, a San Juan, capital de Puerto Rico. Puerto Rico es una de las islas de las Antillas Mayores. En 1493, Cristóbal Colón hizo su segunda expedición a América y declaró la isla parte del imperio español. Los indios que habitaban la isla se llamaban los taínos, y su isla se llamaba Borinquén. Finalmente, los tíos de Ángela llegan. Como hay tanta construcción en las calles, tienen que estacionar lejos de la calle Sol.
OLGA: Mira cómo está todo en construcción. Esta parte de la ciudad está muy fea.
JAIME: Tranquila, Olga, tranquila. Vamos.
GUIDE: Mientras Ángela y Raquel esperan a los tíos, miran unas fotografías.
ÁNGELA: Ésta me gusta mucho.
RAQUEL: Tienes una familia grande.
ÁNGELA: Ésta es mi abuela, doña Carmen Contreras de Soto. Una mujer muy dinámica.
RAQUEL: Y éstos son tus padres, ¿no? Ángel y María Luisa.
ÁNGELA: Sí.
RAQUEL: ¿Y éstos?
ÁNGELA: Éstos son mis tíos: Tío Carlos, Tía Carmen, Tío Jaime y Titi Olga, la gruñona de la familia. Todos son hermanos de mi madre.
RAQUEL: ¿Y tu abuelo?
ÁNGELA: Mi abuelo murió hace años. Era un hombre muy cariñoso. Tengo una foto de mis abuelos.
RAQUEL: Casi todas las madres tienen un hijo favorito. ¿Tiene tu abuela algún hijo favorito?
ÁNGELA: Según mi abuela, su hijo predilecto era mi padre, que en realidad era su yerno.
RAQUEL: Así que había relaciones muy estrechas entre suegra y yerno.

ÁNGELA: Eran más que suegra y yerno. Eran como madre e hijo.

CARLOS: Vamos para allá.
RAQUEL: ¿Y estas niñas tan preciosas?
ÁNGELA: Son mis primas: ésta es Elena, Laura y Silvia. Laura es hija de mi Tío Jaime. Elena y Silvia son hijas de mi Tía Carmen. ¡Ay! Voy a llamarlos por teléfono a ver si ya salieron.
GUIDE: Mientras Raquel espera, repasa lo que sabe de los parientes de Ángela: la abuela, doña Carmen y el abuelo. El abuelo ya murió. Ángela y Raquel están esperando a los tíos. El Tío Jaime, el Tío Carlos, la Tía Carmen y la Tía Olga. Raquel también apunta que había relaciones muy estrechas entre doña Carmen y Ángel, que eran suegra y yerno. Ángela también tiene tres primas: Elena, Silvia y Laura.
ÁNGELA: Quiero que conozcan a la abogada Raquel Rodríguez. Raquel, éstos son mis tíos: Titi Olga...
OLGA: Mucho gusto.
ÁNGELA: ...Tía Carmen...
CARMEN: Mucho gusto.
ÁNGELA: ...Tío Carlos...
CARLOS: Mucho gusto.
RAQUEL: Mucho gusto.
ÁNGELA: ...y Tío Jaime.
JAIME: Mucho gusto.
RAQUEL: Igualmente.
TÍOS: Mucho gusto.
ÁNGELA: Por favor, siéntense.
TÍOS: Sí, gracias.
ÁNGELA: Como les dije por teléfono, Raquel nos trae importantes noticias de México.
OLGA: ¿Puede explicarnos de qué se trata, por favor?
RAQUEL: Sí, cómo no. Deben estar bastante preocupados.
OLGA: El padre de Ángela, que en paz descanse, nunca mencionó nada de su familia.
JAIME: ¿Trae algún documento?
OLGA: ¿Por qué no vino el Sr.... cómo se llama?
RAQUEL: Fernando Castillo.
OLGA: Sí, este Sr. Castillo. Si es el padre de Ángel, ¿por qué no vino en persona?
ÁNGELA: Si la dejan hablar, ella contestará todas sus preguntas.
RAQUEL: Bueno, es una historia un poco larga...
ÁNGELA: ¿Desean tomar algo? Tengo jugo de parcha.
OLGA: Si la dejas hablar, Ángela, quizás pueda contestarnos nuestras preguntas.
RAQUEL: Si me permiten, todo empezó durante la Guerra Civil española.
GUIDE: Raquel les cuenta la historia de Rosario y don Fernando... cómo don Fernando creía que Rosario había muerto... y cómo Rosario creía que don Fernando había muerto. Raquel les enseña la carta que don Fernando recibió de España. Y los tíos escuchan atentamente mientras Raquel les cuenta de sus viajes a Sevilla, a Madrid, a Buenos Aires y finalmente a San Juan.
RAQUEL: ...y como don Fernando está gravemente enfermo en el hospital, es importante que Ángela vaya a México pronto.
OLGA: Creo que eso va a ser imposible.
ÁNGELA: ¿Por qué?
OLGA: Ángela, no conocemos a esa gente. Puede ser peligroso.
ÁNGELA: Titi Olga, por favor.
OLGA: Me imagino que tu hermano no sabe nada de esto.
ÁNGELA: Llamé a Roberto, pero no estaba en su casa. Nunca está en su casa.
OLGA: No puedes ir a México sola.
ÁNGELA: No te preocupes.
RAQUEL: Si quieren saber algo más...
OLGA: Yo quiero hacerle una pregunta. ¿Por qué Ángel nunca mencionó a su familia?
RAQUEL: Lamentablemente, no sé la respuesta.
JAIME: Ángela, ¿hablaste con tu abuela?
ÁNGELA: Todavía no. La voy a llamar ahora mismo. La opinión de mi abuela es muy importante en esta familia.
DOÑA CARMEN: ¿Sí? Oh, Ángela. ¿Cómo estás, querida? Sí... ¿Cómo dices? ¿A México? Pero Ángela, ¿tienes que ir a México ahora?

ÁNGELA: Sí, abuela. El Sr. Castillo, mi abuelo, está en el hospital. Está muy enfermo.
DOÑA CARMEN: Quiero conocer a esa Srta. Rodríguez.
ÁNGELA: Mañana podemos ir a tu casa.
DOÑA CARMEN: Está bien. Hablamos entonces. Que tengan un buen viaje.
ÁNGELA: Gracias, abuela. Adiós.
DOÑA CARMEN: Un momento, Ángela. Quiero hablar con tus tíos.
ÁNGELA: Sí, abuela. Mañana voy a su casa.
CARLOS: Bien.
ÁNGELA: Quiere hablar con Uds.
OLGA: Dámela. Yo quiero hablar con ella primero. Gracias. Mamá.
ÁNGELA: ¡Ay! Esa Olga. ¿Viste? La Inquisición española.
RAQUEL: Bueno, Ángela, es que están muy preocupados. ¿Y tu abuela?
ÁNGELA: No te preocupes. Ella entiende la situación.
RAQUEL: Porque Ángel era su yerno favorito, ¿verdad?
ÁNGELA: Exacto. Mi abuela quiere conocerte. ¿Puedes ir conmigo mañana a visitarla?
RAQUEL: Si es necesario para que tú puedas ir a México. ¿Vive cerca de San Juan?
ÁNGELA: No, vive en el suroeste de la isla. Mira. Allí es, San Germán.
DOÑA CARMEN: Sí, ya lo sé. Hablaré con la abogada mañana. No te preocupes. Yo estoy bien. Adiós.
RAQUEL: Sólo he visto un poco del Viejo San Juan, pero me parece maravilloso.
OLGA: ¿Es Ud. parte de la familia Castillo?
RAQUEL: No. Yo soy abogada, pero la familia Castillo me contrató para buscar a Rosario.
DOÑA CARMEN: (VO): Dolores, necesito que me busques algo.
DOÑA CARMEN: Busca entre las cosas de Ángel.
DOLORES: Pero, ¿y qué voy a buscar?
DOÑA CARMEN: Una caja, una caja muy especial.
RAQUEL: Ha sido un placer. Buenas noches. Tengo que regresar a mi hotel para hacer una llamada a México.
JAIME: Por favor, ¿me permite llevarla al hotel en mi carro?
RAQUEL: Si no hay inconveniente...
JAIME: Ninguno. Será un placer.
ÁNGELA: Raquel, gracias. Las noticias de la familia de mi padre, pues, no sabes lo contenta que estoy.
RAQUEL: Y don Fernando también estará muy contento. ¿Vas a llamar a tu hermano?
ÁNGELA: Sí, lo voy a llamar ahora mismo. Yo también voy a llamar a México.
RAQUEL: ¿A México?
ÁNGELA: Sí. Mi hermano está en la Universidad de México. Es estudiante.
RAQUEL: ¡No me digas! ¡Qué pequeño es el mundo!
JAIME: ¿Nos vamos?
RAQUEL: Ah, Ángela. Por poco se me olvida. ¿A qué hora salimos mañana?
ÁNGELA: A las diez. ¿Te parece?
RAQUEL: Está bien. Adiós.
CARLOS: Adiós, señorita.
RAQUEL: Buenas noches.
CARMEN: Buenas noches.
RAQUEL: Mucho gusto.
OLGA: Encantada, señorita.
JAIME: Con permiso. ¿En qué hotel está?
RAQUEL: El Caribe Hilton.
GUIDE: El Caribe Hilton, uno de los más bellos hoteles de Puerto Rico, está al borde del Océano Atlántico. En estas cabañas, el suave rumor del océano es constante. Raquel llama al hospital en la Ciudad de México.
RAQUEL: Lo de Ángel es cierto.
PEDRO: Sí, sí, Raquel, te entiendo.
RAQUEL: Bueno. Voy a colgar. Hablaremos pronto. Adiós.
PEDRO: Adiós, Raquel.
PEDRO: Fernando.
DON FERNANDO: Sí, Pedro.
PEDRO: Acaba de llamar Raquel.
DON FERNANDO: ¿Y?

PEDRO: Ja, ja. Fernando. Tienes nietos. Una vive en Puerto Rico y el otro está aquí en México.
ÁNGELA: *El coquí y la princesa*. A nuestra hija, Ángela, nuestra princesa... Érase una vez un coquí. Le gustaba pintar. Su padre y su madre querían mandarlo a la escuela. Pero el pequeño coquí no quería estudiar. Sólo quería pintar. Los padres regañaban al pequeño coquí. Le gritaban y gritaban. Una noche, el pequeño coquí se embarcó... y nunca volvió a ver a sus padres... ni a su hermanito. El coquí pasó muchos días y noches en un barco hasta llegar a una bella isla llamada Puerto Rico. Al coquí le gustó mucho la vieja ciudad y allí se quedó y se dedicó a pintar.
GUIDE: Al día siguiente, Raquel espera a Ángela para ir a San Germán. Mientras tanto, piensa en la nueva información que tiene.
RAQUEL: Bueno, aquí estoy con todos estos datos sobre Ángela y su familia. A ver si puedo organizarlos un poco. Primero, ¿quien es la abuela de Ángela? ¿Es Carmen, Olga o Laura?
ÁNGELA: Ésta es mi abuela, doña Carmen Contreras de Soto.
RAQUEL (VO): Carmen Contreras es la abuela de Ángela. ¿Y tiene Ángela un abuelo o ya murió? El abuelo de Ángela ya murió. ¿Y los tíos de Ángela? ¿Cuántos tiene? Tiene cuatro tíos. Tiene un tío que se llama Jaime, otro tío que se llama Carlos, una tía que se llama Carmen y otra tía que se llama Olga. Bueno, Ángela también tiene unas primas: Elena y Silvia, que son las hijas de la Tía Carmen, y Laura, que es la hija del Tío Jaime. Elena, Silvia y Laura son las primas de Ángela. Una cosa muy importante es que las relaciones entre suegra y yerno eran muy estrechas. Carmen Contreras es la suegra de Ángel y Ángel era el yerno de Carmen.
RAQUEL: Esto es importante porque si tenían relaciones estrechas, es posible que Carmen sepa algo sobre Ángel que los otros no saben. Bueno, anoche, conocí a todos los tíos de Ángela. ¿Cuál fue su reacción a la noticia de que Ángela tiene un abuelo? Los tíos estaban preocupados. Los tíos estaban muy contentos. Los tíos estaban indiferentes. Los tíos estaban preocupados. Llamé a Pedro. Él estaba en el hospital con don Fernando y le dije a Pedro que don Fernando tenía dos nietos. En unos minutos, Ángela va a venir a recogerme. Vamos a hacer un viaje. Vamos a San Germán. Vamos en carro porque aquí en Puerto Rico no hay trenes. ¡Ah! Se hace tarde. Tengo que ir a cambiarme de ropa. Ángela puede llegar en cualquier momento. ¡Ah! Vamos a ver qué es lo que dice la abuela del viaje de Ángela a México. Y también vamos a ver si sabe algo más sobre Ángel.
GUIDE: Poco después, Ángela pasa por el Caribe Hilton, y ella y Raquel comienzan el viaje a San Germán.
RAQUEL: ¿Y quién es esta señorita que está con nosotros?
ÁNGELA: ¡Ay! Disculpa, Raquel. Ella es Laura, mi prima. Nos va a acompañar a visitar a la abuela.
RAQUEL: Mucho gusto, Laura.
LAURA: Gracias. Igualmente.
RAQUEL: ¡Qué bonita! ¿Cómo se llama?
LAURA: Anita.

Episodio 21
El peaje (*The Tollbooth*)

LAURA: Tía, ¿cómo llegamos a San Germán?
ÁNGELA: ¿Estás mirando el mapa?
LAURA: Sí.
GUIDE: Bienvenidos al Episodio 21 de *Destinos: An Introduction to Spanish*. En este episodio, Raquel y sus nuevas amigas hacen un viaje fuera de San Juan.
ÁNGELA (VO): De San Juan, vamos a Caguas, de Caguas hasta Ponce, en Ponce tomamos la carretera número dos y seguimos hasta llegar a San Germán.
GUIDE: En camino a San Germán, tienen problemas con el carro de Ángela.
ÁNGELA: ¡Ay! ¡Ay!
GUIDE: En este episodio vamos a aprender unas expresiones relacionadas con el clima y el tiempo.
ÁNGELA: De todo Puerto Rico, aquí es donde hace más calor.
GUIDE: Cuando una persona dice que hace calor, se refiere a la temperatura... a las temperaturas altas. A los ochenta y cinco grados, hace calor. A los noventa grados, hace más calor. Y a los cien grados, hace mucho calor. También vamos a aprender algo sobre la historia de Puerto Rico y sus relaciones con los Estados Unidos. Mientras Cuba consiguió su independencia de los Estados Unidos en 1902 y las islas Filipinas en 1946, Puerto Rico siguió siendo territorio norteamericano.
MECÁNICO: El carro está muy mal. No creo que lo pueda arreglar hoy.
ÁNGELA: ¿Qué?
GUIDE: En el episodio previo, Ángela le muestra fotografías de su familia a Raquel mientras esperan a los tíos de Ángela. Por fin, llegan los tíos. Raquel les cuenta la historia de su investigación y Olga, una tía, le hace muchas preguntas. Raquel las contesta con mucha paciencia. Más tarde, Ángela llama a su abuela, quien vive en otra parte de Puerto Rico—San Germán. La abuela le dice a Ángela que quiere conocer a Raquel. Entonces, esta mañana, Ángela y su prima Laura recogen a Raquel en el Caribe Hilton y las tres comienzan su viaje a San Germán.
LAURA: Tía, ¿cómo llegamos a San Germán?
ÁNGELA: ¿Estás mirando el mapa?
LAURA: Sí.
ÁNGELA (VO): De San Juan, vamos a Caguas, de Caguas hasta Ponce, en Ponce tomamos la carretera número dos y seguimos hasta llegar a San Germán.
LAURA: Sí. Ángela, no puedo doblar este mapa.
ÁNGELA: No te preocupes. Yo nunca lo doblo bien. Ja, ja.
RAQUEL: ¿Quieres que te ayude?
LAURA: Sí, por favor.
RAQUEL: Mira. Primero se dobla aquí, luego se dobla, ah, ah, bueno, no importa.
ÁNGELA: ¡Ay! Tenemos que parar para poner gasolina.
HOMBRE: ¿Sí?
ÁNGELA: Sí. Por favor, llénale el tanque y mira a ver si necesita agua el radiador y si necesita aceite el carro.
RAQUEL: ¿La gasolina la venden por litros or por galones?
ÁNGELA: Por litros. Y bastante cara que está. A ver si ahora por fin podemos seguir.
HOMBRE: El agua está bien, pero le falta aceite.
ÁNGELA: Póngale por favor.
HOMBRE: Gracias. Todo está bien. Son diez dólares por la gasolina y dos por el aceite.
ÁNGELA: Doce dólares.
HOMBRE: Muchas gracias.
ÁNGELA: Gracias.
RAQUEL: ¿Pudiste hablar con tu hermano?
ÁNGELA: No. No estaba en casa. Lo podemos llamar de la casa de mi abuela.
RAQUEL: No me has hablado mucho de tu hermano.
ÁNGELA: Tienes que conocer a Roberto. Es un encanto, claro, como yo. Estudia arqueología en México. Ahora mismo está trabajando en una excavación.
RAQUEL: ¿De qué?
ÁNGELA: En una excavación india.
RAQUEL: ¿Tienes tu pasaporte al día?
ÁNGELA: Sí, pero no necesito pasaporte para entrar a México. Así como tú ¿no?
LAURA: ¿Qué es un pasaporte?

RAQUEL: Es un documento de identidad. Es un permiso… un permiso oficial para viajar a otros países.
LAURA: Yo para ir a San Germán, lo único que necesito es el permiso de mi mamá.
GUIDE: Éste es un pasaporte norteamericano. Los puertorriqueños, por ser ciudadanos de los Estados Unidos, también tienen pasaportes norteamericanos. Por más de cuatrocientos años, Puerto Rico formó parte del vasto imperio español. Para el imperio, San Juan era uno de los puertos más importantes de todas las Américas. En el siglo XVIII, comenzaron las luchas por la independencia en Latinoamérica. De las antiguas colonias españolas, surgieron nuevas naciones independientes. Para 1825, México, toda Centroamérica y toda Sudamérica eran ya independientes del imperio español. Pero la lucha por la independencia en el Caribe duró mucho más tiempo y Puerto Rico siguió siendo parte del imperio español. En 1898 estalló la guerra entre los Estados Unidos y España. Al perder la guerra, España tuvo que concederle el resto de su imperio a los Estados Unidos. Las Filipinas, Cuba y Puerto Rico pasaron a manos norteamericanas. En 1902 Cuba consiguió su independencia de los Estados Unidos. Las islas Filipinas se independizaron en 1946, pero Puerto Rico siguió siendo territorio norteamericano.
ÁNGELA (VO): Muy bien. Ahora no tardaremos tanto. Siempre hay menos tráfico en la autopista.
ÁNGELA: Vamos a parar para comprar refrescos.
RAQUEL: Me parece muy buena idea.
ÁNGELA: Aquí hay una tiendita. Regreso en un minuto. Raquel, en el asiento de atrás hay un sombrero para que te protejas del sol.
LAURA: Ángela, ¿me compras un pilón?
ÁNGELA: Si los hay.
VENDEDOR: Buenas.
ÁNGELA: Esto, por favor. Y un pilón. Tenga. Gracias.
VENDEDOR: Gracias.
LAURA: ¿Me compraste un pilón?
ÁNGELA: Sí.
RAQUEL: ¿Qué es un pilón?
ÁNGELA (VO): Es una especie de pirulí… con semillas.
ÁNGELA: Es muy típico de Puerto Rico.
LAURA: Es mi dulce favorito.
ÁNGELA: Toma, Laura. Pesetas para el peaje.
GUIDE: En Puerto Rico, aunque se usa dinero norteamericano, todavía se refiere al dinero con nombres españoles. Por ejemplo, una moneda de veinticinco centavos es una peseta; una moneda de diez centavos se llama un vellón de diez, y una moneda de cinco centavos se llama un vellón de cinco. Las monedas de un centavo se llaman chavos o chavitos.
RAQUEL: ¡Qué hermoso es esto!
RAQUEL (VO): ¿Qué pueblo es ése?
ÁNGELA (VO): Ése es el pueblo de Cayey. Tiene una magnífica universidad. Esas montañas son la Cordillera Central. Es una cadena de montañas que se extienden de este a oeste.
LAURA (VO): Miren el mar.
RAQUEL: ¡Ay! ¡Qué azul tan bello! ¿Y aquella isla?
ÁNGELA: Esa isla es Caja de Muertos. Dicen que era un refugio de piratas. Laura, saca una peseta para el peaje.
LAS TRES: ¡Ay, ah, ay!
ÁNGELA: ¿Qué pasa ahora? Vamos, nos falta mucho para llegar a San Germán.
LAURA: ¿Qué tiene el carro, Titi?
ÁNGELA: No tengo idea. ¡Caray! Esto es serio.
RAQUEL: Voy a preguntarle al encargado del peaje a ver si nos puede ayudar.
ÁNGELA: Sí.
RAQUEL: Perdone. Algo le pasó al carro. ¿Nos podría ayudar?
PEAJERA: Me gustaría mucho, señorita, pero no puedo. ¿Por qué no llaman un taller en Ponce?
RAQUEL: No puede ayudarnos. Pero me dio el número de un taller en Ponce.
ÁNGELA: Buena idea. Voy a llamarlo.
MECÁNICO: Buenas.
ÁNGELA: Necesito que vengan a ver mi carro.
MECÁNICO: ¿Dónde se encuentra?
ÁNGELA: Estoy en la Autopista, en dirección a Ponce. Cerca del peaje.
MECÁNICO: Yo sé donde es. Llego en cuarenta y cinco minutos.
ÁNGELA: Gracias.

RAQUEL: ¿Va a venir alguien a ver el carro?
ÁNGELA: Sí, dice que vendrá en cuarenta y cinco minutos.
RAQUEL: ¡Ah! Hace un calor tremendo.
ÁNGELA: De todo Puerto Rico, aquí es donde hace más calor.
LAURA: ¿Llamaste...?
GUIDE (VO): Dice Ángela que en Ponce hace calor. ¿Qué significa «hace calor»? Cuando una persona dice que hace calor, se refiere a la temperatura, a las temperaturas altas. A los ochenta y cinco grados, hace calor. A los noventa grados, hace más calor. Y a los cien grados, hace mucho calor. Cuando una persona dice que hace frío, se refiere a las temperaturas bajas. A los cuarenta grados, hace frío. A los treinta y cinco grados, hace más frío. Y a los diez grados, hace mucho frío. Entre los cincuenta y sesenta grados, hace fresco. Cuando hace fresco, no es necesario llevar una chaqueta. Cuando hace fresco, un suéter es suficiente. En Puerto Rico, nunca hace frío. Puerto Rico tiene un clima más o menos tropical. Mientras esperan al mecánico de Ponce, las tres señoritas deciden hacer un picnic.
RAQUEL: ¡Qué curioso!
ÁNGELA: ¿Qué?
RAQUEL: Todos hablamos español, pero hay tantas variaciones.
ÁNGELA: ¿A qué te refieres?
RAQUEL: Mira. Por ejemplo, a esto, Uds. le llaman **guineo**. Nosotros le decimos **banana** y en España le dicen **plátano**.
ÁNGELA: Y lo que nosotros llamamos **china**, Uds. le llaman naranja.
RAQUEL: Exacto. Y para ti y para mí jugo es jugo. En cambio, en España le dicen **zumo**.
LAURA: ¿Zumo?
RAQUEL: Mm, hm. Sí, zumo.
ÁNGELA: Sí, Laura. A lo que nosotros le llamamos jugo de china, los españoles le llaman zumo de naranja.
LAURA: ¡Qué raro!
RAQUEL: Y una papa en España es una patata.
LAURA: ¿Cómo?
RAQUEL: Sí, patata.
LAURA: Patata, patata, patata, patata, patata...
GUIDE: Por fin, llega el mecánico. Pero las noticias no son buenas.
MECÁNICO: Oh, aquí está el problema. Algo con el aceite.
LAS TRES: Ah...
MECÁNICO: Lo siento, pero no voy a poder resolver el problema aquí. Voy a tener que llevar el carro a mi taller en Ponce.
RAQUEL: ¿Y nosotras?
MECÁNICO: Tendrán que ir conmigo en el camión.
RAQUEL (VO): Esta parte de Puerto Rico parece un desierto.
ÁNGELA: Es porque hace mucho calor y llueve muy poco aquí en Ponce.
GUIDE: Ponce: La perla del sur. Ponce: La ciudad señorial. En la esquina de la plaza central de Ponce está la Catedral de Nuestra Señora de Guadalupe. Y ésta es la plaza, donde los ponceños se reúnen para hablar y disfrutar de sus horas libres. Aquí vemos sus magníficas calles antiguas; su viejo teatro, La Perla; sus famosos y viejos árboles, las ceibas; el Parque de Bombas, pintado de rojo y negro y la música del pasado, la danza y la bomba, originales de Ponce.
MECÁNICO: El carro está muy mal. No creo que lo pueda arreglar hoy.
ÁNGELA: ¿Qué?
MECÁNICO: Estará listo mañana por la mañana.
LAS TRES: ¡¡Oh!!
RAQUEL: Y ahora, ¿qué hacemos?
MECÁNICO: Tendrán que pasar la noche aquí.
ÁNGELA: ¿Y cree Ud. que podríamos conseguir un hotel?
MECÁNICO: Claro. Hay varios. Busquen cerca del Parque de Bombas.
LAURA: Angie, Angie.
ÁNGELA: ¿Mmmm?
LAURA: Tengo hambre.
ÁNGELA: Acabas de comer, Laura. Lávate los dientes y acuéstate.
LAURA: ¿Ya?
ÁNGELA: ¡Ah! Ven. Yo te acompaño.
RAQUEL: Ah, ah. Esta mañana, Ángela, su prima Laura y yo salimos de San Juan para ir a San

Germán y para llegar a San Germán, ¿vamos por la costa atlántica o cruzamos las montañas hasta el mar Caribe?
ÁNGELA (VO): De San Juan, vamos a Caguas, de Caguas hasta Ponce,...
RAQUEL: Cruzamos las montañas. Bueno, en ruta a San Germán, aprendí muchas cosas interesantes. Por ejemplo, ¿es una peseta puertorriqueña igual a una peseta española?
ÁNGELA: Una peseta son veinticinco centavos.
RAQUEL: No. Una peseta puertorriqueña vale veinticinco centavos. Es una moneda norteamericana. ¿Y cómo llaman los puertorriqueños a las bananas? ¿Dicen **plátanos**? A esto, Uds. le llaman **guineo**. No. En Puerto Rico una banana es un guineo. En España se dice plátano. Otra fruta con un nombre diferente es la naranja. ¿Cómo se llama una naranja en Puerto Rico?
ÁNGELA: Y lo que nosotros llamamos **china**, Uds. le llaman **naranja**.
RAQUEL: Exacto. Una naranja es una china. En camino a San Germán, cerca del peaje, tuvimos problemas con el carro, pero ni Ángela ni yo, sabíamos qué tenía. La mujer del peaje me dio un número de un taller para llamar. ¿En dónde estaba el taller? ¿En San Juan, Caguas o Ponce?
RAQUEL: No puede ayudarnos. Pero me dio el número de un taller en Ponce.
ÁNGELA: Buena idea. Voy a llamarlo.
RAQUEL: Exacto. El taller estaba en Ponce y Ángela llamó. Luego vino el señor del taller y remolcó el carro a Ponce. En el taller, supimos que el carro estaba en muy malas condiciones. Y aquí estamos, cansadas y listas para dormir. Ahora tendré que esperar hasta mañana para conocer a Carmen Contreras.
LAURA: Buenas noches, Raquel
RAQUEL: Ja. Buenas noches, Laura.
LAURA: Buenas noches, Anita. Buenas noches, Angie.
ÁNGELA: Buenas noches, Laura. Buenas noches, Raquel.
RAQUEL: Buenas noches, Ángela. Que duerman bien.
ÁNGELA: Sí.

Episodio 22

Recuerdos (*Memories*)

ÁNGELA: ¿Abuela? Abuela, ya llegamos.
GUIDE: Bienvenidos al Episodio 22 de *Destinos: An Introduction to Spanish.*
ÁNGELA: Dolores Acevedo.
DOLORES: Mucho gusto.
RAQUEL: El gusto es mío.
ÁNGELA: ¿Y la abuela?
DOÑA CARMEN: En el nombre del Padre, del Hijo y del Espíritu Santo...
GUIDE: En este episodio, no hay vocabulario nuevo que aprender. Presten atención a la historia y traten de comprender.
MECÁNICO: Los carros, hay que cuidarlos, ¿ah?
GUIDE: En este episodio, vamos a conocer otro pueblo de Puerto Rico, San Germán. San Germán llegó a ser un importante centro agrícola con grandes fincas de caña de azúcar, tabaco y café. También vamos a ver algo de una fiesta... el Carnaval.
ÁNGELA: Éste era el baúl de mi padre.
GUIDE: En camino a San Germán, Raquel, Ángela y Laura, la prima de Ángela, tienen dificultades con el carro. Finalmente, llaman a un taller de reparaciones.
MECÁNICO: Buenas.
ÁNGELA: Necesito que vengan a ver mi carro.
GUIDE: Viene un hombre y remolca el carro a Ponce. El mecánico les dice que el carro no va a estar listo hasta el día siguiente. Raquel y sus dos campañeras tienen que pasar la noche en Ponce.
MECÁNICO: Buenos días. ¡Qué bueno que llegaron temprano!
ÁNGELA: Buenos días. ¿El carro está arreglado?
MECÁNICO: Claro. Les dije que estaría listo para hoy. Los carros, hay que cuidarlos, ¿eh? Bueno, veamos. Veinticinco dólares por la mano de obra, treinta dólares por las piezas. Más veinticinco dólares por el remolque. Eso suma...
ÁNGELA: Ochenta dólares.
MECÁNICO: Exacto. ¿Efectivo o crédito?
ÁNGELA: Efectivo.
MECÁNICO: Su recibo.
ÁNGELA: ¡Ay! Gracias.
MECÁNICO: A la orden.
ÁNGELA: ¿Por qué siempre me pasan estas cosas a mí?
RAQUEL: Ángela, no es para tanto. Vamos.
ÁNGELA: Una última vuelta por Ponce y nos vamos a San Germán.
RAQUEL: Miren. Está todo pintada de rojo y negro. Ja, ja. Me parece muy cómico.
ÁNGELA: Originalmente, el Parque de Bombas se construyó para un carnaval.
GUIDE: Tal como en Ponce, el Carnaval se celebra en muchas otras ciudades de Puerto Rico. Durante el Carnaval, la gente baila, canta y se divierte en las calles por tres o cuatro días. El Carnaval es una antigua fiesta de origen medieval, que en Puerto Rico se enriqueció con el aporte de la cultura africana.
ÁNGELA: Mira esa casa.
RAQUEL: ¿Cuál?
ÁNGELA: Ésa. Su estilo muestra la influencia de Barcelona. Muchas familias barcelonesas llegaron y se establecieron aquí. Es interesante. Aquí estoy mirando estas casas, construídas por familias barcelonesas. Se me ocurre que mi padre llegó a Puerto Rico y él también era español.
RAQUEL: Ángela. No me has dicho mucho acerca de tu padre.
ÁNGELA: ¿Qué quieres saber?
RAQUEL: Bueno, pues, Arturo, tu tío, se siente culpable porque nunca buscó a Ángel.
ÁNGELA: ¿Culpable? ¿Pero por qué? Eso no tiene sentido...
RAQUEL: Pero para Arturo sí tenía sentido.
GUIDE: Raquel le cuenta a Ángela la historia de su padre, Ángel. De cómo quería ser pintor, de cómo usaba el dinero para pintar y salir con amigos y del día en que sus padres lo sorprendieron. Raquel le cuenta que tuvieron una gran discusión y que pocos días después murió el padre de Arturo.
ÁNGELA: Imagínate. Todo este tiempo mi abuela todavía vivía en Buenos Aires y mi padre nunca nos dijo nada. ¡Ay, Papá! ¿Por qué creías que tenías que ocultarnos todo esto? ¡Ay! Tenemos que

seguir.

GUIDE: San Germán, uno de los pueblos más antiguos de Puerto Rico. En las calles se puede ver la historia de su pasado y su arquitectura tan peculiar. San Germán llegó a ser un importante centro agrícola, con grandes fincas de caña de azúcar, tabaco y café. Aquí en San Germán está la Universidad Interamericana. En el centro de San Germán se encuentra una de las iglesias más antiguas del hemisferio, Porta Coeli, construida en 1606.

ÁNGELA: Bueno, ya hemos llegado.

RAQUEL: La casa es muy bonita. Ahora podremos hablar con tu abuela acerca de ese viaje a México.

LAURA: ¿Y yo las puedo acompañar a México?

ÁNGELA: Cuando estés más grande, Laurita. Por ahora, lo más lejos que puedas viajar conmigo es aquí a San Germán.

ÁNGELA: ¿Abuela? Abuela, ya llegamos.

DOLORES: Hola.

ÁNGELA: ¡Dolores! ¿Cómo estás?

DOLORES: Bien.

ÁNGELA: Quiero presentarte a Raquel Rodríguez. Dolores Acevedo.

DOLORES: Mucho gusto.

RAQUEL: El gusto es mío.

ÁNGELA: ¿Y la abuela?

DOLORES: Fue a la iglesia. Debe estar por llegar.

ÁNGELA: Vamos a buscarla entonces.

DOÑA CARMEN: En el nombre del Padre, del Hijo y el Espíritu Santo. Amén. Señor, ayúdanos en este momento. Ayuda a mi nieta para que pueda comprender a su padre…

DOÑA CARMEN (VO): Padre nuestro que estás en los cielos, sanctificado sea tu nombre. Vénganos en tu reino. Hágase tu voluntad así en la Tierra como en el Cielo. Ay, por fin llegaron.

ÁNGELA: Ay, abuela, ¿cómo estás? Te he extrañado mucho.

DOÑA CARMEN: ¿Por qué no vienes más a menudo a San Germán entonces?

ÁNGELA: Sabes que tengo mucho trabajo.

DOÑA CARMEN: ¿Trabajo? ¡Qué va! Yo sé que tu tiempo lo pasas con Jorge.

ÁNGELA: ¡Ay, abuela! ¡No vas a comenzar con eso ahora!

DOÑA CARMEN: Verás si lo que te digo de Jorge no es verdad.

ÁNGELA: Quiero presentarte a Raquel.

DOÑA CARMEN: Ay, mucho gusto. La estaba esperando.

RAQUEL: Yo también tenía muchos deseos de conocerla.

DOÑA CARMEN: Pues, bienvenida a San Germán.

ÁNGELA: Vamos caminando. Tenemos mucho de que hablar.

DOÑA CARMEN: Ay, gracias. Ay, Ángela, ¿Laura comió?

ÁNGELA: Por supuesto.

DOÑA CARMEN: Siempre tiene hambre esa chica.

ÁNGELA: ¡Laura!

GUIDE: Más tarde, mientras toman el postre, comienzan a charlar sobre el pasado.

RAQUEL: ¿A qué se dedicaba su esposo?

DOÑA CARMEN: Éramos dueños de una gran finca de caña. A veces empleábamos más de 200 hombres para los trabajos.

RAQUEL: ¿Todavía cultivan la tierra?

DOÑA CARMEN: No como antes. Mi esposo murió, los muchachos crecieron y se fueron para San Juan a trabajar.

ÁNGELA: Poco a poco la finca se fue vendiendo en parcelas.

DOÑA CARMEN: Así fue. Bueno, vamos a recoger esto y luego podemos tomarnos un cafecito.

RAQUEL: Yo las ayudo.

DOÑA CARMEN: De ninguna manera. Pase Ud. al balcón. Nosotros nos ocupamos de esto.

ÁNGELA: ¡Ay! Me gusta mucho venir a esta casa.

RAQUEL: ¿Te gustaría vivir aquí?

ÁNGELA: Yo estudié en este pueblo. En San Germán hay una universidad.

RAQUEL: ¿Por qué no estudiaste en San Juan?

ÁNGELA: Al principio, prefería el pueblo. Después mi mamá se enfermó y yo me quedé con mi abuela a cuidarla.

DOÑA CARMEN: El padre de Ángela venía todos los fines de semana… hasta que murió mi hija. Luego dejó de venir.

ÁNGELA: Fue una época muy triste.

DOÑA CARMEN: Para todos.
ÁNGELA: Abuela, quiero acompañar a Raquel a México. Así podré conocer a mi abuelo.
DOÑA CARMEN: ¿Y qué? ¿Quieres mi permiso?
ÁNGELA: Pues, así como te metes en mis relaciones con Jorge...
RAQUEL: Ángela, perdona que interrumpa pero me parece que tu abuela está de acuerdo en que vayas conmigo a México. ¿No es así, señora?
DOÑA CARMEN: ¡Por supuesto! Esta chica tiene que conocer a su abuelo.
RAQUEL: Don Fernando se va a poner muy contento.
DOÑA CARMEN: Ángela, ¿y tu hermano?
ÁNGELA: No hemos podido hablar con él. Tío Jaime prometió llamarlo ayer.
RAQUEL: Como Roberto está en México, esperamos que pueda ir a la capital.
DOÑA CARMEN: ¿Sabes, Ángela? Tú y tu hermano nunca limpiaron el cuarto de tu padre.
ÁNGELA: Ay, lo sé, abuela, pero está tan desordenado.
DOÑA CARMEN: Pues, allí habrá cosas de tu padre.
RAQUEL: ¿Quieres mirar?
ÁNGELA: ¿Tú quieres?
RAQUEL: Quizá haya algo importante.
ÁNGELA: Posiblemente. Pero vamos, que es tarde.
RAQUEL: Pues, vamos.
ÁNGELA: Éste era el baúl de mi padre.
RAQUEL: ¿Qué es eso?
ÁNGELA: Son unas hojas. Es letra de mi padre. *Recuerdos.*
ÁNGELA (VO): Mi madre me contaba de los horrores de la Guerra Civil. Mi padre murió... y yo nunca lo conocí. Estos son recuerdos de mi dura infancia. El mar. La primera vez que vi el mar fue en ruta a la Argentina. Éste es mi hermano, Arturo, o por lo menos el recuerdo de él. Nos llevábamos como perros y gatos. Me gustaría verlo otra vez. Pero es imposible. Es muy tarde. Mi madre, ¡cuánto la extraño! A veces siento su presencia. Éstos son mis amigos del puerto, los primeros en decirme que me dedicara a la pintura. Mi esposa, María Luisa. Recuerdo de ella su ternura, su voz, sus ojos y su hermoso pelo negro. Mis hijos. Ahora lo más importante de mi vida, Ángela y Roberto. El mar. Mi inspiración... y mi destino final.
RAQUEL: Ángela. Ángela, no llores.
ÁNGELA: Raquel. No comprendo. Estas cosas que mi padre nunca me contó... ¿Por qué?...
RAQUEL: Ángela. Tienes que entender que la juventud de tu padre fue muy difícil. Dejar su tierra natal. No tener padre. Romper con su familia. Era un pasado que él quería olvidar.
ÁNGELA: Eso sí lo entiendo. Pero, ¿por qué nunca confió en nosotros?
RAQUEL: Eso no lo sé. Debemos llevar esto a México para mostrárselo a don Fernando, ¿no crees? También se lo podemos mostrar a Arturo. Le gustará verlo.
ÁNGELA: Sí. ¡Laura!
RAQUEL: Muchas gracias por todo.
DOÑA CARMEN: Gracias a Ud.
RAQUEL: Hasta luego.
DOLORES: Hasta luego.
ÁNGELA: ¡Laura!
DOÑA CARMEN: Dolores, la caja...
RAQUEL: ¡Ah! Bueno, esta mañana, fuimos al taller a recoger el carro. ¿Estaba listo el carro cuando llegamos? Sí, el carro estaba listo.
RAQUEL (VO): Cuando llegamos al taller, el carro estaba listo. ¿Y cómo estaba Ángela? ¿Estaba muy contenta o estaba furiosa?
ÁNGELA: ¿Por qué siempre me pasan estas cosas a mí?
RAQUEL: Ángela, no es para tanto. Vamos. Ja, ja.
RAQUEL (VO): Exacto. Ángela estaba furiosa.
RAQUEL: Bueno. Cuando llegamos a San Germán, Dolores nos recibió en la casa. ¿Dónde estaba la abuela? ¿Estaba en la iglesia, en el mercado o en el patio?
DOÑA CARMEN: En el nombre del Padre, del Hijo y del Espíritu...
RAQUEL (VO): Estaba en la iglesia. Dolores nos recibió porque la abuela estaba en la iglesia.
RAQUEL: Entonces, Ángela, Laura y yo fuimos a la iglesia
DOÑA CARMEN: Ay, por fin llegaron.
ÁNGELA: ¿Cómo estás abuela? Te he extrañado mucho.
DOÑA CARMEN: ¿Por qué no vienes más a menudo a San Germán entonces?
ÁNGELA: Sabes que tengo mucho trabajo.

DOÑA CARMEN: ¿Trabajo? ¡Qué va! Yo sé que tu tiempo lo pasas con Jorge.
ÁNGELA: ¡Ay, abuela! ¡No vas a comenzar con eso ahora!
DOÑA CARMEN: Verás si lo que te digo de Jorge no es verdad.
ÁNGELA: Quiero presentarte a Raquel.
DOÑA CARMEN: Ay, mucho gusto. La estaba esperando.
RAQUEL: Después, regresamos a casa y comimos. En la sala, Ángela, doña Carmen y yo conversamos. Así me enteré de varias cosas. ¿Recuerdan algo de la conversación?
RAQUEL (VO): Ángela estudió en la Universidad de Puerto Rico, en San Juan. Cuando la mamá de Ángela se enfermó, Ángela se quedó a vivir con la abuela. El padre de Ángela venía todos los fines de semana a San Germán. Pero en San Germán, Ángel no tenía interes en pintar.
RAQUEL: Bueno. Primero, yo sé que Ángela estudió en la Universidad Interamericana, en San Germán. También yo sé que cuando la mamá de Ángela se enfermó, Ángela se quedó a vivir con la abuela. Y el papá de Ángela venía todos los fines de semana a San Germán. También sé que Ángel pintaba constantemente en San Germán. Bueno, después de la conversación, Ángela y yo fuimos al cuarto de Ángel. ¿Y qué encontramos allí?
RAQUEL: ¿Qué es eso?
ÁNGELA: Son unas hojas.
RAQUEL (VO): Encontramos unas hojas. ¿Y qué contenían las hojas? La hojas contenían recuerdos, recuerdos de Ángel. Y esas hojas de recuerdos, ¿decían algo sobre su vida en la Argentina?
ÁNGELA (VO): Nos llevábamos como perros y gatos. Me gustaría verlo otra vez.
RAQUEL (VO): Contenían recuerdos de su madre y de su hermano.
ÁNGELA (VO): Mi madre...
RAQUEL: Bueno, ahora tengo que hacer planes con Ángela para viajar a México. ¡Ah! ¡Ojalá don Fernando siga mejor! Y Arturo. Tengo que hablar con Arturo sobre esas hojas de recuerdos.
DOÑA CARMEN: Laura, ¡qué linda! ¡Qué gusto haberte visto!
LAURA: Yo te veré pronto abuela.
DOÑA CARMEN: Cómo no.
ÁNGELA: Adiós, abuela.
DOÑA CARMEN: Adiós, mi hija. Que tengas un buen viaje.
ÁNGELA: Te llamo desde México.
DOÑA CARMEN: Claro.
ÁNGELA: Adiós.
DOÑA CARMEN: Adiós. Dolores...
LAURA (VO): ¡Raquel!
RAQUEL: Voy.
DOÑA CARMEN: Ángela, Ángela, espera un momento.
ÁNGELA: ¿Qué pasa?
DOÑA CARMEN: Un día tu padre vino con esta caja de madera. Recuerdo sus palabras: «Doña Carmen, le entrego esto. Consérvelo con especial cuidado. Esto perteneció a mi madre y es el único recuerdo que tengo de ella. Quiero que se lo entregue a mis hijos cuando Ud. crea que es el momento apropiado».
ÁNGELA: Es una copa.
DOÑA CARMEN: Una copa de bodas. El día de su boda, Rosario brindó con esta copa. Ahora, te pertenece a ti.
ÁNGELA: ¡Oh! Gracias, abuela.
DOÑA CARMEN: Que tengan buen viaje. Saludos a todos por allá.
RAQUEL: Gracias por todo.
DOÑA CARMEN: Gracias a Ud., por todo lo que ha hecho por la familia de Ángel.

Episodio 23

Vista al mar (*A View of the Sea*)

GUIDE: Bienvenidos al Episodio 23 de *Destinos: An Introduction to Spanish*. En este episodio, Ángela necesita hablar con su jefa. Necesita pedirle permiso para ir a México.
SRA. SANTIAGO: Mucho gusto. Ángela me dice que quiere ir a México para conocer a unos familiares.
RAQUEL: Efectivamente. Debemos salir lo antes posible.
GUIDE: También vamos a conocer a otro personaje importante, el novio de Ángela.
JORGE: Te extrañé mucho.
GUIDE: También en este episodio, vamos a aprender algo del vocabulario relacionado con las casas y los apartamentos.
JAIME: Aquí está la sala...
RAQUEL: ¿Y la cocina?
BLANCA: Ya te la enseño.
RAQUEL: Es muy moderna.
BLANCA: Este apartamento viene con tres baños: éste, otro baño allá y otro baño allá.
GUIDE: También vamos a aprender algo sobre la comunidad puertorriqueña en los Estados Unidos.
ARTURO: ¡Raquel! Esperaba que me llamaras. ¿Qué tal? ¿Cómo estás?
RAQUEL: Tengo malas noticias.
GUIDE: En ruta a San Germán, el carro de Ángela se descompone y Raquel, Ángela y Laura pasan la noche en Ponce, una ciudad en el sur de Puerto Rico. Al día siguiente llegan a San Germán.
DOÑA CARMEN: En el nombre del Padre, del Hijo y el Espíritu Santo... Amén.
GUIDE: En la casa de la abuela, conversan sobre el pasado mientras toman café. La abuela les dice que deben revisar las cosas personales de Ángel. Allí encuentran algo muy especial. Al final de su estadía en San Germán, la abuela le da a Ángela un objeto de su padre de mucho valor sentimental.
ÁNGELA: Es una copa.
DOÑA CARMEN: Una copa de bodas. Rosario brindó con esta copa. Ahora, te pertenece a ti.
RAQUEL: Está dormida.
ÁNGELA: Sí. No me has hablado mucho de Arturo. ¿Es simpático?
RAQUEL: Simpatiquísimo. La historia de Ángel lo afectó profundamente. Viene pronto a Puerto Rico para conocerte.
ÁNGELA: Pero, nosotras vamos a México...
RAQUEL: Pues, Arturo también tendrá que ir a México. Tú y tu hermano son su única familia.
ÁNGELA: ¿Cómo es mi tío, el hermano de mi padre? ¿Te gustó?
RAQUEL: ¿Arturo? Sí, me gustó mucho. Es encantador. Y muy guapo.
ÁNGELA: ¿Sí?
RAQUEL: Sí. Me enseñó a bailar... el tango.
ÁNGELA: ¡Ayyyy, el tango...!
LAS DOS: Ja, ja, ja.
RAQUEL (VO): Lo pasé tan bien en Buenos Aires.
ÁNGELA: Yo sé que recién nos conocimos, pero creo que Arturo te gusta más de lo que quieres admitir. ¡Ya llegamos! Te recojo a las 9:00.
RAQUEL: Dale las buenas noches a Laura.
LAURA: Buenas noches, Raquel.
RAQUEL: Buenas noches, Laura.
ÁNGELA: Que duermas bien.
RAQUEL: Gracias.
RAQUEL: Hola. Habla Raquel.
ARTURO: ¡Raquel! Esperaba que me llamaras. ¿Qué tal? ¿Cómo estás?
RAQUEL: Bien. Tengo malas noticias. Ángel ya...
ARTURO: ¿Cuándo?
RAQUEL: Hace unos meses. Era un artista muy conocido en Puerto Rico. Y estaba casado.
ARTURO: ¿Has hablado con su esposa?
RAQUEL: No. Ella murió hace unos años.
ARTURO: Ángel murió solo, entonces.
RAQUEL: No. Sus hijos estaban con él.
ARTURO: ¿Sus hijos? Raquel...

RAQUEL: Sí. Ángel tenía dos hijos. Su hija Ángela es una mujer atractiva y simpática.
ARTURO: Ángela...
RAQUEL: He pasado dos días con ella. Te va a gustar.
ARTURO: ¿Y el otro hijo?
RAQUEL: Todavía no lo conozco. Se llama Roberto y estudia en México.
ARTURO: Qué coincidencia, ¿no?
RAQUEL: Ángela y yo vamos a México a encontrarlo. ¿Puedes reunirte con nosotros en México?
ARTURO: Sí, claro, claro. ¿Cuándo es el viaje?
RAQUEL: No sé todavía, pero pronto. Te llamo en cuanto lo sepa.
ARTURO: ¿Mañana?
RAQUEL: Sí, mañana.
ARTURO: Mañana hago los preparativos para ir a México.
RAQUEL: Perfecto. Te van a gustar tus sobrinos. Los vas a querer.
ARTURO: ¿Como yo te quiero a ti?
RAQUEL: Arturo...
ARTURO: Está bien, está bien. No voy a decir más. Hasta mañana entonces.
RAQUEL: Buenas noches, Arturo.
ARTURO: Buenas noches.
GUIDE: Al día siguiente, Ángela y Raquel van al banco donde trabaja Ángela.
SRA. SANTIAGO: Adelante, siéntense por favor. Mi nombre es Isabel Santiago.
RAQUEL: Raquel Rodríguez.
SRA. SANTIAGO: Mucho gusto. Ángela me dice que quiere ir a México para conocer a unos familiares.
RAQUEL: Efectivamente. Debemos salir lo antes posible.
ÁNGELA: La Sra. Santiago ya sabe que mi abuelo, don Fernando, está muy enfermo.
SRA. SANTIAGO: Si necesitas ayuda...
ÁNGELA: Gracias.
SRA. SANTIAGO: Pero necesito que regreses en dos semanas.
ÁNGELA: No se preocupe. Regreso en dos semanas.
SRA. SANTIAGO: ¡Mucha suerte en tu viaje! Y mucho gusto en haberla conocido.
RAQUEL: Igualmente. Y gracias por darle a Ángela la oportunidad de visitar a su abuelo.
ÁNGELA: Gracias.
RAQUEL: Con permiso.
ÁNGELA: Raquel, ¿puedes ir conmigo a la universidad? Quiero que conozcas a Jorge, mi novio. Acaba de llegar de Nueva York.
RAQUEL: ¿Jorge trabaja en la universidad?
ÁNGELA: Sí, él es profesor de teatro.
RAQUEL: ¿Y qué hacía en Nueva York?
ÁNGELA: Estaba trabajando en una película.
RAQUEL: ¿De verdad?
ÁNGELA: Sí. Jorge trabaja a menudo en Nueva York. Pasa mucho tiempo allá.
GUIDE: Ángela dice que su novio pasa mucho tiempo en Nueva York, pero muchos puertorriqueños no sólo trabajan en Nueva York, sino que también, viven allí.
ELSA PÉREZ (VO): Mi nombre es Elsa Pérez. Vivo en Nueva York,...
ELSA PÉREZ: ...ah, trabajo para una compañia, ah, financiera en el área de economía internacional con clientes internacionales, ah, con especialidad en Latinoamérica...
GUIDE: Como los puertorriqueños son ciudadanos de los Estados Unidos, no tienen restricciones para ir de San Juan a Nueva York, ni de Nueva York a San Juan. Nick Lugo, un dueño de agencia de viajes, habla de sus viajes a Puerto Rico.
NICK LUGO: Puerto Rico es un sitio donde tengo que viajar con bastante frecuencia. No te puedo decir, este, todos los meses que viajo, pero algunas veces, hasta en un mes, viajo tres o cuatro veces...
GUIDE: Y muchos puertorriqueños tienen amigos y familiares en los dos lugares.
ELSA PÉREZ: Mi familia vive en Puerto Rico... mi mamá vive en Puerto Rico, ah, tengo una hermana que vive en Puerto Rico también y es casada y tiene dos niños, abuelos, tíos, ah, primos, mucha familia en Puerto Rico.
GUIDE: Pero los puertorriqueños no residen en Nueva York solamente. También hay grandes concentraciones de puertorriqueños en Nueva Jersey y en Pensilvania. El bilingüismo es común en las comunidades puertorriqueñas y no es extraño oír o ver el español y el inglés donde viven. ¿Por qué viven tantos puertorriqueños en Nueva York y en otros estados? La explicación se

encuentra en la situación económica de Puerto Rico. Durante los años cuarenta, muchas personas no podían encontrar trabajo en Puerto Rico. Empezó la emigración y poco a poco muchos se fueron de la isla con esperanzas de una vida mejor en los Estados Unidos. Se establecieron en el noreste de este país donde había empleo en la industria y los servicios de la región. Además de puertorriqueños, en Nueva York también se encuentran dominicanos, centroamericanos, en fin, mucha gente de habla española. Todos contribuyen a la gran variedad cultural de la región.

ELSA PÉREZ: ...me encanta vivir en Nueva York. La cultura en Nueva York, tenemos prácticamente todo y también ofrece muchos eventos sociales para gente que hablan español. Tenemos cine, ah, teatro, comida hispana, muchas vecindarios hispanos son de... siempre hay muchos eventos sociales, ah, es una ciudad muy interesante para cualquier extranjero y también para los nativos de aquí también.

ÁNGELA: Hola. Ah, Tío Jaime, ¿cómo estás?

JAIME (VO): Ángela, tengo a alguien que está muy interesado en comprar la casa. Le gustó mucho.

ÁNGELA: ¿El hombre del otro día?

JAIME (VO): El mismo. Le impresionó mucho la casa.

JAIME: Ésta es la habitación. Sígame. Aquí está la sala; como puede ver, es bastante amplia. Y por acá, tenemos el comedor y como ve, el comedor es muy amplio también. Allí está la cocina y aquí tenemos un balcón con una vista hermosa...

ÁNGELA: Luego te llamo y te doy una respuesta. Cuídate mucho. ¡Ay! ¡Qué situación! ¡Todo va muy rápido! Un hombre quiere comprar la casa, pero todavía no tengo dónde vivir.

RAQUEL: ¿Y qué vas a hacer?

ÁNGELA: Antes de ir a la universidad, tendremos que pasar a ver unos apartamentos.

RAQUEL: ¿Tienes alguno seleccionado?

ÁNGELA: Sí. Déjame enseñarte algo. Estos dos son los que más me gustan. Éste está en un piso veintiuno, con vista al mar. Mira. Precioso apartamento, piso veintiuno, sala grande, comedor, balcón, terraza con vista al mar, cocina completa, dos cuartos, tres baños...

BLANCA: Éste es el apartamento que te interesaba.

ÁNGELA: La sala y el comedor están juntos, pero es un espacio muy grande. ¡Qué vista tan hermosa!

RAQUEL: El balcón es muy grande. ¿Y la cocina?

BLANCA: Ya te la enseño.

RAQUEL: Es muy moderna.

ÁNGELA: Los cuartos son bastante grandes.

BLANCA: Este apartamento viene con tres baños: éste, otro baño allá y otro baño allá. Me encanta esta vista. Ángela, hay otras personas interesadas en éste. Si te decides, tienes que darme el depósito pronto.

RAQUEL: ¿Para reservarlo?

BLANCA: Sí. A ver, ¿qué me dices, Ángela?

ÁNGELA: Quiero ver el *town house.*

BLANCA: Éste es muy bonito. Tiene estacionamiento para dos autos y está muy cerca de la playa.

ÁNGELA: La sala y el comedor de éste son más pequeños.

RAQUEL: Pero éste tiene un pequeño patio.

ÁNGELA: Vamos a ver la cocina.

RAQUEL: Esta cocina es más grande.

ÁNGELA: La estufa y la nevera son blancas. Esta cocina se vería muy bonita en tonos pasteles. A ver, lavaplatos...

BLANCA: No tiene.

ÁNGELA: ¿Y lavadora y secadora?

BLANCA: Aquí.

ÁNGELA: Bien. Vamos a ver los cuartos. Están arriba. Aquí puedo poner cuadros de mi papá, y allí, plantas.

RAQUEL: ¡Ah! Qué bien. Tiene un abanico.

ÁNGELA: ¿Ése es el único baño que hay?

BLANCA: Mmm.

ÁNGELA: Ahh. Creo que ya me decidí.

RAQUEL: ¿Cuál te gusta más?

ÁNGELA: Los dos tienen estacionamiento, eso es muy importante. Pero el apartamento me gusta más.

RAQUEL: La vista al mar parece que te convenció.

ÁNGELA: Sí, tengo que vivir cerca del mar.

ÁNGELA: El mar... Mi inspiración y mi destino final.

ÁNGELA: Blanca, acabo de decidirme.
GUIDE: Después de ver los apartamentos, Ángela lleva a Raquel a la Universidad de Puerto Rico. Allí está su novio.
JORGE: Bien. Para el miércoles, tienen que aprender un monólogo de por lo menos dos minutos. Que no sea muy dramático, quiero algo simple, sencillo... ¿Me entienden?
TODOS: Sí.
JORGE: Eso es todo por hoy. Gracias. Te extrañé mucho.
ÁNGELA: Yo también.
JORGE: ¿Pasa algo malo?
ÁNGELA: No. Ya te cuento. Quiero presentarte a Raquel Rodríguez. Jorge Alonso, mi actor predilecto.
RAQUEL: Mucho gusto. Ángela me dijo que estuvo en Nueva York, actuando en una película.
JORGE: Sí, estuve por unos días.
ÁNGELA: Raquel me ha traído grandes noticias.
JORGE: ¿Noticias?
ÁNGELA: Son muy buenas. Pero todo es un poco complicado.
RAQUEL: ¿Por qué no se lo cuentas?
ÁNGELA: Bueno, vamos a uno de los bancos de la plaza. Nos encontramos frente al teatro en un rato.
RAQUEL: De acuerdo.
RAQUEL: Bueno. Aquí estoy en la Universidad de Puerto Rico. Cuando regresamos de San Germán, ¿era de mañana, de tarde o de noche?
ÁNGELA: ¿Cómo es mi tío, el hermano de mi padre?
RAQUEL (VO): Era de noche.
RAQUEL: En el hotel, hice una llamada de larga distancia. ¿Llamé a México para hablar con Pedro o llamé a Buenos Aires para hablar con Arturo? Llamé a Buenos Aires.
RAQUEL (VO): ¿Estaba Arturo en casa o no?
RAQUEL: Hola. Habla Raquel.
RAQUEL (VO): Arturo estaba en casa cuando yo lo llamé.
ARTURO: ¿Cuándo?
RAQUEL: Arturo y yo hablamos un rato, unos minutos, ¡y qué sorpresa! Arturo me dijo algo que realmente me sorprendió. ¿Qué me dijo Arturo?
ARTURO: ¿Como yo te quiero a ti?
RAQUEL: Arturo…
RAQUEL (VO): Arturo me dijo que me quería mucho.
RAQUEL: ¿Qué voy a hacer? Arturo es muy simpático, pero… ¿quiero tener unas relaciones serias en estos momentos? No sé. Ah. Bueno, hoy fui con Ángela al banco donde trabaja. ¿Por qué fuimos?
RAQUEL (VO): Fuimos al banco porque Ángela tenía que hablar con la supervisora.
RAQUEL: Finalmente, vinimos aquí a la universidad. Ángela quería ver a una persona aquí, ¿recuerdan? Ángela quería ver a su novio, Jorge.
RAQUEL (VO): Cuando llegamos aquí a la universidad, ¿qué hacía Jorge? ¿Hablaba con un estudiante o daba una clase?
JORGE: Bien.
RAQUEL: Cuando nosotras llegamos, Jorge daba una clase. Ahora Jorge y Ángela están en frente. Seguramente Ángela le está enseñando la copa. Esa copa debe tener mucho valor sentimental. ¿Qué va a decir don Fernando cuando la vea por fin? ¿Qué es esa música?
ÁNGELA: Me la entregó mi abuela. Mi padre lo conservó por muchos años.
JORGE: ¿Dónde la compró?
ÁNGELA: No lo sé. Es la copa de bodas de mi abuela, Rosario. Ella se la dio a mi padre.
JORGE: Claro, de padre a hijo. Tengo una idea. Cuando nos casemos, podemos brindar con esta copa.
ÁNGELA: ¿Me estás proponiendo matrimonio?
JORGE: Ja, ja. Bueno…

Episodio 24

El don Juan (*The Don Juan*)

RAQUEL: ¿Y es muy difícil ser actor en Puerto Rico?
JORGE: Es difícil en cualquier parte del mundo. Y dime algo de ti. ¿Estás casada?
RAQUEL: No.
GUIDE: Bienvenidos al Episodio 24 de *Destinos: An Introduction to Spanish*. En este episodio, Raquel empieza a dudar de las relaciones entre Jorge y Ángela. Durante una llamada por teléfono, Raquel le cuenta a su mamá del problema con Jorge. En este episodio no hay nuevo vocabulario que aprender. Presten atención a la historia y a los personajes.
JORGE: ¿Pasa algo?
ÁNGELA: Vámonos, Jorge. Hay muchas cosas qué hacer. Hasta luego, Raquel. Te llamo más tarde.
RAQUEL: Ángela...
ÁNGELA: Hablaremos más tarde, Raquel.
GUIDE: Al final de su estancia en San Germán, la abuela, doña Carmen, le da a Ángela un objeto muy especial, un regalo de su padre. Desde el hotel, Raquel hace una llamada a Buenos Aires. Le cuenta a Arturo que Ángel ya murió y que Ángel tenía dos hijos. Ángela y Raquel hablan con la supervisora del banco donde Ángela trabaja. Le pide dos semanas libres para ir a México, a visitar a su abuelo, don Fernando. Don Fernando está muy enfermo y Ángela le explica a la supervisora que es urgente. Raquel y Ángela hacen los preparativos para salir mañana para México. Luego, van a la universidad para ver a Jorge, el novio de Ángela. En un patio de la universidad, Ángela y Jorge hablan de la copa.
ÁNGELA: Es la copa de bodas de mi abuela, Rosario. Ella se la dio a mi padre.
JORGE: Claro, de padre a hijo. Tengo una idea. Cuando nos casemos, podemos brindar con esta copa.
ÁNGELA: ¿Me estás proponiendo matrimonio?
JORGE: Ja, ja. Bueno... Esta historia de la familia de Ángela en México... No sé.
RAQUEL: Interesante, ¿no?
JORGE: ¿Interesante? Es como... como una obra de teatro.
ÁNGELA: ...basada en una historia increíble.
RAQUEL: Increíble pero cierta.
RAQUEL: Este coro es excelente.
JORGE: Es el coro de la Universidad de Puerto Rico. ¿Te gusta la canción?
RAQUEL: Sí, es muy bonita. Me gustaría comprar un cassette.
JORGE: Podemos ir a Río Piedras. Allí hay varias tiendas donde venden cassettes, discos...
RAQUEL: ¿Queda lejos Río Piedras?
JORGE: Bueno. La universidad queda en el pueblo de Río Piedras. Las tiendas de discos están muy cerca. ¿Vamos?
ÁNGELA: Esperen un momento, tengo que hacer un mandado de urgencia.
JORGE: Está bien. Mientras tanto conversaré con Raquel.
ÁNGELA: Bien.
JORGE: ¿Y salen mañana para México?
RAQUEL: Sí, mañana. ¿Y Ud. estudió aquí en la universidad?
JORGE: Me puedes tutear. El tuteo es más íntimo, ¿no?
RAQUEL: Nunca he visto un Oscar de cerca. ¿Quién lo ganó?
JORGE: José Ferrer. Por su actuación en la película *Cyrano de Bergerac.*
RAQUEL: ¿Y es difícil ser actor en Puerto Rico?
JORGE: Es difícil en cualquier parte del mundo. Y dime algo de ti. ¿Estás casada?
RAQUEL: No. ¿Y tú viajas con frecuencia a Nueva York?
JORGE: Sí. En Nueva York tengo... bueno... tengo más oportunidades que aquí en Puerto Rico.
RAQUEL: Sí. Me imagino.
JORGE: Bueno. Estoy seguro de que Ángela te habrá hablado mucho de mí. ¿Qué más quieres saber?
RAQUEL: Gracias, Jorge. Pero creo que ya sé lo suficiente por ahora.
JORGE: Pero no te parece que...
ÁNGELA: Bueno, ¿qué te parece Jorge? ¿Te está tratando bien?
RAQUEL: Sí, Ángela. Tu novio es... un encanto.
ÁNGELA: ¿Quieres ver un poco la universidad antes de volver?
RAQUEL: Sí, cómo no.
ÁNGELA: Jorge, ¿por qué no la llevamos a ver la colección de Oller?
JORGE: Llévala tú, amor. Acabo de recordar que un estudiante quería verme en la oficina. Las busco

luego.
ÁNGELA: Pero, ¿no quieres a acompañarnos a Río Piedras?
JORGE: No puedo. Vayan Uds. Las buscaré más tarde. Hasta luego.
ÁNGELA: ¡Qué raro! Hace un momento quería acompañarnos y luego... ¡se evaporó!
RAQUEL: Sí, es muy raro.
GUIDE: Entonces, Ángela lleva a Raquel a ver las obras de Francisco Oller, un pintor puertorriqueño de mucha importancia.
RAQUEL: El Velorio. ¿Es esto el velorio de un niño? Pero si parece una fiesta.
ÁNGELA: Están celebrando el hecho de que el niño va directamente al cielo, pues no ha pecado.
RAQUEL: ¡Qué interesante!
JORGE: Pues, ¿qué me cuentas?
ÁNGELA: Yo creí que estabas en una cita con un estudiante.
JORGE: No apareció. Así que vine a buscarlas.
ÁNGELA: Jorge, ¿hay algo que quieras decirme?
JORGE: ¿Por qué me preguntas eso?
ÁNGELA: Porque estás actuando muy raro.
JORGE: Eso es lo que tú imaginas.
RAQUEL: Ángela, debemos volver al hotel. Quiero recoger los boletos.
ÁNGELA: Es cierto. Y yo tengo que empacar y llamar a Roberto otra vez.
JORGE: Raquel, ¿no quieres comprar ese cassette?
RAQUEL: Pues, sí. Si la tienda está cerca.
JORGE: Bien. Vamos.
GUIDE: Raquel, Ángela y Jorge van al Paseo de Diego en Río Piedras. Es un lugar de mucha actividad, donde muchas personas van de compras.
JORGE: Déme tres piraguas, por favor.
PIRAGÜERO: ¿De qué sabor las quiere? Frambuesa, tamarindo, coco, vainilla y anís.
ÁNGELA: Yo la quiero de frambuesa.
JORGE: ¿Y tú?
RAQUEL: Yo también la quiero de frambuesa.
JORGE: Yo quiero la mía de tamarindo.
JORGE: ¿Quieres comprar ese cassette ahora?
RAQUEL: Sí. Pero ya no tengo mucho tiempo.
JORGE: Pues, por aquí... Y ese cassete te va a gustar mucho.
RAQUEL: Ay, se hace tarde. ¿Por qué no regresamos al hotel? Después de recoger los boletos, podemos descansar, tomar el sol, nadar, si quieres.
ÁNGELA: Me parece bien. ¿Pasamos por mi casa a recoger mi traje de baño?
JORGE: Sí. Nos podemos encontrar en el hotel dentro de una hora.
RAQUEL: De acuerdo.
DEPENDIENTE: Gracias.
RAQUEL: Gracias.
ÁNGELA: Me encanta esta isla... la playa, el mar, el sol. ¿Dónde está ese Jorge? Quiero nadar. ¡Jorge! ¡Vamos!
JORGE (VO): Ya voy.
ÁNGELA: ¡Qué lentitud! Dios mío.
JORGE: Ta, ta, ta, ta. Ja, ja, ja. Pues, ¿qué te parece mi nuevo traje de baño?
ÁNGELA: ¡Qué colores más chillones!
RAQUEL: Si quieren hacer esnorqueling, necesitan presentar la llave al encargado.
ÁNGELA: ¿Vienes?
RAQUEL: Más tarde. Tengo que hacer unas llamadas importantes.
ÁNGELA: Bueno... Vamos.
RAQUEL: Que lo pasen bien. ¿Mamá?
MARÍA: ¿Sí? ¿Raquel? ¿Dónde estás?
RAQUEL: En San Juan, Mamá. ¿Cómo están?
MARÍA: Por aquí muy bien. Tu papá acaba de salir.
RAQUEL: Tengo buenas noticias, Mamá.
MARÍA: A ver.
RAQUEL: Mañana salgo para México. Y después para Los Ángeles.
MARÍA: ¡Ay, qué bien! ¿Y para eso llamaste o te sucede algo?
RAQUEL: Nada, Mamá. Pues... esta chica, Ángela, la nieta de don Fernando... Tiene un novio mujeriego y parece que ella no lo sabe.

MARÍA: Raquel, no te metas en las vidas privadas de los demás.
RAQUEL: Ya lo sé, Mamá, pero... la pobre me parece tan inocente, no sabe lo que ocurre...
MARÍA: ¿Cuánto tiempo hace que la conoces?
RAQUEL: Unos días...
MARÍA: ¡Unos días! Pues no es tu mejor amiga, ¿eh? Olvídate del este asunto.
RAQUEL: No sé si pueda. Mamá, llamé para decirles que voy a México. Realmente no tengo tiempo para seguir conversando.
MARÍA: Bueno, es una lástima que tu papá no esté aquí.
RAQUEL: Dale un beso de mi parte. Te llamo desde México para decirte cuándo voy a regresar a Los Ángeles.
MARÍA: Está bien. Cuando regreses, te voy a hacer unos tamales porque me imagino que ya estás cansada de comer la comida de allá.
RAQUEL: Está bien, Mamá. Voy a colgar. Hablaremos en unos días.
MARÍA: Cuídate, hija. Una chica sola por allí...
RAQUEL: Una mujer...
MARÍA: Ah, sí, se me olvidaba. Nosotras las madres no debemos preocuparnos cuando nuestros hijos están grandes.
RAQUEL: Adiós, Mamá.
MARÍA: Adiós, hija.
RAQUEL y ARTURO: Ja, ja, ja, ja.
RAQUEL: Arturo.
ARTURO: Sí.
RAQUEL: Arturo, ¿me oyes?
ARTURO: Sí, Raquel, te oigo perfectamente. ¿Cómo estás? ¿Qué pasa?
RAQUEL: Estoy muy bien. Acabo de confirmar las reservaciones.
ARTURO: Pues sí, dame los datos... sí, perfectamente.
RAQUEL: Ya casi termina mi viaje.
ARTURO: Y entonces, nuestro viaje puede comenzar.
RAQUEL: ¡Arturo! Eres imposible.
ARTURO: Lo sé. Pero es parte de mi encanto, ¿no?
RAQUEL: Tengo que colgar. Pero te llamo desde la capital.
ARTURO: Chau, querida.
RAQUEL: Chau, Arturo.
RAQUEL: ¿Se divirtieron?
ÁNGELA: ¡Ay, el agua estaba muy sabrosa!
JORGE: ¡Lo pasamos muy bien!
ÁNGELA: Vengo ahora.
RAQUEL: ¿Quieres comer piña? Está muy rica.
JORGE: ¡Qué deliciosa! En Nueva York, no hay piñas frescas como aquí. La extraño mucho.
ÁNGELA: Pero lo que más extrañas es a tu adorada novia...
JORGE: ¿Por qué no nos vamos a vivir a Nueva York?
ÁNGELA: No, gracias. Me gusta visitar esa ciudad, pero, ¿vivir? No. Además, ¿no vas a formar una compañía de teatro acá en San Juan?
JORGE: Hay en San Juan un cine que puede funcionar como teatro.
RAQUEL: Tiene que ser caro.
JORGE: Sí, lo es. Pero es el mejor sitio. Perdónenme, voy a cambiar.
ÁNGELA: Tengo un plan.
RAQUEL: ¿Cuál es?
ÁNGELA: Cuando venda mi casa, voy a darle a Jorge una parte del dinero. Así podrá abrir su teatro.
RAQUEL: Pues...
ÁNGELA: Yo podría trabajar allí también.
RAQUEL: Pero tú ya trabajas en un banco.
ÁNGELA: Trabajaría en el teatro de noche.
RAQUEL: Has pensado en todo.
ÁNGELA: Ahora tengo que convencer a Jorge.
RAQUEL: Ángela, ¿no crees que es mejor que él mismo compre el cine?
ÁNGELA: Hablas como mi abuela.
RAQUEL: Bueno, tu abuela tiene mucha experiencia. Ha vivido muchos años.
ÁNGELA: ¿Y qué? ¿Por qué todo el mundo se opone a mis relaciones con Jorge?
RAQUEL: Ángela, no es que yo quiera oponerme. Sólo digo que...

ÁNGELA: No me digas más. ¿Por qué no te gusta Jorge a ti?

RAQUEL: Ángela, no te enfades conmigo. ¡No he dicho nada!

ÁNGELA: Pues, dime entonces por qué te opones a eso del teatro.

RAQUEL: ¡Basta con eso de oponerme! No te pongas tan defensiva. Mira, si quieres que te diga la verdad...

ÁNGELA: ¡Ajá¡ Lo sabía. Igual que mi abuela.

RAQUEL: ¡Olvídalo! Mi madre tiene razón. No me deben importar los asuntos de otros.

JORGE: ¿Pasa algo?

ÁNGELA: Vámonos, Jorge. Hay muchas cosas que hacer. Hasta luego, Raquel. Te llamo más tarde.

RAQUEL: Ángela...

ÁNGELA: Hablaremos más tarde, Raquel.

RAQUEL: Bueno. Tengo muchas cosas de que hablar. Hoy fui con Ángela a la universidad. Y allí conocí a su novio, Jorge. ¡Y qué sorpresa para mí! Jorge en seguida quería tutearme. ¿Recuerdan?

RAQUEL: ¿Y Ud. estudió aquí en la universidad?

JORGE: Me puedes tutear. El tuteo es más íntimo, ¿no?

RAQUEL: Bueno. Por sus acciones, yo pensé que Jorge era un mujeriego o sea un don Juan.

RAQUEL (VO): Y más tarde, cuando Ángela quería llevarme al museo, ¿quería acompañarnos Jorge o no?

ÁNGELA: ¿Quieres ver un poco la universidad antes de volver?

RAQUEL: Sí, cómo no.

ÁNGELA: Jorge, ¿por qué no la llevamos a ver la colección de Oller?

JORGE: Llévala tú, amor. Acabo de recordar que un estudiante quería verme en la oficina.

RAQUEL: Jorge no quería acompañarnos. Dijo que un estudiante lo esperaba en la oficina. Para decir la verdad, yo creo que era una excusa—una excusa porque se sentía incómodo. Bueno, Ángela y yo fuimos solas al museo. ¿Y quién nos esperaba cuando salimos de allí?

ÁNGELA: Yo creí que estabas en una cita con un estudiante.

JORGE: No apareció. Así que vine a buscarlas.

RAQUEL: Jorge nos esperaba. ¿Ven Uds.? Ningún estudiante lo esperaba en su oficina. Era sólo una excusa. Por fin, fuimos a unas tiendas cerca de la universidad porque yo quería comprar unos cassettes. Luego vinimos aquí al hotel porque yo había invitado a Jorge y a Ángela a nadar. Pero yo no nadé con ellos. ¿Qué hacía yo mientras ellos nadaban?

RAQUEL: Mamá...

RAQUEL (VO): Mientras ellos nadaban, yo hablaba por teléfono.

RAQUEL: ¿Cómo están?

RAQUEL: Primero, llamé a mi madre. Yo le conté de mi opinión sobre Jorge y Ángela. ¿Y qué me dijo ella?

RAQUEL (VO): Mi madre me dijo que... yo debía hablar con Ángela inmediatamente. Yo no debía meterme en la vida personal de otros. Mi madre me dijo que yo no debía meterme en la vida personal de otros. Así es mi mamá. Y tenía razón. Cuando yo intenté hablar con Ángela sobre lo del teatro, ¿qué pasó? Se enfadó conmigo.

ÁNGELA: ¿Por qué no te gusta Jorge a ti?

RAQUEL: Ángela, no te enfades conmigo. ¡No he dicho nada!

ÁNGELA: Pues, dime entonces por qué te opones a eso del teatro.

RAQUEL: ¡Basta con eso de oponerme! No te pongas tan defensiva. Mira, si quieres que te diga la verdad...

ÁNGELA: ¡Ajá¡ Lo sabía. Igual que mi abuela.

RAQUEL: ¡Olvídalo! Mi madre tiene razón. No me deben importar los asuntos de otros.

RAQUEL: Bueno, tendré que hablar con ella más tarde. También tuve una conversación con Arturo. ¿Y qué creen Uds.? ¿Estaba Arturo contento durante la conversación?

RAQUEL: ¡Arturo! Eres imposible.

ARTURO: Lo sé. Pero es parte de mi encanto, ¿no?

RAQUEL: Yo creo que sí. Creo que Arturo estaba muy contento. Y yo, en este momento, también estoy contenta. Arturo va a visitar México dentro de dos días. Bueno. Sólo hay un problema ahora. No podemos comunicarnos por teléfono con el hermano de Ángela. Nunca está en casa. ¿Dónde estará este Roberto Castillo?

GUIDE: Al día siguiente, Raquel y Ángela se van de la bella isla de Puerto Rico. Jorge y Ángela vienen al hotel para recoger a Raquel.

RAQUEL: Ángela, yo sé que nos acabamos de conocer. Ojalá me perdones por lo de ayer.

ÁNGELA: Raquel, tienes que comprender. Todo el mundo dice cosas de Jorge que me irritan. Mi abuela, mis amigas en el banco, y ahora tú. ¿Hay algo que yo no vea?

JORGE: Eso es todo. Debemos irnos.
JAIME: ¡Ángela. Ángela! Me alegro mucho de encontrarte, Ángela.
ÁNGELA: ¿Qué pasa, Tío? Estás muy preocupado.
JAIME: Tienes que ir directamente a ver a tu hermano cuando llegues a México.
ÁNGELA: ¿Cómo? No comprendo...
JAIME: Sucedió un accidente... en la excavación.
RAQUEL: ¿Qué pasó?
JAIME: Su hermano tuvo un accidente en la excavación.

Episodio 25

Reflexiones I (*Reflections I*)

GUIDE: Bienvenidos al Episodio 25 de *Destinos: An Introduction to Spanish.*
RAQUEL: ¿Son cartas de Rosario?
SRA. SUAREZ: En ellas está la dirección.
GUIDE: Raquel y Ángela han recibido malas noticias desde México. Muy afectada por la sorpresa, Raquel recuerda y reflexiona sobre su investigación. Uds. ya conocen la historia y la conversación entre los personajes ahora debe ser más fácil de comprender.
JOSÉ: ¿Ya hablaron con Héctor?
ARTURO: No. ¿Quién es?
HÉCTOR: Ángel. Claro que lo recuerdo bien. Era mi amigo.
GUIDE: En el episodio previo, Raquel habla con Jorge, el novio de Ángela...
ÁNGELA: Bueno, ¿qué te parece Jorge? ¿Te está tratando bien?
GUIDE: Pero Jorge no le cae muy bien. Raquel no le dice nada a Ángela en el momento y los tres van al Paseo de Diego en Río Piedras para hacer unas compras. Raquel invita a Ángela a descansar en el hotel y Jorge la acompaña. Mientras Jorge y Ángela nadan, Raquel habla con su mamá y con Arturo. El día concluye con una discusión muy fuerte entre Raquel y Ángela. Al día siguiente, cuando están por salir para México, reciben malas noticias.
RAQUEL: ¿Qué pasó?
JAIME: Su hermano tuvo un accidente en la excavación.
PEDRO: Gracias, Raquel. Esto es muy importante para mí.
RAQUEL: No hay de qué.

SRA. SUÁREZ: Ud. está aquí porque quiere saber algo más de Rosario.
RAQUEL: Sí, así es. Mi cliente, el señor Fernando Castillo...
SRA. SUÁREZ: Sí, sí, yo le escribí una carta a él.
RAQUEL: Sí. En su carta Ud. le dice que Rosario no murió en la guerra...
SRA. SUÁREZ: Es verdad. Rosario no murió. Gracias a Dios, escapó de esa tragedia, pero ella creía que Fernando había muerto.
RAQUEL: Oh...
SRA. SUÁREZ: Sí. Todo este asunto es muy triste.
RAQUEL: También en su carta, Ud. le dice que Rosario tuvo un hijo.
SRA. SUÁREZ: Sí.
RAQUEL: ¿Y qué nombre le puso?
SRA. SUÁREZ: Ángel... Ángel Castillo.
RAQUEL: ¿Y dónde nació Ángel?
SRA. SUÁREZ: En Sevilla, claro. Es allí donde conocí a Rosario.
RAQUEL: ¿Y dónde vive Rosario ahora?
SRA. SUÁREZ: Después de la guerra se fue a vivir a la Argentina.
RAQUEL: ¿A la Argentina?
SRA.SUAREZ: Sí, sí. Como Ud. sabe, muchos españoles salieron del país después de la guerra.
RAQUEL: ¿Y sabe dónde se estableció Rosario?
SRA. SUÁREZ: Muy cerca de Buenos Aires. La última carta que recibí de ella fue cuando se casó de nuevo.
RAQUEL: ¿Se casó de nuevo?
SRA. SUÁREZ: Pues, sí. Rosario era muy atractiva, muy simpática. Y como ella creía que Fernando había muerto...
RAQUEL: Sí, sí. Lo comprendo. ¿Y con quién se casó?
SRA. SUÁREZ: Con un hacendado, un argentino, llamado Martín Iglesias.
RAQUEL: Martín Iglesias. ¿Y sabe Ud. la dirección?
SRA. SUÁREZ: Sí, un momento.
RAQUEL: ¿Son cartas de Rosario?
SRA. SUÁREZ: Sí. En ellas está la dirección.
RAQUEL (VO): Estancia Santa Susana.
AGENTE: El vuelo sale por la puerta número catorce. Que tenga Ud. bien viaje.
RAQUEL: Muchas gracias.
RAQUEL (VO): Señora, le diré a Rosario que le escriba pronto.
SRA. SUÁREZ (VO): Gracias, Raquel. Que tenga muy buen viaje. Y algo más. Hay algo más en la vida

que el trabajo. Hay que dedicarle tiempo al corazón.

RAQUEL: Voy a preguntar en esa casa a ver si conocen a Ángel Castillo.
ARTURO: Tome asiento ¿Quién la envía?
RAQUEL: Eh, perdone Ud. Mi nombre es Raquel Rodríguez. Soy abogada y vengo de Los Ángeles. Estoy buscando una persona.
ARTURO: ¡Ah! Disculpe. Pensé que era una paciente. Bien. ¿En qué la puedo servir?
RAQUEL: Mire Ud. Mi cliente, un señor de México, me ha enviado a buscar a su primera esposa. Una señora llamada Rosario del Valle de Iglesias. Tengo entendido que su hijo, Ángel Castillo, es médico y vive, o vivía, en esta calle. Perdone que lo haya molestado, pero pensé que, siendo colegas, tal vez Ud. podría conocerlo....
ARTURO: Señorita, Ud. está hablando de mi madre y de mi hermano....
RAQUEL: ¿Su hermano?

ARTURO: Encontré esto entre las cosas de mi madre. Éste es Ángel, a los veinte años.
RAQUEL: Arturo, esto es estupendo. ¡Hay que hacer una copia para don Fernando!
ARTURO: ¡Claro! Además nos va a servir para la búsqueda.
ARTURO: Esa es la calle Caminito. La última vez que vi a mi hermano, fue aquí. Sus amigos vivían por aquí.
RAQUEL: ¿Y si preguntamos en las tiendas?
ARTURO: Empecemos por ahí.
ARTURO: Buenos días.
TENDERA: Buen día.
ARTURO: Estoy buscando a mi hermano, con el cual perdí contacto hace muchos años...
TENDERA: Si es tan buen mozo como Ud., a lo mejor yo lo tengo escondido.
ARTURO: Se llama Ángel Castillo. Tenía amigos en el barrio...
TENDERA: No.
ARTURO: Estamos buscando a una persona que frecuentaba esta zona. Ésta es su fotografía.
PESCADERO: No, no lo conozco.
RAQUEL: Por favor, trate de recordar. Es muy importante.
MARIO: No, al principio me pareció... pero no, no lo conozco.
ARTURO: Bueno, gracias...
MARIO: Nada.
ARTURO: Vamos.
MARIO: ¡Ah! El que puede saber es José.
ARTURO y RAQUEL: ¿José?
MARIO: Sí, José. El fue marinero. Vive acá al lado. Vengan. ¡Doña Flora! ¡¡Doña Floooraaa!!
DOÑA FLORA: ¿Quién es?
MARIO: ¡Mario, doña Flora! ¡Unos señores quieren ver a José!
DOÑA FLORA: ¿A José? ¿Para qué?
MARIO: Son amigos, doña Flora...
DOÑA FLORA: ¿Amigos? ¿Y no lo buscaron en el bar?
MARIO: Pero, doña Flora, a esta hora está trabajando, ¿no?
DOÑA FLORA: Bueno. ¡Entonces, vayan a buscarlo donde trabaja... en el barco.
MARIO: Gracias, doña Flora. Debe estar por allá, pasando el puente.
ARTURO: ¡Buenos días! ¿Alguno de Uds. es José?
MARINERO: ¡¡Josééé!!
JOSÉ: ¿Qué?
MARINERO: ¡Te buscan!
JOSÉ: ¿Quién?
MARINERO: ¡Tu mujer! Ah, ya sabe de tus escapadas, ¿eh? Ja, ja.
JOSÉ: Yo soy José. Sí, señor.
ARTURO: Disculpe la molestia. Mario nos dijo que tal vez Ud. puede conocer a Ángel Castillo, mi hermano.
JOSÉ: ¿Ángel Castillo?
ARTURO: Sí, es mi hermano. Perdimos contacto hace muchos años. Tenía amigos acá. Pintaba. Le gustaban los barcos.
JOSÉ: Lo siento, no lo conozco. ¿Ya hablaron con Héctor?
ARTURO: No, ¿quién es?
HÉCTOR: Acompáñenme a casa... ¿Qué querían? Ángel... Claro que lo recuerdo bien. Era mi amigo.

RAQUEL: ¿Sabe dónde se encuentra?
HÉCTOR: Viajamos mucho juntos. No era un buen marinero, pero lo recomendé igual... era un buen chico. Ángel consiguió trabajo en un barco de carga... creo que iba al Caribe... pero de eso hace muchos años...
RAQUEL: ¿Al Caribe? ¿Está seguro?
VECINO (VO): ¡A ver si dejan dormir!
HÉCTOR: Una vez recibí una carta de él...
DOÑA FLORA (VO): ¡Héctor!
HÉCTOR: ¡Ay!
DOÑA FLORA (VO): ¡Héctor! ¡Desgraciado, yo sé que estás ahí! ¡Mentiroso! ¡Ya sabía! ¿Sabés la hora que es? ¡Salí, atorrante! ¡Siempre lo mismo... Pasando la tarde con los amigotes.
RAQUEL: ¿Y ahora qué hacemos?
ARTURO: No sé. Por lo menos sabemos dónde vive. Podemos venir mañana.
RAQUEL: Tal vez sea lo mejor...
HÉCTOR: Oigan. Este cuadro me lo dio Ángel.
ARTURO: ¿Ud. no sabe dónde podemos encontrar a Ángel?
HÉCTOR: No. Recibí una carta de él... hace años. Ángel se había quedado a vivir en el extranjero... en otro país.
RAQUEL: ¿Se quedó a vivir en el extranjero?
HÉCTOR: Sí... no recuerdo bien qué país era, ¿saben? Creo que era Puerto Rico, pero no estoy seguro. Era un país en el Caribe... no sé si Puerto Rico, pero estoy seguro que era en el Caribe... sí, posiblemente Puerto Rico.
RAQUEL: ¿Y la carta?
HÉCTOR: ¡Claro! ¡La carta! La tengo que buscar.
ARTURO: Es muy importante para mí.
HÉCTOR: Sí, comprendo. Mire, Uds. saben donde encontrarme. Necesito un par de días para buscar la carta.
ARTURO: Bueno. Se lo agradezco muchísimo.
HÉCTOR: No hay de qué. Ángel era mi amigo.
ARTURO: Tome.
HÉCTOR: No, no, no. Es para Ud. Es de su hermano.
ARTURO: Bueno, gracias de nuevo. Buenas noches.
HÉCTOR: Buenas noches. Buenas noches.
DOÑA FLORA (VO): ¡Héctor! ¡Va a venir acá inmediatamente!
HÉCTOR: Muy buenas noches. Buenas noches. Buenas noches. Buenas noches. Shht. La la la...
RAQUEL: Es una buena pintura. Tenía razón cuando decía que Ángel tenía talento.
ARTURO: Sí. Ángel tenía talento. Bueno, es tarde. ¿Querés tomar un café?
RAQUEL: Espero que Héctor encuentre la carta.
ARTURO: ¿Hmm? Sí.
RAQUEL: ¿En qué piensas?
ARTURO: En Ángel. ¿Qué quería de la vida? ¿Qué buscaba?
RAQUEL: ¿Te sientes bien? ¿Qué te pasa?
ARTURO: No te preocupes. No es nada.
RAQUEL: Ya verás. Pronto podrás hablar con tu hermano. Arturo, dime por favor, ¿qué es lo que te pasa?
ARTURO: Me tenés que perdonar, Raquel. Es que...
RAQUEL: ¿Sí?
ARTURO: Tengo un mal presentimiento... ¿Qué pasa si Ángel...?
RAQUEL: Arturo....
ARTURO: Estoy cansado. Vos también estás cansada.
RAQUEL: Voy a llamar un taxi.
ARTURO: No. Yo te llevo. Voy a buscar las llaves...
RAQUEL: ¿De veras te sientes bien?
ARTURO: De veras. No te preocupes.
RAQUEL: Arturo, ¿qué presentimiento tienes?
ARTURO: Es que... por un momento pensé que es posible que Ángel haya muerto.
RAQUEL: Arturo, no tienes motivos para pensar eso.
ARTURO: Sí, ya sé... No tengo motivos....
RAQUEL: Ángel es joven todavía. Apenas pasa de los cincuenta años.
ARTURO: Pero algo me dice que...

RAQUEL: ¿Que qué?
ARTURO: Bueno... es que me siento mal. Me siento... culpable. No hice nada para ir a buscarlo.
RAQUEL: Arturo, ¡tú no tienes la culpa de nada! Yo voy a buscar a Ángel. Ya verás que lo encuentro.
ARTURO: Espero que sea así. Vamos. Te paso a buscar mañana.
RAQUEL: Si voy al Caribe, debería ir de compras.
ARTURO: Bueno. Te paso a buscar y nos vamos de compras.

ARTURO: Está fechada en San Juan de Puerto Rico. Le da las gracias por su recomendación... dice que no es un verdadero marinero... y que sigue pintando... ha viajado por muchos países, Francia, Inglaterra, Alemania y también España, su país de origen. Piensa quedarse a vivir en Puerto Rico. No quiere volver nunca más a la Argentina. Aquí está su dirección.
HÉCTOR: Señorita, ¿está bien el señor?
ARTURO: Otra vez este presentimiento... algo me dice que Ángel ya murió.
RAQUEL: No, Arturo. Ángel es joven todavía.
ARTURO: Ya sé... ¿Sabes? Ángel es el único pariente que tengo. ¿Ya decidiste cuando te vas a ir?
RAQUEL: Debería tomar el primer vuelo... don Fernando está muy mal. Y no puedo tardarme mucho.
ARTURO: Hace unos pocos días que te conozco y parece como si hiciera muchos años.
RAQUEL: Yo siento lo mismo.
ARTURO: Te voy a extrañar.
RAQUEL: Yo también a ti.
ARTURO: Aunque... tal vez...
RAQUEL: ¿Tal vez...?
ARTURO: Tal vez yo podría ir a Puerto Rico y los dos continuar la búsqueda de Ángel.
RAQUEL: ¿Quieres decir que irías a Puerto Rico?
ARTURO: ¿Te gustaría?
RAQUEL: ¡Claro que sí! ¡Mucho! Pero, ¿tú puedes?
ARTURO: Creo que sí.
RAQUEL: ¿Y tu trabajo? ¿tus pacientes?
ARTURO: Bueno, no sería fácil dejar todo. Pero yo quiero ir.

Episodio 26

Reflexiones II (*Reflections II*)

GUIDE: Bienvenidos al Episodio 26 de *Destinos: An Introduction to Spanish*. En este episodio, Raquel sigue reflexionando sobre su investigación. No hay vocabulario nuevo y no hay escenas nuevas. Presten atención mientras miran y escuchan otra vez escenas de episodios previos. Ahora, podrán comprender directamente más de la conversación normal entre los personajes.
ÁNGELA: ¿Por qué todo el mundo se opone a mis relaciones con Jorge?
RAQUEL: Ángela, no es que yo quiera oponerme. Sólo digo que...
ÁNGELA: No me digas más.

RAQUEL: Disculpe.
ESTUDIANTE: Sí.
RAQUEL: Estoy buscando la calle del Sol, número cuatro.
ESTUDIANTE: La calle del Sol, es ésa que está allá enfrente, el número cuatro es a la derecha.
RAQUEL: ¿A la derecha?
ESTUDIANTE: Exacto.
RAQUEL: Gracias.
ESTUDIANTE: De nada.

VECINA: Señorita, ¿a quién busca?
RAQUEL: Buenos días, señora. Busco al Sr. Ángel Castillo.
VECINA: ¿No sabe Ud., señorita? El Sr. Castillo murió.
RAQUEL: ¿Cuándo murió?
VECINA: Hace poco. Es una pena, tan buenos vecinos que eran. Pero el pobre...
RAQUEL: ¿Ángel?
VECINA: Sí, Ángel Castillo... nunca se repuso de la muerte de su esposa.
RAQUEL: ¿Entonces era casado?
VECINA: Sí, su señora era una mujer muy linda. Era escritora. Pero murió ya hace varios años. Los dos están enterrados en el antiguo cementerio de San Juan.
RAQUEL: ¿En el cementerio... ?
VECINA: Sí.

RAQUEL: Buenos días.
PICAPEDRERO: Buenos días.
RAQUEL: Perdone. Busco la tumba de Ángel Castillo.
PICAPEDRERO: Siga Ud. derecho, hacia la capilla, allí, doble hacia la derecha. Tres líneas más, la encontrará.
RAQUEL: Gracias.
ÁNGELA: Perdone. ¿Qué hace Ud. aquí?
RAQUEL: Estoy tomando una foto.
ÁNGELA: ¿De la tumba de mis padres?

ÁNGELA: Quiero que conozcan a la abogada Raquel Rodríguez. Raquel, éstos son mis tíos: Titi Olga...
OLGA: Mucho gusto.
ÁNGELA: ...Tía Carmen...
CARMEN: Mucho gusto.
ÁNGELA: ...Tío Carlos...
CARLOS: Mucho gusto.
RAQUEL: Mucho gusto.
ÁNGELA: ...y Tío Jaime.
JAIME: Mucho gusto.
RAQUEL: Igualmente.
TÍOS: Mucho gusto.
ÁNGELA: Por favor, siéntense.
TÍOS: Sí, gracias.
ÁNGELA: Como les dije por teléfono, Raquel nos trae importantes noticias de México.
OLGA: ¿Puede explicarnos de qué se trata, por favor?

RAQUEL: Sí, cómo no. Deben estar bastante preocupados.
OLGA: El padre de Ángela, que en paz descanse, nunca mencionó nada de su familia.
JAIME: ¿Trae algún documento ?
OLGA: ¿Por qué no vino el Sr.... cómo se llama?
RAQUEL: Fernando Castillo.
OLGA: Sí, este Sr. Castillo. Si es el padre de Ángel, ¿por qué no vino en persona?
ÁNGELA: Si la dejan hablar, ella contestará todas sus preguntas.
RAQUEL: Bueno, es una historia un poco larga...
ÁNGELA: ¿Desean tomar algo? Tengo jugo de parcha.
OLGA: Si la dejas hablar, Ángela, quizás pueda contestarnos nuestras preguntas.
RAQUEL: Si me permiten, todo empezó durante la Guerra Civil española.
RAQUEL: ...y como don Fernando está gravemente enfermo en el hospital, es importante que Ángela vaya a México pronto.
OLGA: Creo que eso va a ser imposible.
ÁNGELA: ¿Por qué?
OLGA: Ángela, no conocemos a esa gente. Puede ser peligroso.
ÁNGELA: ¡Titi Olga, por favor!
OLGA: Me imagino que tu hermano no sabe nada de esto.
ÁNGELA: Llamé a Roberto, pero no estaba en su casa. Nunca está en su casa.
OLGA: No puedes ir a México sola.
ÁNGELA: No te preocupes.
RAQUEL: Si quieren saber algo más...
OLGA: Yo quiero hacerle una pregunta. ¿Por qué Ángel nunca mencionó a su familia?
RAQUEL: Lamentablemente, no sé la respuesta.
JAIME: Ángela, ¿hablaste con tu abuela?
ÁNGELA: Todavía no. La voy a llamar ahora mismo. La opinión de mi abuela es muy importante en esta familia.
DOÑA CARMEN: ¿Sí? Oh, Ángela. ¿Cómo estás, querida? Sí... ¿Cómo dices? ¿A México? Pero Ángela, ¿tienes que ir a México ahora?
ÁNGELA: Sí, abuela. El Sr. Castillo, mi abuelo, está en el hospital. Está muy enfermo.
DOÑA CARMEN: Quiero conocer a esa Srta. Rodríguez.
ÁNGELA: Mañana podemos ir a tu casa.
DOÑA CARMEN: Está bien. Hablamos entonces. Que tengan un buen viaje.
ÁNGELA: Gracias, abuela. Adiós.
DOÑA CARMEN: Un momento, Ángela. Quiero hablar con tus tíos.
ÁNGELA: Sí, abuela. Mañana voy a su casa.
CARLOS: Bien.
ÁNGELA: Quiere hablar con Uds.
OLGA: Dámela. Yo quiero hablar primero. Gracias. Mamá.
ÁNGELA: ¡Ay! Esa Olga. ¿Viste? La Inquisición española.
RAQUEL: Bueno, Ángela, es que están muy preocupados. ¿Y tu abuela?
ÁNGELA: No te preocupes. Ella entiende la situación.
RAQUEL: Porque Ángel era su yerno favorito, ¿verdad?
ÁNGELA: Exacto. Mi abuela quiere conocerte. ¿Puedes ir conmigo mañana a visitarla?
RAQUEL: Si es necesario para que tú puedas ir a México. ¿Vive cerca de San Juan?
ÁNGELA: No, vive en el suroeste de la isla. Mira. Allí es, San Germán.

ÁNGELA: Bueno, ya hemos llegado.
RAQUEL: La casa es muy bonita. Ahora podremos hablar con tu abuela acerca de ese viaje a México.
LAURA: ¿Y yo las puedo acompañar a México?
ÁNGELA: Cuando estés más grande, Laurita. Por ahora, lo más lejos que puedes viajar conmigo es aquí a San Germán.
ÁNGELA: ¿Abuela? Abuela, ya llegamos.
DOLORES: Hola.
ÁNGELA: ¡Dolores! ¿Cómo estás?
DOLORES: Bien.
ÁNGELA: Quiero presentarte a Raquel Rodríguez. Dolores Acevedo.
DOLORES: Mucho gusto.
RAQUEL: El gusto es mío.
ÁNGELA: ¿Y la abuela?

DOLORES: Fue a la iglesia. Debe estar por llegar.
ÁNGELA: Vamos a buscarla entonces.
DOÑA CARMEN: En el nombre del Padre, del Hijo y del Espíritu Santo. Amén. Señor, ayúdanos en este momento. Ayuda a mi nieta para que pueda comprender a su padre…
DOÑA CARMEN (VO): Padre Nuestro que estás en los cielos, sanctificado sea tu nombre. Vénganos en tu reino. Hágase tu voluntad así en la tierra como en el cielo.
ÁNGELA: Ay, abuela. ¿Cómo estás? Te he extrañado mucho.
DOÑA CARMEN: ¿Por qué no vienes más a menudo a San Germán entonces?
ÁNGELA: Sabes que tengo mucho trabajo.
DOÑA CARMEN: ¿Trabajo? ¡Qué va! Yo sé que tu tiempo lo pasas con Jorge.
ÁNGELA: ¡Ay, abuela! ¡No vas a comenzar con eso ahora!
DOÑA CARMEN: Verás si lo que digo de Jorge no es verdad.
ÁNGELA: Quiero presentarte a Raquel.
DOÑA CARMEN: Ay, mucho gusto. La estaba esperando.
RAQUEL: Yo también tenía muchos deseos de conocerla.
DOÑA CARMEN: Pues bienvenida a San Germán.
ÁNGELA: Vamos caminando. Tenemos mucho de que hablar.
DOÑA CARMEN: Ay, gracias. Ay, Ángela, ¿Laura comió?
ÁNGELA: Por supuesto.
DOÑA CARMEN: Siempre tiene hambre esa chica.
ÁNGELA: ¡Laura!

ÁNGELA: ¡Ay! Me gusta mucho venir a esta casa.
RAQUEL: ¿Te gustaría vivir aquí?
ÁNGELA: Yo estudié en este pueblo. En San Germán hay una universidad.
RAQUEL: ¿Y por qué no estudiaste en San Juan?
ÁNGELA: Al principio, porque prefería el pueblo. Después, mi mamá se enfermó y yo me quedé con mi abuela a cuidarla.
DOÑA CARMEN: El padre de Ángela venía todos los fines de semana… hasta que murió mi hija. Luego dejó de venir.
ÁNGELA: Fue una época muy triste.
DOÑA CARMEN: ¿Sabes, Ángela? Tú y tu hermano nunca limpiaron el cuarto de tu padre.
ÁNGELA: Ay, lo sé, abuela, pero está tan desordenado.
DOÑA CARMEN: Pues, allí habrá cosas de tu padre.
RAQUEL: ¿Quieres mirar?
ÁNGELA: ¿Tú quieres?
RAQUEL: Quizá haya algo importante.
ÁNGELA: Posiblemente. Pero vamos, que es tarde.
RAQUEL: Pues, vamos.
ÁNGELA: Éste era el baúl de mi padre.
RAQUEL: ¿Qué es eso?
ÁNGELA: Son unas hojas. Es la letra de mi padre. *Recuerdos.*
ÁNGELA (VO): Mi madre me contaba de los horrores de la Guerra Civil. Mi padre murió… y yo nunca lo conocí. Estos son recuerdos de mi dura infancia. El mar. La primera vez que vi el mar fue en ruta a la Argentina. Éste es mi hermano, Arturo, o por lo menos el recuerdo de él. Nos llevábamos como perros y gatos. Me gustaría verlo otra vez. Pero es imposible. Es muy tarde. Mi madre, ¡cuánto la extraño! A veces siento su presencia. Éstos son mis amigos del puerto, los primeros en decirme que me dedicara a la pintura. Mi esposa, María Luisa. Recuerdo de ella su ternura, su voz, sus ojos y su hermoso pelo negro. Mis hijos. Ahora lo más importante de mi vida, Ángela y Roberto. El mar. Mi inspiración… y mi destino final.
RAQUEL: Ángela. Ángela, no llores.
ÁNGELA: Raquel. No comprendo. Estas cosas que mi padre nunca me contó... ¿Por qué?...
RAQUEL: Ángela. Tienes que entender que la juventud de tu padre fue muy difícil. Dejar su tierra natal. No tener padre. Romper con su familia. Era un pasado que él quería olvidar.
ÁNGELA: Eso sí lo entiendo. Pero, ¿por qué nunca confió en nosotros?
RAQUEL: Eso no lo sé. Debemos llevar esto a México para mostrárselo a don Fernando, ¿no crees? También se lo podemos mostrar a Arturo. Le gustará verlo.
DOÑA CARMEN: Un día tu padre vino con esta caja de madera. Recuerdo sus palabras: «Doña Carmen, le entrego esto. Consérvelo con especial cuidado. Esto perteneció a mi madre y es el único recuerdo que tengo de ella. Quiero que se lo entregue a mis hijos cuando Ud. crea que es el

momento apropiado».
ÁNGELA: Es una copa.
DOÑA CARMEN: Una copa de bodas. El día de su boda, Rosario brindó con esta copa. Ahora, te pertenece a ti.
ÁNGELA: Gracias, abuela.
DOÑA CARMEN: Que tengan buen viaje. Saludos a todos por allá.
ÁNGELA: Sí.
RAQUEL: Gracias por todo.
DOÑA CARMEN: Gracias a Ud., por todo lo que ha hecho por la familia de Ángel.

JORGE: ¿Y salen mañana para México?
RAQUEL: Sí, mañana. ¿Y Ud. estudió aquí en la Universidad?
JORGE: Me puedes tutear. El tuteo es más íntimo, ¿no?
RAQUEL: Nunca he visto un «Oscar» de cerca. ¿Quién lo ganó?
JORGE: José Ferrer. Por su actuación en la película «Cyrano de Bergerac».
RAQUEL: ¿Y es difícil ser actor en Puerto Rico?
JORGE: Es difícil en cualquier parte del mundo. Y dime algo de ti. ¿Estás casada?
RAQUEL: No. ¿Y tú viajas con frecuencia a Nueva York?
JORGE: Sí. En Nueva York tengo... bueno... tengo más oportunidades que aquí en Puerto Rico.
RAQUEL: Sí. Me imagino.
JORGE: Bueno. Estoy seguro de que Ángela te habrá hablado mucho de mí. ¿Qué más quieres saber?
RAQUEL: Gracias, Jorge. Pero creo que ya sé lo suficiente por ahora.
JORGE: Pero no te parece que...
ÁNGELA: Bueno, ¿qué te parece Jorge? ¿Te está tratando bien?
RAQUEL: Sí, Ángela. Tu novio es... un encanto.
ÁNGELA: ¿Quieres ver un poco la universidad antes de volver?
RAQUEL: Sí, cómo no.
ÁNGELA: Jorge, ¿por qué no la llevamos a ver la colección de Oller?
JORGE: Llévala tú, amor. Acabo de recordar que un estudiante quería verme en la oficina. Las busco luego.
ÁNGELA: Pero, ¿no quieres a acompañarnos a Río Piedras?
JORGE: No puedo. Vayan Uds. Las buscaré más tarde. Hasta luego.
ÁNGELA: ¡Qué raro! Hace un momento quería acompañarnos y luego... ¡se evapora!
RAQUEL: Sí, es muy raro.

ÁNGELA: Tengo un plan.
RAQUEL: ¿Cuál es?
ÁNGELA: Cuando venda mi casa, voy a darle a Jorge una parte del dinero. Así podrá abrir su teatro.
RAQUEL: Pues...
ÁNGELA: Yo podría trabajar allí también.
RAQUEL: Pero tú ya trabajas en un banco.
ÁNGELA: Trabajaría en el teatro de noche.
RAQUEL: Has pensado en todo.
ÁNGELA: Ahora tengo que convencer a Jorge.
RAQUEL: Ángela, ¿no crees que es mejor que él mismo compre el cine?
ÁNGELA: Hablas como mi abuela.
RAQUEL: Bueno, tu abuela tiene mucha experiencia. Ha vivido muchos años.
ÁNGELA: ¿Y qué? ¿Por qué todo el mundo se opone a mis relaciones con Jorge?
RAQUEL: Ángela, no es que yo quiera oponerme. Sólo digo que...
ÁNGELA: No me digas más. ¿Por qué no te gusta Jorge a ti?
RAQUEL: Ángela, no te enfades conmigo. ¡No he dicho nada!
ÁNGELA: Pues, dime entonces por qué te opones a eso del teatro.
RAQUEL: ¡Basta con eso de oponerme! No te pongas tan defensiva. Mira, si quieres que te diga la verdad...
ÁNGELA: ¡Ajá¡ Lo sabía. Igual que mi abuela.
RAQUEL: ¡Olvídalo! Mi madre tiene razón. No me deben importar los asuntos de otros.
JORGE: ¿Pasa algo?
ÁNGELA: Vámonos, Jorge. Hay muchas cosas que hacer. Hasta luego Raquel. Te llamo más tarde.
RAQUEL: Ángela...
ÁNGELA: Hablaremos más tarde, Raquel.

JAIME: Srta. Rodríguez... ¿Srta. Rodríguez? ¿Está bien?

RAQUEL: Sí, Jaime... Gracias. Ángela, voy a hacer una llamada a México para decirles que no vamos directamente al hospital a ver a don Fernando.

JORGE: ¡Ángela! Si no salimos para el aeropuerto ahora, no vamos a llegar a tiempo.

RAQUEL: Tiene razón. Se hace tarde. Trataré de llamar desde al aeropuerto y si no, llamaré tan pronto como lleguemos a México.

ÁNGELA: No sé que haré si pierdo a mi hermano.

Episodio 27

El rescate (*The Rescue*)

GUIDE: Bienvenidos al Episodio 27 de *Destinos*. En este episodio, vamos a repasar un poco la historia del largo viaje de Raquel Rodríguez.
RAQUEL: ¡Jaime!
RAQUEL: ¡Arturo, eso es estupendo!
GUIDE: Pero también vamos a ver algunas escenas nuevas. Es importante prestar atención a la acción y a los personajes y tratar de comprender todo lo que se pueda.
ÁNGELA: ¿Es cierto que hay hombres atrapados?
GUARDIA: No lo sé señorita. En el hospital le pueden dar toda la información.
GUIDE: ¿Quiénes son estas dos mujeres? ¿Adónde van? Una de las mujeres es Raquel Rodríguez, una abogada de Los Ángeles, California. La otra se llama Ángela Castillo Soto y es de San Juan, Puerto Rico. Fue en un cementerio en San Juan en donde las dos mujeres se conocieron. ¿Dónde comenzó esta historia? ¿Con quién comenzó? Hace tiempo, este señor, Fernando Castillo Saavedra, recibió una carta de una mujer española, Teresa Suárez. En la carta Teresa Suárez le hablaba del pasado, un pasado del que don Fernando quería olvidarse.
DON FERNANDO: «Tengo noticias de que su hijo ha recorrido muchos países. Si Ud. está interesado en alguna noticia de él.»
GUIDE: La familia Castillo contrató a Raquel como investigadora del caso. ¿Quién era esta Sra. Suárez? ¿Sería posible lo que decía ella en la carta?
PEDRO: Gracias, Raquel. Esto es muy importante para mí.
RAQUEL: No hay de qué.
GUIDE: La investigación de Raquel la llevó primero a España, a la ciudad de Sevilla. Mientras buscaba a Teresa Suárez, Raquel conoció a uno de sus hijos y a su familia. Ellos le dijeron que la Sra. Suárez ya no vivía en Sevilla, que vivía en Madrid, la capital de España.
MIGUEL: ¿Quieres que te llame por teléfono?
SRA. SUÁREZ: Dile que me visite a Madrid.
MIGUEL: ¿A Madrid? Pero mamá...
SRA. SUÁREZ: Nada de peros. Dile a esa señorita que vaya a verme a Madrid.
GUIDE: En Madrid, la Sra. Suárez recibió a Raquel en su casa y le contó todo lo que sabía de Rosario.
RAQUEL: ...Castillo...
SRA. SUÁREZ: Sí, sí, yo le escribí una carta a él.
RAQUEL: Sí. En su carta Ud. le dice que Rosario no murió en la guerra.
SRA. SUÁREZ: Es verdad. Rosario no murió. Gracias a Dios, escapó de esa tragedia, pero ella creía que Fernando había muerto.
RAQUEL: Oh...
SRA. SUÁREZ: Sí. Todo este asunto es muy triste.
RAQUEL: También en su carta, Ud. le dice que Rosario tuvo un hijo.
SRA. SUÁREZ: Sí.
RAQUEL: ¿Y qué nombre le puso?
SRA. SUÁREZ: Ángel... Ángel Castillo.
RAQUEL: ¿Y dónde nació Ángel?
SRA. SUÁREZ: En Sevilla, claro. Es allí donde conocí a Rosario.
RAQUEL: ¿Y dónde vive Rosario ahora?
SRA. SUÁREZ: Después de la guerra se fue a vivir a la Argentina.
RAQUEL: ¿A la Argentina?
SRA. SUÁREZ: Sí, sí. Como Ud. sabe, muchos españoles salieron del país después de la guerra.
RAQUEL: ¿Y sabe dónde se estableció Rosario?
SRA. SUÁREZ: Muy cerca de Buenos Aires. La última carta que recibí de ella fue cuando se casó de nuevo.
RAQUEL: ¿Se casó de nuevo?
SRA. SUÁREZ: Pues, sí. Rosario era muy atractiva, muy simpática. Y como ella creía que Fernando había muerto...
RAQUEL: Sí, sí. Lo comprendo. ¿Y con quién se casó?
SRA. SUÁREZ: Con un hacendado, un argentino, llamado Martín Iglesias.
RAQUEL: Martín Iglesias. ¿Y sabe Ud. la dirección?
SRA. SUÁREZ: Sí, un momento.
GUIDE: Con la nueva información sobre Rosario, Raquel se fue a Buenos Aires. Pero Rosario ya no

vivía donde Teresa Suárez creía... y la búsqueda de Rosario llevó a Raquel a esta casa. ¿A quién conoció aquí?
ARTURO: Bien. ¿En qué la puedo servir?
RAQUEL: Mire Ud. Mi cliente, un señor de México, me ha enviado a buscar a su primera esposa. Una señora llamada Rosario del Valle de Iglesias. Tengo entendido que su hijo, Ángel Castillo, es médico y vive, o vivía, en esta calle. Perdone que lo haya molestado, pero pensé que, siendo colegas, tal vez Ud. podría conocerlo.
ARTURO: Señorita, Ud. está hablando de mi madre y de mi hermano.
RAQUEL: ¿Su hermano?
ARTURO: Sí, Ángel. Bueno, quiero decir el... mi medio hermano. Lleva el apellido de su padre, pero el primer esposo de mi madre murió. Debe haber un error... él murió en la Guerra Civil española. Este señor de México...
GUIDE: Con la ayuda de Arturo, Raquel investigó el paradero de Ángel Castillo, hijo de don Fernando y Rosario.
TENDERA: ...mozo como Ud., a lo mejor yo lo tengo escondido.
ARTURO: Se llama Ángel Castillo.
MARIO: ¡Ah! El que puede saber es José.
MARINERO: ¡¡Joséééé!!
ARTURO: ...Ud. puede conocer a Ángel Castillo, mi hermano.
JOSÉ: ¿Ya hablaron con Héctor?
ARTURO: No, ¿quién es?
GUIDE: Por la carta que tenía un marinero, Raquel supo que Ángel vivía en Puerto Rico.
ARTURO: Gracias.
GUIDE: Ahora Raquel tenía que hacer otro viaje.
ARTURO: Está fechada en San Juan de Puerto Rico.
GUIDE: Pero, mientras Raquel estaba en Buenos Aires, le sucedió algo inesperado.
ARTURO: ...y que esta persona, esta mujer, sea parte importante de mi vida y que yo sea parte importante de su vida también.
GUIDE: ¿Qué siente Raquel por Arturo? ¿Qué piensa ella de su declaración?
RAQUEL: Ésta es una noche realmente inolvidable...
ARTURO: Sí.
RAQUEL: ...y tú también eres ya una persona inolvidable para mí.
ARTURO: Raquel,... yo...
RAQUEL: Por favor, déjame terminar. Lo que quiero decir, es que... no es fácil decir estas cosas. Todo ha sido tan... tan rápido... necesito tiempo para pensar. Ja, ja, ja.
ARTURO: ¿Estás contena?
RAQUEL: Muchísimo, ¿y tú?
ARTURO (VO): Yo también. ¿Qué pasa si Ángel...?
RAQUEL (VO): Arturo, ¡tú no tienes la culpa de nada! Yo voy a buscar a Ángel. Ya verás que lo encuentro.
GUIDE: Raquel llegó a San Juan con grandes esperanzas. Le prometió a Arturo que encontraría a Ángel. Y también quería terminar pronto la investigación para don Fernando. Pero cuando llegó a la casa de Ángel, no contestó nadie.
VECINA: Señorita, ¿a quién busca?
RAQUEL: Buenos días, señora. Busco al Sr. Ángel Castillo.
VECINA: ¿No sabe Ud. señorita? El Sr. Castillo murió.
RAQUEL: ¿Cuándo murió?
VECINA: Hace poco. Es una pena, tan buenos vecinos que eran. Pero el pobre...
RAQUEL: ¿Ángel?
VECINA: Sí, Ángel Castillo... nunca se repuso de la muerte de su esposa.
RAQUEL: ¿Entonces era casado?
VECINA: Sí, su señora era una mujer muy linda. Era escritora. Pero murió ya hace varios años. Los dos están enterrados en el antiguo cementerio de San Juan.
RAQUEL: Muchas gracias, señora.
VECINA: Por favor, señorita. ¿Quién es Ud.?
RAQUEL: Una amiga de la familia.
RAQUEL: Buenos días.
GUIDE: Fue en el cementerio del Viejo San Juan donde Raquel conoció a Ángela.
ÁNGELA: Perdone. ¿Qué hace Ud. aquí?
RAQUEL: Estoy tomando una foto.

ÁNGELA: ¿De la tumba de mis padres?
GUIDE: Raquel le explicó a Ángela por qué sacaba una foto de la tumba de su padre y por qué estaba en Puerto Rico.
ÁNGELA: ¡No lo puedo creer! ¿Tengo un abuelo que vive en México?
RAQUEL: Así es, Ud. tiene un abuelo que vive en México.
ÁNGELA: ¿Y mi abuelo creía que Rosario había muerto? ... Sí. Mamá escribió cuentos para niños. Entra.
RAQUEL: Gracias.
GUIDE: En la casa de Ángela, Raquel supo que Ángela tenía un hermano, Roberto. Entonces, la investigación de Raquel ha revelado que aunque Rosario y su hijo Ángel habían muerto, don Fernando tenía dos nietos que no conocía.
RAQUEL: ¿Su hermano?
GUIDE: Pero Roberto no vive en San Juan. Es estudiante de arqueología y ahora está en México trabajando en una excavación. ¿Dónde están ahora Raquel y Ángela? ¿Y adónde van? Es hora de saber, ¿no? Raquel y Ángela salieron de San Juan en un vuelo internacional. Su destino era México, uno de los países más grandes de la América Latina y vecino de los Estados Unidos. El vuelo de Puerto Rico a México duró dos horas. Llegaron a la Ciudad de México, capital del país. Pero en la Ciudad de México, alquilaron un carro y ahora van a un pequeño pueblo. En este pueblo, esperan encontrar a Roberto, el hermano de Ángela.
ÁNGELA: Roberto siempre quiso venir a México. Se pasaba los días y las noches estudiando las civilizaciones prehispánicas.
RAQUEL: Roberto y tú son muy unidos, ¿verdad? En Puerto Rico decías siempre que tu hermano era un encanto.
ÁNGELA: La verdad es que, pues, desde que se vino para México, nos hemos alejado un poco.
RAQUEL: Comprendo, con la distancia...
ÁNGELA: No, no es por eso. Es que... bueno, yo nunca le he dicho esto a nadie, Raquel... y... pues, la verdad es que siempre le he tenido un poco de envidia a Roberto.
RAQUEL: ¿Envidia? Pero si hablas maravillas de él...
ÁNGELA: Lo sé, pero desde que éramos pequeños, Roberto siempre ha sido más inteligente que yo, más estudioso, más responsable. Mis padres siempre decían que yo era impetuosa. Roberto era un hijo modelo.
RAQUEL: Pero parece que tus padres les querían igual...
ÁNGELA: Posiblemente fuera así.
RAQUEL: Ángela, no debes sentirte así. Verás que tu hermano está bien. Pronto podrás hablar con él.
GUARDIA: Ha habido un accidente. No se puede pasar.
RAQUEL: Ay, por favor, señor. El hermano de ella estaba en la excavación... No sabemos lo que le ha pasado.
GUARDIA: En ese caso deben ir al pueblo. Por allá, a no más de quince minutos. En el hospital, le dan información a todos los familiares.
ÁNGELA: ¿Es cierto que hay hombres atrapados?
GUARDIA: No lo sé, señorita. En el hospital le pueden dar toda la información.
ÁNGELA: Buenos días, ¿sabe Ud. algo de los trabajadores de la excavación? Mi hermano estaba allí.
RECEPCIONISTA: ¿Y su nombre, por favor?
ÁNGELA: Roberto Castillo Soto. Es un estudiante de Puerto Rico.
RECEPCIONISTA: Castillo Soto, vamos a ver... No, aquí no está. No lo han traído al hospital.
ÁNGELA: ¿Y es cierto que algunos hombres están atrapados? ¿Vivos?
RECEPCIONISTA: Creemos que sí...
RAQUEL: Pero dígame, por favor, ¿sabe dónde se encuentran los que no resultaron heridos?
RECEPCIONISTA: Todos han pasado por el hospital, para ser observados. Algunos ya se fueron a sus casas, pero todos están en la lista. No hay ningún Castillo Soto. Mire Ud. misma.
ÁNGELA: ¡Mira! Aquí hay un R. Castilla.
RAQUEL: ¡Sí! ¡Puede ser un error! ¡Puede ser Roberto Castillo! ¡Señorita, aquí hay un R. Castilla! ¿No será Roberto Castillo?
PADRE RODRIGO: Disculpen, pero yo sé que ése es Rodrigo Castilla. Lo conozco bien, vive aquí cerca.
RAQUEL: ¿Ha estado Ud. en la excavación?
PADRE RODRIGO: Sí, señorita. Aquí hacemos lo que podemos para ayudar. ¿Tiene Ud. algún familiar allí?
ÁNGELA: Sí, mi hermano... es un estudiante... de Puerto Rico. Se llama Roberto Castillo Soto, ¿lo ha visto? Es como de este tamaño, blanco, de pelo castaño corto...

PADRE RODRIGO: No. No lo recuerdo. Lo siento.
ÁNGELA: Entonces, ¿podría estar entre los hombres atrapados?
PADRE RODRIGO: Puede ser, pero no sabemos quiénes son. Están excavando para sacarlos.
GUIDE: Mientras tanto, Arturo llega a la Ciudad de México desde Buenos Aires. No sabe nada del accidente en la excavación, y espera conocer a sus sobrinos, Ángela y Roberto. Y también espera ver a Raquel de nuevo.
RECEPCIONISTA: Buenas noches.
ARTURO: Buenas noches.
RECEPCIONISTA: ¿Se va a registrar?
ARTURO: Sí, señor.
RECEPCIONISTA: Aquí tiene.
ARTURO: Gracias. La Srta. Raquel Rodríguez, ¿se ha registrado?
RECEPCIONISTA: Rodríguez... no... a ver... Sí, hay una reservación... pero ella no se ha presentado.
ARTURO: ¡Qué raro! ¿Me permite el teléfono?
RECEPCIONISTA: Por supuesto, aquí tiene.
ARTURO: Gracias.
RECEPCIONISTA: Marque el número nueve para conseguir línea.
EL AMA DE CASA (VO): ¿Bueno?
ARTURO: Hola. ¿Con la casa de Pedro Castillo?
EL AMA DE CASA (VO): Don Pedro no se encuentra ahorita. ¿Con quién hablo, por favor?
ARTURO: Mi nombre es Arturo Iglesias y vengo de la Argentina. ¿Le puedo dar un mensaje?
EL AMA DE CASA (VO): Sí, señor. Cómo no.
RAQUEL: ¡Bueno! ¡Ahora el teléfono del hotel está ocupado! Tu Tío Arturo debe estar muy preocupado. ¡Ojalá pueda comunicarse con Pedro!
ARTURO: Sí, el Hotel de La Gran Cuidad de México. Que me llame en cuanto pueda. Gracias. Buenas noches.
RAQUEL: ¡Qué mala suerte! Llamo y llamo y ¿qué? O no hay conexión o la linea está ocupada. Bueno. ¡Qué día tuvimos hoy! Primero, Ángela y yo llegamos a la Ciudad de México. Estábamos cansadas. Pero también estábamos muy preocupadas. Aunque estábamos cansadas, teníamos que venir a este pueblo. Teníamos que buscar a Roberto, el hermano de Ángela. Durante el viaje en carro, hablamos un poco de una persona. ¿De quién hablamos? ¿De Roberto o de Arturo?
ÁNGELA: Roberto siempre quiso venir a México. Se pasaba los días y las noches estudiando las civilizaciones prehispánicas.
RAQUEL: Roberto y tú son muy unidos, ¿verdad? En Puerto Rico decías que tu hermano era un encanto.
RAQUEL: Mientras manejábamos, hablamos de Roberto. Ángela me decía que ella y su hermano se llevaban muy bien. Pero también me confesó que le tenía un poco de envidia a Roberto. ¿Por qué le tenía Ángela envidia a Roberto?
RAQUEL (VO): ¿Le tenía Ángela envidia a Roberto porque sentía que él era más inteligente que ella, y más responsable? ¿O le tenía envidia porque él dependía demasiado de ella?
ÁNGELA: La verdad es que siempre le he tenido un poco de envidia a Roberto.
RAQUEL: ¿Envidia? Pero si hablas maravillas de él...
ÁNGELA: Lo sé, pero desde que éramos pequeños, Roberto siempre ha sido más inteligente que yo, más estudioso, más responsable.
RAQUEL (VO): Ángela le tenía envidia a Roberto porque sentía que él era más inteligente y responsable que ella.
RAQUEL: Pobre Ángela. Ahora se siente un poco culpable. Bueno, por fin llegamos al sitio de la excavación, ¿y qué pasó?
RAQUEL (VO): El camino estaba bloqueado y no podíamos pasar. Entonces, vinimos aquí al hospital.

RAQUEL: Le preguntamos a la recepcionista si estaba Roberto Castillo, y ella nos dijo que no. Entonces, Ángela empezó a mirar la lista de nombres y ¿qué encontró? Encontró el nombre R. Castilla. Por un momento, tuvimos esperanzas. Pensamos que era un error, que debía ser R. Castillo. Pronto supimos que no. R. Castilla era Rodrigo Castilla.

RAQUEL: ¡Señorita!, aquí hay un R. Castilla. ¿No será Roberto Castillo?

PADRE RODRIGO: Disculpen, pero yo sé que ése es Rodrigo Castilla. Lo conozco bien, vive aquí cerca.

RAQUEL: ¡Qué lástima! Pobre Ángela está desesperada. Y ahora estamos aquí. Quiero hablar con Arturo porque estará esperándonos en el hotel y no sabe nada del accidente. Pero no he podido comunicarme con él.

ÁNGELA: ¡Raquel! ¡Algo está pasando afuera! ¡Hay movimiento! ¿Vamos?

RAQUEL: ¡Sí! ¡Vamos!

Episodio 28

Atrapados (*Trapped*)

GUARDIA: Gracias.
GUIDE: Bienvenidos al Episodio 28 de *Destinos.* En este episodio, Ángela y Raquel todavía están en el sitio de la excavación, esperando que pronto Roberto sea rescatado. También hay noticias de don Fernando.
JULIO: Su estado es muy delicado. Es necesario consultar con a un especialista.
GUIDE: En este episodio vamos a aprender vocabulario relacionado con el cuerpo humano.
MARICARMEN: Dos ojos, una nariz…
CARLOS: Simón dice «Toca la boca».
JULIO: Ahora las orejas. A ver, dame la mano. A ver los brazos. Con las piernas es importante hacer este movimiento. Voy a poner este aparato en tu pecho. Ahora quiero ver tu respiración. Voy a escuchar por tu espalda.
GUIDE: También vamos a aprender un poco sobre la geografía de México.
PADRE RODRIGO: Ángela, lo que temíamos es cierto…
GUIDE: En el episodio previo, Raquel y Ángela llegaron a México y alquilaron un carro para ir a buscar a Roberto, el hermano de Ángela. Roberto es estudiante de arqueología y hubo un accidente en la excavación donde él trabajaba. Mientras Raquel manejaba, Ángela hablaba de su hermano, de lo estudioso que era y también de su relación con él.
RAQUEL: Roberto y tú son muy unidos, ¿verdad? En Puerto Rico decías siempre que tu hermano era un encanto.
GUIDE: Cuando llegaron al sitio de la excavación, no pudieron pasar. El guardia les dijo que podían pedir información en el hospital del pueblo.
GUARDIA: Ha habido un accidente. No se puede pasar.
RAQUEL: Ay, por favor, señor. El hermano de ella estaba en la excavación. No sabemos lo que le ha pasado.
GUARDIA: En ese caso deben ir al pueblo. Por allá, a no más de quince minutos. En el hospital, le dan información a todos los familiares.
GUIDE: Mientras Raquel y Ángela buscaban a Roberto, Arturo llegó al hotel en la Ciudad de México. Allí preguntó por Raquel.
ARTURO: La Srta. Raquel Rodríguez, ¿se ha registrado?
RECEPCIONISTA: Rodríguez... no... a ver... Sí, hay una reservación... pero ella no se ha presentado.
ARTURO: ¡Qué raro! ¿Me permite el teléfono?
RECEPCIONISTA: Por supuesto. Marque el número nueve para conseguir línea.
GUIDE: Arturo estaba un poco perplejo. ¿Por qué no estaba Raquel en el hotel?
RAQUEL: ¡Bueno! ¡Ahora el teléfono del hotel está ocupado!
GUIDE: Raquel intentó varias veces comunicarse con Arturo por teléfono. Pero no pudo.
ÁNGELA: ¡Raquel! ¡Algo está pasando afuera! ¡Hay movimiento!... ¡Vamos!
RAQUEL: ¡Sí! ¡Vamos!
GUIDE: México es un país de grandes contrastes geográficos y climáticos. Está situado al sur de los Estados Unidos, con el Océano Pacífico al oeste y el Golfo de México al este. En la parte central hay tres cordilleras: la Sierra Madre Occidental, la Sierra Madre Oriental y la más pequeña, la Sierra Madre del Sur. Son montañas altas y rocosas y en algunas partes hay volcanes activos. Al norte, en la alta meseta de las montañas, se encuentra una gran zona árida. Es el desierto de México. La península de Yucatán está situada al este. Aquí, en Yucatán, el terreno es llano, no montañoso, y parte de la península está cubierta de una densa vegetación. El centro-sur del país es una alta meseta y aquí se encuentra México, Distrito Federal y capital del país. Otras ciudades importantes son Veracruz, en la costa del Golfo de México, Monterrey, en el norte del país, y Guadalajara, al oeste de la Ciudad de México. Pero el centro político y cultural del país es México. México no es solamente la ciudad más grande del país, sino también la más grande del mundo. Y aquí, en esta gran ciudad, en este metrópoli de tantas personas, se encuentra esta clínica. Y en la clínica hay un hombre gravemente enfermo.
JULIO: Su estado es muy delicado. Es necesario consultar a un especialista.
PEDRO: ¿Ud. recomienda a alguien en particular?
JULIO: Conozco al mejor especialista en México, pero está de viaje. Está dando una serie de conferencias en Europa. No regresa hasta el fin de mes.
MERCEDES: ¿Y podemos esperar hasta entonces?
JULIO: No. Recomiendo que lo examine un especialista lo antes posible.

RAMÓN: ¿Y no hay otro, doctor? Uno que sea de confianza.
JULIO: También conozco a otro, muy bueno, que radica en la ciudad de Guadalajara. Tiene una clínica muy bien equipada en la Universidad de Guadalajara.
MERCEDES: ¿En Guadalajara?... ¿Y aceptará venir a México?
JULIO: Eso no lo sé.
GUIDE: Ésta es la casa de Ramón Castillo en la Ciudad de México. En este momento se encuentran varios miembros de la familia Castillo en su casa.
CARLOS: Simón dice «Toca el pelo». Simón dice «Toca los ojos». Simón dice «Toca la nariz». Simón dice «Toca la cabeza». Simón dice «Toca las orejas». Simón dice «Toca los ojos». Simón dice «Toca la nariz». Simón dice «Toca la boca». Simón dice «Toca el pelo». Ahora Simón dice «Toca la oreja». Simón dice «Toca los ojos». Toca la oreja. ¡Ajá, Maricarmen!
JUANITA: Yo no me toqué las orejas, Papá.
CARLOS: Sí, mi amor. Ya sé que no. Ja, ja.
PATI: ¡Hola! ¿A qué están jugando?
CARLOS: A «Simón dice». ¡Y voy ganando!
JUANITA: ¡No! ¡Yo!
CARLOS: ¡Los dos van ganando! Es un juego norteamericano. Lo aprendieron en Miami.
PATI: ¡Qué bien! ¿Puedo jugar yo también?
CARLOS: ¿Qué les parece? ¿Quieren competencia?
JUANITA: ¡Sí, sí! ¡Acércate! ¡Tú también, Tío Juan!
JUAN: Bien,... yo contesto.
CARLOS: ¿Listos?
PATI: Sí.
CARLOS: Simón dice «Toca la mano». Simón dice «Toca el brazo». Simón dice «Toca las piernas». Simón dice «Toca el pecho». Simón dice «Toca el pie». Simón dice «Toca el brazo». Simón dice «Toca el pecho». Simón dice «Toca la mano». ¡Toca la pierna! Ajá. Sigue. Simón dice «Toca el pecho». Simón dice «Toca el brazo». Simón dice «Toca la mano». Simón dice «Toca el pie». Simón dice «Toca la pierna». Toca el pecho. Ajá, ja, ja. Sí. Sí. Vamos.
PATI: Nos perdimos las dos.
CARLOS: Vamos, ¿eh? Ahora es más difícil. Simón dice «Toca el pelo». Simón dice «Toca los ojos». Simón dice «Toca la mano». Toca el pecho. Simón dice «Toca el pie». Simón dice «Toca la pierna». Simón dice «Toca el brazo ». Simón dice «Toca el pelo». Simón dice «Toca la cabeza». Simón dice «Toca las orejas». Simón dice «Toca el pecho». Toca el brazo. Toca la mano.
TODOS: Ja, ja, ja, ja .
CARLOS: ¿Qué hubo? ¿Qué pasó?
JUAN: Era Ramón. Dice que hay que llamar a un especialista para Papá.
CARLOS: ¿Un especialista?...
JUAN: Sí, parece que el doctor necesita una segunda opinión y hay un especialista muy bueno en Guadalajara.
CARLOS: Pensaba ir al hospital a visitar a Papá. Allí podremos hablar con Mercedes de esto.
JUAN: Bien. Entonces, vamos.
PATI: Yo me quedo aquí. Gloria no está y alguien tiene que cuidar a los niños.
CARLOS: Bien.
PATI: Vamos a jugar.
NIÑOS: Sí.
PATI: Simón dice...
GUIDE: En la clínica, cerca del sitio de la excavación, Raquel y Ángela esperan noticias... y un doctor examina a un muchacho del pueblo.
JULIO: ¿Te han examinado antes? Bueno. No tengas miedo, No es nada, ¿eh? Primero, los ojos. Ahora la nariz. Ahora las orejas. A ver, dame la mano. La otra mano. A ver los brazos. Ahora vamos a examinar las piernas. Con las piernas es importante hacer este movimiento, Manolito. Bueno. Ahora voy a escuchar tu corazón. Voy a poner este aparato en tu pecho. Ahora quiero ver tu respiración. Voy a escuchar por tu espalda.
HOMBRE: ¡Vengan, vengan! Dicen que están a punto de rescatar a los hombres atrapados.
RAQUEL: ¡Nosotras tenemos carro!
PADRE RODRIGO: ¡Bueno! ¿Y qué esperamos?
PADRE RODRIGO: Está bien, está bien, soy yo. Gracias.
RAQUEL: Ya verás que todo irá bien...
ÁNGELA: Ay, gracias, Raquel. Me alegro de que estés aquí conmigo.
PADRE RODRIGO: Espérenme aquí, no se muevan. Voy a ver qué pasa.

LOCUTORA: ... mientras tanto, una nueva dotación ha llegado al lugar del accidente, para relevar a los exhaustos trabajadores que llevan ya muchas horas excavando sin descanso. Hay esperanzas de alcanzar en pocas horas a las personas atrapadas, antes de que se les agote el poco oxígeno de que disponen...
PATI: ¿Qué tienes allí, Maricarmen?
MARICARMEN: Es un juguete que Juanita me trajo de los Estados Unidos. Se llama Sr. Papa.
PATI: Ah, sí.
MARICARMEN: Sí. Aquí está todo lo que necesitas, Pati: dos ojos, una nariz, una boca, dos orejas, un brazo con una mano, otro brazo con otra mano y los pies.
PATI: Oye, Maricarmen, ¿dónde están las piernas?
MARICARMEN: Pati, el Sr. Papa no necesita piernas, sólo pies.
PATI: ¿Y el resto del cuerpo? ¿No tiene espalda? ¿Ni pecho?
MARICArmen: No, Pati.
PATI: ¿Y por qué se llama el Sr. Papa?
MARICARMEN: Porque su cabeza es una papa.
PATI: ¿Y no tiene pelo?
MARICARMEN: No, Pati. Las papas no tienen pelo.
PEDRO: Hola, niños.
PATI: ¡Hola!
JUAN: Hola.
PATI: ¿Qué hay Juan?
JUAN: Ah. Papá sigue igual. Y el doctor aún tiene dudas...
PATI: ¿Y el especialista?
JUAN: Vamos a llamar a Guadalajara. Parece que el doctor no puede viajar.
LOCUTORA: ...en este preciso momento vemos a la nueva dotación de rescate equipándose para entrar en el túnel. Estos voluntarios excavarán hasta alcanzar a las tres personas que aún están atrapadas.
CARLOS: Muy bien, ya es tarde, todos a la cama.
NIÑOS: Ay, no, no, no.
CARLOS: Ya, ya, ya, ya es muy tarde. Es muy tarde ya.
MERCEDES: Antes que nos vayamos, quiero hablar con Carlos. ¿Está acostando a los niños?
PATI: Sí. Creo que sí.
CONSUELO: ¿Ha regresado Gloria?
PATI: Todavía no.
RAMÓN: Mejor, ya váyanse. Se les va a hacer tarde para viajar.
PEDRO: Sí. Buenas noches a todos.
TODOS: Buenas noches.
RAMÓN: Hasta luego.
MERCEDES: Todo pasa al mismo tiempo...
PEDRO: ¿Qué quieres decir?
MERCEDES: Lo de Papá, Y ahora, Juan y Pati...
PEDRO: ¿Juan y Pati?
MERCEDES: Sí, tienen dificultades... ¿No lo sabías?
PEDRO: No. Ni siquiera tenía idea.
MERCEDES: Pues, así es, y no creo que nosotros podamos hacer nada por ayudarlos.
PEDRO: No. No debemos intervenir en los matrimonios. Además, tenemos el problema de la oficina en Miami... aunque Carlos no nos ha dicho nada.
MERCEDES: Bueno, Tío, yo también me voy a dormir.
PEDRO: Buenas noches, Mercedes. Que descanses.
MERCEDES: Tú también. No te quedes hasta muy tarde. Hasta mañana.
PEDRO: «Don Pedro, Llamó un tal doctor Arturo Iglesias, Gran Hotel de la Ciudad de México.» Lástima. Ya es muy tarde para llamarlo.

PADRE RODRIGO: Ángela, lo que temíamos es cierto. Tu hermano Roberto es una de las personas atrapadas... pero hay esperanzas. Contestan los llamados con golpes en las piedras.
ÁNGELA: Entonces, ¿están vivos?
PADRE RODRIGO: Sí, seguro.
RAQUEL: ¿Podemos hacer algo?
PADRE RODRIGO: No. Lo único que podemos hacer es esperar, con fe. Vamos.
RAQUEL: ¡Qué buenas noticias! Parece que Roberto está vivo. Pero no estábamos seguros de eso al

comienzo.

RAQUEL (VO): Bueno. En el hospital, hice una llamada telefónica. ¿Con quién quería hablar yo? Quería hablar con Arturo. Quería hablar con Pedro. Quería hablar con mi mamá. Yo quería hablar con Arturo. Y también con Pedro.

RAQUEL: Pero no pude comunicarme con ellos.

RAQUEL (VO): Mientras Ángela y yo hablábamos con el Padre Rodrigo, entró un hombre.

RAQUEL: Nosotras tenemos carro.

RAQUEL (VO): Este hombre traía noticias muy importantes. ¿Qué noticias eran? No podían rescatar a las personas atrapadas. Las personas ya no estaban atrapadas. Estaban a punto de rescatar a las personas atrapadas. El hombre dijo que estaban a punto de rescatar a las personas atrapadas.

RAQUEL: Bueno. Entonces, Ángela, el Padre Rodrigo y yo vinimos en seguida aquí, al lugar de la excavación, pero esta vez pudimos pasar sin problemas.

PADRE RODRIGO: Está bien, está bien. Soy yo.

GUARDIA: Ah.

PADRE RODRIGO: Gracias.

RAQUEL: Menos mal que el Padre Rodrigo estaba con nosotras. Hace unos minutos, vino el Padre Rodrigo con noticias. ¿Qué nos dijo? ¿Era Roberto uno de las personas atrapadas?

PADRE RODRIGO: Ángela, lo que temíamos es cierto. Tu hermano Roberto es una de las personas atrapadas... pero hay esperanzas. Contestan los llamados con golpes en las piedras.

ÁNGELA: Entonces, ¿están vivos?

RAQUEL: Sí, Roberto era una de las personas atrapadas. Pero, también nos dijo que estában vivos, que contestaban a los llamados.

RAQUEL: Bueno. Aquí estamos esperando que los rescaten pronto. Tenemos muchas esperanzas. Pero, me da pena no haber podido comunicarme ni con Pedro ni con Arturo. ¿Es posible que tengan noticias de este accidente? ¿Ha podido Arturo comunicarse con Pedro?

COMMERCIAL: Te quiero más y más y más, por tu manera de pensar... Con cada comida que le sirvo a mi hijo...Por tu figura sin igual. Le sirvo su vaso de leche... Te quiero más y más y más... por eso, y digo salud con leche.

LOCUTORA: ¡Noticias de último momento! El equipo de Canal 10 presente en la excavación de Michoacán nos avisa que pronto serán traídas a la superficie las tres personas atrapadas vivas en el túnel derrumbado. Según han informado los atrapados son Andrés Villa, Alicia Trujillo y Roberto Castillo, todos estudiantes del Instituto Nacional de Antropología. Quédese en Canal 10, donde le daremos más información en nuestra última edición de medianoche.

Episodio 29

¡Se derrumbó! (*It Collapsed!*)

HOMBRE 1: ¡Es Villa! ¡Es Villa! ¡¡Es Andrés Villa!! ¡¡¡Y está bien!!!
GUIDE: Bienvenidos al Episodio 29 de *Destinos*. En este episodio, Roberto Castillo, hermano de Ángela, queda atrapado en una excavación.
ÁNGELA: ¿Será Roberto?...
GUIDE: Pero no toda la acción ocurre en el lugar de la excavación.
PEDRO: ¡Ah! Quien sí llegó es el Dr. Iglesias, el Dr. Arturo Iglesias de Buenos Aires.
MERCEDES: ¿Y hablaste con él?
GUIDE: Durante el episodio, vamos a aprender vocabulario y expresiones relacionados con los exámenes médicos.
VILLA: Mal, doctor. Me duele mucho la espalda.
JULIO: Parece que tiene fiebre también. Voy a tomarle la temperatura.
JUANITA: Carlitos... ¿estás enfermo?
CARLITOS: Sí. Me duele la garganta y tengo fiebre.
CARLOS: Anda. No seas nene. Saca la lengua.
GUIDE: También vamos a aprender algo sobre la religión en México. La Virgen de Guadalupe es el símbolo más importante de la religiosidad del pueblo mexicano. Es la santa patrona del país. El día doce de diciembre es el día de la Virgen y hay grandes celebraciones en su honor.
HOMBRE 2: ¡Se derrumbó! ¡Se derrumbó!
ÁNGELA: ¡Roberto! ¡Roberto! ¡Roberto! ¡Roberto!
GUIDE: En el episodio previo, el doctor que atiende a Fernando Castillo completa su exámen.
JULIO: Es necesario consultar a un especialista.
GUIDE: Pensando en la recomendación del doctor, Mercedes y Pedro hablaron con la familia sobre las varias dificultades que enfrentan.
MERCEDES: Juan y Pati...
PEDRO: ¿Juan y Pati?
MERCEDES: Sí, tienen dificultades... ¿No lo sabías?
GUIDE: Y nadie de la familia Castillo sabía del accidente que occurió en una excavación en un pequeño pueblo a unas horas de distancia de la ciudad. No saben que Raquel y Ángela esperaban con ansiedad saber algo de Roberto, el hermano de Ángela. Finalmente llegaron noticias de Roberto.
PADRE RODRIGO: Ángela, lo que temíamos es cierto. Tu hermano Roberto es una de las personas atrapadas.
GUIDE: ¿Y Arturo? ¿Qué pasó con Arturo, quien debía reunirse con Raquel y Ángela en el hotel?
LOCUTORA: El ballet folklórico de México es un espectáculo para toda la familia. Vengan a ver a los artistas más talentosos de todo México. Vengan a disfrutar de la música y de los bailes que son nuestros. Vengan a sentir alegría y orgullo. ¡Vengan a Bellas Artes!
GUIDE: México es una maravillosa mezcla de lo tradicional y lo moderno. Por un lado, consiste en grandes ciudades, como la Ciudad de México y Guadalajara. Por otro lado, México también consiste en pequeños pueblos y villas donde el pasado coexiste con el presente. Y es aquí, cerca de este pueblo mexicano, donde el pasado trajo a Roberto Castillo Soto. Pero ahora el pasado tiene atrapado a Roberto Castillo.
HOMBRE 1: ¡Es Villa! ¡Es Villa! ¡¡Es Andrés Villa!! ¡¡¡Y está bien!!!
ÁNGELA: ¡Ay, Dios mío! ¿Será Roberto?
RAQUEL: Ten calma, Ángela. Ten calma.
ÁNGELA: ¡Ojalá que sí!
JULIO: Llévenlo a la tienda.
PADRE RODRIGO: Considero que su estado es grave. Tengo confianza en que el médico pueda hacer algo.
JULIO: A ver, voy a examinarlo un poco. ¿Cómo se siente?
VILLA: Muy mal doctor. Me duele mucho la espalda.
JULIO: Parece que tiene fiebre también. Voy a tomarle la temperatura. Sí, tiene fiebre. Respire. Respire una vez más. Sí, tiene fiebre, pero no muy alta. Voy a ponerle una inyección.
VILLA: ¿Para qué, doctor? ¿Para qué una inyección?
JULIO: Para ayudarle a combatir la fiebre. Nada más. No se preocupe. Voy a tomarle la temperatura. Tiene hinchado el brazo. ¿Le duele?
TRUJILLO: Sí, doctor. Me duele mucho. Y también la pierna. Me duele muchísimo.

JULIO: Me parece que tiene varias fracturas. En México le sacarán unos rayos equis. Su amigo tenía un poco de fiebre. Nada de fiebre. Tiene suerte. A ver la respiración. Respire. Respire más fuerte, por favor. En México se ocuparán del brazo y de la pierna.
TRUJILLO: Gracias, doctor.
HOMBRE 2: ¡Se derrumbó! ¡Se derrumbó!
ÁNGELA: ¡Roberto! ¡Roberto! ¡Roberto! ¡Roberto!
JULIO: ¡Rápido, llévenla a la tienda!
ÁNGELA: No, no... ¡mi hermano!... Y`o me quiero quedar...
JULIO: Ahora no puedes hacer nada aquí.

JUANITA: Papá, creo que Carlitos esté enfermo.
CARLOS: Carlitos, ¿qué te pasa? ¿No te sientes bien?
CARLITOS: No. Me duele la garganta.
CARLOS: ¿Te duele mucho?
CARLITOS: Sí, mucho.
CARLOS: A ver. Saca la lengua. Hmmn. Tienes toda la lengua blanca. Creo que tienes fiebre también. Voy por un termómetro.
JUANITA: ¿Carlitos, estás enfermo?
CARLITOS: Sí, me duele la garganta y tengo fiebre.
JUANITA: Pues, entonces, quédate en tu lado del cuarto. No quiero que me vayas a pasar tu resfriado.
CONSUELO: Carlitos, tu papá dice que estás enfermo y que te duele la garganta. ¿Mucho?
CARLITOS: Sí, mucho.
CONSUELO: A ver. Saca la lengua. Carlos, tienes razón. Tiene la lengua… Ahora vamos a poner el termómetro para ver si tienes fiebre.
JUANITA: Papá, cuando yo era más chiquita, la enfermera no me tomó la temperatura por la boca. Ella…
CARLOS: Shhh, Juanita. ¡No seas escandalosa, Juanita!
CONSUELO: Carlos, hay que esperar un momentico para que nos diga cuánta fiebre tiene.
TODOS: Allí en la fuente, había un chorrito, se hacía grandote, se hacia chiquito. Estaba de mal humor. Pobre chorrito tenía calor. Y allí va la hormiga, con su paraguas, recogiéndose las enaguas, porque el chorrito la salpicó y su chapita la despintó.
CARLOS: Hmm, tienes una fiebre muy alta, mi hijito.
CONSUELO: Trajimos una medicina. Vamos a darte una dosis.
CARLITOS: No, por favor. ¡No me gusta! No quiero.
CARLOS: ¡Ay, no seas miedoso! La medicina es buena. Es para bajarte la fiebre. Si no te baja la fiebre, mañana vendrá el doctor y te pondrá una inyección. Mira, vamos a hacer una cosa, ¿por qué no te tomas la medicina con un poco de chocolate, eh?
JUANITA: Papá, Papá. Yo también estoy enferma y tengo fiebre.
CARLOS: No te preocupes, Juanita. A ti también te voy a dar un poco de chocolate.
GUIDE: Pobre Carlitos. Está enfermo. Le duele la garganta. Se toma la temperatura y tiene fiebre. Saca la lengua y nota que tiene toda la lengua blanca. Necesita tomar medicina. La medicina ayuda a bajar la fiebre. Carlitos no quiere que venga el doctor a ponerle una inyección. Entonces, Carlitos debe guardar cama y no jugar ni salir ni hacer nada. Pobrecito.

JULIO: Estará mejor. Le he dado un calmante.
ÁNGELA: Raquel... no está muerto, ¿verdad?
RAQUEL: No, Ángela, hubo otro derrumbe pero creen que está bien.
ÁNGELA: ¡Ay, Raquel! ¡Yo fui tan dura con Roberto la última vez que nos hablamos!
RAQUEL: Ángela, no te desesperes. Pronto podrás hablar con él. Ya verás.

ENFERMERA: Don Fernando, ¿cómo está?
DON FERNANDO: ¿Cómo quiere que esté? Harto de médicos de medicinas y de enfermeras.
ENFERMERA: Es sólo una inyección.
DON FERNANDO: ¡Cómo les gusta a Uds. las enfermeras martirizar a sus enfermos!
ENFERMERA: Ja, ja, ja. Martirizar.
GUIDE: Ésta es la enfermera que atiende a don Fernando. En una clínica, hay muchas enfermeras. También hay enfermeros. Y claro, hay médicos para diferentes tipos de enfermedades y muchos pacientes.

PADRE RODRIGO: Han comenzado a excavar de nuevo.
ÁNGELA: ¿Tardarán mucho?
PADRE RODRIGO: Bueno, eso no lo sé. Hay que abrir una parte del túnel de nuevo.
ÁNGELA: Pobre Roberto, debe estar muy mal...
PADRE RODRIGO: Sabe que irán por él. Ahora hay que esperar y tener fe. Verás como la Virgen cuidará a tu hermano.
GUIDE: La Virgen de Guadalupe es el símbolo más importante de la religiosidad del pueblo mexicano. Es la santa patrona del país. El día doce de diciembre es el Día de la Virgen y hay grandes celebraciones en su honor. Los mexicanos devotos caminan, rezan y le piden a la Virgen que los ayude y los proteja.
RAQUEL: Parece que está durmiendo.
PADRE RODRIGO: Será muy difícil para ella...
RAQUEL: Sus padres ya han muerto y perder ahora a su hermano, qué golpe sería para ella.
GUIDE: Al día siguiente, en casa de Pedro, la familia Castillo se ha reunido para desayunar.
MERCEDES: ¿Carlos está con los niños?
GLORIA: Sí, Carlitos tiene un poco de fiebre.
MERCEDES: Carlos se lleva muy bien con los niños. Ayer estuvo jugando con ellos todo el día, cuando tú no estabas...
GLORIA: Sí, llegué un poco tarde. Pero tienes razón. Carlos se lleva muy bien con los niños. Le encanta estar con ellos.
CARLOS: ¿Cómo te sientes? ¿Mejor?
CARLITOS: Todavía me duele la garganta.
CARLOS: Todavía tienes un poco de fiebre. Saca la lengua.
CARLITOS: Ay, Papá.
CARLOS: Anda, no seas nene. Saca la lengua. Uhmm. No está tan blanca como anoche, pero todavía no se ve muy bien. Tómate estas aspirinas. Creo que voy a tener que llamar al doctor.
CARLITOS: No, Papá, no llames al doctor. Te prometo guardar cama. No voy a salir a ninguna parte.
CARLOS: ¿Qué te pasa? No me digas que le tienes miedo.
CARLITOS: No quiero que venga el doctor, Papá.
CARLOS: ¡No quieres que venga el doctor! Pero, estás enfermo, mi hijito. El doctor te puede curar.
CARLITOS: No quiero que me ponga una inyección, Papá.
CARLOS: Ahora comprendo. Pues, ¿qué te parece si yo te prometo que no te pondrá una inyección, eh?
CARLITOS: ¿De veras, Papá?
CARLOS: Sí, Carlitos. No tiene que ponerte una inyección. Te puede dar una receta para unas pastillas.
CARLITOS (VO): ¿Una receta? ¿Para pastillas?
CARLOS (VO): Sí, una receta para pastillas. Las pastillas también te pueden curar. No es necesario que te pongan una inyección.
MERCEDES: Me pregunto cuándo llegará Raquel Rodríguez. ¿No debería haber llegado ya?
PEDRO: Seguramente nos llamará en cuanto llegue. ¡Ah!... Quien sí llegó es el doctor Iglesias, el doctor Arturo Iglesias de Buenos Aires.
MERCEDES: ¿Y hablaste con él?
PEDRO: Todavía no. Me dejó un mensaje, pero cuando lo recibí ya era muy tarde para llamarlo.
PATI: Arturo es el otro hijo de Rosario, la primera esposa de don Fernando, ¿no?
PEDRO: Sí, exacto.
PATI: ¿Viene a México para conocer a don Fernando?
MERCEDES: ¡Por supuesto! Va a ser una gran alegría para Papá.
PEDRO: Tengo que llamarlo al hotel. Debe estar esperando.

RAQUEL: Pues, el calmante ha hecho su efecto. Ángela está dormida. Pobre. Debe estar cansadísima y con mucha razón, han pasado tantas cosas. Cuando volvimos al sitio de la excavación, teníamos muchas esperanzas. Creíamos que sacaban a Roberto del túnel. ¿Y qué pasó? ¿Sacaron a Roberto?
HOMBRE 1: ¡Es Villa! ¡Es Villa! ¡¡Es Andrés Villa!! ¡¡¡Y está bien!!!
RAQUEL: No sacaron a Roberto. Sacaron a un hombre y a una mujer. Poco después, ocurrió algo inesperado. Ninguno de nosotros pensamos que eso ocurriría. ¿Recuerdan qué pasó? Se derrumbó todo otra vez. Uno de los hombres murió. Sacaron a Roberto del túnel.
HOMBRE 2: ¡Se derrumbó!
ÁNGELA: ¡Roberto! ¡Roberto! ¡Roberto! ¡Roberto!
RAQUEL: Bueno. Hubo un segundo derrumbe y se derrumbó todo otra vez. Pues, esto fue

demasiado para Ángela.
RAQUEL (VO): Y comenzó a llorar...
PADRE RODRIGO: Por favor, doctor.
JULIO: ¡Rápido, llévenla a la tienda!
ÁNGELA: No, no... ¡mi hermano!... Yo me quiero quedar...
JULIO: Ahora no puedes hacer nada aquí.
PADRE RODRIGO: Por favor, Ángela.
RAQUEL: ...y tuvimos que traerla aquí. El doctor le dio un calmante. Poco después, entró el Padre Rodrigo con noticias.
PADRE RODRIGO: Han comenzado a excavar de nuevo.
ÁNGELA: ¿Tardarán mucho?
PADRE RODRIGO: Bueno, eso no lo sé. Hay que abrir una parte del túnel de nuevo.
ÁNGELA: Pobre Roberto, debe estar muy mal...
PADRE RODRIGO: Sabe que irán por él. Ahora hay que esperar y tener fe.
RAQUEL: Y aquí estamos. Ángela está dormida. Yo también tengo ganas de dormir, pero estoy muy preocupada. No he podido comunicarme con la familia de don Fernando. ¿Sabrán ellos que estamos aquí? ¿Y cómo estará don Fernando?
ENFERMERA: Don Fernando, ¿cómo está?
DON FERNANDO: ¿Cómo quiere que esté? Harto de médicos, de medicinas y de enfermeras.

RAQUEL: Bueno, ya no puedo hacer nada más que esperar. Estoy muy cansada. ¡Ay! ¡Me olvidé de Arturo! Debe estar preocupadísimo.
ARTURO: Buenos días.
RECEPCIONISTA: Buenos días, señor.
ARTURO: ¿No ha llegado la Srta. Raquel Rodríguez?
RECEPCIONISTA: ¿Rodríguez?... Ummmhhh... no, la reservación no ha sido cancelada, pero ella aún no se ha registrado en el hotel.
ARTURO: Gracias.

Episodio 30

Preocupaciones (*Worries*)

GUIDE: Bienvenidos al Episodio 30 de *Destinos*. Primero, algunas escenas de este episodio.
ÁNGELA: ¡Ay, Raquel! ¿Dormí mucho?
RAQUEL: Sí, y te hizo bien. Así estarás más descansada.
ÁNGELA: ¿Y Roberto?
RAQUEL: Todavía no se sabe nada. Siguen trabajando.
ÁNGELA: Pero, ¿están seguros de que tiene suficiente aire?
HOMBRE 3: ¡Roberto! ¡Roberto! ¡Roberto!
GUIDE: También en este episodio vamos a aprender vocabulario relacionado con la ciudad. En los barrios, se pueden encontrar varios negocios como mercados, supermercados, farmacias, tiendas pequeñas y grandes almacenes. Y vamos a comparar las grandes ciudades con los pueblos. Los pueblos son diferentes de las grandes ciudades. Aunque cada pueblo tiene un centro, no hay edificios muy altos. Generalmente, el centro consiste en una plaza y muchas veces en la plaza está el ayuntamiento...

ÁNGELA: ¡Roberto!
HOMBRE: ¡Roberto! ¡Roberto!

ARTURO: ¿Hay algún mensaje para mí?
RECEPCIONISTA: Ah, sí. Le llamó la Srta. Rodríguez.

GUIDE: En el episodio previo, cuando Raquel y Ángela llegaron al sitio de la excavación, ya sacaban a dos personas. Pero ninguna de las dos era el hermano de Ángela.
HOMBRE 1: ¡Es Villa! ¡Es Villa! ¡¡Es Andrés Villa!! ¡¡¡Y está bien!!!
GUIDE: Justo en ese momento, hubo otro derrumbe en la excavación. Roberto Castillo quedó atrapado de nuevo y no se sabía nada de él. Ángela estaba desesperada. Al día siguiente, en la Ciudad de México, la familia Castillo desayunaba y hablaba de varios asuntos.
GLORIA: Sí, Carlitos tiene un poco de fiebre.
MERCEDES: Carlos se lleva muy bien con los niños. Ayer estuvo jugando con ellos todo el día, cuando tú no estabas...
GLORIA: Sí, llegué un poco tarde.
GUIDE: Mientras la familia desayunaba, Carlos hablaba con su hijo, quien estaba enfermo la noche anterior.
CARLOS: Todavía tienes un poco de fiebre.
GUIDE: Muy preocupado porque no tenía noticias de Raquel, Arturo bajó a la recepción del hotel y preguntó por ella.
RECEPCIONISTA: No, la reservación no ha sido cancelada, pero ella aún no se ha registrado en el hotel.
ARTURO: Gracias.
GUIDE: Solo y sin amigos en esta gran ciudad, Arturo salió a la calle. Éste es un plano de la Ciudad de México o, como la llaman los mexicanos, México, o el D.F. Como todas las ciudades grandes, la Ciudad de México consiste en tres partes principales: el centro, numerosos barrios y zonas y las afueras. En el centro, hay grandes edificios altos. En ellos se encuentran oficinas, hoteles grandes y otros negocios. En los barrios, se pueden encontrar varios negocios como mercados, supermercados, farmacias, tiendas pequeñas y grandes almacenes. Los pueblos son diferentes de las grandes ciudades. Aunque cada pueblo tiene un centro, no hay edificios muy altos. Generalmente, el centro consiste en una plaza y muchas veces, en la plaza está el ayuntamiento que es la sede del gobierno municipal. También hay una iglesia. Como en la gran ciudad, en los pueblos también hay negocios típicos: farmacias, tiendas y mercados. Pero a diferencia de las grandes ciudades, en los pueblos pequeños, generalmente no hay supermercados y grandes almacenes. Y cerca de uno de estos pueblos pequeños, en la meseta mexicana, Raquel y Ángela esperan saber algo de Roberto, quien todavía está atrapado en una excavación arqueológica.
ÁNGELA: ¡Ay, Raquel! ¿Dormí mucho?
RAQUEL: Sí, y te hizo bien. Así estarás más descansada.
ÁNGELA: ¿Y Roberto?
RAQUEL: Todavía no se sabe nada. Siguen trabajando.
ÁNGELA: Pero, ¿están seguros de que tiene suficiente aire?

RAQUEL: Ven, vamos a ver. Así estarás más tranquila.
ÁNGELA: Sí. Vamos.
PADRE RODRIGO: ¡Hola! Miren. Están poniendo unos tubos. Así el aire fresco podrá llegar hasta Roberto. Por favor, café para las señoritas y para mí.
ÁNGELA: Gracias.
RAQUEL: Gracias. Deberíamos ir al pueblo, a telefonear.
ÁNGELA: Tienes razón.
RAQUEL: Ojalá pueda comunicarme con la familia y también con Arturo.
ARTURO: Por favor, señor.
RECEPCIONISTA: Mande Ud., señor.
ARTURO: Es la primera vez que vengo a esta ciudad y no conozco nada. Quiero ir a varios lugares. Mire. Quiero ir a una farmacia, a una tienda para hombres, a un almacén, a un mercado, a un supermercado.
RECEPCIONISTA: Muy bien, señor. Podrá encontrar todo esto aquí en esta colonia.
RECEPCIONISTA (VO): Estamos aquí. En esta calle, hay una tienda de ropa para hombres muy buena.
ARTURO: Mm, hm.
RECEPCIONISTA (VO): Y en esta calle, hay un almacén donde se vende de todo. Hay un mercado pequeño aquí, también hay un supermercado, a ver... sí, aquí. Si sale y va a la izquierda, en la esquina hay una farmacia.
ARTURO: Muchas gracias.
RECEPCIONISTA: A sus órdenes.
ARTURO: Gracias.
RAQUEL: Buenas. ¿Podría usar su teléfono?
VENDEDORA: Sí, señorita. Puede Ud. usarlo.
RAQUEL: Gracias.
GUIDE: Entonces, Raquel trata de llamar a Pedro, pero la línea está ocupada.
PATI: ¡Hola! Hola. ¿Guillermo?... Sí, soy yo, desde México. ¿Cómo va todo? ¿Qué clase de problemas?
OPERADORA (VO): Gran Hotel de la Ciudad de México. Buenos días.
RAQUEL: Buenos días. Mire, le llamo de larga distancia, me llamo Raquel Rodríguez...
OPERADORA (VO): ¿Rodríguez? ¿Ud. había hecho una reserva para ayer? Le paso a la recepción.
RAQUEL: Sí, señorita. Yo hice una reservación, pero...
OPERADORA: Le paso a la recepción.
RAQUEL: ¿Cómo? No, espere...
RECEPCIONISTA: Recepción. Buenos días.
RAQUEL: Buenos días. Me llamo Raquel Rodríguez...
RECEPCIONISTA: ¡Ah! Srta. Rodríguez, la esperábamos ayer.
RAQUEL: Sí, es que ha habido un accidente...
RECEPCIONISTA: ¿Un accidente? ¿Se encuentra Ud. bien?
RAQUEL: Sí, yo estoy bien, pero...
RECEPCIONISTA: ¿Desea cancelar la reservación?
RAQUEL: No, no, no, no. No deseo cancelar la reserva, sólo quiero saber si ha llegado el Sr. Arturo Iglesias.
RECEPCIONISTA: Sí, señorita. ¿La comunico con su habitación?
RAQUEL: Sí, por favor, muchas gracias. No contesta. No está en su habitación. No hay caso... tendré que llamar otra vez. ¿Sí? ¡Ah, sí! Muchas gracias. Tu llamada a Puerto Rico.
ÁNGELA: ¡Hola!... Sí, señorita, con el Sr. Jaime Soto, por favor. Gracias.
GUIDE: Mientras Raquel y Ángela se comunican con Puerto Rico, Arturo va de compras. Va a una farmacia, a una tienda, a un almacén y también a un supermercado. Mientras está de compras, se para frente a un cine. Dan una película que le interesa.
ARTURO (VO): Tal vez invitaré a Raquel y a mis sobrinos a ver una película.
CARLOS: Hola, Pati. ¿Pasa algo malo?
PATI: No, no. No es nada.
CARLOS: Estás preocupada.
PATI: Sólo problemas con en el trabajo.
CARLOS: ¿En la universidad?
PATI: No, en el teatro. Dejé a mi asistente a cargo de todo. Él es muy competente pero hay problemas con el productor.
CARLOS: ¿Qué puedes hacer?

PATI: No sé... Tal vez tenga que regresar a Nueva York.

OFELIA: Industrias Castillo Saavedra...
CARLOS: Hola. ¿Ofelia? Sí, aquí Carlos.
OFELIA: Ay, qué tal Sr. Castillo. ¿Cómo está? Lo echamos mucho de menos por aquí...
GUIDE: Como ya sabemos, Ofelia es la secretaria de Carlos Castillo. Pero no es mexicana como Carlos. Ofelia es cubana. En Miami, se siente mucho la presencia de la cultura cubana. Se ve en las calles, en las tiendas y claro, en las personas.
CUBANO: ...Buenas, mi nombre es Edi González. Bienvenidos a Miami. ¿Quiere un poco de café cubano?
GUIDE: La mayoría de los cubanoamericanos se han establecido en los Estados Unidos por razones políticas. En 1959, Fidel Castro asumió el poder en Cuba. Muchas personas se oponían al nuevo gobierno de Castro y se fueron de la isla. Aunque los cubanos han trabajado para integrarse a la vida norteamericana, también han conservado su propia cultura. Y esta parte de Miami se llama La Pequeña Habana. En 1980, llegó una nueva ola de cubanos de la isla—otros refugiados políticos. Ofelia era una de estos refugiados. A algunos de los cubanoamericanos les gustaría regresar a su país natal.
CUBANA: Sí, cómo no. Yo tengo muchas ganas de ir a Cuba.
GUIDE: Otros, sobre todo los más jóvenes, no conocen la isla. Son norteamericanos, de ascendencia cubana y forman parte del rico mosaico cultural de este país.
CARLOS: ¿Y cómo están los demás?
OFELIA: Todos bien por aquí, todos bien. Ah, mire, por cierto, hoy fuimos a comer a un restaurantito que está por aquí cerca y nuevo...
CARLOS: ¿Ah, sí? ¿Cubano?
OFELIA: Cuando venga tiene que ir por allá. Fuimos con una amiga a almorzar.
CARLOS: Oye, ¿cómo van las cosas en la oficina? ¿Cómo?...

PADRE RODRIGO: ¡Hola! ¿Lograron comunicarse?
ÁNGELA: Yo hablé con mi familia en Puerto Rico. Raquel está intentando llamar a México otra vez. ¿Hay algo nuevo?
PADRE RODRIGO: No, mira, yo creo que tendremos que esperar hasta la tarde.
ÁNGELA: ¿Tanto tiempo?
PADRE RODRIGO: Van lento, Ángela, pero seguro.
ÁNGELA: Pobre Roberto. Estará desesperado.
PADRE RODRIGO: Tendrá que tener paciencia. Ya no falta tanto.
RAQUEL: Bueno, por fin pude dejarle un mensaje a tu Tío Arturo pero en casa de Pedro la línea está siempre ocupada.
ÁNGELA: ¿Podemos ir a la excavación?
PADRE RODRIGO: Mira, no vale la pena. ¿Por qué no se quedan aquí en el pueblo? Necesitan descansar.
RAQUEL: Tiene razón. ¿Hay un hotel?
PADRE RODRIGO: No. Pero se pueden quedar con la Hermana María Teresa. Ella es muy buena y les puede dar dónde bañarse y descansar.
HERMANA MARÍA TERESA: Vámonos. José María, no te quedes atrás. Haces la tarea, Víctor. Adiós.
NIÑOS: Adiós.
HERMANA MARÍA TERESA: Hasta mañana. Hasta mañana. Adiós.
RAQUEL: Buenas tardes.
HERMANA MARÍA TERESA: Muy buenas tardes.
RAQUEL: ¿Es Ud. la Hermana María Teresa?
HERMANA MARÍA TERESA: Sí, la misma. Uds. no son de aquí, ¿verdad?
RAQUEL: No. Me llamo Raquel Rodríguez y ésta es mi amiga, Ángela Castillo.
HERMANA MARÍA TERESA: Pues, mucho gusto.
RAQUEL: El Padre Rodrigo nos dijo que Ud. nos permitiría descansar aquí. El hermano de Ángela es uno de los atrapados en la excavación.
HERMANA MARÍA TERESA: Ah, sí. El padre me habló de eso ayer. ¡Qué horrible todo eso! Pero Dios nos protege a todas, mi hijita, no te preocupes. Pronto sacarán a tu hermano.
ÁNGELA: Gracias, Hermana. Así espero.
HERMANA MARÍA TERESA: Y por supuesto pueden quedarse aquí. ¡Pasen, pasen!
RAQUEL: Ángela, ¿por qué no sacamos las maletas del carro? Así nos podemos cambiar de ropa.
HERMANA MARÍA TERESA: Bueno, yo las espero adentro. No necesitan tocar, pueden pasar con

sus cosas. Voy a buscar un lugar para Uds. mientras tanto.
RAQUEL: Gracias, Hermana.
HERMANA MARÍA TERESA: No hay de qué. No hay de qué.
ARTURO: Buenas tardes.
RECEPCIONISTA: Buenas tardes, señor. ¿Desea la llave de su habitación?
ARTURO: Sí, por favor, la 307. ¿Hay algún mensaje para mí?
RECEPCIONISTA: ¡Ah! Sí. Le llamó la Srta. Rodríguez.

HERMANA MARÍA TERESA: ¿Cómo te sientes, mejor?
RAQUEL: Sí, mucho mejor. Hermana, quiero agradecerle...
HERMANA MARÍA TERESA: Nada de gracias. Ésta es una casa de Dios y todos son bienvenidos.
HERMANA MARÍA TERESA: Mira. Te voy a traer una taza de café, ¿te parece? Tu amiga vendrá pronto, ¿no?
RAQUEL: Creo que sí.
HERMANA MARÍA TERESA: Bueno. Traigo otro para ella también. Siéntate, si quieres.
RAQUEL: Gracias. ¡Qué curioso! ¡Ah! Bueno, en unos minutos vamos a volver al lugar de la excavación. ¿Recuerdan cómo comenzó el día? Esta mañana, Ángela y yo estábamos en la excavación. ¿Y qué hacía Ángela? ¿Esperaba noticias o dormía? Ángela dormía. Dormía porque anoche el doctor le dio un calmante. Pronto Ángela se despertó. Me preguntó si yo sabía algo nuevo sobre Roberto. Pero no había noticias. Entonces Ángela pensó en algo muy importante. ¿Recuerdan? ¿En qué pensó Ángela? Pensó en que si Roberto tenía hambre. Pensó en que si Roberto tenía suficiente aire. Pensó en que si Roberto estaba enfermo. Ángela pensó en que si Roberto tenía suficiente aire. Más tarde, intenté comunicarme con Pedro. ¿Y qué? ¿Lo conseguí o no? No lo conseguí porque como siempre la línea estaba ocupada.
RAQUEL: Buenas. ¿Podría usar su teléfono?
VENDEDORA: Sí, sí, señorita. Puede Ud. usarlo.
RAQUEL: Gracias.
GUIDE: En el momento en que Raquel llamó a Pedro, la línea sí estaba ocupada. Pati hablaba con alguien en Nueva York. Y era una conversación importante.
PATI: Sí, entiendo perfectamente.
RAQUEL: Pero por lo menos Ángela pudo comunicarse con su tío en Puerto Rico. Y yo hablé con alguien del hotel. ¿Para qué hablé al hotel? ¿Para cancelar mi reserva?
RECEPCIONISTA: Recepción. Buenos días.
RAQUEL: Buenos días. Me llamo Raquel Rodríguez, quería...
RECEPCIONISTA: ¡Ah! Srta. Rodríguez, la esperábamos ayer.
RAQUEL: Sí, es que ha habido un accidente....
RECEPCIONISTA: ¿Un accidente? ¿Se encuentra Ud. bien?
RAQUEL: Sí, yo estoy bien, pero....
RECEPCIONISTA: ¿Desea cancelar la reservación?
RAQUEL: No. No quería cancelar mi reservación. Quería hablar con Arturo, pero no pude. Él no estaba en su habitación. Por fin le dejé un mensaje. ¡Ojalá lo reciba!
GUIDE: Raquel no lo sabe, pero Arturo sí recibió su mensaje. Y ahora está muy preocupado.
RAQUEL: Después de mis líos con el teléfono, Ángela y yo vinimos aquí. Y gracias a la Hermana María Teresa pudimos descansar y bañarnos. Y así ha pasado otro día en México.
HERMANA MARÍA TERESA: Aquí está el café.
RAQUEL: Gracias.
HERMANA MARÍA TERESA: Hola, Ángela. Te ves muy bien. Parece que ese bañito te refrescó mucho, ¿eh? ¿Gustas un poquito de café?
ÁNGELA: Ay, no, muchas gracias. Estoy muy preocupada por mi hermano y quiero regresar al lugar de la excavación cuanto antes. ¿Estás lista?
RAQUEL: Sí, momentito. Ahora, vamos.
ÁNGELA: Espero que ya hayan sacado a Roberto.
RAQUEL: Yo también. ¡Ojalá hayan podido avanzar en el túnel! Gracias por el café, Hermana.
HERMANA MARÍA TERESA: De nada. Las veo luego, ¿no?
RAQUEL: Sí. Hasta luego.
ÁNGELA: Hasta luego, hermana. Muchas gracias.
HERMANA MARÍA TERESA: ¡Vayan con Dios! Pobre muchacha con su hermano atrapado. Dios, te pido que lo saquen pronto.
HOMBRE: ¡Roberto! ¡Roberto! ¡Roberto!

Episodio 31
Medidas drásticas (*Drastic Measures*)

GUIDE: Bienvenidos al Episodio 31 de *Destinos: An Introduction to Spanish*. Primero, algunas escenas de este episodio.
RAMÓN: ¿Y La Gavia?
AUDITOR 2: Lamentablemente, nuestra recomendación es venderla. Hace falta capital.
GUIDE: Mientras Uds. ven y oyen la historia, también van a aprender los nombres de ciertas tiendas. También en este episodio vamos a aprender algo sobre los mexicoamericanos que viven en los Estados Unidos.
GUIDE: Por razones históricas, la presencia mexicana es fuerte en el oeste de los Estados Unidos: California, Arizona, Nuevo México, Texas y otros estados.
DON FERNANDO: ¿Todavía no ha llegado la licenciada Rodríguez?
MERCEDES: No, pero ya no debe tardar.
DON FERNANDO: Es que no quiero morirme sin conocer a mis nietos.

GUIDE: En el episodio previo, Raquel intentó comunicarse con Pedro y con Arturo, porque ninguno de los dos sabía lo del accidente en la excavación.
RAQUEL: No contesta. No está en su habitación.
GUIDE: Por fin, le dejó un mensaje a Arturo. Por recomendación del Padre Rodrigo, Raquel y Ángela fueron a la iglesia y allí la Hermana María Teresa les dio un lugar donde descansar y refrescarse.
HERMANA MARÍA TERESA: ¿Uds. no son de aquí, verdad?
RAQUEL: El Padre Rodrigo nos dijo que Ud. nos permitiría descansar aquí. El hermano de Ángela es uno de los atrapados en la excavación.
GUIDE: En la casa de Pedro, la familia Castillo también tenía sus preocupaciones. Pati supo que había problemas en el teatro en Nueva York.
PATI: ¿Qué clase de problemas?
GUIDE: Y Carlos también supo lo que pasa en su oficina en Miami. ¿Y Roberto?

HOMBRE: ¡Roberto! ¡Roberto! ¡Roberto!

CARLOS: Hola. ¿Mercedes?
MERCEDES: Sí. ¿Carlos?
CARLOS: Mira, hablé al hospital a Guadalajara...
MERCEDES: Un momento... dime... Hmm, hmm.

RAQUEL: Te ves mucho mejor. Te refrescó el baño, ¿no?
ÁNGELA: Ah, sí. Me siento mil veces mejor. ¿Y sabes? Estoy segura de que cuando lleguemos al lugar de la excavación, ya sabrán algo de Roberto.

JUAN: Pati, ¿qué haces?
PATI: Nada... sólo pensaba.
JUAN: ¿Pensabas? ¿En qué?
PATI: Ya sabes... hay problemas en el teatro.
JUAN: Ya veo. Llamaste a Nueva York, ¿no?
PATI: Sí. Yo creo que si no regreso pronto, la obra no se va a estrenar.
JUAN: ¿No estás exagerando?
PATI: ¡Ay! Juan, ¿cuántas veces tengo que decírtelo? Yo tengo una vida profesional, con compromisos... hay cosas que requieren mi atención.
JUAN: Sí, sí, ya me lo has dicho mil veces.
PATI: Sí, sí, pero parece que no lo comprendes.
JUAN: Lo que yo no comprendo es que tu vida profesional sea más importante que yo.
PATI: Mira, Juan. Voy a tratar de explicártelo una vez más. No es que mi vida profesional sea más importante que tú pero la obra me necesita a mí en este momento. Yo soy la autora. Soy la directora. Hay problemas y sólo puedo resolverlos yo.
JUAN: ¿Pero por qué tienes que ir a Nueva York? ¿No lo puedes hacer desde aquí, por teléfono?
PATI: ¡Juan! ¡Estamos hablando de una obra de teatro! Lo que tú dices es como... como... pedirle a un doctor que cure a un enfermo por teléfono.
JUAN: Pati, tú no eres doctora...

PATI: Mira, Juan. Aunque no lo entiendas, yo voy a ir a Nueva York. Voy a resolver este problema. Y en cuanto lo haya hecho, regreso a México.
JUAN: ¿Y si Papá muere mientras tú estás allá?
PATI: Mira, Juan, yo no soy responsable de esto. Yo no tengo la culpa de la enfermedad de nadie ni,... ni de su curación. Yo no quiero que tu papá se muera, pero tampoco puedo hacer nada para curarlo. Mira, yo sí voy a Nueva York. Voy a resolver mi problema. Y en cuanto lo haya hecho, regreso a México. Pero si tú no quieres tener una mujer profesionista en tu vida, eso es otro asunto.

GUIDE: En otra parte de la casa, Carlos le está ayudando a Juanita con sus tareas.
CARLOS: ¿Cómo se deletrea pescadería?
JUANITA: P-e-s-c-a-d-e-r-í-a.
CARLOS: Ah, muy bien. Ahora, ¿cómo se deletrea carnicería?
JUANITA: C-a-r-n-e-c-e-r-í-a.
CARLOS: No, no. No es carnecería es carnicería, c-a-r-n-i-c-e-r-í-a. Está bien. Intentemos el próximo. Zapatería.
JUANITA: S-a-p-a-t-e-r-í-a.
CARLOS: Ay, no, mi hijita. Empieza con z no con s, z-a-p-a-t-e-r-í-a. Veamos, al próximo. Pastelería.
JUANITA: P-a-s-t-e-l-e-r-í-a.
CARLOS: ¿Ves? Perfecto. Ja, ja. Otro. Confitería.
JUANITA: C-o-n-f-i-t-e-r-í-a.
CARLOS: Ah, muy bien. Ahora, panadería.
JUANITA: P-a-n-a-d-e-r-í-a.
CARLOS: ¡Qué bien! Falta uno más. Farmacia.
JUANITA: F-a-r-m-e, no a-s-í-a.
CARLOS: Ah, no se escribe con s sino con c y la i no lleva el acento, f-a-r-m-a-c-i-a. Debes practicar un poco más.
JUANITA: Sí, p-a-s-l-e...

CONSUELO: Toma, Tío. Éstos son los papeles que Ramón quería.
PEDRO: Gracias, Consuelo.
CARLOS: ¿Adónde vas, Tío?
PEDRO: Tengo que ir a La Gavia, a hablar de unos asuntos con Ramón. Regreso pronto.
CARLOS: ¿Algún problema?
PEDRO: Tenemos que hacer cuentas. Se me hace tarde. Hasta luego.

LUPE: Sr. Ramón, voy al pueblo a hacer las compras. ¿Necesita que le traiga algo?
RAMÓN: No, gracias, Lupita.
LUPE: Hay café recién hecho en la cocina, ¿eh?
RAMÓN: Está bien. Muchas gracias, Lupita.
GUIDE: Entonces, Lupe va de compras. Primero va a la carnicería.
LUPE: Pepita, ¿cómo está? ...tres kilos de carne, ¿eh?
GUIDE: También va a la pescadería. También va a la panadería, a la tortillería, a la confitería...
LUPE: Me da un dulce, por favor, un tamarindo. Gracias.
GUIDE: ...y finalmente para en la zapatería.
LUPE: Buenos días.
HERNÁN: Buenos días, Lupe. ¿Y don Fernando?
LUPE: Muy mal. Todavía está en el hospital.
HERNÁN: Que la Virgen lo cure.
LUPE: Gracias, Hernán. Hasta luego, ¿eh?
HERNÁN: Hasta luego, Lupe. Hasta luego.
GUIDE: Este señor se llama Hernán Trujillo y trabaja de zapatero. Nació y vive en México, pero como muchos otros mexicanos, tiene lazos importantes con los Estados Unidos. En California viven algunos parientes suyos. Son norteamericanos de ascendencia mexicana, como Raquel Rodríguez. Como otros grupos latinos en los Estados Unidos, los mexicoamericanos son biculturales. Algunas familias, como la de Raquel, mantienen la lengua española además del inglés. Visitan México con frecuencia y tienen contacto con su lengua y cultura. Otros mexicoamericanos hablan sólo inglés o hablan muy poco español. Por razones históricas, la presencia mexicana es fuerte en el oeste de los Estados Unidos. California, Arizona, Nuevo México, Texas y otros estados fueron territorio español por muchos años. Cuando México ganó su independencia en 1821, este

territorio también formaba parte de México. Cuando este territorio pasó a manos norteamericanas, muchos mexicanos se quedaron a vivir. También hay inmigración de mexicanos a los Estados Unidos. Durante la Revolución mexicana de 1910, muchos mexicanos salieron de su país y se establecieron en los Estados Unidos. Los abuelos de Raquel, por ejemplo, llegaron a California en 1912. Aunque han enfrentado problemas para ser aceptados en una sociedad no mexicana, muchos mexicoamericanos han tenido éxito en las artes, los negocios y en la educación. Por ejemplo, Rafael Ochoa es abogado y habla del éxito que ha tenido en el derecho.

OCHOA: ...y con mucho orgullo quiero declarar que este bufete de Ochoa y Sillas ahorita es el bufete más grande de dueños hispanos en los Estados Unidos.

GUIDE: Así, como otros grupos de ascendencia latina, los mexicoamericanos forman parte de la gran variedad social y cultural de este país.

GUIDE: En La Gavia, Ramón y Pedro tienen una reunión con dos señores. Son auditores que acaban de hacer una revisión de las finanzas de la compañía de la familia Castillo. Las noticias no son buenas.

PEDRO: Sabía que había problemas. Pero no pensaba que fueran tan graves.

RAMÓN: Yo tampoco.

PEDRO: Uds., señores, ¿qué nos recomiendan?

AUDITOR 1: Que tomen medidas drásticas. Que cierren la oficina en Miami que es la causa de los problemas. Después, se deben concentrar en la producción de acero.

RAMÓN: ¿Y La Gavia?

AUDITOR 2: Lamentablemente, nuestra recomendación es venderla. Hace falta capital.

PEDRO: Bien. Vamos a estudiar detenidamente las posibilidades. Muchas gracias.

RAMÓN: Tenemos que hablar con Carlos.

MERCEDES: Gracias, doctor, por sus atenciones.

JULIO: Con permiso señora, hasta luego.

DON FERNANDO: Ay, hijita. ¿No te cansas de estar aquí todo el día?

MERCEDES: No, Papá, no te preocupes. ¿Cómo te sientes?

DON FERNANDO: Pues, mejor. Bien, mejor, mucho mejor.

MERCEDES: El doctor va a pedir que te atienda un especialista. Ya verás cómo pronto te pondrás bien.

DON FERNANDO: Gracias, hijita. Pero estaría mucho mejor en La Gavia.

MERCEDES: Te prometo que regresarás a casa en cuanto el doctor lo autorice.

DON FERNANDO: ¿Todavía no ha llegado la licenciada Rodríguez?

MERCEDES: No, pero ya no debe tardar.

DON FERNANDO: Es que no quiero morirme sin conocer a mis nietos.

MERCEDES: Pero Papá, ¿por qué dices eso?... Quédate tranquilo, conocerás a tus nietos. Lo que debes hacer ahora es descansar.

DON FERNANDO: Pero descansaría mejor en La Gavia, en mi propia cama.

MERCEDES: Ya, ya... ten un poquito más de paciencia. Pronto regresarás a casa, con todos tus nietos.

ÁNGELA: ¿Qué te pasa, Raquel? No dices nada.

RAQUEL: Sólo pensaba en tu tío.

ÁNGELA: ¿En Arturo quieres decir?

RAQUEL: Sí. ¡Ojalá haya recibido el mensaje que le dejé! También pensaba en Pedro. No he podido comunicarme con él y no sabe nada de este accidente ni lo que pasó con nosotras. También pensaba en tu abuelo, en lo grave que está.

ÁNGELA: ¡Ay, sí, Raquel, el abuelo! Roberto y yo tenemos que conocerlo, tenemos mucho de que hablar. Raquel, ¿qué vamos a hacer?

GUIDE: Mientras tanto, Pedro ha logrado comunicarse con Arturo.

ARTURO: ¡Hola!

PEDRO: Buenas tardes, ¿el doctor Arturo Iglesias?

ARTURO: Sí, él habla.

PEDRO: Soy Pedro Castillo. Mucho gusto.

ARTURO: ¡Ah! Mucho gusto. ¿Recibió mi mensaje?

PEDRO: Sí. Disculpe la tardanza en contestar. Lo recibí muy tarde.

ARTURO: Por favor, no se preocupe. ¿Sabe algo del accidente?

PEDRO: ¿Accidente?

ARTURO: Sí. ¿No ha hablado con Raquel?
PEDRO: ¿Raquel? ¿Ya está en México?
ARTURO: Sí. Me dejó un mensaje en el hotel. Roberto, mi sobrino, el nieto de don Fernando, ha sufrido un accidente.

RAQUEL: Bueno, aquí estamos otra vez en el sitio de la excavación. Todavía no sabemos nada de Roberto. Realmente me preocupa Ángela. Cuando salimos de la iglesia para venir aquí, ¿qué dijo ella? Ángela dijo que se sentía muy mal, se sentía muy bien, se sentía regular.
RAQUEL: Te ves mucho mejor. Te refrescó el baño, ¿no?
ÁNGELA: Ah, sí. Me siento mil veces mejor.
RAQUEL: Ángela dijo que se sentía muy bien, muy refrescada. Claro, el baño la ayudó mucho. ¿Y qué actitud tenía ella, una actitud optimista o una actitud pesimista?
ÁNGELA: ¿Y sabes? Estoy segura de que cuando lleguemos al lugar de la excavación, ya sabrán algo de Roberto.
RAQUEL: Ángela tenía una actitud optimista. Estaba segura de que íbamos a tener buenas noticias de Roberto.
GUIDE: Como ya saben Uds., Raquel no se ha comunicado con Pedro. ¿Sabe él que Raquel y Ángela están en México?
PEDRO: Buenas tardes.
GUIDE: ¿Y sabe que Roberto está atrapado en la excavación?
ARTURO: ¿Sabe algo del accidente?
PEDRO: ¿Accidente?
ARTURO: Sí. ¿No ha hablado con Raquel?
GUIDE: Sí, Pedro sabe del accidente. Arturo se lo contó todo por teléfono. ¿Qué más ha ocurrido en la familia Castillo que Raquel y Ángela no saben? ¿Qué pasó entre Juan y Pati? ¿Juan y Pati decidieron volver a Nueva York? ¿O Juan y Pati se pelearon?
PATI: Pero si tú no quieres tener una mujer profesionista en tu vida, eso es otro asunto.
GUIDE: Juan y Pati se pelearon. ¿Y con quiénes hablaron Ramón y Pedro? ¿Hablaron con unos médicos o hablaron con unos auditores?
PEDRO: Sabía que había problemas. Pero no pensaba que fueran tan graves.
RAMÓN: Yo tampoco.
GUIDE: Ramón y Pedro hablaron con unos auditores. Tienen problemas en la oficina en Miami y con las finanzas en general. ¿Y qué les recomendaron los auditores—medidas mínimas o medidas drásticas?
RAMÓN: ¿Y La Gavia?
AUDITOR 2: Lamentablemente, nuestra recomendación es venderla. Hace falta capital.
GUIDE: Los auditores recomendaron medidas drásticas. Y ahora, es Raquel quien no sabe ciertas cosas muy importantes.
RAMÓN: Tenemos que hablar con Carlos.
RAQUEL: Bueno, por lo menos, pude dejarle un mensaje a Arturo. Mañana tengo que llamar a mis padres. Deben estar muy preocupados por mí. Hace mucho que no saben nada de mí.

MARÍA: Hello!
LUIS: ¿Aló? ¿Se encuentra la Sra. Rodríguez?
MARÍA: Sí, ella habla.
LUIS: Sra. Rodríguez, ¿a que no adivina quién habla?
MARÍA: No... A ver. ¿Eres Luis?
LUIS: ¿Todavía reconoce mi voz, después de tantos años?
MARÍA: Claro que sí. ¡Si eras el novio de mi hija! ¿Cómo estás?, ¿Estás en Los Ángeles?
LUIS: Sí, me he mudado otra vez a Los Ángeles. Acabo de llegar, y quería antes que nada hablar con Uds.
MARÍA: ¿Por qué no vienes ahora mismo? Aquí estamos Pancho y yo solos.
LUIS: Me gustaría. Salgo en seguida.
MARÍA: Está bien. Te esperamos. Luis ha regresado a Los Ángeles...

Episodio 32

Ha habido un accidente (*There Has Been an Accident*)

MERCEDES: Hola, Tío Pedro.
PEDRO: Hola, Mercedes.
MERCEDES: Hola, Ramón.
RAMÓN: ¿Qué tal?
PEDRO: ¿Cómo está Fernando?
MERCEDES: Ha dormido casi todo el día. Estuvo el doctor. Ya habló con el especialista de Guadalajara.
GUIDE: Bienvenidos al Episodio 32 de *Destinos*. Primero, algunas escenas de este episodio.
PEDRO: ...el nieto de Fernando y Rosario, estaba trabajando en una excavación arqueológica. Ha habido un accidente...
MERCEDES: ¡Cuidado!
RAMÓN: Pobre Papá. Si se enterara de todo lo que está ocurriendo...
CONSUELO: Es mejor que no lo sepa.
RAMÓN: Claro, pero si supiera... es demasiado. Juan que no se lleva bien con Pati. Carlos va a perder la oficina de Miami. Los negocios andan mal. Nos aconsejan vender La Gavia y ahora el nieto, el que todavía no conoce, tal vez esté herido o...
CONSUELO: No te preocupes. Verás que estará bien.
GUIDE: También en este episodio vamos a aprender algo sobre una de las grandes civilizaciones prehispánicas de México—la civilización azteca. Los aztecas eran gente trabajadora... y también eran grandes guerreros. Por doscientos años trabajaron y lucharon. Poco a poco, los aztecas conquistaron las otras tribus de México. Para principios del siglo XVI, el imperio azteca se extendía de costa a costa. Y vamos a ver cuáles son los planes de este señor.
LUIS: ...en este momento tengo dos semanas de vacaciones.
MARÍA: ¿De vacaciones? ¿Y por qué no las aprovechas para ir a México?
LUIS: Ir a México...
GUIDE: En el episodio previo, Mercedes estaba en el hospital, cuidando a don Fernando. Allí recibió una llamada de Carlos.
CARLOS: Mira. Hablé al hospital a Guadalajara.
MERCEDES: Un momento. Dime.
GUIDE: Al despertarse don Fernando, dijo que quería regresar a La Gavia.
MERCEDES: El doctor va a pedir que te atienda un especialista. Ya verás como pronto te pondrás bien.
DON FERNANDO: Gracias, hijita. Yo estaría mucho mejor en La Gavia.
MERCEDES: Te prometo que regresarás a casa en cuanto el doctor lo autorice.
GUIDE: En la casa de Ramón, Juan se sentó a hablar con Pati. Ella estaba pensativa y preocupada, pero pronto la conversación terminó en una discusión fuerte.
PATI: Mira, Juan. Voy a tratar de explicártelo una vez máz. No es que mi vida profesional sea más importante que tú. La obra me necesita a mí en este momento. Yo soy la autora, soy la directora, hay problemas y sólo puedo resolverlos yo.
GUIDE: En La Gavia, Pedro y Ramón recibieron noticias importantes.
PEDRO: Uds., señores, ¿qué nos recomiendan?
AUDITOR 1: Que tomen medidas drásticas. Que cierren la oficina en Miami que es la causa de los problemas. Después, se deben concentrar en la producción de acero.
RAMÓN: ¿Y La Gavia?
AUDITOR 2: Lamentablemente, nuestra recomendación es venderla.
GUIDE: Los dos decidieron no decirle nada a la familia por el momento. Más tarde, Pedro logró comunicarse con Arturo, quien le dio otras noticias alarmantes.
ARTURO: Eh. ¿Y no ha hablado con Raquel?
PEDRO: ¿Raquel? ¿Ya está en México?
ARTURO: Sí. Me dejó un mensaje en el hotel. Roberto, mi sobrino, el nieto de don Fernando, ha sufrido un accidente.
GUIDE: Refrescadas, Raquel y Ángela regresaron al sitio de la excavación.
ÁNGELA: ¿Sabes? Estoy segura de que cuando lleguemos al lugar de la excavación, ya sabrán algo de Roberto.
GUIDE: Cuando ya era de noche, todavía no sabían nada de Roberto.
ÁNGELA: ¡Ay! ¿Qué pasa?

PADRE RODRIGO: Tranquila.
OBRERO 1: Déjenme pasar. Yo antes trabajaba en las minas. Creo que puedo ayudar. Tengo una idea. Ven. Ven.
OBRERO 2: Con permiso.
PADRE RODRIGO: Sí, adelante. No te procupes hija. Estos hombres son muy eficientes.

MERCEDES: Hola, Tío Pedro.
PEDRO: Hola, Mercedes.
MERCEDES: Hola, Ramón.
RAMÓN: ¿Qué tal?
PEDRO: ¿Cómo está Fernando?
MERCEDES: Ha dormido casi todo el día. Estuvo el doctor. Ya habló con el especialista de Guadalajara.
PEDRO: Miren, tengo algo que decirles. Hablé con Arturo Iglesias, y dice que recibió un mensaje de Raquel. Roberto, el nieto de Fernando y Rosario, estaba trabajando en una excavación arqueológica. Ha habido un accidente...
MERCEDES: ¡Cuidado!
RAMÓN: Ah, sí, eso estaba viendo en la televisión. ¿Y cómo está Roberto?
PEDRO: No lo sé.

RAQUEL: Ángela, háblame un poco más de tu hermano. ¿Sabes qué civilización estudiaba?
ÁNGELA: Pues no. Nunca le pregunté.
RAQUEL: Sabemos que excavaban una tumba... me pregunto qué civilización indígena le interesaba tanto a Roberto.
GUIDE: Raquel se pregunta qué civilización indígena le interesa tanto a Roberto. La respuesta no es fácil. México tiene una rica herencia indígena y varias civilizaciones ocupaban el centro del país. Una de las civilizaciones indígenas más conocidas de México es la azteca. Aquí en el centro de México, los aztecas gobernaron un vasto imperio de más de quince millones de personas. Su centro era la gran ciudad de Tenochtitlán, una ciudad de jardines flotantes, numerosas casas, y grandes templos y pirámides. El lugar de origen de los aztecas se llamaba Aztlán. Según las leyendas, Aztlán quedaba al norte de México, pero no se sabe exactamente dónde. De Aztlán los aztecas migraron al sur, en busca de una señal. Según una profecía de los sacerdotes, una señal indicaría el lugar dónde los aztecas debían establecerse. Finalmente, en el lago de Texcoco, los aztecas vieron la señal, un águila devorando una serpiente sobre un nopal. Hoy, esta señal es el símbolo de México. Los aztecas eran gente trabajadora y también eran grandes guerreros. Por doscientos años trabajaron y lucharon. Poco a poco, los aztecas conquistaron las otras tribus de México. Para principios del siglo XVI, el imperio azteca se extendía de costa a costa. Bajo el dominio del emperador Moctezuma II la civilización azteca florecía. Cada día, más de sesenta mil personas acudían al mercado de Tenochtitlán. Los productos agrícolas eran abundantes. En grandes canchas, se jugaba al tlachtli, el juego precursor del baloncesto. Florecían las artes. En los grandes templos, los sacerdotes seguían ofreciendo sacrificios a los dioses aztecas.... Y, claro, las guerras con otras tribus continuaban. Luego, el veintidós de abril de 1519, llegó un hombre con once barcos a la costa de México. Este hombre era Hernán Cortés. Cortés comenzó una de las más sangrientas conquistas de toda la historia mundial. En dos años, Cortés conquistó a los aztecas. El emperador Moctezuma fue asesinado. El gran imperio azteca, el imperio de los hombres guerreros, pasó a ser una colonia española. Aquí, en esta parte del valle de México, vivía una de las muchas tribus conquistadas por los aztecas. Fue esta cultura y sus ruinas las que Roberto vino a explorar al centro de México.

HOMBRE: ¡Ya lo encontré! ¡Ayúdenme! ¡Alguien ayúdeme!
PADRE RODRIGO: ¡Lo encontraron!
ÁNGELA: ¿De verdad?
PADRE RODRIGO: ¿Sí? Te lo dije que eran eficientes.

MARÍA: Ay, Luis. Has cambiado mucho.
LUIS: ¿Sí? ¿Cómo?
MARÍA: Quiero decir... te ves más maduro, más apuesto... ¡Si te viera Raquel!
LUIS: ¿Y cómo está Raquel?
MARÍA: Está bien. Trabaja demasiado. Acaba de llamar para avisar que... que va a posponer su regreso a Los Ángeles. Mira. Estas fotos son recientes.

LUIS: ¿Sí?
PANCHO: Hola, Luis. ¿Qué tal? ¿Cómo estás? ¡Qué gusto verte!
LUIS: Gracias. Igualmente.
PANCHO: Siéntate. Gracias.
LUIS: Gracias. Gracias.
PANCHO: ¿Qué hay? Cuéntame,... ¿Cómo has estado?
LUIS: Bien. Ahora tengo trabajo aquí. Me he mudado a Los Ángeles. Pero en este momento tengo dos semanas de vacaciones.
MARÍA: ¿De vacaciones? ¿Y por qué no las aprovechas para ir a México?
LUIS: ¿Ir a México...?
MARÍA: Claro, México es muy bonito, muy romántico y... y Raquel está allí...
LUIS: La verdad, me gustaría mucho.
MARÍA: Nosotros también pensábamos ir a ver a Raquel y tomar unos días de vacaciones. ¿Verdad, Pancho?
PANCHO: Bueno... la verdad es que...
MARÍA: Podemos ir a visitar a los parientes de Guadalajara...
PANCHO: Pero de todos modos, María, los pasajes...
MARÍA: Hay agencias de viajes que ofrecen planes muy económicos. Tú, ocúpate de tus cosas y deja que yo me ocupe de esto. ¿Qué dices, Luis?
LUIS: ¿Cree Ud. que Raquel querrá verme después de tantos años?
MARÍA: ¡Claro! ¡Se va a poner muy contenta!

ENFERMERA: Con permiso.
RAMÓN: Pase.
PEDRO: Ya voy a irme ahora. Tengo cita con Arturo en el hotel donde está. Veré si sabe más del accidente.
RAMÓN: Sí. Tal vez se haya podido comunicar con Raquel.
PEDRO: ¡Ojalá!
RAMÓN: Esperaré a Mercedes para regresar juntos a casa.
PEDRO: Bien. Vean las noticias.
RAMÓN: Por supuesto. También llamaré al canal, por si tienen más información.
PEDRO: Bueno. Nos vemos. Hasta luego.
RAMÓN: Hasta luego, Tío.

MARICARMEN: ¿Te gusta?
CONSUELO: Sí. Un señor con anteojos y bigotes... un poco calvo, ¿quién es?
MARICARMEN: El doctor que va a curar al abuelito.
MERCEDES: ¡Ja, ja, ja!
RAMÓN: Hola.
MARICARMEN: Hola, Papá.
RAMÓN: ¿Qué tal? Qué bonito, Maricarmen, ¿qué es, eh?
RAMÓN: Pobre Papá, si se enterara de todo lo que está ocurriendo...
CONSUELO: Es mejor que no lo sepa.
RAMÓN: Sí. Claro. Pero si supiera... es demasiado. Juan que no se lleva bien con Pati. Carlos va a perder la oficina de Miami. Los negocios andan mal. Nos aconsejan vender La Gavia y ahora el nieto, el que todavía no conoce, tal vez esté herido o...
CONSUELO: No te preocupes. Verás que estará bien.
RAMÓN: Al menos yo soy afortunado. Te tengo a ti y a Maricarmen.
CONSUELO: Yo también soy afortunada.

GUIDE: Finalmente, Arturo y Pedro se conocen y Arturo le cuenta a Pedro lo de la búsqueda de Ángel. Le cuenta de cómo él y Raquel comenzaron a investigar el paradero de Ángel en La Boca, un barrio de Buenos Aires.
ARTURO: ...esa es la calle Caminito. La última vez que vi a mi hermano fue aquí. Sus amigos vivían por aquí. El problema es encontrar a alguien que lo recuerde.
RAQUEL: ¿Y si preguntamos en las tiendas...?
ARTURO: Empecemos por ahí.
GUIDE: Le cuenta a Pedro de cómo anduvieron de lugar en lugar, haciendo preguntas y mostrando una foto de Ángel.
ARTURO: Estamos buscando a una persona que frecuentaba esta zona. Ésta es su fotografía.

PESCADERO: No. No lo conozco. ¿Por qué no preguntan en el negocio de al lado? La señora conoce a todo el mundo.
ARTURO: Muchas gracias. Se llama Ángel Castillo. Tenía amigos aquí en el barrio.
TENDERA: No.
MARIO: Mmm, sí. Creo que lo recuerdo, pero no estoy seguro. Lo siento.
RAQUEL: Por favor, trate de recordar. Es muy importante.
MARIO: No. Al principio me pareció, pero no, no lo conozco.
GUIDE: Y Arturo le dice cómo por fin encontraron a una persona que conocía personalmente a Ángel...
HÉCTOR: Claro que lo recuerdo bien. Era mi amigo.
GUIDE: Arturo también le cuenta a Pedro de la carta que tenía Héctor.
ARTURO: Está fechada en San Juan de Puerto Rico. Le da las gracias por su recomendación. Dice que no es un verdadero marinero y que sigue pintando.
GUIDE: A través de la conversación, Pedro llega a saber un poco de cómo Raquel encontró a Ángela...
ÁNGELA: Perdone. ¿Qué hace Ud. aquí.?
RAQUEL: Estoy tomando una foto.
ÁNGELA: ¿De la tumba de mis padres...?
GUIDE: ...y de cómo decidieron venir a México lo antes posible... y de cómo, por un mensaje de Raquel, Arturo supo del accidente en la excavación.
ARTURO: ...y yo he venido a conocer a mis sobrinos y a don Fernando, por supuesto.
PEDRO: ¿Raquel se ha comunicado con Ud. otra vez?
ARTURO: No. No he vuelto a tener noticias de ella.

PADRE RODRIGO: Vengan, podemos acercarnos un poco.
ÁNGELA: ¿Pero no estorbaremos?
RAQUEL: Ve tú , Ángela. Yo me quedo aquí para no estorbar.
ÁNGELA: Está bien.
RAQUEL: ¡Qué emoción! ¿No? Están a punto de sacar a Roberto del túnel. ¿Recuerdan lo que hacía Roberto en el momento del accidente? Exploraba una tumba—una tumba indígena. En el centro de México, existían varias culturas indígenas. ¿Cuál es la más conocida? ¿La civilización azteca o la maya?
GUIDE: Una de las civilizaciones indígenas más conocidas de México es la azteca. Aquí en el centro de México, los aztecas gobernaron un vasto imperio de más de quince millones de personas.
RAQUEL: Bueno, de todas las civilizaciones indígenas del centro de México, la azteca es la más conocida. Pero, según las leyendas, los aztecas no eran originarios del centro de México. ¿De dónde vinieron entonces? ¿Del norte, del sur, del este o del oeste? Según las leyendas, los aztecas eran originarios del norte, de un lugar llamado Aztlán. Los aztecas se establecieron en el lago Texcoco y fundaron la ciudad de Tenochtitlán. ¿Saben Uds. cómo eran estos indígenas? ¿Eran pacíficos? ¿O eran guerreros? Los aztecas eran guerreros y lograron conquistar todo el centro de México. Bueno. No sé si la tumba que excavaba Roberto era de los aztecas o si era de una de las tribus que los aztecas conquistaron. Bueno, pero lo más importante en este momento es que saquen a Roberto de allí.
GUIDE: Mientras Raquel y Ángela han estado esperando noticias de Roberto, ¿qué ha pasado en la familia Castillo? ¿Saben del accidente o no? Sí, saben algo porque Pedro se lo dijo a Mercedes y Ramón en el hospital. ¿Y le dijeron algo a don Fernando o no le dijeron nada del accidente? A don Fernando no le dijeron nada acerca del accidente en la excavación. Mercedes no quería preocuparlo. ¿Y se comunicó Arturo con Pedro o no? Sí, y Pedro fue a visitarlo en su hotel. Allí Arturo le contó todo lo de la búsqueda de Ángel en Buenos Aires. Pero Arturo no es la única persona que tuvo una visita hoy. ¿Quién más tuvo una visita? También tuvo una visita la mamá de Raquel. ¿Quién la visitó?
LUIS: ¿Y cómo está Raquel?
MARÍA: Está bien, trabaja demasiado.
GUIDE: Luis, el antiguo novio de Raquel, visitó a la mamá de Raquel. Y hablaron de ir a México—para ver a Raquel.
MARÍA: Claro, México es muy bonito, muy romántico y... y Raquel está allí...
LUIS: ¿Cree Ud. que Raquel querrá verme después de tantos años?
MARÍA: ¡Claro! ¡Se va a poner muy contenta!

RAQUEL: Parece que algo está pasando. Me voy a acercar para ver mejor.

Episodio 33

Si supieras... (*If You Only Knew . . .*)

GUIDE: Bienvenidos a otro episodio de *Destinos: An Introduction to Spanish.* Primero, algunas escenas de este episodio.

PATI: ¡No me grites así, Juan! Ya traté de explicarte los problemas de la producción en Nueva York. No entiendo por qué actúas como un niño mimado.

ÁNGELA: Sólo Roberto podría escoger una profesión tan peligrosa. ¿Por qué no estudia para ser médico, ingeniero o abogado como tú?

GUIDE: En este episodio, vamos a aprender vocabulario relacionado con las profesiones y las carreras.

CONSUELO (VO): ¿Y sabes qué profesión tiene esta señora?

MARICARMEN (VO): Ésta es dentista. Y ésta es enfermera.

CONSUELO: Sí, mi hija, enfermera.

CONSUELO (VO): Mira, y éste es un maestro, y éste, ¿sabes qué es? Es un veterinario.

MARICARMEN: Y éste, ¿qué es?

CONSUELO (VO): Éste es un periodista.

MARICARMEN: Trabaja en los periódicos, ¿no?

CONSUELO: Sí.

CONSUELO (VO): Y ésta es actriz. Y éste es actor.

CONSUELO: ¿Y sabes qué profesión tiene este señor?

MARICARMEN: No, Mamá.

CONSUELO (VO): Es un hombre de negocios, como tu Tío Carlos.

MARICARMEN: Tío Carlos es profesor.

CONSUELO: No, es un hombre de negocios.

MARICARMEN: Es un hombre de negocios.

GUIDE: También vamos a aprender algo sobre otra civilización prehispánica: la civilización maya. Los mayas habitaban la parte de México que se llama Yucatán. También vivían en las regiones de Chiapas, Tabasco, y Campeche.

ARTURO: Lo mejor será que yo me quede aquí en el hotel por si Raquel llama.

PEDRO: Sí. Y yo debo ir a casa. También podría llamar allí. Seguramente llamará.

ARTURO: Si tengo alguna noticia, le aviso inmediatamente.

GUIDE: En el episodio previo, Raquel y Ángela todavía esperaban saber algo de Roberto y conversaron sobre su interés en la arqueología.

RAQUEL: Ángela, háblame un poco más de tu hermano. ¿sabes qué civilización le interesaba tanto a Roberto?

ÁNGELA: Ay, pues, no sé. Nunca le pregunté.

RAQUEL: Sabemos que excavaban una tumba. Me pregunto qué clase de cultura indígena le interesaba tanto.

GUIDE: Mientras tanto, la familia Castillo recibío noticias del accidente.

PEDRO: Hablé con Arturo Iglesias. Dice que recibío un mensaje de Raquel. Roberto, el nieto de Fernando y Rosario, estaba trabajando en una excavación arqueológica. Ha habido un accidente.

MERCEDES: ¡Cuidado!

RAMÓN: Ah, sí, eso estaba viendo en la televisión. ¿Y cómo está Roberto?

PEDRO: No lo sé.

GUIDE: Por fin Arturo y Pedro se conocieron. Arturo le contó a Pedro lo de la búsqueda de Ángel Castillo en Buenos Aires.

ARTURO: Finalmente llegamos a La Boca, y allí en la calle Caminito encontramos a un marinero que nos dio ciertos datos de Ángel.

GUIDE: En Los Ángeles, María, la mamá de Raquel, recibió una visita de Luis, el antiguo novio de Raquel.

LUIS: ¿Y cómo está Raquel?

MARÍA: Está bien, trabaja demasiado. Acaba de llamar para avisar que... que va a posponer su su regreso a Los Ángeles. Mira. Estas fotos son recientes.

LUIS: ¿Sí?

GUIDE: Era evidente que Luis tenía interés en ver a Raquel. Entonces María le sugirió que fuera a México para visitarla.

MARÍA: Claro, México es muy bonito, muy romántico y... y Raquel está allí.

GUIDE: Y Raquel, quien espera ver a Arturo, no sabe nada de lo que su mamá acaba de hacer.

HOMBRE: ¡Roberto! ¡Roberto! ¡Lo tengo! ¡Lo tengo! ¡Está vivo! ¡Lo tengo!
OTRO HOMBRE: ¡Lo encontraron! ¡Lo encontraron!
VOZ ANÓNIMA: Ayúdenme. ¿Quién gritó?
ÁNGELA: Ay, no puedo ver bien, ¿y tú?
RAQUEL: Yo tampoco. Debes tener paciencia, Ángela. Todo saldrá bien.
ÁNGELA: Ay, todo eso porque a Roberto le interesa tanto la civilización maya.
RAQUEL: No comprendo, aquí no vivían los mayas.
ÁNGELA: Lo que quiero decir es que de niño Roberto leyó un libro sobre la civilización maya. Y allí comenzó su interés por la arqueología.
RAQUEL: Ah, ahora comprendo.
GUIDE: Como ya sabemos, los indígenas que vivían en el centro de México y que gobernaban un vasto imperio del este al oeste eran los aztecas. Los mayas habitaban la parte de México que se llama Yucatán. También vivían en las regiones de Chiapas, Tabasco y Campeche y en partes de Centroamérica. Los mayas nunca formaron un gran imperio con una ciudad capital. Lo que existía era una serie de estados autónomos con sus propias ciudades centrales: Mérida, Uxmal, Chichén Itzá, Copán y otras. Según los datos, entre los años 300 y 900 después de Cristo, la civilización maya llegó a su máximo apogeo, mucho antes que la de los aztecas. Durante esta época, los mayas hicieron grandes avances en los campos de la astronomía y las matemáticas. En templos como los de Chichén Itzá, los astrónomos mayas, por ejemplo, calcularon el número exacto de días y horas que tenía el año. También sabían todos los ciclos de los eclipses solares y lunares. Hasta la época moderna, ninguna otra civilización del mundo ha mostrado tanta aptitud para las matemáticas y la astronomía.

GUIDE: En la casa de Ramón, Pati y Juan siguen discutiendo sobre el regreso de ella a Nueva York.
JUAN: Pati, ya te lo dije. ¡No puedes irte justo ahora!
PATI: ¡No me grites así, Juan! Ya traté de explicarte los problemas de la producción en Nueva York. No entiendo por qué actúas como un niño mimado.
JUAN: ¿Cómo puedes hacerme esto?
PATI: ¿Ves? Todo te lo hacen a ti. Tus problemas son los más graves. A veces dudo que a ti te importen los demás.
JUAN: me importa mi papá.
PATI: Ah, sí. Entonces, ¿por qué no estás más tiempo con él en el hospital? Te lo pasas aquí peleándote conmigo cuando él te necesita.
GUIDE: Sin saber ni oír nada de la discusión entre Juan y Pati, Consuelo y Maricarmen miran un libro sobre las profesiones y las carreras.
CONSUELO (VO): Y éste es abogado. Y ésta es médica. ¿Y sabes qué profesión tiene esta señora?
MARICARMEN (VO): Ésta es dentista. Y ésta es enfermera.
CONSUELO (VO): Mira, y éste es un maestro, y éste, ¿sabes qué es? Es un veterinario.
MARICARMEN: Y éste, ¿qué es?
CONSUELO (VO): Éste es un periodista.
MARICARMEN: Trabaja en los periódicos, ¿no?
CONSUELO: Sí.
CONSUELO (VO): Y ésta es actriz. Y éste es actor.
CONSUELO: ¿Y sabes qué profesión tiene este señor?
MARICARMEN: No, Mamá.
CONSUELO (VO): Es un hombre de negocios, como tu Tío Carlos.
MARICARMEN: Tío Carlos es profesor.
CONSUELO: No, es un hombre de negocios.
MARICARMEN: Es un hombre de negocios, Tío Pedro es abogado, Tío Juan es profesor y Papá...
CONSUELO: Tú papá es un hombre de negocios.
MARICARMEN: ¿Tú también eres una mujer de negocios?
CONSUELO: No. Yo estudié para maestra.
MARICARMEN: Yo, cuando sea grande, voy a ser médica para cuidar al abuelito.
CONSUELO: Ohhh. Mi amor.

GUIDE: En el Gran Hotel, Arturo y Pedro siguen conversando sobre Roberto y el accidente en la excavación.
ARTURO: Debe haber alguna oficina, la universidad, algún lugar donde tengan algún dato sobre el

accidente en la excavación.
PEDRO: Seguramente. Pero ya es tarde.
ARTURO: Lo mejor será que yo me quede aquí en el hotel por si Raquel llama.
PEDRO: Sí. Y yo debo ir a casa. También podría llamar allí. Seguramente llamará.
ARTURO: Si tengo alguna noticia, le aviso inmediatamente.
PEDRO: Por favor. Aunque sea tarde, a cualquier hora.
ARTURO: Lo mismo Ud. a mí.
PEDRO: Por supuesto. Ha sido un gusto, doctor.
ARTURO: El gusto ha sido mío.
PEDRO: Espero que pueda conocer a toda la familia una vez que esto ya haya pasado. Bien, debo apresurarme. Estamos en contacto.
ARTURO: Buenas noches.

GUIDE: En Miami, Ofelia está trabajando hasta muy tarde en la oficina de Carlos. Ella revisa un informe sobre la condición económica de la oficina.
OFELIA: ¡Ay, esto no puede ser! Pronto lo van a saber… me pregunto si el señor Castillo ya lo sabe. ¡Ay!

GUIDE: En la excavación, un trabajador ya ha encontrado a Roberto…
TRABAJADOR: ¡Lo tengo! ¡Ayúdenme!
GUIDE: …pero nadie oye sus gritos.
PADRE RODRIGO: Miren. Deben sentarse allí para no estorbar. Yo las busco tan pronto como sepa algo.
ÁNGELA: Pero...
PADRE RODRIGO: Nada de eso. Vayan a sentarse. Raquel, llévala, por favor.
RAQUEL: Sí, vamos, vamos.
ÁNGELA: Sólo Roberto podría escoger una profesión tan peligrosa. ¿Por qué no estudia para ser médico, ingeniero o abogado como tú?
RAQUEL: Es curioso. Ahora que lo dices, recuerdo que de niña yo quería ser profesora.
ÁNGELA: ¿Sí? Yo también. Después pensé en ser actriz. Quería ser rica y famosa.
RAQUEL: Si supieras las carreras y las profesiones en las que pensé yo.
ÁNGELA: A ver…
RAQUEL: Bueno, una vez pensé en ser profesora de historia. Y luego pensé en ser veterinaria.
ÁNGELA: ¿Tú? ¿Veterinaria? ¡Ja!
RAQUEL: No te burles. Es en serio. Me gustan mucho los perros y se me ocurrió que ser veterinaria podría ser interesante.
ÁNGELA: Pues, yo nunca pensé en eso. Como sabes, finalmente estudié computación y ahora soy programadora. Mi papá esperaba que yo fuera abogada o mujer de negocios.
RAQUEL: ¿Mujer de negocios tú? ¡Ja! Mi mamá quería que yo estudiara para ser abogada. «Raquel,» me decía, «estudia para abogada. Es una buena profesión.»
ÁNGELA: Parece que seguiste los consejos de tu mamá. Mi papá nunca le dijo nada a Roberto. Aunque yo sé que él prefería que estudiara para ser médico o para ingeniero. Ahora comprendo por qué.
GUIDE: Aquí, en la excavación, hay ejemplos de varias de las profesiones de que hablaban Raquel y Ángela. Claro, está presente una abogada. También hay una programadora de computadoras. Hay un médico, una enfermera, un ingeniero y una profesora de arqueología. En la familia Castillo, hay ejemplos de un hombre de negocios, de profesores y también de un ama de casa. Bueno, volvamos a la excavación. Posiblemente pase algo importante.
ÁNGELA: ¡Roberto!
JULIO: No se preocupe, señorita. Está inconsciente, pero parece que está bien.
ÁNGELA: ¿No está seguro?
JULIO: Aparentemente está bien. Respira normalmente, no tiene fracturas, la temperatura y la presión son normales, considerando lo que ha pasado. De todos modos, es necesario llevarlo a un hospital para hacerle un examen completo. Veré que lo lleven a México directamente. Venga, acérquese.
RAQUEL: ¿Estás bien?
ÁNGELA: Sí.
PADRE RODRIGO: Raquel, lo más conveniente es dejarla sola.
RAQUEL: Bueno, por fin sabemos algo. Y Roberto parece estar bien. Pero al principio, no sabíamos nada. Roberto estaba atrapado en la excavación y los obreros gritaban. Cuando llegamos Ángela y yo, ¿entendíamos lo que pasaba? ¿Podíamos ver lo que ocurría?

ÁNGELA: Ay, no puedo ver bien, ¿y tú?
RAQUEL: Yo tampoco. No podíamos ver nada de lo que ocurría. Para no estorbar a los trabajadores, Ángela y yo fuimos a sentarnos. Ángela comenzó a hablar de su hermano y dijo algo sobre su profesión. ¿Recuerdan?
ÁNGELA: Sólo Roberto podría escoger una profesión tan peligrosa.
RAQUEL: Ángela dijo que Roberto había escogido una profesión peligrosa. Luego, Ángela y yo empezamos a hablar de diferentes profesiones. Yo le dije a Ángela que de niña había pensado en varias profesiones. ¿Recuerdan cuáles eran? Yo pensé en ser profesora y también en ser veterinaria. Ángela se rió al oír eso. Entonces, ella me habló de profesiones en que ella pensaba de niña. ¿Recuerdan cuáles eran? Pues, Ángela pensó en ser profesora también. Y también en ser actriz. ¡Qué curioso! De niños pensamos en una profesión y de grandes nos dedicamos a una profesión totalmente diferente, ¿no es así? ¡Ojalá Roberto esté bien! Ángela y él tienen mucho de que hablar. Y también tienen mucho que hablar con su Tío Arturo.
GUIDE: ¿Y qué pasó con Arturo durante este episodio? ¿Con quién hablaba Arturo mientras Raquel y Ángela esperaban que rescataran a Roberto? Hablaba con Pedro. Hablaba con Ramón. Hablaba con la mamá de Raquel.
ARTURO: Si tengo alguna noticia, le aviso inmediatamente.
PEDRO: Por favor. Aunque sea tarde, a cualquier hora.
ARTURO: Lo mismo Ud. a mí.
GUIDE: Arturo hablaba con Pedro.
GUIDE: En la casa de Ramón, Juan y Pati seguían conversando. ¿Qué problema tienen? ¿Qué conflicto hay entre los dos? Pati quiere regresar a Nueva York pero Juan quiere que se quede en México. Juan quiere que Pati regrese a Nueva York pero ella prefiere estar con él. Juan quiere que los dos regresen a Nueva York pero Pati cree que es mala idea.
JUAN: Pati, ya te lo dije. ¡No puedes irte justo ahora!
PATI: ¡No me grites así, Juan! Ya traté de explicarte los problemas de la producción en Nueva York. No entiendo por qué actúas como un niño mimado.
GUIDE: Pati quiere regresar a Nueva York pero Juan quiere que se quede en México. Hay problemas en la producción teatral de Pati en Nueva York y se necesita su presencia. Juan cree que la familia es más importante y no quiere que Pati se vaya. Es un conflicto difícil de resolver. ¿Qué piensan Uds. de este problema?

RAQUEL: Pronto esta familia estará reunida. Ángela y Roberto con Arturo y ellos con don Fernando. Y entonces yo podré volver a Los Ángeles. Voy a entrar para ver cómo está Roberto.

Episodio 34
Éxito (*Success*)

GUIDE: Bienvenidos al Episodio 34. En este episodio, llevan a Roberto a un hospital en la Ciudad de México. En camino a la Ciudad de México, Raquel y Ángela hablan de sus relaciones con otras personas.
ÁNGELA: ¿Sabes, Raquel? Aunque le he tenido un poco de envidia a Roberto, la verdad es que lo admiro.
RAQUEL: Sí, lo sé, Ángela. Creo que también admiras a Jorge.
ÁNGELA: Bueno, sí, pero es distinto, Jorge es mi novio.
RAQUEL: Pero lo admiras, como admiras a Roberto.
ÁNGELA: Raquel, te debo pedir disculpas. Actué muy mal contigo, allá en Puerto Rico, la última vez que hablamos de Jorge.
GUIDE: Como parte del episodio, Uds. van a aprender algunas palabras y expresiones que tienen que ver con las relaciones entre dos personas. Para empezar, dos personas pueden ser amigos. Entre los amigos, puede haber cariño, un afecto especial. El cariño también puede existir entre los miembros de una familia. Además de las relaciones entre amigos y familiares, también existen las relaciones entre novios. Los novios son dos personas que tienen una relación amorosa, romántica, algo muy especial.
JORGE: Bueno...
GUIDE: En el episodio previo, finalmente rescataron a Roberto de la excavación. Mientras tanto, en la casa de Ramón, Juan y Pati seguían discutiendo. Como ya sabemos, Pati debe regresar a Nueva York, pero Juan quiere que se quede con él.
JUAN: ¿Cómo puedes hacerme ésto?
PATI: ¿Ves? Todo te lo hacen a ti. Tus problemas son los más graves. A veces dudo que a ti te importen los demás.
JUAN: Me importa mi papá.
PATI: ¿Ah, sí? Entonces, ¿por qué no estás más tiempo con él en el hospital? Te lo pasas aquí peleándote conmigo cuando él te necesita.
GUIDE: Pedro y Arturo terminaban su visita y decidieron averiguar algo sobre el accidente en la excavación.
PEDRO: Seguramente llamará.
ARTURO: Si tengo alguna noticia, le aviso inmediatamente.
PEDRO: Por favor. Aunque sea tarde, a cualquier hora.
ARTURO: Lo mismo Ud. a mí.
PEDRO: Por supuesto. Ha sido un gusto Doctor.
ARTURO: El gusto ha sido mío.

ÁNGELA: ¡Roberto!
JULIO: No se preocupe, señorita. Está inconsciente, pero parece que está bien.
ÁNGELA: ¿No está seguro?
JULIO: Aparentemente está bien. Respira normalmente, no tiene fracturas, la temperatura y la presión son normales, considerando lo que ha pasado. De todos modos, es necesario llevarlo a un hospital para hacerle un examen completo.

GUIDE: Mientras tanto, en la casa de Ramón...
RAMÓN: Bueno.
JUAN: Pati...
MERCEDES: ¿Qué pasa, Pati?
PATI: Juan no entiende que tengo que ir a Nueva York.
MERCEDES: Bueno, Juan siempre ha sido un poco...
PATI: Egocéntrico.
MERCEDES: Bueno, para decirlo francamente, sí.
PATI: Por fin alguien comprende.
MERCEDES: Mira, Pati. Yo creo que tú tienes toda la razón en querer regresar a Nueva York si tu trabajo lo requiere...
PATI: ¿Y Juan?
MERCEDES: Ya se repondrá. La enfermedad de Papá lo está afectando mucho, claro, pero hay que ser optimista. Todavía recuerdo el día de tu boda, como si fuera hoy...

MERCEDES: Pati, Pati, querida, tú sabes bien que para mí, la familia es lo más importante. Somos una familia muy unida. Pues bien, yo quiero darte la bienvenida a nuestra familia...
PATI: Gracias, gracias, Mercedes...
MERCEDES: Quiero que sepas que desde hoy, más que una cuñada, eres como una hermana para mí. Puedes contar conmigo como si fuera tu hermana. ¡Les deseo a ti y a Juan toda la alegría y la felicidad del mundo!
PATI: Gracias.
GUIDE: Aquí vemos a Juan y Pati. Ahora son esposos—marido y mujer. ¿Cómo comenzó su relación? Por lo general, ¿cómo se desarrollan las relaciones? Bueno, no todas las relaciones son iguales. Hay variación y mucho depende de la sociedad. Pero podemos describir cómo ocurren comúnmente. Para empezar, dos personas pueden ser amigos. Entre los amigos, puede haber cariño, un afecto especial. El cariño también puede existir entre los miembros de una familia. Además de las relaciones entre amigos y familiares, también existen las relaciones entre novios. Los novios son dos personas que tienen una relación amorosa, romántica, algo muy especial. Entre los novios puede haber cariño, pero también puede haber algo más... el amor. Si los novios deciden unirse en el matrimonio, entran en otro período de sus relaciones, el noviazgo. Durante el noviazgo, los novios siguen viéndose, su amor crece y también hacen planes para su boda.
CURA: Los declaro marido y mujer. Lo que Dios ha unido, el hombre jamás podrá separarlo. La misa ha terminado. Idos en paz.
GUIDE: La boda es la ceremonia en que los dos novios finalmente llegan a ser esposos.
TODOS: ¡Beso! ¡Beso! ¡Beso!
GUIDE: Si tienen dinero y tiempo, después de la boda, la nueva pareja se va de luna de miel. Para muchos la luna de miel es el periodo más romántico de su vida. Van a lugares exóticos y la luna de miel se convierte en un tipo de vacaciones especiales. Para algunos matrimonios, la luna de miel dura mucho tiempo. Después de veinte años, están tan felices como el día de su boda. Para otros, la luna de miel es algo del pasado y el matrimonio cambia poco a poco. ¿Y para Juan y Pati?
JUAN: ...presiento que es el fin, que todo ha terminado. No nos entendemos. Nuestro matrimonio es un fracaso. Yo la quiero mucho, Ramón, pero así no podemos seguir...
RAMÓN: Juan, estás exagerando, ¿no crees? Lo único que ocurre es que Pati quiere atender su trabajo...
JUAN: Precisamente por eso. Creo que a Pati le importa más su trabajo que yo.
RAMÓN: Juan, quisiera decirte algo...
JUAN: ¿Qué es?
RAMÓN: Acaso, ¿no es posible que... ?
JUAN: Dilo, Ramón. ¿Que qué? Somos hermanos.
RAMÓN: Bueno, yo en tu lugar me sentiría celoso.
JUAN: ¿Celoso? ¿De quién?
RAMÓN: No es de quién, sino de qué. Mejor debo decir tendría envidia.
JUAN: Yo sé que Pati es muy inteligente, que tiene mucho talento. Es escritora, productora y directora y también profesora de teatro. Ramón, ¿crees que tengo envidia del éxito de mi esposa?

GUIDE: Al día siguiente, Raquel y Ángela están en camino a México.
ÁNGELA: Entonces, ¿no fuiste con Luis a Nueva York?
RAQUEL: Lo pensé. Pero, si me hubiera ido, no habría terminado mis estudios. En esa época, yo estudiaba derecho.
ÁNGELA: Comprendo. Tuviste que elegir entre él y tus estudios.
RAQUEL: Algo así. Pensé reunirme con él después, cuando me graduara. Pero...
ÁNGELA: ¿Pero qué?
RAQUEL: Es que tú dices que yo tenía que decidir entre mis estudios y él y Luis también tenía que decidir. Y él se decidió por su profesión.
ÁNGELA: Ay, Raquel...
RAQUEL: Al principio me sentí mal... Luis quería que yo le acompañara a Nueva York. Pero, nunca se le ocurrió a él quedarse en Los Ángeles y esperarme a mí. Bueno, pero eso ya pasó. Todavía tengo buenos recuerdos de Luis.
ÁNGELA: ¿No se volvieron a ver?
RAQUEL: No. Al principio nos escribíamos. Luego las cartas fueron cada vez menos frecuentes. ¿En qué piensas?
ÁNGELA: En Roberto, claro.
RAQUEL: Ya oíste lo que dijo el doctor. Seguro que se pondrá bien.
ÁNGELA: ¿Sabes, Raquel? Aunque le he tenido un poco de envidia a Roberto, la verdad es que lo

admiro.
RAQUEL: Sí, lo sé. Creo que también admiras a Jorge.
ÁNGELA: Ay, bueno, sí. Pero es distinto, Jorge es mi novio.
RAQUEL: Pero lo admiras, como admiras a Roberto.
ÁNGELA: Raquel, te debo pedir disculpas. Actué muy mal contigo, allá en Puerto Rico, la última vez que hablamos de Jorge.
RAQUEL: Ángela, la verdad es que yo no tengo derecho a meterme en tus asuntos. Si lo prefieres, no hablamos más de Jorge.
ÁNGELA: No. Al contrario, tú eres una buena amiga. Tal vez me haga bien hablar de él contigo, si no te aburres.
RAQUEL: Tenemos un largo camino por delante. ¿Por qué no me cuentas cómo lo conociste?
ÁNGELA: Jorge era amigo de un amigo de mi hermano.
RAQUEL: ¿Sí?
ÁNGELA: Nos conocimos en una fiesta que dieron unos amigos de la universidad. Me parecía que era muy simpático y esa misma semana salí con él—fuimos al teatro y luego seguimos viéndonos. Pronto nos hicimos novios.
RAQUEL: Parece que fue muy rápido.
ÁNGELA: Sí. En cierto sentido, sí. Pero ahora no podría imaginar mi vida sin Jorge.
RAQUEL: ¿Y han hablado de casarse?
ÁNGELA: Bueno, cuando le enseñé la copa de bodas de la abuela Rosario, ¿sabes lo que me dijo? Me dijo: «Cuando nos casemos, vamos a brindar con esta copa.»
RAQUEL: Que romántico...
ÁNGELA: Sí. Así es Jorge. Por eso lo quiero tanto. Es una persona muy romántica. Raquel, cuéntame de mi Tío Arturo. Porque... si no me equivoco, parece que hay algo entre Uds.
RAQUEL: Ángela, eres muy perspicaz, ¿sabes?... Sí, bueno, la verdad es que hay algo. Y otra vez... parece como un amor imposible. Otra vez, la distancia...

GUIDE: En México, Arturo termina una conversación telefónica con Pedro.
ARTURO: Entonces, ¿no hay ninguna noticia?... No, yo tampoco. Raquel no me ha llamado... Bueno, hasta luego, Pedro... Sí, sí, claro, cualquiera cosa lo llamo. Hasta luego. Disculpe.
RECEPCIONISTA: Sí, dígame.
ARTURO: ¿Me permite el diario?
RECEPCIONISTA: ¿Mande?
ARTURO: El periódico, ¿me lo permite un momento?
RECEPCIONISTA: Sí, señor, por supuesto. Aquí tiene.
ARTURO: Gracias. Disculpe, a lo mejor Ud. me puede ayudar.
RECEPCIONISTA: Sí, dígame.
ARTURO: Necesito saber la dirección de las oficinas de esta universidad.
RECEPCIONISTA: Ah, sí. Vamos a ver. Aquí tiene la guía telefónica.
ARTURO: Gracias.

RAQUEL: Ay. No aguanto estar tanto tiempo sentada en un carro. Bueno, aquí estamos. Otra vez en camino. Pero esta vez, vamos a la Ciudad de México. ¿Por qué vamos a México ahora?
RAQUEL (VO): Porque llevaron a Roberto a un hospital de allí. Porque queríamos regresar para ver a Arturo. Porque Ángela necesitaba atencion médica.
RAQUEL: Vamos a la Ciudad de México porque llevaron a Roberto a un hospital de allí. ¡Sí! Por fin rescataron a Roberto. ¿Y cómo lo llevaron a la ciudad?—¿en helicóptero o en ambulancia? Lo llevaron en helicóptero. Inmediatamente, Ángela y yo salimos para allá también. En el auto, Ángela estaba muy pensativa. ¿En qué, o en quién pensaba Ángela? ¿En su novio Jorge?
RAQUEL: ¿En qué piensas?
ÁNGELA: En Roberto, claro.
RAQUEL: No. Ángela pensaba en su hermano, Roberto. Y ella me dijo algo muy importante de Roberto. ¿Qué me dijo Ángela?
RAQUEL (VO): Me dijo que le tenía mucho cariño a él. Me dijo que lo admiraba mucho. Me dijo que era más importante en su vida que Jorge.
ÁNGELA: ¿Sabes, Raquel? Aunque le he tenido un poco de envidia a Roberto, la verdad es que lo admiro.
RAQUEL (VO): Ángela me dijo que lo admiraba mucho.
RAQUEL: Durante esa conversación en el carro, las dos hablamos de cosas muy interesantes. Primero, yo supe algo sobre las relaciones entre Ángela y Jorge. ¿Qué recuerdan Uds. de ellos?

Bueno, primero sabemos que Ángela conoció a Jorge en una fiesta que daban unos amigos. Jorge era amigo de un amigo de Roberto. También sabemos que después de esa fiesta empezaron a verse y pronto se hicieron novios. Finalmente sabemos que cuando Ángela le mostró a Jorge la copa de bodas de su abuela Rosario, él mencionó algo sobre matrimonio. Todavía tengo mis dudas sobre Jorge. ¿Recuerdan lo que pasó en Puerto Rico?

JORGE: Y dime algo de ti. ¿Estás casada?

RAQUEL: No. ¿Y tú... viajas con frecuencia a Nueva York?

JORGE: Sí. En Nueva York tengo... bueno, tengo más oportunidades que aquí en Puerto Rico.

RAQUEL: Pero no le voy a decir a Ángela nada más. Bueno, yo también le conté a Ángela algunas cosas sobre mi antiguo novio. Pero Uds. ya saben eso, ¿no?

GUIDE: ¿Qué recuerdan Uds. sobre Raquel y su antiguo novio? El antiguo novio de Raquel se llama Manuel, Luis, Pancho. Se llama Luis. Luis y Raquel se separaron porque Raquel aceptó un trabajo en otra ciudad. Luis aceptó un trabajo en otra ciudad. Porque Luis aceptó un trabajo en otra ciudad.

RAQUEL: Bueno, Ángela está dormida. Está bien, sólo necesita descansar. Pronto vamos a llegar a la Ciudad de México y veremos cómo está Roberto.

ROBERTO: Ángela...

Episodio 35

Reunidos (*Reunited*)

GUIDE: Bienvenidos al Episodio 35 de *Destinos: An Introduction to Spanish.* En este episodio, Pati se va a Nueva York. Claro, Juan no está muy contento. También Carlos recibe noticias de lo que pasa en la oficina en Miami.
OFELIA: Tengo una copia de los reportes de los auditores. No son muy buenos.
CARLOS: ¿Qué dicen?
OFELIA: Recomiendan cerrar la oficina.
GUIDE: Y en este episodio, vamos a saber más del estado de Roberto.
ARTURO: ¿No ha sufrido lesiones graves?
DOCTORA: No. Ninguna. Está un poco tenso y débil por todo lo que pasó. Pero le hemos dado un calmante.
GUIDE: En el episodio previo, llevaron a Roberto Castillo al hospital. Raquel y Ángela también salieron y la familia Castillo espera tener noticias de ellas. Pero todo no va bien con los diferentes miembros de la familia. Como ya sabemos, Juan y Pati están pasando por dificultades en su relación. Y Arturo, que no ha vuelto a tener más noticias de Raquel, trataba de averiguar algo más sobre el accidente.
ARTURO: Hasta luego, Pedro.
ÁNGELA: Tú eres una buena amiga...
GUIDE: Camino a la Ciudad de México, Raquel y Ángela se contaban historias de sus novios. Por fin, Ángela se durmió. Raquel paró en un café y es aquí donde la encontramos en este episodio.
ÁNGELA: ¿Qué pasó?
RAQUEL: ¡Ay! Es que venía un camión y no lo vi.
ÁNGELA: ¡Ay! ¡Qué susto!
GUIDE: Mientras tanto, en la casa de Ramón...
PEDRO: Escuchen. ¡Roberto ha sido rescatado!
CARLOS: ¡Gracias a Dios! ¿Te lo han dicho en la universidad?
PEDRO: Sí, me han dicho que lo llevaron a un hospital.
CARLOS: ¿Se encuentra bien?
PEDRO: No lo sé, no sabían más detalles pero espero que sí.
GLORIA: Bueno, al menos está vivo.
CARLOS: Podría haber muerto.
PEDRO: Es cierto. Fue el último en ser rescatado. Bueno, me voy inmediatamente. ¿Uds. se quedan con los niños?
CARLOS: Sí, sí.
PEDRO: Hay que darle la buena noticia al resto de la familia.
CARLOS: Claro, Tío. Yo me encargo de eso.
PEDRO: Es posible que el Dr. Iglesias llame. Llamé a su hotel, pero había salido. Bueno, hasta luego. Hasta luego.
PATI: ¡Don Pedro! ¡Don Pedro!
PEDRO: Sí, dime, Pati. ¿Qué ocurre?
PATI: Nada... bueno, quería despedirme... Me voy en el próximo vuelo a Nueva York.
PEDRO: ¿Te vas a Nueva York?... ¿Por cuánto tiempo?
PATI: En realidad no lo sé. Hay problemas en la producción de mi obra que requieren mi presencia.
PEDRO: Bien, Pati. Que tengas buen viaje. Espero que tengas suerte, que resuelvas los problemas y que regreses pronto.
PATI: Gracias, Tío. Adiós.
PEDRO: Hasta pronto.

CARLOS: ¿Ofelia? Habla Carlos. Mira, ¿no sabes algo más?
OFELIA: Sí. El gerente del banco que ha estado llamando muchas veces y quiere hablar con Ud.
CARLOS: ¿No ha dicho para qué?
OFELIA: No, pero que quiere hablar con Ud. Yo le dije que andaba de viaje para México.
CARLOS: Ah, ¿qué más?
OFELIA: Tengo una copia de los reportes de los auditores. No son muy buenos.
CARLOS: ¿Qué dicen?
OFELIA: Dicen que el balance general arroja fuertes pérdidas, que ponen en peligro las otras inversiones de la familia. Y pues, recomiendan cerrar la oficina.

GUIDE: En otra parte de la Ciudad de México, Arturo sale de una oficina de la universidad. Acaba de recibir noticias de Roberto y va directamente al hospital donde está su sobrino.
ARTURO: Buen día.
RECEPCIONISTA: Buenos días. Dígame.
ARTURO: Busco a Roberto Castillo Soto. Me dijeron que está internado aquí.
RECEPCIONISTA: Permítame. Roberto Castillo Soto. Sí, señor, aquí está. Se encuentra en el noveno piso. Está en el cuarto 943. Por el elevador, por favor.
ARTURO: Gracias. Buenos días. ¿Roberto Castillo Soto?
DOCTORA: Sí, señor. ¿Es Ud. algún familiar?
ARTURO: Sí, es un sobrino mío. ¿Cómo está, doctora?
DOCTORA: Ha sufrido un shock pero eso es todo. No hay nada de que preocuparse. Es un joven fuerte y muy sano.
ARTURO: Entonces, ¿no ha sufrido lesiones graves?
DOCTORA: No. Ninguna. Está un poco tenso y débil, por todo lo que pasó, pero le hemos dado un calmante. Hay que dejarlo dormir y mañana estará bien.
ARTURO: Muchas gracias, doctora.
DOCTORA: No hay de qué. Estese tranquilo. No lo despierte. Necesita descansar.
ARTURO: No lo voy a despertar. Muchas gracias.
PEDRO: ¡Bueno! Veo que lo encontró antes que yo.
ARTURO: ¿Cómo le va, Pedro?
PEDRO: Bien, bien. ¿Cómo está Roberto?
ARTURO: Bien. Recién se acaba de ir la médica. Me dijo que estaba bien, un poco débil.
PEDRO: ¿Pero se recuperará pronto?
ARTURO: Sí. Sólo hay que dejarlo descansar. Le dieron un calmante.
PEDRO: No es para menos, después de lo que pasó...
ARTURO: Sí. Por suerte no sufrió lesiones.
PEDRO: Bueno, mejor salgamos para no despertarlo.
ARTURO: Tiene razón, salgamos.
PEDRO: Pienso reunir a toda la familia en mi casa para que se conozcan.
ARTURO: ¿Y don Fernando?
PEDRO: Creo que habrá que consultar al médico.
ARTURO: Sí. Está pasando un momento muy duro. De grandes emociones.
PEDRO: Sí, muchas, y su corazón está débil.
ARTURO: Sí. Yo creo que Uds. deberían hablar con él, prepararlo para que ese momento no sea tan difícil. ¡Raquel!
RAQUEL: ¡Arturo! ¿Qué haces aquí? ¿Qué tal Pedro? ¿Cómo estás?
PEDRO: Bien, muy bien. Raquel, quiero agradecerte por todo lo que has hecho.
RAQUEL: No es nada, Pedro. ¿Cómo sigue Roberto?
ARTURO: Bien, bien. La médica me dijo que hay que dejarlo dormir y mañana estará bien.
RAQUEL: ¡Cuánto me alegro! Hemos pasado un susto tremendo.
ARTURO: Me imagino. Óyeme, la chica que ha entrado corriendo, ¿es...?
RAQUEL: Sí, ella es Ángela, tu sobrina.
ARTURO: ¡Ah! ¡Oh!
ÁNGELA: ¿Sabes cómo está?
RAQUEL: Está bien. Ha dicho la doctora que no hay por qué preocuparse. Sólo hay que dejarlo descansar. Ángela, éste es tu Tío Arturo.
ÁNGELA: Raquel me ha hablado mucho de ti...
ARTURO: Yo sé muy poco de vos y de tu hermano Roberto. Tenemos mucho de que hablar.
ÁNGELA: Sí, claro, ahora podremos hablar.
RAQUEL: Y este señor es Pedro Castillo, el hermano de tu abuelo Fernando.
PEDRO: Bienvenida a nuestra familia, hijita.
ÁNGELA: Gracias. Tengo muchos deseos de conocerlos a todos. Pero ahora me tienen que disculpar. Tengo que llamar a Puerto Rico.
PEDRO: No. No, sí. Claro. Por supuesto.
ARTURO: ¿Por qué no vamos al hotel. Allí podremos hablar y Uds. podrán descansar.
PEDRO: Eso es mejor. Mientras tanto, yo iré a casa a avisarles a los demás. Podemos reunirnos todos más tarde. ¿Sí?
ÁNGELA: Sí. Sí, Tío, Roberto está muy bien. Está en el hospital, pero la doctora dice que está bien.
JAIME: ¡Menos mal! ¿No ha sufrido golpes ni lesiones?

ÁNGELA: No, está débil y debe dormir, pero dicen que mañana estará bien.

RAQUEL: ¿Cómo? ¿Que vienen a México?
MARÍA: Sí, tu papá y yo pensamos visitar a los parientes de Guadalajara. Y espero que tú también vengas con nosotros.
RAQUEL: Puede ser, pero todavía tengo cosas que hacer aquí.
MARÍA: Ah, iremos entonces a la Ciudad de México primero.
RAQUEL: ¡Qué bien! Así podrán conocer a mis nuevos amigos.
MARÍA: ¿Anda ese gaucho por allí? Ese amigo argentino.
RAQUEL: Mamá, no comiences. Sí, Mamá... sí... sí....

ARTURO: ¿Estás lista?
RAQUEL: Sí. Ahora baja Ángela.
ARTURO: ¿Queda lejos la casa de Pedro?
RAQUEL: No, no te preocupes.
ÁNGELA: ¡Hola!
ARTURO: ¿Vamos?
ÁNGELA: Miren, yo pensaba que... bueno, no quiero ser descortés con mis nuevos parientes.
RAQUEL: Me imagino que quieres ir al hospital.
ÁNGELA: Sí. Quisiera estar junto a Roberto.
ARTURO: Está dormido. Le han dado un sedante y seguramente no se va a despertar hasta mañana.
ÁNGELA: No importa. No quiero que se despierte y se encuentre solo, sin saber dónde está. Uds. entienden, ¿no?
RAQUEL: Tienes razón. Creo que nosotros podemos explicarle eso a la familia. ¿No crees?
ARTURO: Bueno, será mi primer acto oficial como tío.
ÁNGELA: Ay, gracias.
RAQUEL: Vamos. Te dejamos en el hospital.

RAQUEL: Gracias.
PEDRO: Raquel.
RAQUEL: ¡Ah! Pedro.
PEDRO: ¡Qué gusto! Doctor, pásele, por favor. ¡Qué gusto de verlo!
ARTURO: Gracias.
PEDRO: ¡Qué gusto! Permítanme presentarles al Dr. Arturo Iglesias. Ya saben que es el hijo de Rosario Valle, la primera esposa de Fernando. Mi sobrina, Mercedes, la hija mayor de Fernando...
ARTURO: Mucho gusto.
MERCEDES: Encantada.
PEDRO: ...Ramón,...
ARTURO: ¿Qué tal?
RAMÓN: Mucho gusto.
ARTURO: Encantado.
PEDRO: ...su esposa, Consuelo...
CONSUELO: Encantada.
ARTURO: Mucho gusto.
PEDRO: Carlos...
CARLOS: Mucho gusto.
ARTURO: Encantado.
PEDRO: ...y su esposa, Gloria...
ARTURO y GLORIA: Mucho gusto.
PEDRO: ...y Juan, el hijo menor de la familia...
ARTURO: Encantado.
PEDRO: Ah, y aquí tenemos la nueva generación de los Castillo, Juanita y Carlitos, hijos de Carlos y Gloria y Maricarmen, la menor de los Castillo, hija de Ramón y Consuelo.
CONSUELO: Bueno, ya saludaron, ahora a la cama sin chistar, ¿de acuerdo? A la cama, a la cama.
PEDRO: Bueno, pasemos a la sala, por favor. Adelante. Pase, doctor. ¿Qué gusta Ud. tomar, doctor?
ARTURO: Por favor, dígame Arturo.
PEDRO: Arturo. ¿Así que no ha probado todavía nuestro tequila?
ARTURO: No. La verdad es que no he probado el tequila.
PEDRO: ¡Ah! Entonces, no se puede ir sin probarlo. Sírvenos un tequila añejo, por favor. Si todos están de acuerdo, claro.

TODOS: Claro.
PEDRO: Ah, Consuelo, ¿y Carlos?
CONSUELO: Está con los niños, ahora viene.
MERCEDES: ¿No ha venido tu sobrina, Arturo? ¿Ángela?
ARTURO: No, quiere que la excusen. Se quedó acompañando a su hermano.
MERCEDES: Gracias.
ARTURO: ¿Y tengo que agarrar el limón y la sal?

RAQUEL: ¡Ay!.No, no, no, no, no, no. No se preocupe.
EL AMA DE CASA: Yo la llevo a la cocina.
RAQUEL: Gracias. Con permiso.
CARLOS: ¿Qué pasó, eh?
MERCEDES: A Raquel se le cayó el tequila en el vestido. Está bien.
EL AMA DE CASA: Espere aquí un momento, por favor, señora.
RAQUEL: Sí, gracias.
EL AMA DE CASA: Aquí tiene.
RAQUEL: Muchas gracias.
EL AMA DE CASA: Con permiso…
RAQUEL: Sí. Pase. Ah, no lo puedo creer. Bueno, pero después de varios días en una excavación, ¿qué es un poco de tequila en el vestido? Huy, ¡qué día tuvimos hoy! ¿No? ¿Recuerdan Uds. lo qué pasó esta mañana en el camino? Yo manejaba el carro. ¿Y qué?
RAQUEL (VO): Yo manejaba el carro y… De repente apareció un camión. De repente, apareció un perro. Bueno, cuando yo manejaba el carro, de repente apareció un camión.
RAQUEL: ¡Qué susto! Por poco tuvimos un accidente. Y Ángela, quien estaba dormida, se despertó. Cuando por fin llegamos al hospital, tuvimos allí otra sorpresa. ¿Quiénes estaban con Roberto? ¿Arturo y Pedro? ¿O Pedro y Mercedes?
RAQUEL: Ángela, éste es tu Tío Arturo.
ÁNGELA: Raquel me ha hablado mucho de ti.
RAQUEL: Cuando llegamos, Pedro y Arturo estaban allí. Ellos estaban en el corredor hablando. ¿Se dio cuenta Ángela de que estaban allí?
ARTURO: …deberían hablar con él, prepararlo para que se…
RAQUEL: No, no se dio cuenta. Ella entró directamente al cuarto para ver a Roberto. Pero yo sí los vi. ¿Y cuál fue la reacción de Arturo cuando me vio?
RAQUEL (VO): Cuando Arturo me vio… Gritó mi nombre nada mas. Gritó mi nombre y me dio un beso. Gritó mi nombre y me dio la mano.
ARTURO: ¡Raquel!
RAQUEL: ¡Arturo!
RAQUEL (VO): Cuando me vio, Arturo gritó mi nombre y me dio un beso.
RAQUEL: Pues, yo estaba un poco avergonzada porque allí estaba presente Pedro. No le he preguntado esto a Arturo, pero ¿cómo supo él que habían llevado a Roberto a ese hospital?
GUIDE: Raquel no sabe cómo supo Arturo dónde estaba Roberto. Pero Uds. lo saben, ¿no? Arturo supo donde estaba Roberto porque… Pedro se lo dijo. Lo oyó en las noticias en la televisión. Alguien se lo dijo en la universidad. Arturo supo dónde estaba Roberto porque alguien se lo dijo en la universidad.
RAQUEL: Bueno, después de saludar a Pedro, yo entré al cuarto de Roberto. ¿Y cómo estaba? ¿Estaba despierto y quería hablar? ¿O estaba dormido?
RAQUEL (VO): Roberto estaba dormido. Le habían dado un calmante.
RAQUEL: Después, Ángela y yo salimos del cuarto y yo se la presenté a Arturo y también a Pedro. Entonces decidimos ir al hotel. Claro, estábamos cansadas pero Ángela también quería hacer una llamada. ¿A quién llamó?
ÁNGELA: Roberto está muy bien. Está en el hospital, pero la doctora dice que está bien.
RAQUEL (VO): Ángela llamó a sus familiares en Puerto Rico para decirles que Roberto estaba bien.
RAQUEL: Y yo también hice una llamada. Llamé a mi mamá y me dio unas noticias interesantes. ¿Recuerdan?
RAQUEL (VO): Mi mamá me dijo que… Ella y mi papá venían a México. Mis parientes venían de Guadalajara. Mi mamá me dijo que ella y mi papá venían a México.
RAQUEL: Habíamos pensado en venir todos aquí a la casa de Pedro. Pedro quería que Arturo y Ángela conocieran a la familia. Pero no vinimos todos a la casa de Pedro. ¿Quién no vino?
ÁNGELA: Hola.
ARTURO: ¿Vamos?

ÁNGELA: Miren...
RAQUEL (VO): Ángela no vino. ¿Recuerdan por qué? Ángela no vino a la casa de Pedro porque... Estaba exhausta y quería descansar. Tenía miedo de conocer a sus familiares. Quería estar con Roberto cuando él se despertara.
RAQUEL: Ángela no vino porque Roberto estaba dormido y quería estar con él cuando se despertara. Entonces Arturo y yo vinimos solos. Yo lo dejé con la familia porque tenía que venir aquí a limpiar mi vestido. Creo que todo va bien. Arturo es una buena persona y no hay razón para que no le guste a la familia. Bueno, creo que debo regresar. Deben estar preguntándose qué me pasa.
ARTURO: Venía a ver si necesitabas ayuda.
RAQUEL: No, ¡ya está! No va a quedar mancha.
ARTURO: Vení conmigo.
RAQUEL: ¿Adónde?
ARTURO: Ahí afuera, al jardín. Sólo un minuto.
RAQUEL: De acuerdo. Un minuto.
ARTURO: ¿Recordás, una noche, en un jardín lejano, allá en el sur?
RAQUEL: Sí, por supuesto que lo recuerdo.
ARTURO: ¿Te acordás que pedí un deseo a las estrellas, esa noche?
RAQUEL: Arturo, debemos regresar adentro.
ARTURO: Sí, ya vamos a regresar. Pero antes, quería decirte algo.
RAQUEL: ¿Qué?
ARTURO: Esto.

Episodio 36

¿Qué estarán haciendo? (*What Could They Be Doing?*)

GUIDE: Bienvenidos al Episodio 36 de *Destinos: An Introduction to Spanish.* La mayor parte de este episodio es un repaso de lo que ha pasado desde que Raquel y Ángela salieron de Puerto Rico. Vamos a ver la historia desde varios puntos de vista, el de Raquel, el de Arturo...
ARTURO: Yo, sí. Realmente estaba muy preocupado.
ARTURO: ¿Hay algún mensaje para mí?
RECEPCIONISTA: Ah, sí. Le llamó la Srta. Rodríguez.
GUIDE: ... y el de varios miembros de la familia Castillo.
JUAN: Llamaste a Nueva York, ¿no?
PATI: Sí... Yo creo que si no regreso pronto, la obra no se va a estrenar.
AUDITOR 2: Lamentablemente, nuestra recomendación es venderla. Hace falta capital.
MERCEDES: ¿Cómo te sientes?
DON FERNANDO: Pues, mejor. Bien. Mucho mejor.

GUIDE: En el episodio previo, Pati salió para Nueva York para atender a los problemas de su producción teatral. Y Carlos recibió malas noticias desde Miami.
OFELIA: Tengo una copia de los reportes de los auditores. No son muy buenos.
GUIDE: Arturo fue al hospital para ver a su sobrino, y también encontró a Raquel.
ARTURO: ¡Raquel!
RAQUEL: ¡Arturo!

PEDRO: ¿Qué les parece Arturo?
CARLOS: A mí me cae bien. Es un hombre culto.
GLORIA: Y muy guapo.
MERCEDES: Parece que Uds. no son los únicos que se han dado cuenta de eso, ¿eh?
CARLOS: No te entiendo.
GLORIA: Ay, Carlos. No seas tonto. Mercedes se refiere a Raquel.
JUAN: Bueno, es natural que hubiera una atracción entre los dos. Los dos son profesionistas y...
RAMÓN: ¿Sí, Juan? Los dos son profesionistas y...
JUAN: No, nada. Pensaba en Pati, eso es todo.
PEDRO: ¿Dónde estarán esos dos? ¿Qué estarán haciendo?
ARTURO: Raquel... ¿Recordás todo lo que dije aquella noche?
RAQUEL: Sí. Por supuesto.
ARTURO (VO): ...a las millones de estrellas que hay en el universo, quiero pedirles un deseo, que podamos encontrar a mi hermano y que él pueda conocer a su padre, don Fernando y que esta persona, esta mujer, sea parte importante de mi vida, y que yo sea parte importante de su vida también.
ARTURO: Sigo pensando lo mismo.
RAQUEL: Debemos regresar.
ARTURO: No. Espera un momento. Quiero aprovechar estos minutos contigo. ¿Por qué no me contás bien lo que pasó en la excavación? No me has dicho nada, realmente.
RAQUEL: Está bien, si quieres. Ángela y yo, ya sabíamos lo del accidente desde Puerto Rico.
ARTURO: Pero, ¿cómo?
RAQUEL: Estábamos a punto de salir para el aeropuerto cuando se presentó de repente uno de los tíos de Ángela.
JAIME: Ángela, Ángela. Me alegro mucho de encontrarte.
ÁNGELA: ¿Qué pasa Tío? Estás muy preocupado.
JAIME: Tienes que pasar directamente a ver a tu hermano cuando llegues a México.
ÁNGELA: ¿Cómo? No comprendo.
JAIME: Sucedió un accidente. En la excavación.
RAQUEL: ¿Qué pasó?
JAIME: Su hermano tuvo un accidente en la excavación.
RAQUEL: Pronto podrás hablar con él.
GUARDIA: Ha habido un accidente. No se puede pasar.
RAQUEL: Ay, por favor, señor. El hermano de ella estaba en la excavación,... no sabemos lo que le ha pasado.
GUARDIA: En ese caso deben ir al pueblo. Por allá, a no más de quince minutos. En el hospital, le

dan información a todos los familiares.
ÁNGELA: Buenos días. ¿Sabe Ud. algo de los trabajadores de la excavación? Mi hermano estaba allí.
RECEPCIONISTA: ¿Y su nombre, por favor?
ÁNGELA: Roberto Castillo Soto. Es un estudiante de Puerto Rico.
RECEPCIONISTA: Castillo Soto. Vamos a ver... mire Ud. misma.
ÁNGELA: ¡Mira! Aquí hay un R. Castilla.
RAQUEL: ¡Sí! ¡Puede ser un error! ¡Puede ser Roberto Castillo! ¡Señorita! Aquí hay un R. Castilla. ¿No será Roberto Castillo?
PADRE RODRIGO: Disculpe, pero yo sé que ése es Rodrigo Castilla. Lo conozco bien, vive aquí cerca.
RAQUEL: ¿Ha estado Ud. en la excavación?
PADRE RODRIGO: Sí, señorita. Aquí hacemos lo que podemos para ayudar. ¿Tiene Ud. algún familiar allí?
ÁNGELA: Sí, mi hermano... es un estudiante... de Puerto Rico. Se llama Roberto Castillo Soto, ¿lo ha visto?
PADRE RODRIGO: No lo recuerdo. Lo siento.
ÁNGELA: Entonces, ¿podría estar entre los hombres atrapados?
PADRE RODRIGO: Puede ser, pero no sabemos quiénes son. Están excavando para sacarlos...
PADRE RODRIGO: Está bien, está bien, soy yo. Gracias.
RAQUEL: Ya verás que todo irá bien...
ÁNGELA: Ay, gracias, Raquel. Me alegro de que estés aquí conmigo.
PADRE RODRIGO: Espérenme aquí, no se muevan. Voy a ver qué pasa. Ángela, lo que temíamos es cierto. Su hermano Roberto es una de las personas atrapadas... pero hay esperanzas. Contestan los llamados con golpes en las piedras.
ÁNGELA: Entonces, ¿están vivos?
PADRE RODRIGO: Sí, seguro.
RAQUEL: ¿Podemos hacer algo?
PADRE RODRIGO: No. Lo único que podemos hacer es esperar, con fe.
ÁNGELA: ¡Ay, Dios mío! ¿Será Roberto?
RAQUEL: Ten calma, Ángela. Ten calma.
ÁNGELA: ¡Ojalá que sí!
HOMBRE: ¡Se derrumbó!
JULIO: ¡Rápido! Llévenla a la tienda
ÁNGELA: ¡No! Mi hermano. Yo me quiero quedar. ¡Roberto! ¡Roberto!
PADRE RODRIGO: Ahora no puedes hacer nada aquí.
JULIO: Estará mejor. Le he dado un calmante.
ÁNGELA: Raquel... no está muerto, ¿no?
RAQUEL: No, Ángela, hubo otro derrumbe pero creen que está bien.
ÁNGELA: ¡Ay, Raquel!
PADRE RODRIGO: Han comenzado a excavar de nuevo.
ÁNGELA: ¿Tardarán mucho?
PADRE RODRIGO: Bueno, eso no lo sé. Hay que abrir una parte del túnel de nuevo.
ÁNGELA: Pobre Roberto, debe estar muy mal...
PADRE RODRIGO: Sabe que irán por él. Ahora hay que esperar y tener fe. Verás cómo la Virgen cuidará de tu hermano.

HOMBRE: ¡Roberto! ¡Roberto!
HOMBRE: ¿Quién gritó?
ÁNGELA: Ay, no puedo ver bien, ¿y tú?
RAQUEL: Yo tampoco. Debes tener paciencia, Ángela. Todo saldrá bien.
HOMBRE: Lo tengo. Ayúdenme. Ten cuidado.
JULIO: No se preocupe, señorita. Está inconsciente, pero parece que está bien.
ÁNGELA: ¿No está seguro?
JULIO: Aparentemente está bien. Respira normalmente, no tiene fracturas, la temperatura y la presión son normales, considerando lo que ha pasado. De todos modos, es necesario llevarlo a un hospital para hacerle un examen completo. Veré que lo lleven a México directamente.

RAQUEL: Seguro que se pondrá bien.
ÁNGELA: ¿Sabes, Raquel?...
ARTURO: Y en todo este tiempo no pudiste comunicarte ni conmigo ni con Pedro.
RAQUEL: No. Me imaginaba que estarían preocupadísimos.

ARTURO: Yo sí. Realmente estaba muy preocupado.

RECEPCIONISTA: Buenas noches.
ARTURO: Buenas noches.
RECEPCIONISTA: ¿Se va a registrar?
ARTURO: Sí, señor.
RECEPCIONISTA: Aquí tiene.
ARTURO: Gracias. La Srta. Raquel Rodríguez ¿Se ha registrado?
RECEPCIONISTA: Rodríguez... No... A ver... Sí, hay una reservación... pero ella no se ha presentado.
ARTURO: ¡Qué raro!... ¿Me permite el teléfono?
RECEPCIONISTA: Por supuesto, aquí tiene. Marque el número nueve para conseguir línea.
EL AMA DE CASA (VO): ¿Bueno?
ARTURO: ¿Con la casa de Pedro Castillo?
EL AMA DE CASA (VO): Don Pedro no se encuentra ahorita. ¿Con quién hablo, por favor?
ARTURO: Mi nombre es Arturo Iglesias y vengo de la Argentina... ¿Le puedo dar un mensaje?
EL AMA DE CASA (VO): Sí, señor, como no.

RECEPCIONISTA: Le llamó la Srta. Rodríguez.
PEDRO: ¿El Dr. Arturo Iglesias?
ARTURO: Sí, él habla.
PEDRO: Soy Pedro Castillo. Mucho gusto.
ARTURO: ¡Ah, mucho gusto! ¿Recibió mi mensaje?
PEDRO: Sí. Disculpe la tardanza en contestar. Lo recibí muy tarde.
ARTURO: Por favor, no se preocupe. ¿Sabe algo del accidente?
PEDRO: ¿Accidente?
ARTURO: Sí. ¿No ha hablado con Raquel?
PEDRO: ¿Raquel? ¿Ya está en México?
ARTURO: Sí, me dejó un mensaje en el hotel. Roberto, mi sobrino, el nieto de don Fernando, ha sufrido un accidente.

ARTURO: Entonces, ¿no hay ninguna noticia? No, yo tampoco. Raquel no me ha llamado. Bueno, hasta luego, Pedro. Sí, sí, claro. Cualquier cosa lo llamo. Hasta luego.
ARTURO: Disculpe. A lo mejor Ud. me puede ayudar.
RECEPCIONISTA: Sí, dígame.
ARTURO: Necesito saber la dirección de las oficinas de esta universidad.
RECEPCIONISTA: Ah, sí, vamos a ver. Aquí tiene la guía teléfonica.
ARTURO: Gracias.

ARTURO: Buenos días. ¿Roberto Castillo Soto?
DOCTORA: Sí, señor. ¿Es Ud. algún familiar?
ARTURO: Sí, es un sobrino mío. ¿Cómo está, doctora?
DOCTORA: Ha sufrido un shock pero eso es todo. No hay nada de qué preocuparse. Es un joven fuerte y muy sano.
ARTURO: Entonces, ¿no ha sufrido lesiones graves?
DOCTORA: No. Ninguna. Está un poco tenso y débil, por todo lo que pasó pero le hemos dado un calmante. Hay que dejarlo dormir y mañana estará bien.
ARTURO: Muchas gracias, doctora.
DOCTORA: No hay de qué. Estese tranquilo. No lo despierte. Necesita descansar.
ARTURO: No lo voy a despertar. Muchas gracias. Bueno, pero todo eso ya es cosa del pasado. Aquí estamos nosotros. Y prefiero pensar en el presente... y en el futuro.
GLORIA: No, a mí no me cuesta mucho trabajo adaptarme a Miami francamente. La verdad es que el día que llegué me encantó. Me encantó y podía ir a la playa todo el tiempo a la hora que yo quiera, y el ambiente es precioso. Hay una cantidad de tiendas, una cantidad de tiendas para los niños, para nosotros...maravillosas. Claro, Carlos se pone furioso cada que yo me voy de tiendas, pero bueno...
JUAN: ¿Y Pati, qué haces?
PATI: Nada... solo pensaba.
JUAN: ¿Pensabas? ¿En qué?
PATI: Ya sabes... hay problemas en el teatro.
JUAN: Ya veo, llamaste a Nueva York, ¿no?

PATI: Sí... Yo creo que si no regreso pronto, la obra no se va a estrenar.
JUAN: ¿No estás exagerando?
PATI: ¡Ay, Juan! Cuántas veces tengo que decírtelo? Yo tengo una vida profesional, con compromisos... hay cosas que requieren mi atención.
JUAN: Sí, sí, ya me lo has dicho mil veces.
PATI: Sí, sí. Parece que no lo comprendes.
JUAN: Lo que yo no comprendo es que tu vida profesional sea más importante que yo...
PATI: Mira, Juan. Voy a tratar de explicártelo una vez más. No es que mi vida profesional sea más importante que tú. Es que la obra me necesita a mí en este momento. Yo soy la autora, soy la directora. Hay problemas y sólo puedo resolverlos yo.
JUAN: ¿Pero por qué tienes que ir a Nueva York? ¿No lo puedes hacer desde aquí, por teléfono?
PATI: ¡Juan! ¡Estamos hablando de una obra de teatro! Lo que tú dices es como... como... pedirle a un doctor que cure a un enfermo por teléfono.
JUAN: Pero tú no eres doctora...
PATI: Mira, Juan, aunque no me entiendas, yo voy a ir a Nueva York. Voy a resolver este problema. Y en cuanto lo haya hecho, regreso a México.
JUAN: Pati, ya te lo dije. ¡No puedes irte justo ahora!
PATI: ¡No me grites así, Juan! Ya traté de explicarte los problemas de la producción en Nueva York. No entiendo por qué actúas como un niño mimado.
JUAN: ¿Cómo puedes hacerme esto?
PATI: Mira, yo sí voy a Nueva York. Voy a resolver mi problema. Y en cuanto lo haya hecho, regreso a México. Pero si tú no quieres tener una mujer profesionista en tu vida, eso es otro asunto.
JUAN: ...presiento que es el fin, que todo ha terminado. No nos entendemos. Nuestro matrimonio es un fracaso. Yo la quiero mucho, Ramón, pero así no podemos seguir...
RAMÓN: Juan, estás exagerando, ¿no crees? Lo único que ocurre es que Pati quiere atender su trabajo...
JUAN: Precisamente por eso. Creo que a Pati le importa más su trabajo que yo.
RAMÓN: Juan, quisiera decirte algo...
JUAN: ¿Qué es?
RAMÓN: Acaso, no es posible que...
JUAN: Dilo, Ramón. ¿Que qué? Somos hermanos.
RAMÓN: Bueno, yo en tu lugar me sentiría celoso.
JUAN: ¿Celoso? ¿De quién?
RAMÓN: No es de quién, sino de qué. Mejor debo decir tendría envidia.
JUAN: Yo sé que Pati es muy inteligente, que tiene mucho talento. Es escritora, productora y directora y también profesora de teatro. Ramón, ¿crees que tengo envidia del éxito de mi esposa?
GLORIA: Tengo muchas actividades, también colaboro con una sociedad de beneficencia y organizamos diferentes cosas. Bueno, de pronto...
CONSUELO: Toma, Tío. Éstos son los papeles que Ramón quería.
PEDRO: Gracias, Consuelo.
CARLOS: ¿Adónde vas, Tío?
PEDRO: Tengo que ir a La Gavia, a hablar de unos asuntos con Ramón. Regreso pronto.
CARLOS: ¿Algún problema?
PEDRO: Tenemos que hacer cuentas.
PEDRO: Sabía que había problemas. Pero no pensaba que fueran tan graves.
RAMÓN: Yo tampoco.
PEDRO: Uds., señores ¿qué nos recomiendan?
AUDITOR 1: Que tomen medidas drásticas. Que cierren la oficina en Miami que es la causa de los problemas. Después, se deben concentrar en la producción de acero.
RAMÓN: ¿Y La Gavia?
AUDITOR 2: Lamentablemente, nuestra recomendación es venderla. Hace falta capital.
PEDRO: Bien. Vamos a estudiar detenidamente las posibilidades. Muchas gracias.
RAMÓN: Tenemos que hablar con Carlos.
GLORIA: Pero bueno, es su problema. Yo, nada más que firmo con la tarjeta y después me desentiendo. Él es quien recibe todas las cuentas. Yo nada más gasto. Pero los niños están muy contentos. También van a la escuela.

JULIO: Su estado es muy delicado. Es necesario consultar a un especialista.
PEDRO: ¿Ud. recomienda a alguien en particular?
JULIO: Conozco al mejor especialista en México, pero está de viaje. Está dando una serie de

conferencias en Europa. No regresa hasta el fin de mes.
MERCEDES: ¿Y podemos esperar hasta entonces?
JULIO: No. Recomiendo que lo examine un especialista lo antes posible.

CARLOS: Hola, ¿Mercedes?
MERCEDES: Sí, Carlos.
CARLOS: Mira, hablé al hospital a Guadalajara.
MERCEDES: Un momento... ¿Cómo te sientes?
DON FERNANDO: Pues, mejor, bien, mejor, mucho mejor.
MERCEDES: El doctor va a pedir que te atienda un especialista. Ya verás como pronto te pondrás bien.
DON FERNANDO: Gracias, hijita. Ahora estoy mucho mejor.

MERCEDES: ¿Qué pasa, Pati?
PATI: Juan no entiende que tengo que ir a Nueva York.
MERCEDES: Bueno, Juan siempre ha sido un poco...
PATI: Egocéntrico.
MERCEDES: Bueno, para decirlo francamente, sí.
PATI: Por fin alguien comprende.
MERCEDES: Mira, Pati. Yo creo que tú tienes toda la razón en querer regresar a Nueva York si tu trabajo lo requiere...
PATI: ¿Y Juan?
MERCEDES: Ya se repondrá. La enfermedad de Papá lo está afectando mucho, claro, pero hay que ser optimista.

Episodio 37

Llevando cuentas (*Keeping the Books*)

ÁNGELA: Ya verás las sorpresas que te esperan cuando despiertes, Roberto. Primero, conoceremos a nuestro abuelo...
GUIDE: Bienvenidos a *Destinos: An Introduction to Spanish.* Primero, vamos a ver algunas escenas de este episodio.
PEDRO: ¿Cómo era Rosario?
ARTURO: Bueno, mi madre era una mujer llena de vida, afectuosa. A veces tenía momentos de tristeza y yo no entendía por qué.
CARLITOS: Tú eres el esposo de Raquel, ¿verdad?
RAQUEL: No, Carlitos, yo soy soltera.
CARLITOS: Entonces, ¿son novios?
CARLOS: Mi hjito, ¿por qué preguntas esas cosas? ¿Eh?
GUIDE: En este epsiodio, vamos a aprender el vocabulario relacionado con el dinero y los asuntos financieros.
RAQUEL: Y aquí está la lista entera de gastos.
PEDRO: Muy bien. ¿Y los recibos?
RAQUEL: Están en este sobre. Tuve que cargar mucho a mi tarjeta de crédito para no gastar todo mi efectivo.
PEDRO: Muy bien.
MARÍA: ¡Ay, Luis! ¿Cómo estás?
LUIS: Bien. Quería decirles que ya he comprado mi pasaje para México.
MARÍA: ¡Qué bien! Raquel se pondrá muy contenta de verte.
LUIS: ¿Sabe ella que voy por allá?
MARÍA: No, no, no, no. Será una completa sorpresa.
LUIS: Hasta luego.

RAMÓN: Bueno, Arturo, nos gustaría saber algo sobre tu mamá.
CONSUELO: Sí. Tenemos mucha curiosidad por saber de ella.
ARTURO: Sí. Comprendo prefectamente.
PEDRO: ¿Cómo era Rosario?
ARTURO: Bueno, mi madre era una mujer llena de vida, afectuosa. A veces tenía momentos de tristeza y yo no entendía por qué. Desde niño, me di cuenta que trataba a Ángel...

DON FERNANDO: Rosario. ¡Rosario!...

ÁNGELA: Ya verás las sorpresas que te esperan cuando despiertes, Roberto. Primero, conoceremos a nuestro abuelo, el padre de Papá. ¿Recuerdas que él creía que su padre había muerto? ¡Pues, está vivo! Y vive aquí, en México. Dicen que es muy rico y que tiene una gran hacienda...
ÁNGELA (VO): Hablando de dinero, tengo que ver como está mi situación económica. En mi cuenta de ahorros en San Juan, no tengo casi nada. ¿Cómo es posible que en mi cuenta de ahorros tenga solamente diez dólares? ¿En qué he gastado todo mi dinero? El banco también me ha mandado esta cuenta. Ahora recuerdo. Saqué trescientos dólares con mi tarjeta de crédito. ¿Cómo voy a pagar esta cuenta si no tengo dinero en mi cuenta de ahorros? Tengo que admitirlo. Manejo muy mal el dinero. Mamá y Papá tenían razón. Yo soy un poco impráctica... pero tú... el hijo inteligente, el hijo responsable... Me imagino que tienes todo muy bien organizado, ¿no?
ÁNGELA: Roberto, siento mucho la pelea que tuvimos. ¿Me vas a perdonar?

ARTURO: ...y desde que mi madre murió, nunca supe más nada de Ángel.
MERCEDES: ¡Qué triste!
ARTURO: Pero gracias a Raquel, he podido conocer a mis sobrinos, los hijos de Ángel.
CONSUELO: Ahora tendrán tiempo para conocerse mejor, espero.
ARTURO: Sí, por supuesto.
RAMÓN: ¿Y es la primera vez que vienes a México?
ARTURO: Sí, es la primera vez. Y tengo muchas ganas de conocer el país.
RAMÓN: Debes regresar para las fiestas patrias. Pronto vamos a celebrar la Fiesta de Independencia.
ARTURO: ¿Contra España?
MERCEDES: Bueno, en México celebramos varias fechas: la Independencia, Revolución y algunas

batallas importantes... ¿Sabes, Arturo? Como en todos los países de América Latina, también nosotros celebramos el aniversario de la Independencia de España.

MERCEDES (VO): El dieciséis de septiembre, se dio el Grito de Independencia. En ese día, en el pueblo de Dolores, el Padre Miguel Hidalgo, supo que los españoles habían descubierto los planes de independencia del grupo de patriotas. El Padre Miguel Hidalgo era uno de estos patriotas. Entonces, en la madrugada de ese día, el Padre tocó las campanas de la iglesia, llamando a todos los habitantes del pueblo. Cuando llegaron, Hidalgo les habló otra vez de la igualdad entre los hombres, les habló de cómo los indígenas, mestizos y criollos deberían tener los mismos derechos que los españoles que gobernaban las colonias. Dijo que era el momento de ser una nación independiente. Y así empezó la lucha por la independencia. Por ese motivo, cada dieciséis de septiembre, hay grandes celebraciones en todo el país.

MERCEDES: Como dice Ramón, debes regresar para celebrar estas fiestas con nosotros.

ARTURO: Me gustaría...

CONSUELO: Pero, Mercedes, no has dicho nada del Cinco de Mayo.

MERCEDES: Tienes razón. Otra lucha importante que celebramos es contra los franceses.

MERCEDES (VO): Como ya sabrás, Arturo, en 1861, los franceses invadieron México. Napoleón III siempre había soñado con poseer territorios en América. En esa época, Benito Juárez era presidente de México. Pero nuestro país estaba dividido. Había un gran conflicto entre los conservadores y los liberales. Llegaron tropas francesas y con la ayuda de los conservadores, Napoleón pudo instalar a Maximiliano de Austria como emperador de México. Pero el imperio de Maximiliano no duró mucho. Pues, las batallas con Juárez continuaban. En 1867, Maximiliano fue capturado y fusilado. Benito Juárez asumió su autoridad una vez más. Una de las batallas más importantes ocurrió el Cinco de Mayo en 1862 en la ciudad de Puebla. Allí el General Zaragoza venció a las tropas francesas. Aunque la lucha contra los franceses duró varios años más, la batalla de Puebla representa el espíritu y la valentía con que los mexicanos luchaban. Cada año celebramos el Cinco de Mayo como un acontecimiento importante.

RAQUEL: También en muchas partes de California se celebra el cinco de mayo. Para nosotros es una fiesta tan importante como el cuatro de julio. Incluso en muchas escuelas públicas de Los Ángeles se celebra el Cinco de Mayo.

GLORIA: No sabía eso. Bueno, claro, en Miami no hay mucha gente con ascendencia mexicana. El Cinco de Mayo no es muy importante allí.

CARLOS: Si tienes tiempo, Arturo, debes de visitar el Museo de las Intervenciones en esta ciudad. Somos el único país que tiene un museo de este tipo.

PEDRO: Es verdad. México ha sido invadido varias veces. Es algo de lo que estamos muy conscientes.

RAMÓN: Arturo, ¿sabrás algo sobre nuestra revolución de 1910?

ARTURO: Sí, un poco. Sé quién es Pancho Villa...

RAMÓN: Arturo, nuestra Revolución de 1910 fue mucho más que Pancho Villa.

RAMÓN (VO): Tienes que entender que entonces el país pasaba por una época muy difícil. Porfirio Díaz era el presidente y muchos lo acusaban de proteger sólo a los ricos. El iniciador de la revolución fue Francisco Madero. Madero convocó al pueblo mexicano a la lucha contra Porfirio Díaz y así en 1910 comenzó la revolución. Además de Pancho Villa, también Emiliano Zapata fue muy importante. Él era un campesino que luchaba contra los ricos en el sur del país. La revolución duró diez años, desde 1910 hasta 1920.

RAMÓN: Murieron más de un millón de mexicanos y el país tardó años en recuperarse social, política y económicamente.

RAQUEL: Es verdad. Por eso, muchos mexicanos se establecieron en los Estados Unidos. Mis abuelos, por ejemplo, se fueron a vivir al sur de California en 1912.

CARLOS: Muy comprensible, eso.

RAQUEL: Ah, ¿y cómo está don Fernando?

MERCEDES: Pues, débil. Sin embargo, él quiere regresar a La Gavia.

ARTURO: Tal vez eso le haría muy bien.

MERCEDES: Es cierto. Y con él allí podríamos tener una gran reunión. Con toda la familia.

PEDRO: Naturalmente Raquel también debería estar presente.

MERCEDES: Por supuesto. Espero que no pienses regresar a Los Ángeles todavía.

RAQUEL: No, no, voy a pasar unos días más en México. Mis padres vienen de visita.

CARLITOS: Papá... Papá...

CARLOS: Perdón. Con permiso. Hijito, ¿qué te ocurre? ¿Tuviste una pesadilla?

CARLITOS: Sí.

CARLOS: Pues quédate con nosotros y verás como se te pasa. Ya se siente mucho mejor. Ja, ja, ja. ¿Verdad?

CARLITOS: Sí.
CONSUELO: ¡Qué rápido se ha recuperado Carlitos!
GLORIA: Es que estuvo enfermito, con gripe...
ARTURO: Pero ahora se le ve muy bien...
CARLITOS: Tú eres el esposo de Raquel, ¿verdad?
RAQUEL: No, Carlitos, yo soy soltera.
CARLITOS: Entonces, ¿son novios?
CARLOS: Mi hijito, ¿por qué preguntas estas cosas, eh?
CARLITOS: Porque sólo los novios o los esposos se besan en el jardín, ¿no es cierto?

PANCHO: Pero, María, ¿y si Raquel se enoja? ¿No es mejor preguntarle si desea ver a Luis? ¡Hace años que ya no son novios!
MARÍA: Ay, mira, tú ve a ver tu televisión, como haces siempre, y déjame a mis asuntos. Yo conozco a mi hija.
PANCHO: Yo también conozco a mi hija, pero yo creo que...
MARÍA: ¿Hello? ¡Ay, Luis!, ¿Cómo estás?
LUIS: Bien. Quería decirles que ya he comprado mi pasaje para México.
MARÍA: Justamente estábamos hablando de eso. ¿Cuándo sales?
LUIS: Mañana. Tengo solo unos días de vacaciones más y quiero aprovecharlos.
MARÍA: Raquel se pondrá muy contenta de verte.
LUIS: ¿Sabe ella que voy para allá?
MARÍA: No, no, no, no. Será una completa sorpresa.
LUIS: Tengo tantas ganas de verla.
MARÍA: Yo creo que a ella le gustará verte a ti.
LUIS: Bien, entonces nos veremos en México.
MARÍA: Sí, sí, está bien. Nos vemos. ¡Buen viaje!
LUIS: Gracias. También para Uds. Hasta luego.
MARÍA: Anda, viejo. Vete a sentar allí. Tengo que terminar de pagar estas cuentas. Bueno, la última cuenta. ¡Híjole! Todo está tan caro. ¡Caramba! Pagué cinco cuentas y ya no me queda nada en la cuenta corriente. Tengo que transferir dinero de la cuenta de ahorros a la cuenta corriente.
GUIDE: Como muchas personas mayores de la clase trabajadora, María Rodríguez se preocupa por el dinero. Como todo el mundo, los mayores tienen sus gastos: la casa, el teléfono, el agua y el gas. Pero a diferencia de los jóvenes, sus ingresos son fijos. Los ingresos son el dinero que entra en una casa. Es lo que gana una familia. Los gastos son el dinero que sale. Hay gastos para mantener la casa, la salud y comprar la comida. En fin, hay muchos gastos en la vida diaria. Los ingresos de los mayores son fijos porque ya no trabajan: dependen de la seguridad social o de otro sistema. Pero las cuentas y los precios no son fijos a causa de la inflación. Y mientras los ingresos de otras personas suben, los ingresos de los jubilados no cambian.
MARÍA: Pancho, parece que vamos a México.

RAQUEL: Y aquí está la lista entera de gastos.
PEDRO: Muy bien. ¿Y los recibos?
RAQUEL: Están en este sobre. Tuve que cargar mucho a mi tarjeta de crédito para no gastar todo mi efectivo.
PEDRO: Muy bien. Mañana le daré tus recibos a mi secretaria y le diré que te haga un cheque.
RAQUEL: Eso sería conveniente. Tengo que hacer cuentas en mi oficina de Los Ángeles. Si puedo regresar con un cheque tanto mejor. Tenemos una secretaria que siempre grita «¡Hay muchos gastos y pocos ingresos! ¿Cómo me van a pagar a mí?»
PEDRO: Tu secretaria no tiene de qué preocuparse. Ni tú tampoco. Mañana tendrás tu cheque también.
RAQUEL: Gracias, Pedro.
PEDRO: Quiero que me des cuanto antes los documentos que tienes de Rosario y Ángel. Tendremos que mostrárselos a Fernando.
RAQUEL: Por supuesto. En el hotel tengo fotos de Ángel, un certificado de nacimiento, y mañana estarán reveladas las fotos que tomé durante mi viaje.
PEDRO: ¿Fotos de qué?
RAQUEL: De la tumba de Rosario, también de la de Ángel. Tengo fotos de las casas donde vivieron.
PEDRO: Muy bien. Estos papeles son muy importantes para Fernando y para nosotros también. Bueno, tendremos que regresar a la sala. Los otros nos estarán esperando.
RAQUEL: Arturo, ya estoy lista ¿Nos vamos?

ARTURO: Cuando quieras.
RAMÓN: Los llevo al hotel.
RAQUEL: Ah, gracias, Ramón. No es necesario que te molestes.
RAMÓN: No es molestia.
RAQUEL: De veras. Tenemos carro.
PEDRO: Entonces, podemos aprovechar para hablar de nuestros asuntos esta misma noche, si no estás muy cansado.
RAMÓN: De acuerdo, Tío Pedro.
PEDRO: ¿Mañana vendrán a ver a Fernando?
ARTURO: Bueno, a primera hora tenemos que ir a ver a Roberto. Si le dan el alta podemos ir todos juntos a ver a don Fernando.
PEDRO: ¡Ojalá así sea!
RAQUEL: Estoy segura que sí.
ARTURO: Uds. tienen que preparar bien a don Fernando para la visita.
MERCEDES: Claro, será una emoción muy fuerte pero se pondrá muy feliz.
ARTURO: Bueno, ha sido un placer conocerlos a todos.
RAMÓN: Raquel, encantado.
TODOS: Adiós... Hasta luego... Adiós...

ARTURO: 307, por favor.
RECEPCIONISTA: Con gusto.
ARTURO: ¿Estás muy cansada para una copa?
RAQUEL: No. La verdad, yo también estaba pensando lo mismo.
ARTURO: Bien. Entonces, tengo una pequeña sorpresa para vos. Vuelvo en seguida.
RAQUEL: Bueno, aquí estoy, esperando a Arturo. Acabamos de llegar de la casa de Pedro. ¡Qué bien lo pasamos con la familia! Creo que tuvimos un buen encuentro.
RAQUEL (VO): La familia le pidió a Arturo que hablara de alguien. ¿De quién querían que hablara? Querían que Arturo hablara... De Rosario. De Ángel. De Ángela y Roberto.
PEDRO: ¿Cómo era Rosario?
ARTURO: Bueno, mi madre era una mujer llena de vida, afectuosa.
RAQUEL: La familia quería que Arturo hablara de Rosario. Después seguimos conversando y la familia le dijo a Arturo que debería regresar a México. ¿Por qué le decían que regresara a México?
RAQUEL (VO): Querían que Arturo regresara a México... Para conocer a don Fernando. Para conocer más el país. Para vivir con ellos.
MERCEDES: Como dice Ramón, debes regresar para celebrar estas fiestas con nosotros.
ARTURO: Me gustaría...
RAQUEL: Querían que Arturo regresara para conocer más el país. Como Arturo no conoce México muy bien, la familia empezó a hablar de las fiestas nacionales y algo de la historia de México.
RAQUEL (VO): Después seguimos conversando y Carlitos, el hijo de Carlos y Gloria, bajó. Había tenido una pesadilla.
RAQUEL: Pero Carlitos también dijo algo que a Arturo y a mí nos dio mucha vergüenza. ¿Recuerdan? ¿Qué dijo Carlitos?
RAQUEL (VO): Carlitos dijo que nos vio a Arturo y a mí besándonos en el jardín. ¡Qué vergüenza! ¿Qué pensará la familia de mí? Después revisé las cuentas con Pedro.
RAQUEL (VO): Le di los recibos de todos los gastos de mi viaje. El prometió darme un cheque por los gastos y otro por mis servicios.
RAQUEL: Entonces, Pedro me pidió algo. El quería que yo le diera algo importante. ¿Qué quería Pedro que yo le diera?
RAQUEL (VO): Pedro quería que yo le diera... Una foto de Rosario. Información sobre Ángela y Roberto. Los papeles de Rosario y Ángel.
PEDRO: Quiero que me des cuanto antes todos los documentos que tienes de Rosario y Ángel. Tendremos que mostrárselos a Fernando.
RAQUEL: Pedro quería que yo le diera los papeles de Rosario y Ángel. Esos papeles pueden ser importantes para comprobar que Ángela y Roberto son los nietos verdaderos de don Fernando.
RAQUEL: Es un poco tarde pero tengo ganas de seguir conversando con Arturo. Esta noche en el jardín... No sé. Él va a bajar en cualquier momento con una sorpresa para mí. ¿Qué puede ser?
RAQUEL: La 318, por favor.
RECEPCIONISTA: Con gusto. Hay un mensaje para Ud.
RAQUEL: Gracias.
ARTURO: ¿Te acordás?

RAQUEL: ¡Por supuesto que sí! ¡Ay, Arturo, qué bonito marco le has puesto!
ARTURO: No tan lindo como la modelo ¿Qué es? ¿Un mensaje?
RAQUEL: Sí, a ver, ¡es de Pedro! Dice que lo llame en cuanto llegue al hotel.
ARTURO: Pero, ¡si acabamos de llegar de su casa! ¿Será un mensaje atrasado?
RAQUEL: No, mira la hora. ¡Llamó hace unos minutos!
ARTURO: ¿Le habrá pasado algo a don Fernando?

Episodio 38

Ocultando la verdad (*Hiding the Truth*)

MERCEDES: ¿Quieren decir que Carlos nos engañaba? ¿Que engañaba a su propia familia?
PEDRO: Cálmate, Mercedes. No hemos dicho eso.
MERCEDES: Pues, ¿qué están diciendo entonces?
PEDRO: Mercedes...
GUIDE: Bienvenidos a otro episodio de *Destinos: An Introduction to Spanish*. Primero, vamos a ver algunas escenas de este episodio.
GLORIA: Carlos, ¿qué te pasa?
CARLOS: No. Nada.
GLORIA: Te conozco bien, algo te pasa.
CARLOS: No me pasa nada.
GLORIA: ¿Nada? Dime. Tal vez puedo ayudarte.
MARÍA: Te llamé a tu habitación pero no estabas. ¿Qué haces a estas horas?
RAQUEL: Estaba en la cafetería del hotel, platicando con Arturo.
MARÍA: ¿Por qué está contigo todo el tiempo? Debe estar con su familia.
RAQUEL: Mamá, por favor. ¿Estoy hablando contigo o con la policía?
GUIDE: También vamos a aprender más vocabulario relacionado con los asuntos financieros.
PEDRO (VO): En otra ocasión, sacó cinco mil dólares.
RECEPCIONISTA: Srta. Raquel Rodríguez, tiene una llamada telefónica.
ARTURO: ¿Y ahora quién puede ser?

GUIDE: En el episodio previo, la familia Castillo conversaba con Arturo. Como no sabían mucho de Rosario, le pidieron a Arturo que les hablara de ella.
ARTURO: Bueno, mi madre era una mujer llena de vida, afectuosa. A veces tenía momentos de tristeza y yo no entendía por qué.
GUIDE: Lo pasaron muy bien y Arturo escuchó a Mercedes hablar de las fiestas nacionales de México.
MERCEDES: Una de las batallas más importantes ocurrió el Cinco de Mayo, en 1862, en la ciudad de Puebla. Allí el General Zaragoza venció a las tropas francesas.
GUIDE: Finalmente, Raquel y Arturo regresaron al hotel. Mientras tanto, Ángela se había ido al hospital. Quería estar cerca de su hermano. Mientras él dormía, Ángela revisaba sus cuentas y pensaba en su situación económica. Al llegar al hotel, Arturo le pidió a Raquel que esperara un momento. Dentro de unos pocos minutos, él regresó con un regalo muy especial para Raquel.
RAQUEL: ¡Ay, Arturo, qué bonito marco le has puesto!
ARTURO: Ah, no tan lindo como la modelo.
GUIDE: Pero la alegría del momento fue interrumpida por un mensaje.
RAQUEL: Dice que lo llame en cuanto llegue al hotel.
ARTURO: Pero, ¡si acabamos de llegar de su casa! ¿Será un mensaje atrasado?
RAQUEL: No, mira la hora. ¡Llamó hace unos minutos!
ARTURO: ¿Le habrá pasado algo a don Fernando?
RAQUEL: ¿Pedro? Habla Raquel, acabo de recibir tu mensaje. ¿Ocurre algo?
PEDRO: No te alarmes, Raquel. Es que dejaste tu cartera en mi despacho, y yo pensé que...
PEDRO: ...bueno, ¿te causa gracia? Yo pensé que te preocuparía. Por eso te llamé.
RAQUEL: Ja, ja, ja.
PEDRO: ¿De qué te ríes?
RAQUEL: De mí misma. Ay, Pedro, este viaje me debe estar haciendo perder la memoria.
PEDRO: No, no entiendo.
RAQUEL: También dejé olvidada la cartera en España. Bueno, pero otro día te contaré esa historia. ¡Fue casi de película!
PEDRO: Bien. Mira, es hora de descansar. Mañana te doy la cartera, ¿de acuerdo?
RAQUEL: De acuerdo, Pedro, hasta mañana, y gracias por todo.
ARTURO: Así que la famosa abogada anda dejando la cartera por todo el mundo, ¿eh?
RAQUEL: Ah, sí, la dejé en un taxi en Madrid, pero unos reporteros que conocí en el tren...

JUAN: Bueno, pues, me voy a casa de Ramón. Estoy muy cansado.
MERCEDES: ¿Has sabido algo de Pati?
JUAN: No. Todavía no. Que pasen buenas noches.

TODOS: Buenas noches, Juan.
RAMÓN: Buenas noches, Juan. No sé qué va a hacer. ¿Crees que vaya a buscar a Pati en Nueva York?
MERCEDES: Todos sabemos que Juan es un poco cabezona. Espero que no haga nada sin pensarlo bien.
CONSUELO: Es una lástima.
MERCEDES: Sí, lo es. Pero también es evidente que se quieren. Ya verás, van a solucionar su problema.
PEDRO: Es cierto. Lo que ocurre es que todos estamos muy nerviosos con la enfermedad de Fernando. Hacemos una tragedia hasta de las cosas de menor importancia.
RAMÓN: Para Juan es de la mayor importancia. Se está enfrentando a la carrera de Pati.
PEDRO: Bueno, tanto Juan como Pati son adultos y hay que dejarlos que resuelvan sus problemas entre ellos.
RAMÓN: Pero nosotros somos su familia, ¿o no?.
MERCEDES: Sí, y aquí estamos, listos para ofrecer ayuda o consejo, cuando ellos nos lo pidan.
PEDRO: ¡Exacto! Como dice Mercedes, cuando ellos lo pidan. Mientras tanto, no debemos entrometernos en sus vidas.
CONSUELO: Estoy cansada. Voy a buscar a Maricarmen. ¿Vienes?
RAMÓN: Sí, pero todavía tengo algo más que hablar con el Tío Pedro. Ahorita te alcanzo.
CONSUELO: Bueno.
GLORIA: Yo también estoy cansada. ¿Nos vamos?
CARLOS: Sí. Vamos a buscar a los niños.
RAMÓN: ¿Ya has hablado con Carlos de los problemas que hay en la oficina?

ARTURO: Esa historia que me contaste sí es de película. ¿Qué tomás?
RAQUEL: Un jugo de manzana.
ARTURO: Un jugo de manzana, y un descafeinado para mí, por favor. Espero que no te hayas olvidado de mí, como de tu cartera.
RAQUEL: ¿Olvidarme de ti? ¿Qué quieres decir?
ARTURO: Que en Buenos Aires me dijiste que necesitabas tiempo para pensar. Espero que no te hayas olvidado de tu promesa.
RAQUEL: ¡Claro que no me he olvidado!
ARTURO: ¿Ya lo has pensado entonces?
RAQUEL: Arturo, comprende… con el accidente de Roberto, con todo lo que ha pasado, no he tenido mucho tiempo para pensar en lo mío.
ARTURO: Entonces, ¿no pensaste en mí en absoluto?
RAQUEL: Claro que pensé en ti... y mucho. Lo que no hice fue pensar en mí.
ARTURO: Yo he pensado mucho en vos… y en nuestro futuro.

RAMÓN (VO): Pero, en algún momento habrá que hablar con Carlos.
PEDRO: Por supuesto.
MERCEDES: Pero, ¿tan mal ha manejado los negocios?
PEDRO: Me temo que sí. No sé qué ha hecho con el dinero.
PEDRO (VO): Los auditores nos mostraron los libros con el presupuesto.
MERCEDES (VO): ¿Qué presupuesto? ¿El de la oficina de Miami?
PEDRO (VO): Ése mismo. Mercedes, el presupuesto muestra irregularidades.
PEDRO (VO): Los ingresos son buenos, pero hay gastos que no entendemos. Y los gastos son mucho mayores que los ingresos.
MERCEDES: Pero, ¿cómo puede ser si económicamente todo anda bien en los Estados Unidos?
PEDRO: Pues, allí están las irregularidades.
PEDRO (VO): Un ejemplo: han encontrado que Carlos ha sacado en esa fecha diez mil dólares de la cuenta. Y en otra ocasión, sacó cinco mil dólares. Y en otra ocasión, sacó cinco mil dólares de nuevo. En total, Carlos ha sacado unos cien mil dólares el año pasado.
MERCEDES: Si todo eso estaba en el presupuesto, ¿por qué no se supo antes?
RAMÓN: No estaba en los libros. Por lo menos, no en los libros que Carlos manejaba.
PEDRO: Así es. Los auditores hicieron sus propias cuentas.
PEDRO (VO): Cuando compararon cuentas, descubrieron que Carlos llevaba los libros mal.
MERCEDES (VO): Carlos nunca ha manejado bien el dinero. Bueno, él nunca ha manejado bien muchas cosas.
RAMÓN: Mercedes, no es cosa de que Carlos no sepa manejar el dinero. Carlos sí sabe manejar asuntos financieros.

MERCEDES: ¿Quieren decir que Carlos nos engañaba? ¿Que engañaba a su propia familia?
PEDRO: Cálmate, Mercedes. No hemos dicho eso.
MERCEDES: Pues, ¿qué están diciendo entonces?
PEDRO: Mercedes, sólo queremos saber lo que pasó y estamos buscando el momento oportuno para hablar con Carlos.
MERCEDES: Hay que tener cuidado. Es un asunto muy delicado. Si acusan a Carlos de...
RAMÓN: No, no vamos a acusar a Carlos de nada. Ya es tarde para eso. Lo importante es buscar soluciones.
MERCEDES: ¿Y qué se puede hacer?
RAMÓN: Tal vez tengamos que cerrar la sucursal. O, al menos, poner a otra persona a cargo.
PEDRO (VO): No creo que debamos esperar más. Tenemos que hablar con Carlos pronto.

ÁNGELA: Bueno. Cuando regresemos a Puerto Rico voy a hacer un presupuesto. No sé por qué manejo tan mal el dinero. Pero voy a cambiar. Quizás eso lo heredé de Papá. Mamá decía que Papá tampoco sabía manejar el dinero. Me acuerdo que una vez me dijo «No sé lo que haría tu padre sin mí. Sabe ganar el dinero, pero no sabe manejarlo.» Mamá sí tenía cabeza para el dinero. Ella sabía economizar cuando los ingresos no alcanzaban para cubrir los gastos. ¡Roberto! ¿Cómo estás? ¿Te sientes bien?
ROBERTO: ¿Dónde estoy?
ÁNGELA: En un hospital en México. ¿Cómo te sientes?
ROBERTO: No sé. ¿He dormido mucho?
ÁNGELA: ¡Sí, mucho!
ROBERTO: No recuerdo nada. ¿Qué pasó?
ÁNGELA: Bueno, prepárate para escuchar algo fantástico. Un día fui al cementerio a poner flores en la tumba de Papá y Mamá. Cuando llegué vi a una mujer...

GLORIA: ¿Ya se durmió Carlitos?
CARLOS: Sí, ya se durmió.
GLORIA: ¿Has visto qué elegante es Arturo?
CARLOS: Ummnnh...
GLORIA: Se viste muy bien, ropa muy cara. Debe ser muy rico, ¿no crees?
CARLOS: No lo sé.
GLORIA: Carlos, ¿qué te pasa?
CARLOS: Nada.
GLORIA: Te conozco bien, algo te pasa.
CARLOS: No me pasa nada.
GLORIA: ¿Nada? Dime. Tal vez puedo ayudarte.
CARLOS: Pudiste haberme ayudado, pero ya es tarde.
GLORIA: ¿Cómo? ¿Qué quieres decir? ¿Estás enojado conmigo?
CARLOS: Mira, Gloria, no puedo ocultar ya la verdad.
GLORIA: ¿La verdad? ¿Cuál verdad? ¿Acaso tienes otra mujer?
CARLOS: Por favor, no seas ridícula. Sabes muy bien a qué me refiero. He cometido muchos errores. El peor fue no confiar en la familia, no ser sincero con ellos. Es hora de corregir esta situación. No puedo ocultar más la verdad.

RECEPCIONISTA: Srta. Raquel Rodríguez, tiene una llamada telefónica.
ARTURO: ¿Y ahora quién puede ser?
RAQUEL: No sé. Esta noche está llena de sorpresas. Mejor voy a ver.
ARTURO: Sí.
RAQUEL: ¿Bueno?... Ah, Mamá, ¿Cómo estás?
MARÍA: Hijita, te quería avisar que ya tenemos los boletos para México. Te llamé a tu habitación pero no estabas. ¿Qué haces a estas horas?
RAQUEL: Estaba en la cafetería del hotel, platicando con Arturo.
MARÍA: ¿Arturo? ¿El gaucho?
RAQUEL: Mamá. Ya te he dicho que no le llames así.
MARÍA: ¿Y qué hace ése en México?
RAQUEL: Mamá, ya te conté, vino a conocer a sus sobrinos, y a don Fernando.
MARÍA: Bueno, pero... ¿Por qué está contigo todo el tiempo? Debe estar con su familia.
RAQUEL: Mamá, por favor. ¿Estoy hablando contigo o con la policia? Era mi madre.
ARTURO: Mejor nos vamos.

RAQUEL: ¡Qué bonita salió la foto! ¿Verdad? ¡Y qué lindo marco le ha puesto Arturo! Siempre lo paso bien con Arturo. Es una persona muy amable y me hace sentir muy bien. Bueno, esta noche cuando regresamos al hotel, había un mensaje para mí. Era de Pedro. ¿Qué quería Pedro?
RAQUEL (VO): Pedro quería que... Yo lo llamara a su casa. Arturo y yo pasáramos a verlo mañana. Arturo hablara con Juan.
RAQUEL: Pedro quería que yo lo llamara a su casa. Otra vez olvidé la cartera. Estaba en su casa y él estaba preocupado. ¡Qué susto! ¿Recuerdan lo que Arturo y yo pensamos?
ARTURO: ¿Será un mensaje atrasado?
RAQUEL: No, mira la hora. ¡Llamó hace unos minutos!
ARTURO: ¿Le habrá pasado algo a don Fernando?
RAQUEL: Como era tan tarde, y el mensaje decía que era urgente, pensamos que se trataba de don Fernando. Menos mal que fue sólo mi cartera. Luego, Arturo y yo fuimos a tomar algo. Tan pronto como nos sentamos, ¿de qué se puso a hablar Arturo?
RAQUEL (VO): Tan pronto como nos sentamos, Arturo se puso a hablar de... Su opinión de la familia Castillo. Nosotros, de nuestras relaciones. Ángela y Roberto. Como estábamos solos, Arturo se puso a hablar de nosotros, de nuestras relaciones.
RAQUEL: Arturo me preguntó que si había pensado en él. Y yo le dije que sí, que había pensado mucho en él en estos días. Pero hay otra persona en que no he pensado... ¿En quién?
ARTURO: Entonces, ¿no pensaste en mí en absoluto?
RAQUEL: Claro que pensé en ti... y mucho. Lo que no hice fue pensar en mí.
RAQUEL: No había pensado en mí. Creo que Arturo esperaba que yo me pasara todo el tiempo pensando en él. Después de unos minutos, nuestra conversación fue interrumpida. ¿Recuerdan por qué?
RAQUEL (VO): Nuestra conversación fue interrumpida porque... Ángela llegó del hospital. Cerraron la cafetería. Me buscaron para una llamada telefónica.
RECEPCIONISTA: Srta. Rodríguez, tiene una llamada telefónica.
RAQUEL: Nuestra conversacion fue interrumpida porque me buscaban para una llamada telefónica. Era mi mamá. Ella quería decirme que ella y mi papá sí vienen a México. Tengo muchas ganas de que conozcan a Arturo. Además, ellos necesitan salir de Los Ángeles de vez en cuando. Bueno, eso es todo. Voy a llamar a la recepción. Quiero ver si Ángela ya ha regresado. Me gustaría saber como está Roberto.
GUIDE: ¿Y qué saben Uds.? ¿Ya se despertó Roberto o todavía no?
ÁNGELA: ¡Roberto! ¿Cómo estás? ¿Te sientes bien?
ROBERTO: ¿Dónde estoy?
GUIDE: Finalmente...
ÁNGELA: En un hospital...
GUIDE: Roberto se despertó.
RAQUEL: Ah, Ángela no ha regresado todavía. ¡Ojalá Roberto esté bien! ¿Saben? Me gusta la familia Castillo. Son buena gente y creo que Arturo les cayó muy bien a ellos.
GUIDE: Raquel no lo sabe, pero la familia Castillo tiene otras preocupaciones también. Preocupaciones familiares y preocupaciones financieras. ¿Cuáles son las preocupaciones familiares que tienen? Bueno, están preocupados por Juan y Pati.
RAMÓN: No sé qué va a hacer. ¿Crees que vaya a buscar a Pati en Nueva York?
GUIDE: ¿Qué piensan los miembros de la familia de los problemas de Juan y Pati? ¿Son optimistas o pesimistas?
MERCEDES: Ya verás, van a solucionar su problema.
PEDRO: Es cierto. Lo que ocurre es que todos estamos muy nerviosos con la enfermedad de Fernando.

GUIDE: Son optimistas... y no creen que deben entrometerse en sus problemas. Después, el tema de la conversación cambió a los problemas de la oficina en Miami. ¿Qué cosa le reveló Pedro a Mercedes? Pedro le revelo que... Carlos había sacado grandes cantidades de dinero de la compañía. La economía de Estados Unidos no andaba bien y no se podía mantener la oficina. Pedro le reveló a Mercedes que Carlos había sacado grandes cantidades de dinero de la compañía. Mientras Mercedes, Ramón y Pedro conversaban de estos problemas, no sabían que Carlos lo escuchaba todo. Más tarde, en casa de Ramón, Carlos habló con Gloria. ¿Qué le dijo Carlos? Carlos le dijo a Goria que... Tenían que irse rápidamente de México. Ya no podía ocultar la verdad a la familia. A Mercedes no le gustaba Arturo. Carlos le dijo a Gloria que ya no le podía ocultar la verdad a la familia. Pero, ¿a qué verdad se refería Carlos? ¿Qué información le está ocultando a la familia?

CARLOS: ¡Gloria! ¡Gloria! ¡Gloria!

Episodio 39

La misma sonrisa (*The Same Smile*)

RAMÓN: Era la agente de bienes raíces. Un empresario de los Estados Unidos está interesado en comprar La Gavia.
MERCEDES: Pero, todavía no está en venta, ¿verdad?
PEDRO: No...
GUIDE: Bienvenidos a *Destinos: An Introduction to Spanish*. Primero, vamos a ver algunas escenas de este episodio.
JAIME: Aquí Jaime.
RAQUEL: Tengo muy buenas noticias. Ángela ha llamado desde el hospital. Dice que Roberto se despertó y que está muy bien.
JAIME: Bueno, ¡qué alegría!
ARTURO: ...se te ve muy bien. Por lo menos estás despierto.
ROBERTO: ¡Sí! ¡Eso sí! La verdad es que sí, me siento muy bien.
ÁNGELA: Y yo lo puedo comprobar. Se comió dos desayunos.
ROBERTO: Ay, a propósito, ¿no queda algo por allí?
ARTURO: Veo que la recuperación ha sido completa y rápida.
GUIDE: También vamos a hablar un poco sobre el Ballet Folklórico de México. Fundado por Amelia Hernández, el Ballet Folklórico incluye música y danzas de diferentes regiones del país.
PEDRO: ¿Y Carlos se fue así? ¿No te dio ninguna explicación?
RAMÓN: No, ninguna.
PEDRO: ¿No lo has visto esta mañana?
RAMÓN: No, no he visto ni a Carlos ni a Gloria.
GUIDE: En el episodio previo, Raquel y Arturo regresaron al hotel después de una reunión en la casa de Pedro. Había un mensaje para Raquel. Ellos, alarmados, llamaron en seguida a Pedro.
RAQUEL: ...acabo de recibir tu mensaje. ¿Ocurre algo?
PEDRO: No te alarmes, Raquel. Es que dejaste tu cartera en mi despacho, y yo pensé que...
GUIDE: En el bar, Arturo le preguntó a Raquel si había pensado en ellos, en su futuro.
ARTURO: Entonces, ¿no pensaste en mí en absoluto?
RAQUEL: Claro que pensé en ti... y mucho. Lo que no hice fue pensar en mí.
GUIDE: Mientras tanto, Pedro, Ramón y Mercedes hablaban de los problemas económicos de la oficina en Miami. Pedro y los demás no sabían que Carlos los escuchaba. En casa de Ramón, Carlos habló seriamente con Gloria.
CARLOS: Es hora de corregir esta situación. No puedo ocultar más la verdad. ¡Gloria!
GUIDE: Más tarde, Carlos descubrió que Gloria había desaparecido.

RAMÓN: Carlos, ¿adónde vas a estas horas?
CARLOS: No te lo puedo decir ahora. Ramón, ¿puedo usar tu carro?
RAMÓN: Por supuesto, pero, ¿qué pasa con el tuyo?
CARLOS: Se lo ha llevado Gloria.
RAMÓN: ¿Gloria?
CARLOS: Ya te explicaré. No te lo puedo decir.
RAMÓN: Bien, pero, ¿qué es lo que ocurre?
CARLOS: Yo sé que Uds. saben todo de lo de las finanzas en Miami. Les debo a todos una explicación. Pero ahorita necesito tu carro, por favor.
RAMÓN: Está bien, pero me dejas confundido. ¿Qué tiene que ver Gloria en todo esto?
CARLOS: Te prometo que te lo explicaré más tarde. No te preocupes. Hasta luego.

GUIDE: Al día siguiente, Roberto se siente mucho mejor. Mientras desayuna, Ángela termina de contarle la historia de sus abuelos, Rosario y Fernando, y de la búsqueda de Raquel.
ROBERTO: ¿Y todo eso pasó mientras yo estaba enterrado en la excavación?... ¡Parece una telenovela!
ÁNGELA: Es como un sueño, ¿no? Y pensar que Papá creyó toda su vida que su padre había muerto...
ROBERTO: Así que tú tampoco lo conoces.
ÁNGELA: No, el abuelo está muy enfermo y lo han llevado a un hospital. Pero sí he conocido al Tío Arturo, que ha venido desde la Argentina. Es muy simpático.
ROBERTO: ¿Cómo es Arturo? ¿Se parece a Papá?
ÁNGELA: No tanto. Acuérdate que tienen padres diferentes.

ROBERTO: Sí, claro. Cuéntame más de él.
ÁNGELA: Es muy simpático. Y, ¿sabes qué? Creo que él y Raquel... como que...
ROBERTO: ¡Naturalmente! ¡No hay una telenovela completa sin un buen romance! Oye, a propósito, ¿no podrás conseguirme algo más de comer? ¡Me muero de hambre!
ÁNGELA: Bueno, eso indica que ya estás bien. Voy a llamar a Raquel y a Tío Arturo para avisarles y veré qué puedo hacer por tu segundo desayuno.
PEDRO: ¿No te dio ninguna explicación?
RAMÓN: No, ninguna.
PEDRO: ¿No lo has visto esta mañana?
RAMÓN: No, no he visto ni a Carlos ni a Gloria.
PEDRO: Habrá que esperar que aparezcan para saber qué ocurre.
RAMÓN: Bueno, Tío. Yo tengo que ir a La Gavia a atender unos asuntos.
RAMÓN: ¿Bueno?... Sí, con Ramón Castillo... él mismo... Ah, bueno, sí, podría ser... lo hemos pensado, pero todavía no lo hemos decidido... Ajá... Sí, yo tengo que salir esta misma tarde. Voy a La Gavia... Como guste, podría verla allá... Sí, el gusto es mío. Buenos días. Era la agente de bienes raíces. Un empresario de los Estados Unidos está interesado en comprar La Gavia.
MERCEDES: Pero, todavía no está en venta, ¿verdad?
PEDRO: No, y no sabemos cómo saben que es posible que la vendamos. Pero es bueno saber que hay alguien interesado en comprar la propiedad.
MERCEDES: Creí que habíamos decidido esperar a que Papá estuviera mejor.
PEDRO: Sí, Mercedes, por supuesto. Pero esta agente quiere ver la propiedad, y me parece bien saber cuál puede ser el precio.
RAMÓN: Es verdad, Mercedes. Eso nos ayudará a la hora de decidir.
MERCEDES: Bueno, entonces, hagan lo que quieran. Yo voy al hospital a ver a Papá.
PEDRO: ¿No desayunas?
MERCEDES: Ya desayuné más temprano.
RAMÓN: Bueno, yo tengo que ir a La Gavia.
PEDRO: Voy contigo.
JUAN: ¿Van a La Gavia? Me gustaría ir con Uds. Un poco de aire fresco me haría bien.
PEDRO: Mercedes, ¿has visto a Carlos o a Gloria esta mañana?
MERCEDES: No, ¿por qué lo preguntas?
RAMÓN: Bueno, es muy raro. Anoche, muy tarde...

RAQUEL: ¿No estás cansada? No has dormido.
ÁNGELA: No, me siento bien. Tal vez tú me puedas hacer un favor.
RAQUEL: Sí, claro, dime.
ÁNGELA: Debo llamar a mi familia en Puerto Rico para decirles que Roberto está bien.
RAQUEL: Comprendo. ¿Quieres que yo los llame?
ÁNGELA: Si no es mucha molestia...
RAQUEL: ¡Por supuesto que no! Yo llamo. Y luego, me encuentro con Arturo para ir juntos al hospital.
ÁNGELA: Los esperamos. Hasta luego.
RAQUEL: Hasta luego. ¿Bueno? Habla Raquel, desde México.
JAIME: ¡Ah, sí, sí, Raquel! Aquí Jaime.
RAQUEL: Tengo muy buenas noticias. Ángela ha llamado desde el hospital. Dice que Roberto se despertó y que está muy bien.
JAIME: Bueno, ¡qué alegría!
RAQUEL: Yo voy a verlo ahora.
JAIME: Por favor, dígale que nos alegramos mucho de que esté bien... Pregúntele si necesita algo.
RAQUEL: Sí, se lo prometo.
JAIME: Y dígale que le mando un abrazo. ¡Ah, y hay algo muy importante! El hombre interesado en el apartamento ha hecho una oferta.
RAQUEL: ¿Para comprarlo?
JAIME: Sí. Es una buena oferta. Ángela debe decidir. Dígale que se comunique conmigo.
RAQUEL: Por supuesto, yo se lo digo.
JAIME: Ah... y también hay que recordarle que lo hable con Roberto.
RAQUEL: Sí, por supuesto.
JAIME: Ángela, a veces, es un poco apresurada.
RAQUEL: Comprendo. Adiós Jaime. Buenos días. Habla Raquel Rodríguez.
EL AMA DE CASA: Ah, licenciada Rodríguez. ¿Cómo está Ud.?

RAQUEL: Muy bien, gracias. ¿Y Ud.?
EL AMA DE CASA: También bien, gracias a Dios.
RAQUEL: ¿Se encuentra Pedro?
EL AMA DE CASA: No, licenciada, no se encuentra aquí ahora.
RAQUEL: ¿Y Ramón, o Mercedes?
EL AMA DE CASA: Tampoco están ellos. No hay nadie en la casa.
RAQUEL: Bien, mire, tengo prisa. Cuando se comuniquen, dígales, por favor, que Roberto, su sobrino de Puerto Rico, está despierto, que se encuentra bien. Dígales también que yo salgo para el hospital para verlo.
EL AMA DE CASA: Sí, licenciada. No se preocupe, en cuanto ellos se comuniquen conmigo, se lo diré.
RAQUEL: Bien, se lo agradezco. Hasta luego. Buenos días.
RECEPCIONISTA: Buenos días, señorita.
RAQUEL: Me gustaría saber si me pueden conseguir boletos para el Ballet Folklórico.
RECEPCIONISTA: Sí, señorita, cómo no.
GUIDE: El Ballet Folklórico de México es un espectáculo de fama internacional. Fundado por Amelia Hernández, el Ballet Folklórico incluye música y danzas de diferentes regiones del país. El Ballet Folklórico ha actuado en muchos países del mundo. Este famoso espectáculo se ha presentado en los Estados Unidos, España y otros lugares. La sede permanente del Ballet es este bello edificio, el Palacio de Bellas Artes.
RECEPCIONISTA: Bueno, señorita, todo está arreglado. Puede Ud. recoger los boletos en la entrada de Bellas Artes.
RAQUEL: Muchas gracias.
RECEPCIONISTA: A sus órdenes, señorita.
ARTURO: Ya estoy listo. ¿Vamos?
RAQUEL: Yo también. Vamos.
RAQUEL: Aproveché para pedir boletos para el Ballet Folklórico. Para nosotros y mis padres. ¿Qué te parece?
ARTURO: Sólo supe anoche que venían tus padres y me sorprendió.
RAQUEL: Así es mi mamá. Ya la vas a conocer.

LUPE: ¡Qué bueno que ya llegaron, Juan! ¡Qué bueno que llegaron! Ahoritita me les preparo algo de comer.
RAMÓN: No, gracias, Lupita, todavía es temprano.
LUPE: ¡Ay, cómo de que no! Si deben tener hambre después de venir manejando desde México.
RAMÓN: No es para tanto, si no es tan largo el viaje.
LUPE: Van a ver, tengo unos tamales, unos chilaquiles y unas empanadas. Ahorita mismo les sirvo, ¿eh?
RAMÓN: Lupe… la misma de siempre.
JUAN: O mejor… ¡Ojalá que nunca cambie!
PEDRO: ¡Lo mismo digo yo! Además, ¡ya se me antojan esos chilaquiles!
RAMÓN: Pues, la verdad, a mí también. Nos conoce como si fuera nuestra propia madre.
PEDRO: Bueno, pues, ¿qué esperamos?

ARTURO: Ven, que te quiero decir algo. Raquel, te quiero agradecer lo que has hecho.
RAQUEL: ¿Cómo?
ARTURO: Encontrar a Ángela y a Roberto. Por fin, podré resolver el conflicto. No con Ángel, pero sí con sus hijos.
RAQUEL: Vamos. Te estarán esperando.
ÁNGELA: Roberto, ya te hablé mucho de Raquel. Ella estuvo conmigo todo el tiempo que estuviste en esta horrible excavación.
ROBERTO: Yo también te estoy muy agradecido, Raquel. Con todo lo que me ha contado Ángela, es como si te conociera de hace tiempo.
RAQUEL: Y yo a ti.
ÁNGELA: Y ya te imaginarás que él es nuestro Tío Arturo.
ARTURO: ¡Es increíble!
ROBERTO: ¿Increíble? ¿Qué cosa?
ARTURO: Tenés la misma sonrisa de tu padre, Ángel. ¡De veras! ¡La misma sonrisa! Bueno, se te ve muy bien. Por lo menos estás despierto, ¿no?
ROBERTO: ¡Sí! ¡Eso sí! La verdad es que sí, me siento muy bien.

ÁNGELA: Y yo lo puedo comprobar. Se comió dos desayunos.
ROBERTO: Ay, a propósito, ¿no queda algo por allí?
ARTURO: Veo que la recuperación ha sido completa y rápida. Bueno, les he traído algunas cosas de Buenos Aires. Pensé que les gustaría verlas. Fue terrible. Yo era muy chico y me impresioné mucho. Mi padre estaba furioso. Yo nunca olvidé esa pelea. De noche, a mi padre le dio un ataque cardíaco... y Ángel se fue. Le escribía a mi madre durante unos años, pero cuando ella murió, no supe más nada de él.
ROBERTO: ¡Pobre Papá! Se habría sentido culpable de la muerte de tu padre.
ARTURO: Sí. Así le escribía en las cartas a mi madre.
DOCTORA: Buenos días.
ARTURO: Buenos días.
DOCTORA: Con permiso. Veo que el paciente ya está mucho mejor.
ROBERTO: Sí, sí, claro que sí. Ya me siento muy bien, con ganas de salir de aquí.
DOCTORA: Vamos a ver, tal vez ya podamos enviarlo a su casa.
RAQUEL: Si me permiten, aprovecharé para llamar al hotel. Tal vez Pedro ya me haya enviado la cartera.
ARTURO: Es verdad.
RAQUEL: Bien, muchas gracias. Pasaré a recogerla en cuanto pueda. Hasta luego. Bueno, por fin el tío y los sobrinos están juntos. Y yo me siento muy contenta por ellos. Recuerdo muy bien el humor de Ángela de esta mañana cuando me llamó desde el hospital. ¿Recuerdan Uds.? ¿Estaba ella animada o parecía estar cansada?
RAQUEL: ¿No estás cansada? No has dormido.
ÁNGELA: No, me siento bien.
RAQUEL: Ángela estaba muy animada, muy contenta. ¿Y qué quería ella que yo hiciera?
RAQUEL (VO): Ángela quería que yo... Llevara a Arturo al hospital en seguida. Llamara a su familia en San Juan. Le diera la noticia a la familia Castillo.
RAQUEL: Ángela quería que yo llamara a su familia en San Juan.
RAQUEL: Entonces llamé y hablé con Jaime. Claro, él también estaba muy contento con la noticia de Roberto. Durante la conversación Jaime me pidió un favor. El quería que yo le dijera algo a Ángela. ¿Recuerdan qué quería que le dijera?
RAQUEL (VO): Jaime quería que yo le dijera a Ángela que alguien estaba interesado en comprar el apartamento.
JAIME: El hombre interesado en el apartamento ha hecho una oferta.
RAQUEL: ¿Para comprarlo?
JAIME: Sí. Es una buena oferta. Ángela debe decidir. Dígale que se comunique conmigo.
RAQUEL (VO): Jaime quería que yo le dijera a Ángela que alguien estaba interesado en comprar el apartamento.
RAQUEL: Cuando bajé, le pedí al recepcionista que me ayudara en algo. ¿En qué quería yo que me ayudara? Quería que me ayudara a... Conseguir unos boletos para un espectáculo. Arreglar mi viaje a Los Ángeles. Llamar a mi mamá.
RAQUEL: Buenos días.
RECEPCIONISTA: Buenos días, señorita.
RAQUEL: Me gustaría saber si me pueden conseguir boletos para el Ballet Folklórico.
RECEPCIONISTA: Sí, señorita, cómo no.
RAQUEL (VO): Bueno, yo quería que me ayudara a conseguir unos boletos para un espectáculo.
RAQUEL: Finalmente Arturo y yo vinimos aquí al hospital, y Arturo conoció a Roberto. No tardaron en hablar de Ángel.
ARTURO: ¡Es increíble!
ROBERTO: ¿Increíble? ¿Qué cosa?
ARTURO: Tenés la misma sonrisa de tu padre Ángel. ¡De veras! ¡La misma sonrisa!
RAQUEL: Yo los dejé un momento para llamar al hotel. Quería saber si Pedro había dejado allí mi cartera. Y sí, allí está. Bueno debo regresar. Se deben estar preguntando por qué tardo tanto.
GUIDE: Raquel regresa a la alegre reunión entre tío y sobrinos. Ella no sabe lo que ha pasado en esta casa entre otro tío y sus sobrinos. Pero Uds. lo saben, ¿no? ¿Cierto o falso? Gloria y Carlos han desaparecido. Nadie los ha visto.
PEDRO: ¿Y Carlos se fue así? ¿No te dio ninguna explicación?
RAMÓN: No, ninguna.
PEDRO: ¿No lo has visto esta mañana?
RAMÓN: No, no he visto ni a Carlos ni a Gloria.
GUIDE: Cierto. ¿Cierto o falso? Una representante llamó. Alguien está interesado en comprar La

Gavia.
RAMÓN: Era la agente de bienes raíces. Un empresario de los Estados Unidos está interesado en comprar La Gavia.
GUIDE: Cierto. Ahora, ¿qué estará pasando en la casa de Ramón? ¿Encontró Carlos a Gloria? ¿Adónde fue ella?
CARLITOS: ¡Papá!
CARLOS: Hola.
CARLITOS: Papá, ¿dónde está Mamá?
CARLOS: Salió, Carlitos.
CARLITOS: ¿Tardará mucho en regresar?
CARLOS: No, hijito. No tardará mucho.
CARLITOS: Se fue otra vez de viaje, ¿verdad?
CARLOS: Sí, Carlitos, está de viaje, pero regresará pronto. ¿Eh?
CARLOS: Ya les daré una explicación a todos. Es hora de que sepan la verdad.

Episodio 40

Entre la espada y la pared (*Between a Rock and a Hard Place*)

GUIDE: Bienvenidos a *Destinos: An Introduction to Spanish.* Primero, vamos a ver algunas escenas de este episodio.
DOCTORA: No ha sufrido más que unas pocas magulladuras.
ROBERTO: ¿Entonces?
DOCTORA: Entonces... ya puede dejar esta cama para alguien que la necesita de veras.
TODOS: ¡Ah!
DOCTORA: Con permiso.
PATI: Hola, Manuel. Sí, regresé hace poco.
MANUEL: Me alegro, porque quiero hablar contigo sobre algunas cosas.
ROBERTO: Cuando quieran, nos vamos.
ÁNGELA: Yo necesito cambiar dinero.
RAQUEL: Yo también.
ARTURO: Bueno, sobrino, ¿qué te parece si nos tomamos un café?
ROBERTO: Vamos.
ARTURO: Las esperamos en la cafetería.
ÁNGELA: Bien.
GUIDE: También vamos a aprender vocabulario y expresiones relacionados con el turismo.
ÁNGELA: ¿A cuánto está el dólar?
RECEPCIONISTA: A dos mil novecientos pesos.
ÁNGELA: ¿Cuánto cuesta cada timbre?
ÁNGELA: Es de unas ruinas indígenas.
RAQUEL: A mí me gustan las postales que tienen vista panorámica. Mira, como ésta.
ÁNGELA: Sí, es muy linda. Necesito enviar unas postales a Puerto Rico. ¿Cuánto cuesta cada timbre?
EMPLEADO: Mil quinientos pesos.
PATI: Éste es un teatro de y para adultos, y no pienso cambiar nada de la obra, y voy a seguir ensayando con los actores.
JULIO: Lo esperan en la clínica de Guadalajara, esta tarde.
MERCEDES: ¿Esta tarde? ¿Hoy mismo?
JULIO: No hay tiempo que perder. Cuanto antes tenga los resultados de los exámenes, será mejor.
CARLOS: Ahorita necesito tu carro, por favor.
GUIDE: En el episodio previo, Carlos le dijo a Ramón que Gloria había desaparecido y después salió muy tarde por la noche a buscarla. Al día siguiente, Roberto se despertó. Se sentía bien y escuchó atentamente mientras Ángela le contaba todo lo que había sucedido desde que conoció a Raquel en San Juan.
ÁNGELA: No, el abuelo está muy enfermo y lo han llevado a un hospital. Pero sí he conocido al Tío Arturo, que ha venido desde la Argentina. Es muy simpático.
GUIDE: Y más tarde, Roberto conoció a su tío.
ÁNGELA: ... que él es nuestro Tío Arturo.
ARTURO: ¡Es increíble!
ROBERTO: ¿Increíble? ¿Qué cosa?
ARTURO: Tenés la misma sonrisa de tu padre, Ángel. ¡De veras! ¡La misma sonrisa!
GUIDE: Carlos regresó a casa de Ramón, pero Gloria no estaba con él.
CARLOS: Ya les daré una explicación a todos. Es hora de que sepan la verdad.

DOCTORA: ...muy bien... No ha sufrido más que unas pocas magulladuras.
ROBERTO: ¿Entonces?
DOCTORA: Entonces... ya puede dejar esta cama para alguien que la necesita de veras.
ARTURO: Bueno, entonces, podemos ir a conocer al abuelo.
ROBERTO: ¿Dónde está mi ropa?
ÁNGELA: ¡Ay, la ropa! Es verdad, se quedó en el pueblo. Y la que traías no está en muy buenas condiciones y menos para presentarte al abuelo.
ARTURO: Bueno, bueno, no es ningún problema. Podemos ir de compras y después ir a conocer al abuelo ¿Qué les parece?
RAQUEL: Me parece bien.

PATI: Vamos a ensayar la escena que comienza en la página noventa y dos. Sí.

PRODUCTOR: Pati, veo que has regresado.
PATI: Hola, Manuel. Sí, regresé hace poco.
PRODUCTOR: Me alegro porque quiero hablar contigo sobre algunas cosas.
PATI: No quiero ser brusca pero... en este momento me gustaría ensayar ahora con los actores. Me parece...
PRODUCTOR: Pati, es urgente. Me gustaría hablar contigo ahora.
PATI: Bueno, si es tan urgente que no puede esperar. Guillermo, quieres ayudarles a ensayar la primera parte de la escena.
GUILLERMO: Vamos a empezar entonces en la página noventa y dos.
PATI: ¿Qué querías?
PRODUCTOR: Sabes que esta obra me parece un poco controversial.
PATI: Si mal no acuerdo me has dicho que es muy controversial.
PRODUCTOR: Pues, sí. Hasta creo que ni siquiera la vamos a poder estrenar.
PATI: ¿Cómo?
PRODUCTOR: No te enojes. Los patrocinadores me han dicho que no están... no están dispuestos a seguir apoyando la obra a menos que cambies unas de las escenas más controversiales.
PATI: Manuel, no entiendo. Hemos discutido esto diez veces y te he dicho que no, que no pienso cambiar absolutamente nada.
PRODUCTOR: Pati, mira. O cambias las escenas, o cancelamos la producción. Así es.

ROBERTO: ¡Listo! Cuando quieran, nos vamos.
ÁNGELA: Yo necesito cambiar dinero.
RAQUEL: Yo también.
ARTURO: Bueno, sobrino, ¿qué te parece si nos tomamos un café?
ROBERTO: Vamos.
ARTURO: Las esperamos en la cafetería.
ÁNGELA: Bien. Quisiera cambiar unos dólares, por favor.
RECEPCIONISTA: Cómo no, ¿cuántos?
ÁNGELA: ¿A cuánto está el dólar?
RECEPCIONISTA: A dos mil novecientos pesos.
ÁNGELA: Bueno. Quiero cambiar cien dólares entonces.
RECEPCIONISTA: Muy bien.
ÁNGELA: Quisiera cambiar unos dólares, por favor.
RECEPCIONISTA: Cómo no...
ÁNGELA: ¿A cuánto está el dólar?
RECEPCIONISTA: A dos mil novecientos pesos. Aquí tiene su recibo, señorita.
ÁNGELA: Gracias.
RAQUEL: ¿Sabes si Roberto tiene dinero?
ÁNGELA: Sí. También cambié para él.
RAQUEL: Yo también quisiera cambiar unos dólares.
RECEPCIONISTA: Cómo no. ¿Cuántos?
RAQUEL: Mmmm... unos doscientos.
RECEPCIONISTA: Muy bien.
ÁNGELA: Pues, ¿qué piensas de Roberto?
RAQUEL: Es muy simpático. Me cae muy bien.
ÁNGELA: Hablamos un poco anoche, pero me gustaría hablar más con él a solas.
RECEPCIONISTA: Tome, señorita, quinientos ochenta mil pesos. Y su recibo.
ÁNGELA: Necesito comprar sellos.
RAQUEL: Ángela, aquí no se dice sellos. Se dice timbres. Yo guardé unos de antes. Mira.
ÁNGELA: Gracias, Raquel. Pero yo tengo que mandar muchas postales a mi familia. ¿Venden sellos, digo, timbres aquí?
RECEPCIONISTA: Normalmente, sí, señorita, pero ahora no tenemos. Tendrá que ir al correo.
ÁNGELA: ¿Está muy lejos el correo?
RECEPCIONISTA: No, está aquí cerquita. A la vuelta nada más.
ÁNGELA: Gracias. Voy a comprar unas postales aquí al lado. ¿Quieres ir conmigo?
RAQUEL: Sí, vamos. Arturo y Roberto pueden esperarnos.

PATI: ¿Cómo es posible que la opinión de unos cuantos señores sea causa para la cancelación de esta obra?
PRODUCTOR: Bien sabes que «la opinión de unos cuantos señores» cuenta siempre. Cuenta en la

televisión, cuenta en el cine, cuenta aquí en el teatro universitario. Y no solamente aquí en este teatro sino en todos los teatros universitarios en este país. Y la verdad es que esta obra tiene partes que son ofensivas para ciertas personas.
PATI: Pues, me importa un comino su opinión. Diles a esos señores que vayan a apoyar las películas de Walt Disney. Éste es un teatro de y para adultos, y no pienso cambiar nada de la obra, y voy a seguir ensayando con los actores.
PRODUCTOR: Pati, piensa bien esto, puedes arruinar las futuras oportunidades que tienes para dirigir.

ÁNGELA: Mira, aquí hay tarjetas postales. ¡Ay, es muy linda! Es de unas ruinas indígenas.
RAQUEL: A mí me gustan las postales que tienen vista panorámica. Mira, como ésta.
ÁNGELA: Sí, es muy linda. Me gustaría poder visitar algunos lugares mientras estemos aquí.
RAQUEL: Pues, no hay razón para no hacerlo. Mis padres llegan y creo...
ÁNGELA: ¿Tus padres llegan?
RAQUEL: Sí. ¿Por qué te sorprendes?
ÁNGELA: Bueno, porque te conozco ya hace un tiempito y todavía no sé nada de tu familia. ¡Tú ya lo sabes todo acerca de la mía!
RAQUEL: Es verdad. Ya vas a conocer a mis padres.
ÁNGELA: Me gustaría eso. ¿Tu mamá es como tú?
RAQUEL: Bueno, espera mejor a que la conozcas.
ÁNGELA: Son muy unidas, ¿no?
RAQUEL: Claro que sí. Pero a veces mi mamá me cansa.
ÁNGELA: ¿Por qué?
RAQUEL: Hablaremos de eso más tarde.
ÁNGELA: Bueno, me voy a comprar estas postales y nos vamos al correo para comprar timbres, ¿de acuerdo? Podemos hablar mientras caminamos.
RAQUEL: ...y una vez mi mamá fue a mi oficina. Y allí delante de todos se puso a decir «Ésta es mi hija, la licenciada Rodríguez.» A mi me dio tanta vergüenza...
CLERK: Señorita, por favor.
ÁNGELA: Ah, sí. Necesito enviar unas postales a Puerto Rico. ¿Cuánto cuesta cada timbre?
CLERK: Mil quinientos pesos.
ÁNGELA: Déme seis, por favor. ¿Y cuánto cuesta para mandar una carta a Puerto Rico?
RECEPCIONISTA: ¿Por correo aéreo?
ÁNGELA: Sí, señor.
RECEPCIONISTA: Mil quinientos pesos también.
ÁNGELA: Déme también timbres para dos cartas, por favor. Es por si le envíe una carta a Jorge.
CLERK: Son doce mil pesos. Gracias.
ÁNGELA: Necesito enviar unas postales a Puerto Rico.
CLERK: ¿Por correo aéreo?
RAQUEL: Así que mi mamá es un poco mandona, ¿entiendes?
ÁNGELA: Pero te llevas bien con ella.
RAQUEL: Bueno lo intento. Lo que pasa es que ella a veces no se da cuenta de cómo sus acciones afectan a los demás.
ÁNGELA: ¿Y tu papá?
RAQUEL: Ah, él es totalmente diferente. Medido, tranquilo, mesurado. Con él se puede hablar muy fácilmente.
ÁNGELA: Eres la niña mimada de tu papá.
RAQUEL: Bueno.

MERCEDES: Doctor, ¿ocurre algo malo?
JULIO: Es mejor que hablemos a solas.

RAMÓN: Adelante, pase por aquí.
AGENTE DE BIENES RAÍCES: Gracias.
RAMÓN: ¡Lupe!
LUPE: ¿Mande?
RAMÓN: Lupita, por favor, sírvenos un cafecito.
LUPE: Sí, señor.

PATI: Cinco minutos de descanso.

GUILLERMO: Un poco de café...
PATI: Ay, gracias.
GUILLERMO: Bueno, dime, ¿qué pasa?
PATI: Nada. Estoy haciendo unos cambios en el diálogo de Elena. Hay una parte de la escena que no funciona bien.
GUILLERMO: Es que... no me refiero a la obra... sino a ti. ¿Qué te pasa a ti?
PATI: Ya sabes, Manuel y sus patrocinadores quieren cancelar la obra.
GUILLERMO: Pati, yo te conozco ya hace mucho tiempo. Y desde que regresaste de México has estado distinta. ¿Te sucede algo más?
PATI: Es Juan. Se ha enojado conmigo a causa de esta obra.
GUILLERMO: ¿Cómo? No entiendo.
PATI: Sí. Cuando le dije que tenía que regresar a Nueva York, se enojó conmigo. Él quería que yo me quedara en México con su familia.
GUILLERMO: Bueno. Eso se puede entender, pero tu presencia aquí era muy necesaria.
PATI: Mira, eso lo entendemos tú y yo pero él no lo entiende tan fácilmente. No sé qué hacer. A veces me siento como si estuviera entre la espada y la pared.
GUILLERMO: Pati, ¿se te ha ocurrido alguna vez que Juan tiene celos de ti?
PATI: ¿Celos? ¿De mí?
GUILLERMO: Bueno. Mejor dicho envidia... de tu carrera. Mira, yo los conozco muy bien a los dos y tú eres una persona de muchísimo talento, y has tenido mucho éxito en la carrera.
PATI: ¿Y tú crees que él no puede aguantar eso?
GUILLERMO: Bueno, es difícil para cualquier persona, pero tienes que tomar en cuenta de que Juan es un hombre, un poco machista, y como el menor de su familia, se acostumbró a ser centro de atención.
PATI: Nunca había pensado en eso...
GUILLERMO: Pues...
DOÑA FLORA: Guillermo, ¿podrías venir un momento, por favor?
GUILLERMO: Sí, ahorita voy.
DOÑA FLORA: OK.
PATI: Gracias.
GUILLERMO: Bueno. Voy a ver qué desastre nos espera, ¿eh?.

MERCEDES: Doctor, si le he entendido bien, debemos llevar a Papá urgentemente a Guadalajara, para que le hagan los exámenes.
JULIO: Exactamente. El Dr. Salazar, que normalmente atiende aquí a sus pacientes, se encuentra en Guadalajara, como Uds. saben. Y se niega a regresar aquí para atender a sólo un paciente, pero está dispuesto a examinarlo allá.
MERCEDES: Me parece un poco raro.
JULIO: Pues, este doctor es el mejor en este campo y la Escuela de Medicina de Guadalajara le pidió que consultara con sus médicos. Así es, señora, no hay más remedio.

ARTURO: ¿Y? ¿Qué tal?
ROBERTO: Ya está, me llevo el traje también.
ARTURO: Muy bien.
ÁNGELA: ¿Llamaste a la clínica donde está el abuelo?
RAQUEL: Sí, pero no encontré a Mercedes. La recepcionista me dijo que estaba en el hospital, pero debe haber salido por un momento.
ARTURO: Bueno, podemos ir a almorzar y después vamos para allá. ¿Qué les parece?
ÁNGELA: Vamos. Te esperamos acá. ¿Está bien?
ROBERTO: Bien.

MERCEDES: ¿Y no hay otro doctor aquí? Ésta es una gran ciudad.
JULIO: Como le dije, el Dr. Salazar es el mejor. Y si se preocupa por el viaje, no tiene por qué. Su papá viajará bien a Guadalajara en avión. Lo hacemos con frecuencia.
MERCEDES: ¿Y es tan urgente?
JULIO: Sí. Me tomé la libertad de hacer los arreglos. Lo esperan en la clínica de Guadalajara, esta tarde.
MERCEDES: ¿Esta tarde? ¿Hoy mismo?
JULIO: No hay tiempo que perder. Cuanto antes tenga los resultados de los exámenes, será mejor.
MERCEDES: Pero, no hay tiempo de prepararlo, avisar a la familia...

JULIO: El tiempo puede ser nuestro peor enemigo. Señora, ¿Ud. puede preparar todo rápidamente para el viaje?
MERCEDES: Pues... no sé... si es necesario....

AGENTE DE BIENES RAÍCES: Es una buena oferta.
PEDRO: Lo platicaremos con el resto de la familia.
AGENTE DE BIENES RAÍCES: La Gavia Inn. Suena bien, ¿verdad?
PEDRO: Bueno, es un poco prematuro para hablar de nombres.
AGENTE DE BIENES RAÍCES: Ya verá. Esto puede llegar a ser un paraíso.
PEDRO: Esto ya es un paraíso.
AGENTE DE BIENES RAÍCES: Tiene razón. Bien. No le quito más su tiempo. Hasta pronto.
PEDRO: Muchas gracias por su visita.
RAMÓN: ¡Lupe! ¡¡Lupita!! ¡¡¡Ven, apresúrate, por favor!!!
PEDRO: ¿Qué ocurre? ¿Quién llamó?
RAMÓN: Era Mercedes. Dice que el médico quiere que llevemos a Papá a Guadalajara para unos exámenes. ¡Y quiere que sea hoy mismo! ¿Puedes preparar alguna ropa para Mercedes y Papá? Tenemos que llevarla luego.
LUPE: Cómo no, señor.

ROBERTO: Por favor, la llave de la habitación 305. Gracias. Bueno, voy a la habitación a cambiarme. Regreso como en diez minutos.
ÁNGELA: Te espero aquí. Aprovecho para escribir unas postales y enviarlas.
ROBERTO: Bien.
ARTURO: Si me permiten, subo un momento a mi habitación.
ÁNGELA: Sí.
RAQUEL: Que bueno que dejaron que Roberto saliera del hospital, ¿verdad? Pero Roberto no tenía nada de ropa. Había dejado su ropa en el pueblo donde estaba la excavación. Antes de ver a don Fernando, teníamos que ir de compras.
RECEPCIONISTA: Aquí tiene su recibo señorita.
ÁNGELA: Gracias.
RAQUEL: Pero antes de ir de compras Ángela y yo cambiamos dinero...
RAQUEL: Yo también quisiera cambiar unos dólares.
RECEPCIONISTA: ¿Cuántos?
RAQUEL: Mmmm, unos doscientos.
ÁNGELA: Es de unas ruinas indígenas.
RAQUEL (VO): ...compramos unas postales...
RAQUEL: A mí me gustan las postales que tienen vista panorámica. Mira, como ésta.
ÁNGELA: Sí, es muy linda.
RAQUEL (VO): ...y también unos timbres.
ÁNGELA: Necesito enviar unas postales a Puerto Rico. ¿Cuánto cuesta cada timbre?
CLERK: Mil quinientos pesos.
RAQUEL: Mientras mirábamos las postales, Ángela y yo hablábamos de mis padres. Ángela quería saber algo de mi mamá. Ángela quería saber si ella es como yo. ¿Recuerdan lo que le dije?
RAQUEL: Ya vas a conocer a mis padres.
ÁNGELA: Me gustaría eso. ¿Tu mamá es como tú?
RAQUEL: Bueno... espera mejor a que la conozcas.
RAQUEL: Yo le dije a Ángela que pronto conocería a mi mamá. Y entonces ella misma podría decir si es como yo. Mi mamá y yo nos llevamos bien pero no creo que tengamos la misma personalidad.
RAQUEL (VO): Bueno, por fin fuimos de compras y Roberto se compró unos pantalones y un traje.
ROBERTO: ...me llevo el traje también.
ARTURO: Muy bien.
RAQUEL: Luego, volvimos aquí al hotel y almorzamos. Ahora estoy esperando a Roberto y Arturo. ¡Ojalá vuelvan pronto!
GUIDE: Mientras Raquel espera a Roberto y Arturo, vamos a repasar lo que ha ocurrido en la familia Castillo.
PATI: Hola, Manuel. Sí, regresé hace poco.
PRODUCTOR: Me alegro porque quiero hablar contigo sobre algunas...
GUIDE: En Nueva York, Pati habló con Manuel, el productor. ¿Qué recuerdan Uds. de la conversación? Manuel quería que Pati... Dirigiera una nueva obra de teatro. Hiciera unos cambios en la obra.

PRODUCTOR: Los patrocinadores me han dicho que no están… no están dispuestos a seguir apoyando la obra a menos que cambies unas de las escenas más controversiales.
PATI: Manuel, no entiendo.
GUIDE: Manuel quería que Pati hiciera unos cambios en la obra.
PATI: Ya te he dicho que no, que no pienso cambiar absolutamente nada.
GUIDE: Pero Pati le dijo que no quería hacer esos cambios. Entonces, ¿qué le dijo Manuel? Manuel le dijo que… Él cancelaría el estreno de la obra. El buscaría a otro director.
PRODUCTOR: O cambias las escenas, o cancelamos la producción. Así es.
GUIDE: Manuel le dijo que él cancelaría el estreno de la obra.
PATI: Pues me importa un comino…
GUIDE: Pero Pati se mantuvo firme. Ella le dijo a Manuel que ella no tenía miedo. Mientras tanto, en el hospital en México, el doctor le dijo algo muy importante a Mercedes. ¿Qué le dijo? El doctor le dijo que… Don Fernando podía regresar a la gavia ahora. Don Fernando debía ir a Guadalajara en seguida.
JULIO: Su papá viajará bien a Guadalajara en avión. Lo hacemos con frecuencia.
MERCEDES: ¿Y es tan urgente?
JULIO: Sí. Me tomé la libertad de hacer los arreglos. Lo esperan en la clínica de Guadalajara, esta tarde.
GUIDE: El doctor le dijo a Mercedes que don Fernando debía ir a Guadalajara en seguida. Pero Raquel y los demás no saben nada de lo que está pasando con don Fernando.
RAQUEL: En unos minutos vamos a salir para ir a ver a don Fernando. Ángela está escribiendo unas postales y yo estoy esperando a Roberto y Arturo. Me pregunto, ¿cómo va a reaccionar don Fernando cuando por fin conozca a Roberto y Ángela? ¿Qué le va a preguntar a Arturo sobre Rosario?

PEDRO: Está bien, Carlos. Ahora puedes explicarme qué pasa con Gloria.
CARLOS: Hay muchas cosas que platicarte, Pedro. ¿Te parece si lo hacemos en tu casa?
PEDRO: Está bien.

Episodio 41

Algo inesperado (*Something Unexpected*)

GUIDE: Bienvenidos al Episodio 41 de *Destinos: An Introduction to Spanish*. Primero, vamos a ver algunas escenas de este episodio.
ARTURO: Raquel, es mejor que entrés sola primero y hablés con él.
RAQUEL: De acuerdo. ¡Se va a poner muy feliz!
ARTURO: Sí, claro...
CARLOS: La verdad es que... Gloria juega.
PEDRO: ¿Quieres decir, por dinero?
ROBERTO: ...pero, ¿qué necesidad hay de vender el apartamento? Nos criamos en ese apartamento.
GUIDE: En este episodio, vamos a aprender un poco sobre otra gran ciudad de México, Guadalajara. La Plaza de los Laureles, la Plaza de la Liberación y la Plaza Tapatía.
RAMÓN: Un empresario de los Estados Unidos quiere comprar La Gavia. Nos ha hecho una oferta.
RECEPCIONISTA: Dígame.
LUIS: ¿Me podría decir cuál es el número de la habitación de la licenciada Raquel Rodríguez?
RECEPCIONISTA: Cómo no.
RAQUEL: Arturo, ¡no está!
ARTURO y ÁNGELA: ¿Cómo?
RAQUEL: Don Fernando no está... ¡La habitación está vacía!

GUIDE: En el episodio previo, le dejaron a Roberto salir del hospital.
DOCTORA: No ha sufrido más que unas pocas magulladuras.
ROBERTO: ¿Entonces?
DOCTORA: Entonces... ya puede dejar esta cama para alguien que la necesita de veras.
TODOS: ¡Ah!
GUIDE: Como querían verse bien para el encuentro con don Fernando, todos decidieron ir de compras. Mientras Roberto y los demás se ocupaban de su apariencia física, en Nueva York Pati tenía problemas graves con Manuel Domínguez, el productor del teatro universitario.
PATI: Éste es un teatro de y para adultos, y no pienso cambiar nada de la obra, y voy a seguir ensayando con los actores.
GUIDE: Manuel quería que Pati hiciera unos cambios porque la obra es muy controvertida, pero Pati dijo que no.
PATI: Diles a tus patrocinadores que son ellos los que deben pensarlo bien.
GUIDE: Más tarde,...
PATI: Se ha enojado conmigo a causa de esta obra.
GUIDE: ...Pati le contaba a su amigo de sus problemas matrimoniales. En México, la familia Castillo recibió las noticias de que don Fernando tendría que ir en seguida a Guadalajara para ver al especialista.
JULIO: Su papá viajará bien a Guadalajara en avión. Lo hacemos con frecuencia.
MERCEDES: ¿Y es tan urgente?
JULIO: Sí. Me tomé la libertad de hacer los arreglos. Lo esperan en la clínica de Guadalajara, esta tarde.

PEDRO: Está bien, Carlos. Ahora puedes explicarme qué pasa con Gloria.
CARLOS: Hay muchas cosas que platicarte, Pedro. ¿Te parece si lo hacemos en tu casa?
PEDRO: Está bien.

ARTURO: Raquel, es mejor que entrés sola primero y hablés con él.
RAQUEL: De acuerdo. ¡Se va a poner muy feliz!
ARTURO: Sí, claro, pero es mejor que no se emocione demasiado.
RAQUEL: No te preocupes. Bien, aquí es.
ÁNGELA: ¡Por fin conoceremos al abuelo!
ROBERTO: Sí.
ÁNGELA: Estoy...
ROBERTO: ¿Nerviosa?
ÁNGELA: Sí, pero, muy contenta.
ROBERTO: Entiendo perfectamente. Yo también.
RAQUEL: Arturo, ¡no está!

ARTURO: ¿Cómo?
RAQUEL: Don Fernando no está... ¡La habitación está vacía! ¿Ven? No está. No hay nadie.
ARTURO: Lo habrán llevado a hacerle algún examen. Vamos a averiguar.
ROBERTO: Sí.
ARTURO: ¡Enfermera! Disculpe, pero, vinimos a ver al Sr. Fernando Castillo y no hay nadie en la habitación.
ENFERMERA: ¿El Sr. Castillo? Claro, ya se fue...
ARTURO: ¿Cómo que se fue? ¿Adónde?
ENFERMERA: Pues, a Guadalajara.
RAQUEL: ¿A Guadalajara? Vamos a preguntar en la recepción. Vengan.
GUIDE: Guadalajara... ciudad de los tapatíos, el nombre de los habitantes de esta gran ciudad. Situada en el estado de Jalisco, al oeste del Distrito Federal, Guadalajara goza de uno de los mejores climas de las Américas. Aquí en esta ciudad se encuentran numerosas muestras de la rica tradición cultural de México. La catedral, el Palacio de Gobierno, el Hospicio Cabañas y numerosas plazas: la Plaza de los Laureles, la Plaza de la Liberación y la Plaza Tapatía. La música de los mariachis nació en Guadalajara y en esta ciudad se oye tocar y cantar en cualquier calle o plaza. Los grupos de mariachis cantan los corridos, una de las canciones tradicionales mexicanas. Los cantan en los lugares públicos y también en cualquier celebración. Por toda la ciudad se pueden encontrar los mejores murales de José Clemente Orozco. También en Guadalajara está el Mercado Libertad, uno de los mercados más grandes del mundo. Aquí se vende de todo y como es la costumbre en los mercados mexicanos, uno debe regatear con los vendedores para que bajen los precios.
DOÑA FLORA: ¿Y varios de éstos? ¿En cuánto me los dejas?
HOMBRE: Veinte mil pesos. El último precio.
DOÑA FLORA: ¿Un poco más bajo no puedes?
HOMBRE: Está bien.
DOÑA FLORA: ¿Qué precio tienen éstos?
HOMBRE: En veinte más uno.
DOÑA FLORA: ¿En veinte no me los dejarías?
HOMBRE: Está bien.

GUIDE: Ésta es la Universidad de Guadalajara. Aquí es dónde han mandado a Fernando Castillo, con esperanzas de que el especialista le pueda ayudar.
DON FERNANDO: ¡Aajj! ¡Esta comida está espantosa! Mercedes, ¿cuánto tiempo más vamos a estar aquí?
MERCEDES: Papá, ya te dije, regresamos pasado mañana.
DON FERNANDO: ¡Quiero conocer a mis nietos! ¿Comprendes?
MERCEDES: Claro que comprendo. Mira, ahora tienes que ser un buen paciente, ayudar a los médicos. Y pasado mañana regresamos y podrás conocer a tus nietos. Te lo prometo.
DON FERNANDO: Está bien. Pero, si pasado mañana me salen con que falta esto o lo otro, ¡yo mismo tomo el avión de regreso a casa!.
MERCEDES: De acuerdo, Papá, y no seas tan rezongón, ¿quieres?
DON FERNANDO: ¡Ah, vaya! Señorita, por fin, esta comida es incomible.
ENFERMERA: ¿Y qué esperaba Ud.?... Eso es lo que les damos de comer a los pacientes gruñones... Pero a los que me caen bien, les guardo unos tamales para cuando no está la supervisora...
DON FERNANDO: ¡Vaya! ¡Ésa sí que es una comida decente!
ENFERMERA: Bueno, si se porta bien...
MERCEDES: ¿Sabe cuándo vendrá el doctor?
ENFERMERA: No estoy segura. Pero, ¿sabe que Uds. están aquí? Ahorita pregunto.

RAQUEL: ¡No lo puedo creer! Después de tanto trabajo, de tantos problemas... ¡Finalmente llegamos aquí y se han llevado a don Fernando a Guadalajara!
ÁNGELA: ¿Por qué a Guadalajara?
ROBERTO: Ángela, en Guadalajara hay una escuela de medicina muy moderna. Un amigo mío estudió allí.
ÁNGELA: ¿Y ahora qué hacemos?
RAQUEL: ¡Ay, Ángela, me olvidaba! Me dijo tu Tío Jaime que lo llames, por lo del apartamento.
ROBERTO: ¿El apartamento?
RAQUEL: Sí, alguien ha hecho una oferta.
ROBERTO: ¿Una oferta? ¿Lo estás vendiendo?

ÁNGELA: Sí.
ROBERTO: ¡Pero creo que habíamos hablado de esto ya!
ÁNGELA: Pensé que sería mejor venderlo. He visto otro muy bonito, cerca de la playa.
ROBERTO: Pero, no me consultaste...
ÁNGELA: No pude, no hubo tiempo...
ROBERTO: ¡Ángela, que yo soy tu hermano! ¿Y qué si yo no quiero venderlo? Tengo tanto derecho como tú.
ÁNGELA: Roberto, no creo que esta discusión sea apropiada en este momento.

EL AMA DE CASA: Señor, llamó una señora... Es la Sra. Virginia López de Estrada.
PEDRO: Ahorita no estoy para llamarla.
EL AMA DE CASA: Dejó un número de teléfono.
PEDRO: Ya le dije, ahorita no estoy para llamarla.
EL AMA DE CASA: Muy bien, señor. ¿Desean algo para tomar?
PEDRO: Sí, cómo no. ¿Cervezas?
JUAN: Ah, sí, una cervecita.
CARLOS: Está bien.
EL AMA DE CASA: Sí, señor.
RAMÓN: Voy a telefonear a Raquel y a los otros.
CARLOS: Hace un calor. Gracias.
JUAN: Gracias.
CARLOS: Bien, supongo que todos están esperando una explicación.
RAMÓN: No estaban en el hotel. Pero dejé un mensaje para que no se preocupen.
CARLOS: La verdad es que... Gloria juega.
PEDRO: ¿Juega? ¿Quieres decir, por dinero?
CARLOS: Sí, es... como un vicio y... no para.
PEDRO: Entonces, ¿se ha ido a jugar?
CARLOS: Debe estar en Las Vegas.
PEDRO: ¿Quién llama?
EL AMA DE CASA: Es otra vez la Sra. López de Estrada.
CARLOS: ¿Quién es?
RAMÓN: Una agente de bienes raíces. Un empresario de los Estados Unidos quiere comprar La Gavia. Nos ha hecho una oferta.
JUAN: ¿Comprar La Gavia? ¿Y desde cuándo está en venta? ¡La hacienda es lo que más quiere Papá!
CARLOS: Es verdad.
PEDRO: Posiblemente Fernando dejó algo incluído en su testamento sobre la venta de La Gavia.
CONSUELO: Pero, tú eres su abogado. ¿No leíste el testamento?
PEDRO: Por supuesto que no. Le pedí a un colega que lo hiciera.
CARLOS: Déjenme hablar. Yo sé que soy el culpable de estos problemas... y por mi culpa se plantea la necesidad de vender La Gavia.

ROBERTO: Pero, ¿qué necesidad hay de vender el apartamento? Nos criamos en ese apartamento. Está lleno de recuerdos...
ÁNGELA: Precisamente. A mí me dan tristeza los recuerdos.
ROBERTO: ¿Quieres decir que no tienes otros motivos?
ÁNGELA: ¿Qué otros motivos podría tener?
ROBERTO: Sabes bien a qué me refiero.
ÁNGELA: ¡Pues no! ¡No lo sé! ¡Dímelo tú! ¡A ver, dímelo!
ROBERTO: Esto ya lo hablamos hace una semana. Ángela quiere darle parte del dinero a su novio, Jorge.
ARTURO: ¿Y acaso no es legítimo el motivo de Ángela?
ROBERTO: ¿Legítimo?
ARTURO: Que pienses distinto de tu hermana, no quiere decir que ella esté equivocada. Ambos tienen el mismo derecho, ¿no es cierto? Miren. Todos hemos pasado por momentos difíciles. Ahora debemos contentarnos con que estemos sanos y vivos. ¿Entienden? Esto del apartamento lo pueden discutir más tarde, cuando estén más tranquilos. Además, no dejen que una sola oferta los tiente.
ÁNGELA: Tienes razón, Tío. Lo siento, Roberto. Creo que debemos hablar de esto después.
ROBERTO: De acuerdo.

CARLOS: ...y lleva varios años haciendo esto. Cada tanto se va a las Bahamas, a Atlantic City, San Juan. No puede evitarlo. Creí que había que protegerla y darle tiempo. Empecé a pagar sus deudas. Pero, sus escapadas cada vez son más frecuentes y cada vez más costosas—cinco mil dólares en una ocasión, diez mil dólares en otra. Finalmente, tuve que sacar el dinero de la empresa para poder pagar, creí que podría devolverlo antes de que se descubriera y no pensé...
PEDRO: ¿Por qué no acudiste a la familia?
CARLOS: Pues, por vergüenza, todos son tan honorables, tan distinguidos, yo haría cualquier cosa por ayudar a Gloria, cualquier cosa.
RAMÓN: Y ahora, ¿qué piensas hacer?
CONSUELO: ¿Cómo encontrarás a Gloria?
CARLOS: Ella regresará, siempre regresa después de uno o dos días... después de que ha perdido todo. O me llamará para que yo vaya a buscarla.
JUAN: Les pido que me disculpen. Yo sé que en este momento Carlos necesita la ayuda de todos, pero es muy poco lo que yo puedo hacer. Yo tengo mis propios problemas que resolver. Necesito salir a Nueva York inmediatamente.
RAMÓN: Pero, Juan...
PEDRO: Déjalo, déjalo. No es el momento. Bien. Sigue contándonos del problema de Gloria.

ARTURO: Taxi...
RAQUEL (VO): En cuanto lleguemos al hotel, veré si hay noticias.

LUIS: Buenas noches.
RECEPCIONISTA: Buenas noches.
LUIS: Gracias. Disculpe...
RECEPCIONISTA: Dígame.
LUIS: ¿Me podría decir cuál es el número de la habitación de la licenciada Raquel Rodríguez?
RECEPCIONISTA: Como no. Es la habitación 316.
LUIS: Perfecto.
RECEPCIONISTA: Gracias.

RECEPCIONISTA: Srta. Rodríguez, hay un mensaje para Ud.
RAQUEL: Gracias. Es de Ramón. Aquí explica lo de don Fernando. Dice que pasado mañana regresará de Guadalajara. Son sólo unos exámenes como decían en el hospital.
ARTURO: Bueno, no hay que preocuparse. Ángela, pareces cansada.
ÁNGELA: Ay, lo estoy, no dormí nada en toda la noche.
ROBERTO: Sí. Y yo tengo que descansar.
ÁNGELA: Buenas noches.
ARTURO: ¿Y vos?
RAQUEL: Si es una invitación a cenar, antes debo subir a mi habitación.
ARTURO: Bueno, nos encontramos abajo en quince minutos.
RAQUEL: Media hora.
ARTURO: Bueno.
RAQUEL: En unos minutos voy a salir con Arturo a cenar. Me gustaría estar a solas con él... tranquilos. Sin que nadie nos moleste.
RAQUEL (VO): Hoy fuimos al hospital para ver a don Fernando. Yo entré sola. ¿Recuerdan por qué?
ARTURO: Raquel, es mejor que entrés sola primero y hablés con él.
RAQUEL: De acuerdo. ¡Se va a poner muy feliz!
ARTURO: Sí, claro, pero es mejor que no se emocione demasiado.
RAQUEL: No te preocupes. Bien, aquí es.
ÁNGELA: ¡Por fin conoceremos al abuelo!
RAQUEL: Arturo pensó que sería mejor si yo entrara primero. Me pareció una buena idea. Así, yo podría hablar con don Fernando... prepararlo. Todos creíamos que la visita le causaría una gran emoción. Bueno, yo entré al cuarto de don Fernando, pero, ¿qué pasó en ese momento? ¿Qué encontré al entrar?
RAQUEL: Don Fernando no está. La habitación está vacía.
RAQUEL (VO): Cuando entré, vi que don Fernando no estaba. Luego, una enfermera nos dijo que lo habían llevado a Guadalajara.
RAQUEL: ¡Qué desilusión! Habíamos pasado por tantas cosas para que don Fernando se reuniera con Ángela y Roberto y no estaba. Bueno, más tarde...
RAQUEL (VO): ...mientras caminábamos, recordé que Ángela tenía que hacer algo. Tenía que llamar

a alguien. ¿A quién tenía que llamar?

RAQUEL: Me dijo tu Tío Jaime que lo llames, por lo del apartamento.

RAQUEL: Ángela tenía que llamar a su Tío Jaime. Jaime había recibido una oferta para vender el apartamento en San Juan. ¿Cómo reaccionó Roberto al oír esto? A Roberto no le gustó. A Roberto, no le gustó la idea de vender el apartamento, pero Ángela le explicó que ella pensaba que sería mejor. Más tarde, en el café, Roberto y Ángela siguieron hablando del apartamento. Roberto sabía que si vendían el apartamento, Ángela le daría a Jorge, su novio, parte del dinero de ella.

GUIDE: Mientras Raquel escuchaba la conversación entre Ángela y Roberto, en la casa de Pedro, Carlos le revelaba su secreto a la familia. ¿Recuerdan?

CARLOS: ...Gloria juega.

PEDRO: ¿Juega? ¿Quieres decir, por dinero?

CARLOS: Sí, es... como un vicio y... no para.

GUIDE: Carlos les dijo que no sabía dónde estaba Gloria, pero que creía que regresaría después de uno o dos días.

RAQUEL: Bueno. Ya estoy lista. Como les dije, tengo muchas ganas de estar a solas con Arturo. Tenemos mucho de que hablar y quiero pasar una noche tranquila. No quiero más problemas hoy.

Episodio 42

Yo invito (*My Treat*)

GUIDE: Bienvenidos a otro episodio de *Destinos: An Introduction to Spanish.* Primero, algunas escenas de este episodio.
ARTURO: Hola, Raquel.
RAQUEL: ¿¿¿Luis???
LUIS: Sí, Raquel, soy yo.
RAQUEL: ¡Vaya sorpresa! ¿Y qué haces aquí?

ÁNGELA: ¿Has notado cómo se miran Raquel y Tío Arturo?
ROBERTO: Sí, hacen una buena pareja.

ARTURO: ¿Ud. también es mexicoamericano?
LUIS: No, soy mexicano. Pero vivo desde hace muchos años en los Estados Unidos.
ARTURO: Claro, y ahí conoció a Raquel.
LUIS: Pues, sí. Nos conocimos en la Universidad de California. ¿Te acuerdas?
GUIDE: En este episodio, vamos a ver cómo se pide en un restaurante. ¿En qué consiste una cena? ¿Qué se dice en un restaurante? Primero, viene el camarero a preguntarles a los clientes qué van a tomar.
CAMARERO: ¿...algo de tomar?
GUIDE: Después, el camarero les pregunta si quieren un plato para comenzar.
CAMARERO: ¿No desean algo para comenzar?
GUIDE: También les toma la orden para el plato principal.
CAMARERO: ¿Están listos para ordenar?
LUIS: Después viví muchos años en Nueva York, por razones de trabajo. Pero ahora he vuelto a Los Ángeles para quedarme.

GUIDE: En el episodio previo, Ángela y Roberto iban a conocer a su abuelo, don Fernando. Estaban un poco nerviosos.
ÁNGELA: Por fin conoceremos al abuelo. Estoy...
ROBERTO: ¿Nerviosa?
ÁNGELA: Sí, pero, muy contenta.
ROBERTO: Entiendo perfectamente. Yo también.
RAQUEL: Arturo, ¡no está!
ARTURO: ¿Cómo?
RAQUEL: Don Fernando no está... ¡La habitación está vacía!
GUIDE: Al entrar Raquel en el cuarto de don Fernando, descubrió que no estaba.
RAQUEL: Ven. No está. No hay nadie.
GUIDE: Una enfermera les explicó que habían llevado a don Fernando a Guadalajara.
ARTURO: ...vinimos a ver al señor Fernando Castillo y no hay nadie en la habitación.
ENFERMERA: ¿El señor Castillo? Claro, ya se fue...
ARTURO: ¿Cómo que se fue? ¿Adónde?
ENFERMERA: Pues, a Guadalajara.
RAQUEL: ¿A Guadalajara?

GUIDE: Mientras tanto, en la casa de Pedro, Carlos empezó a contarle a su familia el secreto que ocultaba...
CARLOS: Gloria juega.
PEDRO: ¿Juega? ¿Quieres decir, por dinero?
CARLOS: Sí, es... como un vicio y... no para.

ROBERTO: ...pero, ¿qué necesidad hay de vender el apartamento?
GUIDE: Más tarde, Ángela y Roberto hablaban de la venta del apartamento en San Juan.
ÁNGELA: ...mí me dan tristeza los recuerdos.
ROBERTO: ¿Quieres decir que no tienes otros motivos?
GUIDE: ...y Roberto acusó a Ángela de tener motivos particulares.
ÁNGELA: ¡A ver, dímelo!
ROBERTO: Esto ya lo hablamos hace una semana. Ángela quiere darle parte del dinero a su novio,

Jorge.

EL AMA DE CASA: Es otra vez la Sra. López de Estrada.
CARLOS: ¿Quién es?
RAMÓN: Una agente de bienes raíces. Un empresario de los Estados Unidos quiere comprar La Gavia. Nos ha hecho una oferta.
JUAN: ¿Comprar La Gavia? ¿Y desde cuándo está en venta? ¡La hacienda es lo que más quiere Papá!

GUIDE: Al final, Raquel y Arturo decidieron ir a cenar.
RAQUEL: Si es una invitación a cenar, antes debo subir a mi habitación.
ARTURO: Bueno, nos encontramos abajo en quince minutos.
RAQUEL: Media hora.
ARTURO: Bueno.
GUIDE: Raquel no sabía que le esperaba una sorpresa.
ARTURO: Hola, Raquel.
RAQUEL: ¿¿¿Luis???
LUIS: Sí, Raquel, soy yo.
RAQUEL: ¡Vaya sorpresa! ¿Y qué haces aquí?
LUIS: Acabo de llegar a México...
RAQUEL: ¿Estás alojado aquí en este hotel?
LUIS: Sí.
RAQUEL: Disculpen, Arturo, él es Luis Villareal. Es un... viejo amigo mío, el Dr. Arturo Iglesias es un buen amigo de Argentina.
ARTURO: Mucho gusto.
LUIS: El gusto es mío.
RAQUEL: Bueno, pues... ¡ésta sí es una verdadera sorpresa!
RAQUEL: Luis, Arturo y yo íbamos a cenar... ¿Quieres cenar con nosotros?
LUIS: No, gracias, no quisiera ser una molestia, yo...
ARTURO: Por favor, no hay ninguna molestia...
RAQUEL: Anda, ven...
LUIS: Bueno, si insisten... Pero yo invito.
ARTURO: ¡No faltaba más! Invito yo.
LUIS: No, señor, ¡yo les invito!
GUIDE: Así que, en esta noche en que Raquel quería estar a solas con Arturo, Luis los acompaña a cenar. Van a El refugio, un restaurante con música típica y de muy buena comida.
CAMARERO: Buenas noches.
ARTURO y LUIS: Buenas noches.
CAMARERO: ¿Desean algo de tomar?
RAQUEL: Sí, gracias. Mmm, yo quiero...
ARTURO: Gracias.
RAQUEL: ... una margarita por favor.
CAMARERO: Cómo no. ¿Y Ud., señor?
ARTURO: Para mí también.
LUIS: Bueno, que sean tres.
CAMARERO: Tres margaritas. Con permiso.
ARTURO: ¿Ud. también es mexicoamericano?
LUIS: No, soy mexicano. Pero vivo desde hace muchos años en los Estados Unidos.
ARTURO: Claro, y ahí conoció a Raquel.
LUIS: Pues sí. Nos conocimos en la Universidad de California. ¿Te acuerdas? Después viví muchos años en Nueva York, por razones de trabajo. Pero ahora he vuelto a Los Ángeles para quedarme.
ARTURO (VO): Algún hombre habrá habido en tu vida?
RAQUEL: Hubo uno. Nos conocimos en la Universidad de California. Él estudiaba administración de empresas...
ARTURO: ¿Y...?
RAQUEL: Después de graduarse, consiguió un buen trabajo en Nueva York y se fue a vivir allá.
LUIS: ¿Y Uds. dónde se conocieron?
ARTURO: En Buenos Aires.
LUIS: ¡Vaya! ¿Y qué hacías tú en Buenos Aires?
RAQUEL: Asuntos de trabajo. Hacía una investigación. Es una larga historia...
LUIS: Es bonita esa pulsera.

RAQUEL: Gracias. Es un regalo de Arturo.
LUIS: ¿Y en qué trabaja Ud., Arturo?
ARTURO: Soy psiquiatra. Y también doy clases en la universidad.
LUIS: No sé si creo en la terapia psicológica. ¿No cree Ud. que las personas deben resolver sus problemas por su propia cuenta?
ARTURO: Bueno, eso depende del problema, ¿no? Si Ud. sufriera una enfermedad física grave, ¿no consultaría con un médico?
CAMARERO: Con permiso...
RAQUEL: Ah, gracias.
ARTURO: Gracias.
CAMARERO: ¿Están listos para ordenar?
RAQUEL: Sí. Yo quiero pollo en mole, por favor.
CAMARERO: ¿Ud., caballero?
LUIS: Unas enchiladas verdes, por favor.
ARTURO: ¿Carne asada puede ser?
CAMARERO: ¿No le gustaría un plato surtido? Trae distintas carnes.
ARTURO: Perfecto, gracias.
CAMARERO: ¿No desean algo para comenzar? ¿Unas quesadillas, tal vez?
RAQUEL: No, gracias. Traiga mejor una botella de vino tinto.
CAMARERO: Con todo gusto.
RAQUEL: Pues, salud.
ARTURO: Salud.
LUIS: Salud.

ROBERTO: Me gustaría verlo otra vez, pero es imposible. Es muy tarde. El mar, mi inspiración y mi destino final. ¡Qué increíble! ¿No?
ÁNGELA: ¿Has notado cómo se miran Raquel y Tío Arturo?
ROBERTO: Sí, hacen una buena pareja.
ÁNGELA: Si se casaran, entonces Raquel sería nuestra tía. Le he tomado mucho cariño. Es casi como una hermana mayor para mí.
ROBERTO: A mí también me gusta mucho, igual que Tío Arturo. Bueno, es tarde, debes estar cansadísima.
ÁNGELA: ¡Ay, bastante! ¿No te importa si hablamos del apartamento mañana?
ROBERTO: Está bien. Mañana. Y luego llamamos a Tío Jaime.

GUIDE: Mientras tanto, en Nueva York, Juan llega a su apartamento, pero no encuentra a Pati.
PATI: A ver... va.
ACTORES: ¡Laura!
PATI: ¡Ya! ¡Ya! ¡Ya! Muy bien, muy bien. Esa parte ya.

RAQUEL: ...y así fue como Arturo y yo emprendimos la búsqueda, que terminó cuando encontré a sus sobrinos en Puerto Rico. Ahora están todos aquí para conocerse y conocer a su abuelo, don Fernando. Y tú, Luis, ¿qué has hecho durante todos estos años? ¿Sigues trabajando en la misma compañía?
LUIS: No. Al poco tiempo de estar en Nueva York, encontré una mejor oferta de trabajo. Así que renuncié a mi antiguo puesto y me fuí a esta nueva compañia. Me ha ido muy bien, no me puedo quejar. Soy ahora vicepresidente de la compañía.
RAQUEL: ¿Y por qué has decidido regresar a Los Ángeles?
LUIS: Estamos por abrir una oficina en Los Ángeles.
RAQUEL: ¡Qué bien!
LUIS: Me gustaría quedarme a vivir en Los Ángeles...
CAMARERO: ¿Todo bien?
RAQUEL: Sí.
CAMARERO: ¿No desean algo más?
RAQUEL: No. Muchas gracias.
LUIS: Gracias.
ARTURO: Gracias.

ACTOR: Adiós.
GUILLERMO: ¿Vamos a tomar algo?

PATI: Bueno. Me alegro de tener tu compañía.
GUILLERMO: ¿Sí? Pues entonces, tú puedes invitar. Toma tu chaqueta.
PATI: Sí.
GUILLERMO: ¿Viste que Manuel se quedaba mirando la obra con mucha atención?
PATI: ¡No! No lo vi...
GUILLERMO: Pues, sí. Allí estaba sentado. ¿Qué vas a hacer?
PATI: No te preocupes, Guillermo.

CAMARERO: ¿Todo bien?
RAQUEL: Sí, gracias.
CAMARERO: ¿No desean un postre?
RAQUEL: No.
CAMARERO: ¿Café?
TODOS: No, gracias.
CAMARERO: ¿La cuenta?
TODOS: Sí.
ARTURO: Gracias.
LUIS: No...
ARTURO y LUIS: ¡No, no, no, no, no!
ARTURO: No, señor, invitó yo.
LUIS: No, de ninguna manera.
ARTURO: Por favor, no.
LUIS: Es que yo les dije que los había invitado...
RAQUEL: Basta. La que invita soy yo.
GUIDE: ¿En qué consiste una cena? ¿Qué se dice en un restaurante? Primero, viene el camarero a preguntarles a los clientes qué van a tomar.

GUIDE: En este episodio, vamos a ver cómo se pide en un restaurante. ¿En qué consiste una cena? ¿Qué se dice en un restaurante? Primero, viene el camarero a preguntarles a los clientes qué van a tomar.
CAMARERO: Buenas noches. ¿Desean algo de tomar?
GUIDE: Después, el camarero les pregunta si quieren un plato para comenzar.
CAMARERO: ¿No desean algo para comenzar?
GUIDE: También les toma la orden para el plato principal.
CAMARERO: ¿Están listos para ordenar?
GUIDE: Un buen camarero siempre les pregunta a sus clientes cómo está todo, si necesitan algo más.
CAMARERO: ¿Todo bien?
RAQUEL: Sí.
CAMARERO: ¿No desean algo más?
GUIDE: La última parte de la cena es el postre y el café.
CAMARERO: ¿No desean un postre?... ¿Café?
GUIDE: Cuando ya han terminado, los clientes piden la cuenta.
CAMARERO: ¿Café?
TODOS: No. No, gracias.
CAMARERO: ¿La cuenta?
TODOS: Sí.
GUIDE: Como es costumbre aquí, la propina está incluida en la cuenta. Si el servicio ha sido muy bueno, se debe dejar una propina adicional.
ARTURO: Ya que don Fernando no vuelve hasta pasado mañana, tenemos el día libre mañana, ¿no es cierto?
RAQUEL: Es verdad.
LUIS: Raquel, ¿no llegan mañana tus padres? Con que de Argentina, ¿no?
MARÍA (VO): Hijita, te quería avisar que ya tenemos los boletos para México. Te llamé a tu habitación pero no estabas.
RAQUEL: ¡Ahora comprendo! Ahora comprendo por qué Luis ha venido aquí, a este hotel. Al principio no lo entendía. De verdad, creía que era pura coincidencia, ¿recuerdan?
ARTURO: Hola, Raquel.
RAQUEL: ¿¿¿Luis???
LUIS: Sí, Raquel, soy yo.
RAQUEL: ¡Vaya sorpresa! ¿Y qué haces aquí?

LUIS: Acabo de llegar a México...
RAQUEL: ¿Estás alojado aquí en este hotel?
LUIS: Sí.
RAQUEL: Sí, ahora comprendo. Seguramente mi mamá le dijo que yo estaría aquí. Para mí fue una sorpresa. Yo esperaba estar a solas con Arturo. Pero no tuve más remedio. Tuve que invitar a Luis a cenar con nosotros. Yo no sabia cómo reaccionaría Arturo. ¿Y cómo reaccionó? ¿Le molestó invitar a Luis?
RAQUEL: ... Arturo y yo íbamos a cenar... ¿quieres cenar con nosotros?
LUIS: No, gracias, no quisiera ser una molestia, yo...
ARTURO: Por favor, no hay ninguna molestia...
RAQUEL: Anda, ven...
RAQUEL: A mí me parece que no le molestó. Así es Arturo. Bueno, fuimos a un restaurante a cenar. Yo estaba un poco inquieta, pues no sabía si Arturo había adivinado quién era Luis. ¿Qué creen Uds.?
LUIS: Después viví muchos años en Nueva York, por razones de trabajo. Pero ahora he vuelto a Los Ángeles para quedarme.
ARTURO (VO): Algún hombre habrá habido en tu vida?
RAQUEL: Hubo uno. Nos conocimos en la Universidad de California. Él estudiaba administración de empresas...
ARTURO: ¿Y...?
RAQUEL: Después de graduarse, consiguió un buen trabajo en Nueva York y se fue a vivir allá.
RAQUEL: Bueno, mañana hablaré con Arturo sobre Luis. En realidad, la cena no estuvo tan mal. Supe lo que ha hecho Luis durante los últimos años.
LUIS: ...y me fui a esta nueva compañía. Me ha ido muy bien, no me puedo quejar. Soy ahora vicepresidente de la compañía.
RAQUEL: Imaginénse. Luis es ahora vicepresidente de una compañía. Me pregunto cómo sería mi vida si yo todavía estuviera con Luis. ¿Cómo sería mi vida si yo viviera en Nueva York? Bueno, no hay por qué pensar en esas cosas. Yo estoy contenta con mi vida y eso es lo que importa, ¿no?
GUIDE: Mientras Raquel cenaba con Arturo y Luis...
RAQUEL: Sí, gracias.
GUIDE: ...Ángela y Roberto se quedaban en el hotel y hablaron de varios asuntos.
ÁNGELA: ¿Has notado cómo se miran Raquel y Tío Arturo?
ROBERTO: Sí, hacen una buena pareja.
ÁNGELA: Si se casaran, entonces Raquel sería nuestra tía.
GUIDE: En Nueva York, Pati ensayaba con los actores, y después salió con su asistente a tomar algo y conversar un rato. Juan esperaba a Pati en su apartamento.
RAQUEL: Bueno. Como decía antes, la cena no estuvo tan mal. Sólo en un momento me sentí realmente incómoda. Arturo le dijo a Luis que era psiquiatra y Luis le respondió que él no creía mucho en la psiquiatría. En ese momento, yo quería intervenir pero Arturo se defendió. ¿Recuerdan lo que Arturo le respondió a Luis?
LUIS: ¿Y en qué trabaja Ud., Arturo?
ARTURO: Soy psiquiatra. Y también doy clases en la universidad.
LUIS: No sé si creo en la terapia psicológica. ¿No cree Ud. que las personas deben resolver sus problemas por su propia cuenta?
ARTURO: Bueno, eso depende del problema, ¿no? Si Ud. sufriera una enfermedad física grave, ¿no consultaría con un médico?
RAQUEL: Arturo le dijo que todo dependía del problema. Si una persona sufriera de una enfermedad física, consultaría con un médico, ¿no? Al final, llegó la cuenta. Arturo dijo que él pagaría. Y claro, Luis dijo que también él pagaría. Al final yo no pude más y yo pagué. Claro, ¿por qué no? Realmente fui yo quién invitó a Luis a cenar. Bueno, ya es tarde, y Dios sabe qué sorpresas me esperan para mañana.
RAQUEL: ¿Bueno?

Episodio 43

Seremos cuatro (*There Will Be Four of Us*)

GUIDE: Bienvenidos al Episodio 43 de *Destinos: An Introduction to Spanish*. Primero, algunas escenas de este episodio.

JUAN: ...puedo dejar de comparar tu vida con la mía. Mientras tú tienes una posición estable en la universidad, yo no he podido conseguir eso. Tú diriges obras de teatro, y yo escribo artículos que ni siquiera sé si alguien los lee...

ÁNGELA: ¿Y Raquel?
ARTURO: Debe estar en su habitación. Después las llamo. Tal vez tenga ganas de salir.
ROBERTO: Bueno, podríamos ir todos a conocer la ciudad. Yo hago de guía.
ÁNGELA: ¡Sí, vamos! Pero antes tengo que llamar a Puerto Rico.

MERCEDES: ¡Ánimo, Papá!, ya verás que pronto estaremos de regreso.
DON FERNANDO: ¡Mañana! Si no mañana, yo mismo me levanto y tomo el avión.
MERCEDES: Sí, ya lo dijiste. Pero no será necesario.

PATI: Creo que exageras. Parece que la enfermedad de tu padre no te deja ver las cosas con claridad.
GUIDE: En este episodio, van a aprender vocabulario y expresiones relacionados con los viajes.
ARTURO: Me gustaría hacer reservaciones para cuatro personas.
AGENTE: ¿Para cuándo, señor?
ARTURO: Para el próximo fin de semana.
AGENTE: ¡Huy! Es muy pronto. Eh, primero, creo que debo de preguntar si hay vacantes. Si no hay en el Sol Caribe vacantes, las habrá en otro hotel. En Cozumel hay muchos hoteles muy buenos además del Presidente.
ARTURO: ¿El plan incluye el vuelo en avión?
AGENTE: Sí. El precio incluye viaje de ida y vuelta en avión, más tarifas, más impuestos y tres días y tres noches en el hotel. Entonces, ¿le hacemos su reservación?
ARTURO: Sí, pero tengo que consultarlo con una amiga. Ella no sabe nada de todo esto.

ARTURO: Hola, Raquel.
RAQUEL: ¿¿¿Luis???
LUIS: Sí, Raquel, soy yo.
RAQUEL: ¡Vaya sorpresa!
GUIDE: En el episodio previo, Raquel recibió una sorpresa, una sorpresa relacionada con su pasado. Durante la cena Arturo observaba a Luis y Luis también observaba a Arturo.
LUIS: ¡Vaya! ¿Y qué hacías tú en Buenos Aires?
RAQUEL: Asuntos de trabajo. Hacía una investigación. Es una larga historia...
GUIDE: Raquel se encontraba en una situación difícil.
RAQUEL: Gracias, es un regalo de Arturo.
GUIDE: Mientras tanto, Juan regresó a Nueva York para buscar a Pati, pero no la encontró en el apartamento.
ACTORES: ¡Laura!
GUIDE: Pati estaba trabajando.
PATI: ¡Ya! ¡Ya! ¡Ya! Muy bien, muy bien. Esa parte ya...
GUIDE: Finalmente, Raquel, Arturo y Luis salieron del restaurante y regresaron al hotel.
ARTURO: Ya que don Fernando no vuelve hasta pasado mañana, tenemos el día libre mañana, ¿no es cierto?
RAQUEL: Es verdad.
LUIS: Raquel, ¿no llegan mañana tus padres? Con que de Argentina, ¿no?
GUIDE: Fue entonces cuando Raquel por fin comprendió por qué Luis hizo el viaje a México. En su habitación, Raquel analizaba la situación mientras Arturo y Luis hacían lo mismo.
RAQUEL: ¿Bueno?
LUIS: Raquel, ¿estabas dormida?
RAQUEL: No, Luis, todavía no.
LUIS: Me gustaría verte ahora, ¿sabes? A solas. Tengo algo para ti.
RAQUEL: ¿Ahora?
LUIS: Sí. ¿No te animas?

RAQUEL: No, Luis, disculpa, pero estoy muy cansada.
LUIS: Bueno, está bien. Pero prométeme que hablaremos mañana… a solas.
RAQUEL: Sí. Te lo prometo.
LUIS: Hasta luego.
RAQUEL: Adiós.

GUIDE: Mientras tanto, en Nueva York, Pati regresa a su casa. No sabe nada de la sorpresa que le espera.
PATI: ¡Ay! ¡Juan! ¡Me asustaste!
JUAN: Perdona.
PATI: ¿Cuándo llegaste?
JUAN: Hace como dos horas.
PATI: Ah, pero, ¿a tu Papá…?
JUAN: No te preocupes, no ha pasado nada. Sólo vine a verte. Te extrañé.
PATI: ¿Mucho?
JUAN: Pues, sí. ¿Y tú a mí no?
PATI: Bien sabes que sí.
JUAN: ¿Cómo van tus asuntos?
PATI: Me alegro de haber regresado. Hoy Manuel me dijo que si yo no hacía unos cambios, la obra no se estrenaría.
JUAN: No tenía idea. ¿Y qué piensas hacer?
PATI: Le dije a Manuel que considerara eso muy bien. Que los periódicos estarían muy interesados en un caso de censura.
JUAN: Pati… he estado pensando…
PATI: ¿Sí?
JUAN: No estoy contento con mi carrera… con mi profesión. No puedo dejar de comparar tu vida con la mía. Mientras tú tienes una posición estable en la universidad, yo no he podido conseguir eso. Tú diriges obras de teatro, y yo escribo artículos que ni siquiera sé si alguien los lee… Tal vez... tal vez lo que siento es envidia. No siento que soy necesario.
PATI: ¿Necesario?
JUAN: Sí, necesario. ¿No ves?, tú tenías que regresar a Nueva York porque eres necesaria, te necesitaban para continuar con la obra. En cambio, yo…
PATI: A ti te necesitan en México.
JUAN: ¿Quién sabe?
PATI: Creo que exageras. Parece que la enfermedad de tu padre no te deja ver las cosas con claridad. ¿No crees?

GUIDE: Al día siguiente, en la clínica de la Universidad de Guadalajara…
MERCEDES: ¡Ánimo, Papá! Ya verás que pronto estaremos de regreso.
DON FERNANDO: ¡Mañana! Si no mañana, yo mismo me levanto y tomo el avión.
MERCEDES: Sí, ya lo dijiste. Pero no será necesario. Mañana regresamos los dos juntos. No me vas a dejar aquí sola, ¿verdad?

ARTURO: Buenos días.
AGENTE: Buenos días, señor. ¿Qué se le ofrece?
ARTURO: Estoy pensando en pasar unos días en la playa.
AGENTE: Muy bien. Ud. es argentino, ¿no?
ARTURO: Sí, soy de Buenos Aires. Estoy aquí por un rato y quería aprovechar un fin de semana para conocer una playa.
AGENTE: Bueno. Sabrá que aquí en México hay muchas playas y lugares de vacaciones.
ARTURO: Cozumel está en el Caribe, ¿no?
AGENTE: Sí, señor. Es una pequeña isla, muy linda, y el buceo es algo que hay que ver. ¿Cuántos irán?
ARTURO: Seremos dos. No, no, seremos cuatro.
AGENTE: ¿Necesitarán una habitación para cuatro?
ARTURO: No. Necesitaremos tres habitaciones: una para dos personas y dos individuales.
AGENTE: ¿Le interesa Cozumel?
ARTURO: Sí.
AGENTE: Tenemos diferentes planes. ¿Quiere Ud. un plan económico? Aquí ofrecemos…
ARTURO: Perdone, pero me gustaría un plan que incluya los mejores hoteles.

AGENTE: Perfectamente, señor. Aquí tenemos un plan que incluye el hotel Sol Caribe. Es un hotel de cinco estrellas. En cada habitación tiene baño privado con ducha. Todas las habitaciones tienen vista al mar. El hotel tiene canchas de tenis, una piscina muy grande, jardines y playa privada.
ARTURO: Me parece muy bonito.
AGENTE: También está el Hotel Presidente, también es de cinco estrellas.
ARTURO: ¿Cuál me recomienda?
AGENTE: Bueno, yo prefiero el Sol Caribe.
ARTURO: Muy bien. Me gustaría hacer reservaciones para cuatro personas.
AGENTE: ¿Para cuándo, señor?
ARTURO: Para el próximo fin de semana.
AGENTE: ¡Huy! Es muy pronto. Eh, primero, creo que debo de preguntar si hay vacantes. Si no hay en el Sol Caribe vacantes, las habrá en otro hotel. En Cozumel hay muchos hoteles muy buenos además del Presidente. Sí, Felipe González de la Oficina de Turismo. Necesito tres habitaciones para el próximo fin de semana: una doble y dos individuales. ¿Cuántas? Bien... Perfecto... Muchas gracias. Tiene suerte. Hay varias vacantes. ¿Y cuánto tiempo piensan quedarse en Cozumel?
ARTURO: El fin de semana nada más. ¿El plan incluye el vuelo en avión?
AGENTE: Sí. El precio incluye viaje de ida y vuelta en avión, más tarifas, más impuestos y tres días y tres noches en el hotel. Entonces, ¿le hacemos su reservación?
ARTURO: Sí, pero primero tengo que consultarlo con una amiga. Ella no sabe nada de todo esto.
AGENTE: Está bien. Puede hacer ahora una reservación sin compromiso, pero la tiene que confirmar mañana a más tardar.
ARTURO: Muy bien. Hablaré con mi amiga esta noche y mañana vengo a confirmar... y pagar.
AGENTE: Muy bien. Su nombre, por favor.
ARTURO: Arturo Iglesias.
AGENTE: Y los nombres de las otras personas...
ARTURO: Ah, Raquel Rodríguez...

RAQUEL (VO): Les pido a las primeras cien estrellas que veo esta noche que podamos encontrar a Ángel en Puerto Rico.
ARTURO (VO): Yo también les pido lo mismo... y que esta persona, esta mujer, sea parte importante de mi vida y que yo sea parte importante de su vida también.
LUIS: ¿No te alegras? Es un buen trabajo, una gran oportunidad.
RAQUEL: Pero, Luis, eso significa que tienes que irte a vivir a Nueva York.
LUIS: ¡Claro! ¡Nos vamos a Nueva York!
RAQUEL: Yo no puedo, Luis, me falta un año para graduarme. Yo no puedo irme ahora.
LUIS: Pues, es que yo tengo que ir. Quiero irme. No pienso perder esta oportunidad.
RAQUEL: Sí, entiendo...

LUIS: Buenos días.
AGENTE: Buenos días, señor. ¿Se le ofrece algo?
LUIS: Sí, por favor. Quiero hacer reservaciones para dos... para ir a Zihuatanejo.
AGENTE: ¿Para cuándo, señor?
LUIS: Para este fin de semana... No, digo, para el próximo.
AGENTE: Mmm. ¿Cuánto tiempo piensan quedarse?
LUIS: Unos dos o tres días, nada más.
AGENTE: Pues, le podemos ofrecer un plan que incluye el hotel Las Palmas que...
LUIS: ¿No hay unas cabañas? Un amigo me habló de unas cabañas en Zihuatanejo.
AGENTE: Ah, sí. Las Urracas. Son ideales entre la gente que quiere pasarse unas vacaciones románticas.
LUIS: Pues, eso es lo que yo quiero, ¿eh? Mi amiga no sabe nada de esto... será una sorpresa.
AGENTE: Cuidado con las sorpresas, ¿eh? Ayer estuvo aquí un hombre que tuvo que cancelar su fin de semana en Acapulco por no haberlo consultado con su esposa.
LUIS: Sí, pero en este caso no habrá ese problema.
AGENTE: Bueno. Entonces, le hago unas reservaciones para dos personas el próximo fin de semana. Las cabañas incluyen un baño privado...

CAMARERO: Su desayuno, señor.
ARTURO: Gracias.
ÁNGELA: ¡Hola! ¡Buenos días!

ARTURO: ¿Qué tal?
ROBERTO: Buenos días.
ARTURO: ¿Durmieron bien?
ÁNGELA: ¡Huy, sí! Yo estaba cansadísima. Dormí como una piedra.
ROBERTO: Yo también dormí muy bien. Me siento como nuevo.
ARTURO: A los dos les hacía falta descansar.
ÁNGELA: ¿Y Raquel?
ARTURO: Debe estar en su habitación. Después las llamo. Tal vez tenga ganas de salir.
ROBERTO: Bueno. Podríamos ir todos a conocer la ciudad. Yo hago de guía.
ÁNGELA: ¡Sí, vamos! Pero antes tengo que llamar a Puerto Rico.
RAQUEL: Hola.
TODOS: Hola.
RAQUEL: Buenos días.
ARTURO: Raquel, ven a desayunar con nosotros.
RAQUEL: No, no. Siéntate, por favor. Tengo que hacer unas cosas. Regreso en seguida.
ÁNGELA: Raquel, estábamos planeando ir a conocer la ciudad, con Roberto como guía.
RAQUEL: ¡Qué bien! Bueno, ahora regreso.
TODOS: Mmmm.
ARTURO: Ah, muy bien. Los señores también van a desayunar. Gracias.

RAQUEL: Buenos días.
AGENTE: Buenos días, señorita.
RAQUEL: Quisiera informarme sobre un viaje.
AGENTE: ¿Adónde?
RAQUEL: A Guadalajara. Somos tres, posiblemente cuatro.
AGENTE: ¿Y cómo prefieren viajar?
RAQUEL: En avión.
AGENTE: ¿Y cuándo es el viaje?
RAQUEL: Para el próximo fin de semana. Prefiero salir el viernes por la mañana.
AGENTE: En la mañana hay varios vuelos. Hay uno a las nueve y media de la mañana que tal vez le convenga. Hay muchos asientos disponibles todavía. ¿Y cuándo volverán?
RAQUEL: No estoy segura todavía.
AGENTE: En ese caso, se le puede ofrecer un viaje barato.
RAQUEL: ¿Y si regresamos a México el lunes?
AGENTE: En ese caso se le podría dar un viaje más barato.
RAQUEL: Está bien. Tengo parientes en Guadalajara pero quisiera saber qué hoteles me recomienda. Quiero uno de los mejores.
AGENTE: El hotel Camino Real es uno de los mejores. ¿Qué tipo de habitación prefieren?
RAQUEL: Pues, querríamos tres habitaciones: una habitación doble y dos individuales.
AGENTE: Está bien, pero para confirmar hay que pagar el cincuenta por de anticipo.
RAQUEL: Está bien. Creo que eso es todo. ¿Será muy tarde mañana para confirmar la reservación?
AGENTE: En este caso, no lo creo. El turismo para Guadalajara en este momento está un poco flojo. Pero déjeme revisar los vuelos una vez más. Es posible que haya una tarifa mejor...

ÁNGELA: ¡Hola! Sí. ¿Qué tal, Tío Jaime? ¿Cómo están todos por allí?... Sí, Raquel me dio tu mensaje. No, mira, lo del apartamento, pues todavía no hemos hablado... Por ahora, es mejor que no hagas nada... Sí... De acuerdo, Tío, yo también creo que hay que pensarlo mejor antes de decidir...

AGENTE: Bueno, aquí está toda la información.
RAQUEL: Muchas gracias. Mañana podré confirmar la reservación, o posiblemente esta tarde.
AGENTE: Muy bien. Adiós.
RAQUEL: Adiós. Bueno, ahora todo parece muy tranquilo, pero anoche, ¡huy! ¡Qué situación! Luis había llegado de los Estados Unidos y... Bueno, pero Uds. recuerdan quién es Luis, ¿no? Es mi exnovio. Bueno, pues, Luis llegó y tuve que invitarlo a cenar conmigo y con Arturo. Imagínense, yo entre estos dos hombres. Después fuimos al hotel y subimos a nuestras habitaciones. Yo apenas me había preparado para dormir cuando sonó el teléfono. ¿Y quién era? ¿Ángela, Arturo o Luis?
RAQUEL: ¿Bueno?
LUIS: Raquel, ¿estabas dormida?
RAQUEL (VO): Era Luis.

RAQUEL: No, Luis, todavía no.
RAQUEL: Era Luis que quería verme. Dijo que tenía algo para mí. ¿Vi a Luis anoche o no?
LUIS: Tengo algo para ti.
RAQUEL: ¿Ahora?
LUIS: Sí. ¿No te animas?
RAQUEL: No, Luis, disculpa. Pero estoy muy cansada. No, no vi a Luis. No quise. Después de esa cena estaba yo muy cansada. Bueno. Le prometí verlo hoy. No sé cuándo, pero voy a verlo.
LUIS: Pero prométeme...

GUIDE: Mientras en México Raquel hablaba con Luis por teléfono, en Nueva York Juan esperaba a Pati en el apartamento. ¿Sabía Pati que Juan había llegado de México o no?
PATI: ¡Ay! ¡Juan! ¡Me asustaste!
JUAN: Perdona.
PATI: ¿Cuándo llegaste?
JUAN: Hace como dos horas.
GUIDE: Pati no sabía que Juan había llegado de México. Juan y Pati hablaron de su matrimonio y del futuro.
JUAN: No puedo dejar de comparar...
GUIDE: Durante la conversación, Juan dijo algo que él había comprendido en La Gavia. ¿Recuerdan? ¿Qué había comprendido Juan? Juan había comprendido que... Tenía envidia de Pati y su carrera. Pati hizo muy bien en regresar.
JUAN: Tal vez, tal vez lo que siento es envidia.
GUIDE: Bueno, había comprendido que tenía envidia de Pati y de su carrera. Ahora volvamos a Raquel.
RAQUEL: Bueno. Tengo estos folletos. Son de turismo. Yo vine aquí esta mañana para pedir información sobre un viaje a Guadalajara con mis padres. Pero estoy muy enojada con mi mamá por lo de Luis. No sé qué voy a hacer. Bueno. Tengo que regresar al hotel. Se me hace tarde.

ROBERTO: ¿A quién llamas?
ÁNGELA: A Jorge.
DOÑA FLORA (VO): ¡Aló! ¡Aló! ¿Quién es?
ÁNGELA: Ah... perdone. Creo que me he equivocado de número, quería hablar con Jorge...
DOÑA FLORA (VO): Un momento, por favor.
ÁNGELA: ¿Cómo?
DOÑA FLORA (VO): Que espere un momento. Lo voy a llamar.

Episodio 44

Una promesa y una sonrisa (*A Promise and a Smile*)

GUIDE: Bienvenidos a otro episodio de *Destinos: An Introduction to Spanish*. Primero, algunas escenas de este episodio.
ROBERTO: Aquí tenemos el dios del Sol de los mayas, Quirixajao.
AGENTE DE BIENES RAÍCES: Lo llamaba porque he hablado con mi cliente en los Estados Unidos...
RAMÓN: ¿Sí?
AGENTE DE BIENES RAÍCES: Pues, me ha pedido que les comunique que está dispuesto a mejorar la oferta.
RAMÓN: Pues, lo platicaré con el resto de la familia.

ÁNGELA: Perdone. Creo que me he equivocado de número. Quería hablar con Jorge.
DOÑA FLORA (VO): Un momento, por favor.
ÁNGELA: ¿Cómo?

JUANITA: Papi, ¿cuándo regresará Mami?
CARLOS: Pronto, Juanita, no tarda.

GUIDE: En este episodio vamos a aprender vocabulario relacionado con los deportes: el béisbol, el baloncesto, el fútbol, el fútbol americano, el tenis, correr y la natación.
ROBERTO (VO): Miren. Éste es el Estadio Olímpico.
ARTURO (VO): Ah, sí, aquí se jugaron los Juegos Olímpicos. ¿En qué año fueron?
ROBERTO (VO): En el 1968.
ARTURO (VO): Sí, ahora me acuerdo.
GUIDE: También en este episodio vamos a ver unos murales de tres pintores mexicanos de fama internacional: Diego Rivera, José Clemente Orozco y David Alfaro Siqueiros.
LUIS: Te tengo una sorpresa.
RAQUEL: ¿Qué es esto?
LUIS: Se trata de un fin de semana en Zihuatanejo... para dos.
RAQUEL: ¿Ahora?
LUIS: Sí. ¿No te animas?
GUIDE: En el episodio previo, Luis quería ver a Raquel. Pero Raquel no quiso verlo en ese momento. Entonces, le prometió a Luis que lo vería al día siguiente.
RAQUEL: Te lo prometo.
LUIS: Hasta luego.
RAQUEL: Adiós.
GUIDE: Pero al día siguiente, Raquel recordó una conversación muy importante... una conversación que tuvo con Luis hace unos años.
RAQUEL: Pero, Luis, eso significa que tienes que irte a vivir a Nueva York.
LUIS: ¡Claro! ¡Nos vamos a Nueva York!
RAQUEL: Yo no puedo, Luis. Me falta un año para graduarme. Yo no puedo irme ahora.
LUIS: Pues, es que yo tengo que ir. Quiero irme. No pienso perder esta oportunidad.
RAQUEL: Sí, entiendo...
GUIDE: Mientras tanto, Arturo fue a una agencia de viajes para pedir información sobre un viaje para cuatro personas.
ARTURO: Estoy pensando en... pasar unos días en la playa.
AGENTE: ¿Cuántos irán?
ARTURO: Seremos dos. No, no, seremos cuatro.
GUIDE: También Luis fue a la agencia e hizo reservaciones para dos personas.
AGENTE: Buenos días, señor. ¿Se le ofrece algo?
LUIS: Sí, por favor. Quiero hacer reservaciones para dos...
GUIDE: Sin saber que Arturo y Luis habían estado en la agencia, Raquel también fue a pedir información sobre un viaje a Guadalajara para cuatro personas. Mientras tanto...
DOÑA FLORA (VO): ¡Aló! ¿Quién es?
ÁNGELA: Perdone. Creo que me he equivocado de número. Quería hablar con Jorge.
DOÑA FLORA (VO): Un momento, por favor.
ÁNGELA: ¿Cómo?
DOÑA FLORA (VO): Que espere un momento. Lo voy a llamar.

ROBERTO: ¿Qué pasa?
ÁNGELA: Nada. Sólo que no reconocí la voz de la persona que contestó. Era una mujer. Hola, Jorge. Te llamo desde México. Muy bien, muy bien. No, no sufrió nada. Está aquí conmigo. Jorge, ¿quién era la mujer que contestó el teléfono? Ah, ¿unos amigos? ¿De Nueva York?

JUANITA: ¿Papá?
CARLOS: Sí, hijita.
JUANITA: Cuando tenías mi edad practicabas algún deporte?
CARLOS: Pues, no.
JUANITA: ¿No jugabas al béisbol ni al fútbol?
CARLOS: Al fútbol, sí. Dime tú. ¿A qué juegan Uds. en la escuela?
JUANITA: Pues, a todo. Al fútbol, baloncesto, béisbol. Pero mi preferido es el baloncesto.
CARLOS: Pero Uds. también hacen ejercicio, ¿no? Corren, nadan...
JUANITA: Pues, sí, pero no me gusta correr y nadar es aburrido. ¿Sabes? Cuando regresemos a Miami, quiero tomar lecciones de tenis.
CARLOS: ¿Tenis?
JUANITA: Sí. Quiero hacerme famosa y rica jugando tenis...
CARLOS: Yo creo que sería mejor que estudiaras más, ¿eh? Tus notas bajaron la última vez.
JUANITA: Papi, ¿cuándo regresará mami?
CARLOS: Pronto, Juanita. No tarda, ¿eh?
GUIDE: El libro que lee Juanita trata de los deportes. Algunos deportes comunes son el béisbol, el baloncesto, el fútbol, el fútbol americano, el tenis, correr y la natación.
JUAN: ¿Pati? ¡Pati!
PATI (VO): Querido Juan,
Tuve que irme a dar clases. No quise despertarte. Hay café recién hecho en la cafetera. Hasta luego. Un beso, Pati.

RAMÓN: ¿Bueno?
AGENTE DE BIENES RAÍCES: Buenos días, habla la Sra. López Estrada. ¿Con quién hablo?
RAMÓN: Con Ramón Castillo. ¿Cómo está Ud., Sra. López Estrada?
AGENTE DE BIENES RAÍCES: Muy bien, Sr. Castillo, gracias. Mire, lo llamaba porque he hablado con mi cliente en los Estados Unidos...
RAMÓN: ¿Sí?
AGENTE DE BIENES RAÍCES: Pues, me ha pedido que les comunique que está dispuesto a mejorar la oferta.
RAMÓN: Pues, lo platicaré con el resto de la familia.
AGENTE DE BIENES RAÍCES: Bien, Ud. tiene mi teléfono. Puede llamarme cuando tomen una decisión.
RAMÓN: Muy bien. Muchas gracias por su interés.
AGENTE DE BIENES RAÍCES: Buenos días.
RAMÓN: Buenos días.

ÁNGELA: Ay, Raquel, por fin llegas.
ARTURO: Raquel, te esperábamos para conocer la ciudad. ¿Vamos?
RAQUEL: Miren. Yo creo que es mejor que los deje solos. Uds. necesitan conocerse. ¿Por qué no van sin mí?
ÁNGELA: Raquel, ya tú eres parte de la familia.
RAQUEL: Gracias, Ángela. Pero, ¿no crees que deben estar más tiempo juntos?
ARTURO: Pero, Raquel... Bueno, está bien. Pero te llamamos después para comer juntos, ¿de acuerdo?
RAQUEL: De acuerdo. ¡Diviértanse!
ÁNGELA y ARTURO: Gracias.
ARTURO: Estos pajaritos. ¿Viste? No me dejan dormir a la mañana. Es terrible porque tienden a cantar y a cantar.

RAQUEL: ¿Bueno?
LUIS: Raquel, habla Luis.
RAQUEL: Hola, Luis. ¿Cómo estás?
LUIS: Bien. Espero que no te hayas olvidado de lo que me prometiste anoche.
RAQUEL: ¿Promesa?

LUIS: Sí, de que tú y yo hablaríamos a solas.
RAQUEL: Ah, sí, es cierto, pero, ahora estoy trabajando.
LUIS: Entonces, ¿qué te parece si comemos juntos?
RAQUEL: Pues, no sé si voy a tener tiempo...
LUIS: Una promesa es una promesa...
RAQUEL: Está bien... de acuerdo. Nos encontramos en el vestíbulo a las dos.
LUIS: Bien. Ahí estaré.

GUIDE: Roberto lleva a su hermana y su tío a uno de los museos más conocidos de toda América, el Museo Nacional de Antropología .
ROBERTO: En este salón hay unas reliquias históricas muy importantes del imperio azteca. Miren eso. Ésta es la Piedra del Sol, monumento que hicieron los aztecas a su dios principal.
ARTURO: ¡Qué fantástico!
ROBERTO: Pues, pasen por acá. Esto es un plano de la ciudad de Tenochtitlán.
ROBERTO (VO): Ahora, vamos a la sala de los mayas. Como Uds. saben, los mayas no sólo se establecieron en México, sino también se establecieron en Centroamérica. Aquí tenemos el dios del Sol de los mayas, Quirixajao.
ÁNGELA: ¡Qué increíble!
ARTURO: ¡Qué bárbaro!
ROBERTO: ¿Ven? Esta escultura representa a Chacmool, el dios de la Lluvia.

JUAN (VO): Quizás, Pati y yo necesitamos pasar unas vacaciones juntos. Después de que Papá se mejore...

PANCHO: ¡María! ¿Te falta mucho? ¡Vamos a perder el avión!
MARÍA: Cálmate. ¡Faltan más de tres horas!
PANCHO: ¿Desenchufaste la plancha?
MARÍA: Ay, no me pongas nerviosa. Siempre la desenchufo en cuanto termino de planchar.
PANCHO: ¿Y la cafetera? ¿Desenchufaste la cafetera?
MARÍA: Mira, ¿por qué no te ocupas de cerrar las maletas y me dejas maquillar en paz?
PANCHO: Ya cerré la maleta.
MARÍA: Pues ahora ponlas al lado de la puerta.
PANCHO: Bien. ¡Ah! ¡Caramba!

ROBERTO (VO): Miren. Éste es el Estadio Olímpico.
ARTURO (VO): Ah, sí, aquí se jugaron los Juegos Olímpicos. ¿En qué año fueron?
ROBERTO (VO): En 1968.
ARTURO (VO): Ah, sí, ahora me acuerdo.
ÁNGELA (VO): ¡Ojalá algún día los Juegos Olímpicos tengan lugar en San Juan! ¡Eso sería fabuloso para nosotros!
GUIDE: Como dice Roberto, los Juegos Olímpicos tuvieron lugar en México en 1968. Atletas de todas partes del mundo compitieron en todos los deportes oficiales. En 1992 España se añade a la lista de países donde han ocurrido los Juegos.

LUIS: Oye, Raquel, ¿te gusta nadar todavía?
RAQUEL: ¿Nadar? Pues, no he nadado últimamente. Mi trabajo me toma mucho tiempo. Además, no creo estar en forma.
LUIS: ¿Y el esquí acuático? No me dirás que ya no te gusta esquiar en el agua...
RAQUEL: Oye, ¿por qué este repentino interés por mis actividades acuáticas?
LUIS: Porque, te tengo una sorpresa.
RAQUEL: ¿Qué es esto?
LUIS: Se trata de un fin de semana en Zihuatanejo... para dos.
RAQUEL: ¿Para dos? ¿Quieres decir, para nosotros dos?
LUIS: Claro, ¿para quiénes más?
RAQUEL: Pero Luis, ¿no crees que es mejor consultar a las personas antes de hacer planes de este tipo?
LUIS: No te enojes. Se trata de una sorpresa. Creí que te alegrarías.
RAQUEL: Sí, Luis, gracias,... pero... Mira, Luis, no sé qué es lo que piensas, pero creo que debemos hablar claramente sobre estas cosas, ¿no crees?

ROBERTO: Este mural es de Diego Rivera.
ARTURO: Qué impresionante es, ¿no creen?
ÁNGELA: A Papá le hubiera gustado ver eso.
ROBERTO (VO): Diego Rivera es un pintor muy importante, pues es uno de los fundadores del movimiento muralista mexicano. Era muy nacionalista y se identificaba mucho con el pueblo y especialmente con el indio mexicano. Éste aquí es de Siqueiros. Como pueden ver, los murales de Siqueiros dan una impresión distinta de los de Rivera pues su técnica es diferente. Sus murales tienden a representar imágenes muy fuertes y sus temas eran más contemporáneos. El mural que estamos viendo ahora es de Orozco. Como Rivera y Siqueiros, Orozco pintaba en sus murales imágenes de la Revolución. Aunque muchos de sus murales representan también temas universales.
ÁNGELA: Roberto, sabes bastante del arte mexicano, ¿no?
ROBERTO: No tanto, Ángela. Lo que pasa es que una persona no puede vivir en un país sin aprender nada de su cultura, ¿no?
ÁNGELA: Tío, ¿en qué piensas?
ARTURO: No, estaba pensando cuando Raquel vino a visitarme en Buenos Aires... que yo también la llevé a conocer la ciudad, igual que Roberto está haciendo con nosotros.
ÁNGELA: Dinos, Tío, te gusta Raquel, ¿no es verdad?
ARTURO: ¿Se me nota tanto? ¿Vamos?
ÁNGELA: Sí.
ROBERTO: Vamos.

ÁNGELA: Hola.
RAQUEL: Hola.
ROBERTO: Hola.
LUIS: Hola.
RAQUEL: Ellos son Ángela y Roberto Castillo.
ÁNGELA: Encantada.
LUIS: Mucho gusto.
RAQUEL: Luis Villareal.
ROBERTO: Hola.
LUIS: ¿Cómo estás?
ARTURO: Hola.
LUIS: Hola, ¿cómo estás?
ARTURO: ¿Qué tal? ¿Qué hiciste hoy? ¿Lo pasaste bien?
RAQUEL: Sí. Trabajé un poco y luego Luis y yo fuimos a almorzar. ¿Y Uds.?
ÁNGELA: ¡Ay! ¡Lo pasamos muy bien! Yo creo que Roberto podría vivir muy bien de guía turístico, ¿verdad, Tío?
ARTURO: Sí, claro. Hubieras venido con nosotros.
ÁNGELA: Fuimos a ver los murales en el Palacio de Bellas Artes y Roberto nos describió cómo los muralistas comenzaron un movimiento durante la Revolución mexicana. ¡Ay, Raquel, son tan impresionantes! Y me recordaban mucho a mi papá, pobrecito. Le hubiera gustado verlos.

GUIDE: Más tarde, en su habitación, Raquel está pensando...
RAQUEL: Bueno, parece que Ángela, Roberto y Arturo lo pasaron muy bien en su excursión. Según Ángela, vieron unos murales impresionantes. ¿Recuerdan quiénes son los pintores que los pintaron? Los pintores son Diego Rivera, David Alfaro Siqueiros y José Clemente Orozco. Son pintores de fama mundial y de mucha importancia en la historia de México. Pero antes de ver los murales, ¿adónde fueron primero Arturo y sus sobrinos? ¿Al Museo de Antropología o al Museo de Historia Mexicana?
RAQUEL (VO): Antes de ver los murales, habían ido al Museo de Antropología.
RAQUEL: También dijo Ángela que habían pasado por un estadio. ¿Qué tipo de estadio era? ¿Un estadio de béisbol, un estadio de fútbol o un estadio olímpico?
ROBERTO: ¡Ah, miren! Este es el Estadio Olímpico.
RAQUEL (VO): Exacto. Habían pasado por el Estadio Olímpico.
ROBERTO: ... en el 1968.
RAQUEL: Mientras tanto, Luis me llamó. Yo le había prometido algo anoche, ¿recuerdan? ¿Qué le había prometido yo?
LUIS: ¿No te animas?
RAQUEL: No, Luis, disculpa, pero estoy muy cansada.

LUIS: Bueno, está bien. Pero prométeme que hablaremos mañana... a solas.
RAQUEL: Sí. Te lo prometo. Durante esa conversación por teléfono, yo le había prometido que hablaría hoy con él. Por fin bajé a la cafetería y almorcé con él. Al final del almuerzo me dijo que me tenía una sorpresa.
LUIS: Te tengo una sorpresa.
RAQUEL (VO): Luis sacó un sobre y me mostró unos boletos. ¿Qué había hecho Luis?
RAQUEL: ¿Qué es esto?
LUIS: Se trata de un fin de semana en Zihuatanejo... para dos.
RAQUEL (VO): El había comprado dos boletos para ir a Zihuatanejo y también había conseguido información sobre un hotel.
RAQUEL: Pues, mi reacción fue bastante negativa. Luis nunca debió haber comprado esos boletos sin consultarme. Yo creo que eso muestra una falta de respeto hacia la otra persona, ¿no creen? Bueno, mañana hablaré más sobre eso con Luis.

DR. SALAZAR: Venga, señora. Tenemos que hablar.
MERCEDES: Doctor, ¿cómo está mi padre?
DR. SALAZAR: Mire, los resultados ya están hechos, pero tenemos que hablar muy seriamente.
ENFERMERA DE GUADALAJARA: ¡Pobre don Fernando!

Episodio 45

¡Estoy harta! (*I'm Fed Up!*)

GUIDE: Bienvenidos al Episodio 45 de *Destinos: An Introduction to Spanish.*
CARLOS: ...¿Dónde estabas esta vez? Llamé por teléfono a todos lados.
LUIS: Aló, aló.
MARÍA: ¡Luis! ¿Cómo estás?
DR. SALAZAR: Señora, como le expliqué ya no hay nada que se pueda hacer por su padre. Pueden llevarlo a su casa como él quiere.
GUADALAJARA ENFERMERA: Pronto estará en casa como quería... y yo no tendré que aguantar sus quejas.
DON FERNANDO: Yo sé que regreso a mi casa para morir. En este momento, el doctor se lo está diciendo a mi hija.
GUADALAJARA ENFERMERA: Sr. Castillo...

RAQUEL: ¡Tú sabes muy bien a lo que me refiero! No tenías ningún derecho de hacer venir aquí a Luis sin preguntarme, sin avisarme siquiera. ¡Ningún derecho!
JUAN: Pati, tal vez mañana lleven a Papá de regreso a La Gavia...
PATI: Y tú quieres regresar también, ¿verdad?
JUAN: Creo que debo regresar.
PEDRO: Vengo de La Gavia, y decidí pasar a verlos de camino a casa.
RAQUEL: ¿Saben algo de don Fernando?
PEDRO: Pues sí, pero las noticias no son muy buenas.

GUIDE: En el episodio previo, Luis sorprendió a Raquel con su plan de pasar el fin de semana en Zihuatanejo.
RAQUEL: ¿Qué es esto?
GUIDE: Pero la reacción de Raquel sorprendió a Luis.
RAQUEL: ¿Para dos? ¿Quieres decir, para nosotros dos?
LUIS: No te enojes. Se trata de una sorpresa. Creí que te alegrarías.
GUIDE: Mientras tanto, Carlos y su familia esperaban el regreso de Gloria.
JUANITA: Papi...
CARLOS: Sí, hijita...
JUANITA: ¿Cuándo regresará Mami?
CARLOS: Pronto, Juanita, no tarda, ¿eh?
GUIDE: En Nueva York, Juan se levantó y no encontró a Pati.
JUAN: Pati...
GUIDE: Entonces decidió ir al teatro.
PATI: Bueno, es todo por hoy.
MANUEL: Pati, me parece que no has cambiado de opinión.
PATI: Ya te expliqué mi posición. Eres tú quien no has cambiado de opinión.
MANUEL: ¡Te espero hoy en mi oficina en la tarde!
JUAN: Ahora veo el problema que tienes.
PATI: No sabes ni la mitad.
JUAN: Bueno, al menos puedo ver que la obra va a ser muy buena. Otro triunfo en tu carrera. Pati, tal vez mañana lleven a Papá de regreso a La Gavia...
PATI: ¿Y tú quieres regresar también, verdad?
JUAN: Creo que debo regresar. Mira, yo había pensado pedirte que vinieras conmigo, pero...
PATI: ¿Pero...?
JUAN: Pues, lo he meditado... y... ahora comprendo que no puedo pedirte que vengas. La obra te necesita más que yo.
PATI: ¡No sabes cuánto me alegra oírte decir eso! Yo quisiera irme contigo...
JUAN: Ya lo sé, mi amor, lo sé. Pero ya incluso hice la reservación para el vuelo.
PATI: ¿Cuándo te vas?
JUAN: Hoy mismo. Quiero estar allá cuando regrese Papá.
PATI: Me llamarás para decirme cómo sigue, ¿verdad?
JUAN: Te lo prometo.

DR. SALAZAR: Ha sido un gusto. Que tengan buen viaje.

DON FERNANDO: El gusto es mío, doctor. Gracias.
MERCEDES: Doctor...
DR. SALAZAR: Señora, como le expliqué ya no hay nada que se pueda hacer por su padre. Pueden llevarlo a su casa como él quiere. Rodearlo de afecto, sobre todo eso—darle mucho afecto. Deben tener mucho cuidado con él, sobre todo, no darle ningún problema y tener mucho cuidado con la limitación. Su estado es muy delicado.
GUADALAJARA ENFERMERA: Pronto estará en casa como quería... y yo no tendré que aguantar más sus quejas.
DON FERNANDO: Yo sé que regreso a mi casa para morir. En este momento, el doctor se lo está diciendo a mi hija.
GUADALAJARA ENFERMERA: Señor Castillo...
DON FERNANDO: Óyeme. Una vez yo perdí algo muy importante para mí. Tú eres joven. Tienes toda una larga vida y un futuro por delante. No dejes perder las cosas importantes de la vida. Se me ocurre que no sé cómo te llamas.
GUADALAJARA ENFERMERA: Rosario. Mi nombre es Rosario...
DON FERNANDO: ¿Rosario? Rosario...

ARTURO: Hola.
RAQUEL: ¡Hola, Arturo!
ARTURO: ¿Cómo estás?
RAQUEL: Bien.
ARTURO: Sentáte.
RAQUEL: Gracias.
ARTURO: ¿Qué quieres tomar?
RAQUEL: Un café.
CAMARERO: A sus órdenes.
ARTURO: Dos cafés, por favor.
CAMARERO: En seguida.
ARTURO: ¿Tuviste algún problema?
RAQUEL: No, nada. No. Todo bien.
ARTURO: Creí que estabas escribiendo una novela.
RAQUEL: Por poco. Los reportes requieren muchos detalles. Además tuve que llamar a la oficina. Gracias.
ARTURO: Gracias.
CAMARERO: A sus órdenes.
ARTURO: ¿Azúcar?
RAQUEL: No, gracias.
ARTURO: Raquel, quería hacerte una pregunta.
RAQUEL: Sí, dime.
ARTURO: ¿Te gustaría hacer un viaje a Cozumel?
RAQUEL: ¿A Cozumel?
ARTURO: Sí. Pienso que podríamos ir juntos a Cozumel.
RAQUEL: Pero, no habrás sacado ya los pasajes, ¿verdad?
ARTURO: ¿Eh? No, no, no. No haría una cosa así sin antes consultar contigo. Además, pensé que podrían venir tus padres con nosotros.
RAQUEL: ¿Quieres que mis padres vayan también?
ARTURO: Bueno, ellos han venido de Los Ángeles para verte, sería injusto que los dejáramos plantados, ¿no te parece?
RAQUEL: Arturo, eres muy comprensivo. ¿Qué te parece si esperamos a que ellos lleguen, y les preguntamos qué desean hacer?
ARTURO: Bueno, muy bien. Pero mientras tanto, nosotros podemos ir viendo posibilidades, Aquí tengo toda la información, playas, horarios de vuelos, hoteles, ¿eh?...
PEDRO: ¿Me puedo sentar?
RAQUEL: Ay, por supuesto.
ARTURO: ¿Qué tal?
PEDRO: Vengo de La Gavia, y decidí pasar a verlos de camino a casa. ¿Y Ángela y Roberto?
ARTURO: En este momento, están descansando. Ahora no más deben bajar.
RAQUEL: ¿Saben algo de don Fernando?
PEDRO: Pues sí, pero las noticias no son muy buenas.
ARTURO: ¿Ya se saben los resultados de las pruebas?

PEDRO: El especialista no nos ha dado esperanzas.
ARTURO: ¿Quiere decir que va a seguir internado en el hospital?
PEDRO: No. El especialista dice que ya no hay nada que hacer. Mañana lo llevaremos a La Gavia. En estas circunstancias, yo creo que Ángela, Roberto y Ud., Arturo, deberían ir a La Gavia mañana mismo.
ARTURO: De acuerdo.
PEDRO: Tú también vendrás, ¿verdad?
RAQUEL: Sí, por supuesto.
PEDRO: Bien, debo irme a hablar con los demás.
RAQUEL: Mis padres deben llegar en cualquier momento.
ARTURO: ¿Vas a ir a buscarlos al aeropuerto?
RAQUEL: No. Ellos vendrán aquí. Yo tengo que sacar unas fotocopias para terminar mi reporte.
ARTURO: ¿Te acompaño?
RAQUEL: No es necesario. Quédate con Ángela y Roberto. Yo volveré luego.
ARTURO: Bueno, pero… ¿Nos vemos más tarde?
RAQUEL: Sí, por supuesto. Hasta luego.
ARTURO: Hasta luego.
PEDRO: Hasta luego.
ARTURO: Hasta luego.
RAQUEL: Te acompaño a la puerta.

CARLOS: ¡Por fin! ¿Dónde estabas esta vez? Llamé por teléfono a todos lados. Estaba muy preocupado. Podrías haberme llamado…
GLORIA: Carlos, perdóname. Por favor, no te enojes.
CARLOS: Vamos, tenemos que hablar claro.

ÁNGELA: Yo creo que lo mejor es que el abuelo regrese a casa. Tal vez así se mejore.
ARTURO: ¡Ojalá! A veces pasa.
ROBERTO: Hay que ser optimistas. Seguro que en su casa se encontrará mejor.
ÁNGELA: Tío, ¿te puedo hacer una pregunta?
ARTURO: Por supuesto. Eso no quiere decir que te la voy a contestar.
ÁNGELA: Mañana, cuando nos presenten al abuelo, se terminará el trabajo de Raquel. Probablemente volverá a Los Ángeles. ¿Has pensado qué vas a hacer?
ARTURO: Sí… pero es un secreto.
ÁNGELA: ¡Ay! Vamos, Tío, queremos saber.
ARTURO: Bueno, después lo sabrán.
ROBERTO/ÁNGELA: ¡Ah, Tío!

PANCHO: Bien, es hora de que nos vayamos a desempacar.
MARÍA: Sí, vámonos.
PANCHO: Nos vemos más tarde.
RAQUEL: Cómo no. Los veré después.
MARÍA: Sí hija.
ÁNGELA: ¡Hola!
RAQUEL: Pasen.
ROBERTO: Eh, Raquel, ¿cómo estás?
ARTURO: Permiso.
ÁNGELA: Buenas.
PANCHO: Buenas.
RAQUEL: Ellos son Ángela y Roberto Castillo Soto, los nietos de don Fernando. Mis padres.
ÁNGELA: ¡Ay, señora, encantada!
ROBERTO: Mucho gusto.
MARÍA: Mucho gusto.
PANCHO: ¿Qué tal?
RAQUEL: … y él es el Dr. Arturo Iglesias.
ARTURO: Mucho gusto.
PANCHO: Hola, ¿qué tal? Encantado.
ARTURO: ¿Qué tal?
LUIS: Aló, aló.
MARÍA: ¡Luis! ¿Cómo estás?

LUIS: Tenía Ud. razón, María. La idea de venir a México fue una muy buena sugerencia de Ud.
MARÍA: Pues, sí… Bueno, ¿qué les parece si nos vamos a cenar? Tú vienes con nosotros, ¿verdad? ¿Eh?
PANCHO: Y Ud. también, por supuesto.
ARTURO: Gracias. Raquel, me parece que molesto...
RAQUEL: Pero, Arturo... Vamos. Será divertido.
ÁNGELA: Vamos, Tío. Sí vamos.
RAQUEL: ¿Qué les parece si nos encontramos en una hora en el vestíbulo. Así tenemos tiempo para cambiarnos.
ARTURO: Sí, ya que insistís. Raquel, me parece que…
RAQUEL: Tenía Ud. razón, María. La idea de venir a México fue una buena sugerencia de su parte. ¡Mamás!

MARÍA: Trajimos mucha ropa para tan pocos días. ¡Ay, me muero de hambre! ¿Eh?
RAQUEL: Mamá…
MARÍA: ¿Te fijaste qué guapo está Luis?
RAQUEDL: Mamá…
MARÍA: Más maduro, todo un hombre,… y le va muy bien, eh, tiene muy buena posición. Fíjate que no se ha casado. Creo que ...
RAQUEL: ¡Mamá! ¿Por qué lo hiciste, y con qué derecho?
MARÍA: ¿Hacer qué?
RAQUEL: ¡Tú sabes muy bien a lo que me refiero! No tenías ningún derecho de hacer venir aquí a Luis sin preguntarme, sin avisarme siquiera. ¡Ningún derecho!
MARÍA: ¡Luis te quería ver!
RAQUEL: Ay, Mamá. Por favor, te conozco muy bien. Tú le dijste que viniera.
MARÍA: Bueno, ¿y qué?
RAQUEL: ¿Cómo que y qué? No sabes el problema que me has causado…
MARÍA: Mira, el unico problema es que tú andas con el gaucho ése de aquí para allá…
RAQUEL: Se llama Arturo. Y no ando con él de aquí para allá como tú dices. Tú sabes muy bien lo que yo estoy haciendo aquí en México. El verdadero problema que tengo eres tú.
MARÍA: ¡Ah, yo soy el problema! ¡Mira, yo no vine de tan lejos para que mi propia hija me insultara!
RAQUEL: ¿Que yo te insulto? ¿Y qué fue lo que tú hiciste con Arturo?
MARÍA: No comprendo.
RAQUEL: ¿No comprendes? ¡Te portaste muy grosera con él! Lo insultaste. Actuaste como si fuera un extraño, como si fuera nadie.
MARÍA: Para mí no es nadie.
RAQUEL: ¡No importa quién es Arturo para ti! Lo que importa es quién es para mí. Arturo es mi amigo, e insultarlo a él es como insultarme a mí.
MARÍA: Disculpa, niña.
RAQUEL: Por favor, Mamá, ¿cuándo vas a dejar de tratarme como una niña? Siempre estás haciendo cosas sin pedir mi opinión. No entiendo por qué quieres gobernar mi vida.
MARÍA: Mira, ¡ya estoy harta de eso de «ya no soy una niña y siempre quieres gobernar mi vida»! Si quieres andar con el gaucho ese, anda , ¡dale!
RAQUEL: Disculpa, Papá. Los espero abajo con los demás.
PANCHO: Raquel tiene razón, ¿sabes?
MARÍA: ¡Ahora vienes tú! Yo no he hecho nada.
PANCHO: Yo te dije que no le dijeras a Luis que viniera a México sin hablar antes con Raquel. Ahora la has puesto en una situación muy difícil.
MARÍA: Ahora tú también estás contra mí. ¡¡¡Bueno, mira, haz lo que se te da la gana!!!
PANCHO: ¡María! María, María, ¡no hagas un escándalo! ¡María! Ay, Dios mio. ¡Qué manera de comenzar un viaje!

RAQUEL: ¡Ay! ¡Oh!
LUIS: ¡Hola!
RAQUEL: Hola, pasa. Mira, Luis, ya que estás aquí, voy a decirte que definitivamente no voy a ir a Zihuatanejo contigo.
LUIS: ¿Estás enojada?
RAQUEL: Por supuesto que sí. Mi mamá no debió invitarte a venir aquí sin avisarme antes.
LUIS: Es por Arturo, ¿no? Estás... enamorada de él…
RAQUEL: Ay, Luis.

ARTURO: Hola, ¿qué tal? Perdona. Te llamaré más tarde.
LUIS: Ah, no, no, por favor, Arturo. Yo ya me iba. Nos veremos en la cena. Hasta luego.
ARTURO: Hasta luego.
RAQUEL: ¡Ah!
ARTURO: Raquel, no es conveniente que vaya a cenar con tus padres, ellos recién llegan, y...
RAQUEL: Por favor, Arturo, quiero que vengas con nosotros.
ARTURO: Pero debes atenderlos. Es evidente que no le caigo bien a tu mamá. No quiero causar fricciones entre Uds. Son tus padres.
RAQUEL: Arturo, tú no tienes la culpa. Es mi mamá. Ella a veces... ¡Bueno, mi cuarto parece la Estación Central! ¿Eh? Pasen, pasen.
ÁNGELA: Si no es un buen momento...
RAQUEL: No, no, no. Pasen.
ROBERTO: No. Sólo veníamos a decirles que preferimos quedarnos esta noche en el hotel. Tenemos mucho de que hablar todavía y, bueno, seguramente Uds. también.
RAQUEL: ¿Seguro que no quieren cenar con nosotros?
ROBERTO: Seguro. Comeremos algo en el hotel. Bueno, ¿nos disculpan?
RAQUEL: Claro, nos vemos mañana.
ÁNGELA: Sí.
ARTURO: Bueno. Yo también te dejo, así te doy tiempo a cambiarte. Nos veremos abajo.
ÁNGELA: Raquel, ¿te pasa algo? Si quieres que hablemos, yo me puedo quedar un rato...
RAQUEL: Ahora no, Ángela. Gracias. Te lo contaré todo mañana.
ÁNGELA: Bueno. Nos vemos luego.
RAQUEL: ¡Ay! ¡Qué complicaciones! Aquí está Arturo y también Luis, y ahora sé que mi mamá es la causa de mi difícil situación. Es evidente que ella había hablado con Luis en Los Ángeles. ¿Recuerdan lo que Luis le dijo cuando la vio aquí en mi habitación?
LUIS: Aló, aló.
MARÍA: ¡Luis! ¿Cómo estás?
LUIS: Tenía Ud. razón, María. La idea de venir a México fue una muy buena sugerencia de Ud.
MARÍA: Pues, sí...
RAQUEL: ¿Ven? Es evidente que mi mamá le había sugerido a Luis la idea de venir a México.
RAQUEL: ¿Y cuál fue mi reacción?
RAQUEL: No tenías ningún derecho de hacer venir aquí a Luis sin preguntarme, sin avisarme siquiera. ¡Ningún derecho!
RAQUEL: Me enojé con mi mamá. Mi mamá también se enojó conmigo. No me gusta pelear con mi mamá. Pero en este caso ella no tenía ningún derecho de invitar a Luis, sin avisarme, ¿no creen Uds.? Ay, mi mamá siempre hace estas cosas. Bueno, pero antes de este incidente con mi mamá habían pasado otras cosas muy interesantes.
RAQUEL (VO): Esta mañana Arturo me dijo que había ido a la agencia de viajes. Me preguntó si quería ir a Cozumel con él.
ARTURO: ¿Te gustaría hacer un viaje a Cozumel?
RAQUEL: ¿A Cozumel?
RAQUEL (VO): Eso me sorprendió mucho. Y Arturo, ¿había pensado en mis padres o no?
RAQUEL: ... no habrás sacado ya los pasajes, ¿verdad?
ARTURO: ¿Eh? No, no, no. No haría una cosa así sin antes consultar contigo. Además, pensé que podrían venir tus padres con nosotros.
RAQUEL (VO): Sí, Arturo también había pensado en mis padres.
ARTURO: ... han venido de Los Ángeles para verte...
LUIS: Se trata de un fin de semana en Zihuatanejo... para dos.
RAQUEL: ¿Quieres decir, para nosotros dos?
LUIS: Claro, ¿para quiénes más?
RAQUEL: No. A diferencia de Arturo, Luis no había pensado en mis padres.
RAQUEL: Me gusta que Arturo sea tan considerado, cómo piensa en las otras personas. Bueno, pero ahora no sé qué es lo que va a pasar. Seguramente mi mamá no querrá ir a Cozumel con Arturo... y mientras Arturo y yo hablábamos de Cozumel...
RAQUEL (VO): Pedro vino al hotel.
PEDRO: ¿Me puedo sentar?
RAQUEL (VO): Nos dijo que habían llamado de Guadalajara. ¿Eran buenas las noticias sobre don Fernando?
PEDRO: ...y decidí pasar a verlos de camino a casa.
RAQUEL: ¿Saben algo de don Fernando?

PEDRO: Pues sí, pero las noticias no son muy buenas.
RAQUEL: Las noticias sobre don Fernando no eran muy buenas. Pedro dijo que habían llamado de Guadalajara. Las noticias sobre don Fernando no eran muy buenas. Don Fernando va a regresar a La Gavia. Nosotros vamos a verlo allí mañana.
GUIDE: Mientras Raquel enfrentaba sus preocupaciones en México, Juan visitó a Pati en el teatro. El había llegado a una conclusión.
PATI: Quieres regresar también ¿verdad?
JUAN: Creo que debo regresar.
GUIDE: ¿A que conclusión había llegado Juan? Que Pati debía quedarse en Nueva York. Que él debía quedarse en Nueva York con Pati.
JUAN: Pues lo he meditado y ahora comprendo que no puedo pedirte que vengas. La obra te necesita más que yo.
GUIDE: Juan había llegado a la conclusión de que Pati debía quedarse en Nueva York. Mientras tanto, en casa de Ramón, Gloria había regresado. Carlos la esperaba.

RAQUEL: Ahora tengo que bajar a cenar. No sé qué es lo que va a pasar si mi mamá está muy enojada.
ARTURO: Hola.
RAQUEL: ¿No han bajado mis papás?
LUIS: Todavía no.
RAQUEL: ¿Bueno, Papá? ¿Qué pasa? ¿Por qué no bajan ya? Pues, si crees que es mejor... Papá, tenemos que hablar... No, sí, sí, entiendo. OK. Buenas noches. Mis padres no vienen. Mi mamá no se siente bien y mi papá prefiere quedarse con ella. Así que sólo seremos nosotros tres otra vez.

Episodio 46

Las empanadas (*The Turnovers*)

GUIDE: Bienvenidos al Episodio 46 de *Destinos: An Introduction to Spanish*. En este episodio, nuestra historia continúa.
ÁNGELA: ...tenemos que tomar una decisión. Ya hay una oferta para el apartamento.
ROBERTO: Es que si queremos venderlo, habrá otras ofertas.
ÁNGELA: Ay, está bien. Esperemos.
MERCEDES: ¿Ha habido alguna novedad sobre la venta de La Gavia?
RAMÓN: Han aumentado la oferta. Pero quiero decirte que lo he estado pensando y ahora comprendo por qué te opones.
PANCHO: No se preocupe, Arturo. Tan pronto como María comprenda la situación, cambiará, pero a su manera, ¿sabe?
ARTURO: ¡Ojalá que así sea! De veras, Pancho, la opinión de Uds. es muy importante para mí.
PANCHO: No me sorprendería nada si en este mismo momento María y Raquel estuvieran platicando.
ARTURO: ¿Sí?
MARÍA: No debía haber invitado a Luis a venir a México. No es que no me guste tu amigo Arturo. Es que, es que tengo miedo.

GUIDE: Además, vamos a ver un parque muy conocido de la Ciudad de México, el Bosque de Chapultepec.
DOÑA FLORA: ¡Acérquese! Mire, se va a llevar de estas de canasta...
MERCEDES: Papá, ¿estás despierto?
DON FERNANDO: Sí, hija. ¿Ya llegaron?
MERCEDES: Sí. Están aquí afuera.
DON FERNANDO: ¿Y qué esperas? ¡Hazlos pasar!

ARTURO: ...quería hacerte una pregunta.
RAQUEL: Sí, dime.
ARTURO: ¿Te gustaría hacer un viaje a Cozumel?
RAQUEL: ¿A Cozumel?
GUIDE: En el episodio previo, Arturo le sugirió a Raquel la idea de ir a Cozumel con sus padres. Raquel quedó bien impresionada por el interés que Arturo había tomado en sus padres, pero Raquel y Arturo decidieron hablar con ellos antes de tomar una decisión.
RAQUEL: ¿... que mis padres vayan también?

JULIO: Ha sido un gusto. Que tengan buen viaje.
GUIDE: Mientras tanto, a don Fernando lo dieron de alta y pudo regresar a casa. Pero las noticias sobre su estado de salud no eran buenas.
RAQUEL: ¿Saben algo de don Fernando?
PEDRO: Pues sí, pero las noticias no son muy buenas.

GUIDE: En Nueva York, Juan le dijo a Pati que había decidido volver a México para estar con su familia. También le dijo que finalmente entendía porque Pati se tenía que quedar en Nueva York.
JUAN: La obra te necesita más que yo.
PATI: ¡No sabes cuánto me alegra oírte decir eso!

GUIDE: En México, Gloria volvió a casa de Ramón y Carlos le dijo que era hora de hablar francamente de su problema. Y finalmente, los padres de Raquel llegaron a México. Pero el reencuentro con su hija se convirtió en una confrontación entre madre e hija.
RAQUEL: No tenías ningún derecho de hacer venir aquí a Luis sin preguntarme, sin avisarme siquiera. ¡Ningún derecho!

GUIDE: Esta noche, Raquel, Arturo y Luis van a cenar de nuevo juntos.
RAQUEL: Así que sólo seremos nosotros tres otra vez.

GUIDE: Esta noche, Ángela y Roberto hablan de nuevo sobre la venta del apartamento en San Juan.
ROBERTO: ¿Te puedo dar mi opinión?

ÁNGELA: Para darme tu opinión, antes debes entenderme, escucharme, tratar de entender mis sentimientos.
ROBERTO: Bien. Te escucho.
ÁNGELA: Jorge es mi novio, y yo lo quiero. ¿Por qué no puedo ayudarlo? ¿Qué hay de malo en que él quiera tener su propio teatro? Es su vocación...
ROBERTO: De acuerdo con lo que dices... que él debe tener su propia compañía de teatro. Ahora, ¿no crees que lo lógico sería que él mismo comprara su teatro?
ÁNGELA: Eso mismo me dijo Raquel una vez...
ROBERTO: Entonces ella y yo estamos de acuerdo... ¿Has hablado de tus planes con Jorge?
ÁNGELA: No...
ROBERTO: Bueno, ¿por qué no esperas un poco más?
ÁNGELA: Roberto, si te preocupas por mí no tienes por qué. No le voy a dar a Jorge todo mi dinero. Mira, tenemos que tomar una decisión. Ya hay una oferta para el apartamento.
ROBERTO: Es que si queremos venderlo, habrá otras ofertas.
ÁNGELA: Ay, está bien. Esperemos.
ROBERTO: Ángela, yo sé que eres independiente... que no necesitas la ayuda de nadie. Pero al morir Papá, yo le prometí que te ayudaría cuando fuera necesario.
ÁNGELA: ¡Ay, Roberto! A veces los echo tanto de menos a Papá y a Mamá.
ROBERTO: Yo también, Ángela. Yo también.

GUIDE: Al día siguiente, Arturo desayuna en la cafetería cuando aparece el padre de Raquel.
ARTURO: Buenos días, Sr. Rodríguez.
PANCHO: Buenos días, doctor.
ARTURO: ¿Qué tal pasaron la noche?
PANCHO: Pues, muy bien, muy bien, gracias. ¿Y Uds.?
ARTURO: Bien, muy bien, gracias. Qué pena que no pudieron acompañarnos a cenar...
PANCHO: Bueno, pero habrá otras cenas, ¿no?
PANCHO: ¿Y qué piensa hacer Ud. hoy?
ARTURO: Quizás visitemos un museo hoy. A mi me encantan los museos. ¿No le gustaría acompañarnos?
PANCHO: Creo que iría, doctor. Pero yo le confieso: no soy una persona hecha para los museos. No soy una persona interesada en el arte como Ud. Desde luego, puedo apreciar algunas cosas en la vida, pero para mí, pasarlo bien es jugar a las cartas con unos amigos. ¿Qué más hace Ud. en sus ratos libres? No se puede pasar todo el tiempo libre en los museos, ¿no es así?
ARTURO: No, no. La verdad es que no tengo muchos ratos libres ahora. Me paso la mayor parte del tiempo trabajando.
ARTURO (VO): A veces tengo unos ratos libres por la tarde o por la noche. Y algunos días, no tengo ningún rato libre.
PANCHO: Eso no es bueno, Arturo. Trabajar tanto. Hay que disfrutar de la vida. Gozar mientras sea uno joven y saludable. Eso se lo digo mucho a Raquel también.
ARTURO: Si me permite, me gustaría hacerle una pregunta.
PANCHO: ¿Sí?
ARTURO: ¿Tiene su esposa algo en contra de mí?
PANCHO: ¿Quién? ¿María?
ARTURO: Sí. Anoche...
PANCHO: Mire, Arturo. Le voy a decir una cosa. María tiene su forma de ser. Es muy cabezona, ¿sabe? Si uno le dice blanco ella dice negro sólo para fastidiar.
ARTURO: Entiendo, pero...
PANCHO: Pero Ud. quiere caerle bien, ¿no? Causarle una buena impresión porque Ud. quiere a nuestra hija, ¿no es así Arturo?
ARTURO: Precisamente.
PANCHO: No se preocupe, Arturo. Tan pronto como María comprenda la situación, cambiará, pero a su manera, ¿sabe?
ARTURO: ¡Ojalá que así sea! De veras, Pancho, la opinión de Uds. es muy importante para mí.
PANCHO: Ya lo creo, Arturo, ya lo creo. Mire. No me sorprendería nada si en este mismo momento María y Raquel estuvieran platicando.
ARTURO: ¿Sí?
PANCHO: Le digo, Arturo, que conozco muy bien a mi mujer.

MARÍA: ¡Hola! ¡Mira lo que te traje! ¡Son empanadas! Anda, tómalas. Son de calabaza.

RAQUEL: Te acordaste.
MARÍA: ¡Por supuesto! Claro que sí. De niña siempre me las pedías. ¿Cómo puede olvidar una madre eso?
RAQUEL: Gracias.
MARÍA: Raquel... he estado pensando... no me gusta que haya disgustos entre nosotras. Mira, creo que... que tienes razón. No debía haber invitado a Luis a venir a México. No es que no me guste tu amigo Arturo. Es que... es que tengo miedo. Raquel, tu papá y yo somos viejos. No tenemos a nadie. ¡Yo no quiero que te vayas a la Argentina!
RAQUEL: Pero, Mamá, ¿por qué crees que me voy a la Argentina? ¿Porque me gusta Arturo?
MARÍA: Sí. Lo noté en tu voz el día que me hablaste por teléfono.
RAQUEL: Sí, quiero mucho a Arturo pero él y yo todavía tenemos muchas cosas de que hablar. Y pues, yo no puedo abandonarte tan fácilmente a ti y a Papá. En Los Ángeles tengo mi casa. Tengo mi carrera. Allí está toda mi vida.
MARÍA: ¿Y Luis?
RAQUEL: Ah, sí, Luis. Mamá, trata de comprender esto. Luis es parte de mi pasado, es un recuerdo. Pero uno no puede volver al pasado. Yo he cambiado mucho desde esos días en la universidad y Luis parece seguir siendo el mismo.
MARÍA: Sí. Tienes razón. Tú ya eres una mujer y piensas como una adulta. ¿Me perdonas?
RAQUEL: Sí, porque eres mi madre y te quiero mucho. Pero me tienes que prometer algo.
MARÍA: ¿Qué?
RAQUEL: Todavía no sé lo que va a pasar con Arturo, pero, lo quiero mucho, es mi amigo y tienes que cambiar con él.
MARÍA: Te lo prometo. Pero antes te voy a hacer una pregunta.
RAQUEL: ¿Sí?
MARÍA: Bueno, ya que eres una adulta y que piensas como una mujer ¿por qué no llamas a los del servicio del cuarto y... ?

GUIDE: Después de tomar un café, Raquel y su madre bajan a la recepción del hotel para encontrarse con Arturo y el padre de Raquel.
RECEPCIONISTA: Buenos días. Aquí hay un mensaje para Ud.
RAQUEL: Gracias.
LUIS (VO): Querida Raquel,
A pesar de los años transcurridos, todavía te quiero. Pensé darte una sorpresa, pero el sorprendido fui yo, al encontrarte con Arturo. Yo creo que lo mejor es que me vaya. Cuando leas esto, ya estaré camino a Los Ángeles. Te dejo mi teléfono y dirección por si acaso me quieres llamar algún día. Discúlpame con tus padres por no despedirme de ellos. Un abrazo de Luis.

MARÍA: ¿Qué pasó?
RAQUEL: Nada. Te lo contaré más tarde, Mamá.
ÁNGELA: Buenos días.
TODOS: Buenos días.
ÁNGELA: Raquel, ¿a qué hora salimos para la hacienda?
RAQUEL: Después de comer, ¿por qué?
ÁNGELA: Es que Roberto y yo tenemos que hacer unas cosas.
RAQUEL: Ah, no hay problema. Nos encontramos aquí al mediodía.
ROBERTO: De acuerdo. Bueno. Vamos. Hasta luego.
TODOS: ¡Hasta luego!
PANCHO: Raquel, yo le decía a Arturo que me gustaría mucho dar una vuelta. ¿Les parece?
RAQUEL: A mí me parece fantástico.
ARTURO: Sí, claro.
RAQUEL: Vamos a Chapultepec.
PANCHO: Vamos.
ARTURO: Sí.
MARÍA: ¡Raquel! No me has dado ninguna oportunidad de platicar con este amigo tan simpático.
ARTURO: Vamos.
MARÍA: Tú hablas con tu padre, ¿no? Mientras, Arturo y yo podemos ir platicando.

GUIDE: Como el Parque Central de Nueva York, como el Rosedal de Buenos Aires, el Bosque de Chapultepec de la Ciudad de México es una isla verde en un mar de edificios altos. El Bosque de Chapultepec ofrece una gran variedad de atracciones. Aquí se encuentra el monumento a los

Niños Heroes, unos muchachos que se sacrificaron para el honor de México. En Chapultepec se puede dar un paseo y gozar del ambiente.
DOÑA FLORA: Acérquese. Mire que se va a llevar...
GUIDE: También se puede visitar museos, como el Museo de Arte Moderno donde hay obras de Tamayo, Kahlo y otros artistas. En fin, hay de todo en Chapultepec. Es un lugar ideal para pasar una tarde con los amigos.
MARÍA: Raquel. Tu amigo es muy simpático. Arturo, ¿por qué no viene con nosotros a Guadalajara?
ARTURO: Pues... no sé si Uds....
MARÍA: Yo no veo ningún inconveniente. ¿Y tú, Pancho?
PANCHO: No. Ninguno.
MARÍA: Entonces, está decidido. Arturo vendrá con nosotros a Guadalajara. Raquel, toma el brazo de Arturo porque ahora yo quiero caminar con tu papá.

DON FERNANDO: Gracias, hijos. Ya me siento un poco mejor.
MERCEDES: Y te pondrás mucho mejor, ya verás.
DON FERNANDO: Bueno, pero, ¿cuándo podré ver a mis nuevos nietos?
PEDRO: Esta misma tarde vendrán.
RAMÓN: Ahora debías descansar, para estar bien cuando lleguen.
DON FERNANDO: Sí. Gracias, hijo. Sí, quisiera descansar.
GUIDE: Mientras don Fernando descansa, su familia habla del futuro de La Gavia.
MERCEDES: Ramón, ¿ha habido alguna novedad sobre la venta de La Gavia?
RAMÓN: Han aumentado la oferta. Pero quiero decirte que lo he estado pensando y ahora comprendo por qué te opones.
CARLOS: Ramón, Mercedes... estoy apenado por lo que ha sucedido. Yo tampoco quiero que se venda La Gavia. Deberíamos hablar.
RAMÓN: Pero debemos esperar, ¿no crees? A que nos podamos reunir más tranquilos... No te preocupes, Carlos, ya encontraremos una solución...
MERCEDES: Pues yo también lo he estado pensando, Ramón, y tengo una idea. Pero no creo que ahora sea el momento más oportuno para hablar. Más tarde les hablaré de mi idea.

RAQUEL: Buenos días. La familia Castillo. Ellos son Ángela, Roberto y el Dr. Arturo Iglesias.
JUAN: Bienvenidos a La Gavia.
ARTURO: Gracias.
PEDRO: Perdónenme. Si me permiten, creo que tendremos mucho tiempo para platicar luego. Fernando nos está esperando.
MERCEDES: Con permiso. Yo lo voy a avisar. Papá, ¿estás despierto?
DON FERNANDO: Sí, hija. ¿Ya llegaron?
MERCEDES: Sí. Están aquí afuera.
DON FERNANDO: ¿Y qué esperas? ¡Hazlos pasar!

RAQUEL: Bueno, parece que nuestra historia está por terminar. ¡Y qué historia ha sido! ¿No? Sobre todo lo que ha pasado hoy.
RAQUEL (VO): Esta mañana, mi mamá vino a verme. Me había comprado algo especial para comer, algo que me gustaba de niña. ¿Recuerdan?
MARÍA: ¡Son empanadas! Anda, tómalas. Son de calabaza.
RAQUEL: Te acordaste.
MARÍA: ¡Por supuesto! Claro que sí.
RAQUEL: Mi mamá me había comprado unas empanadas. Posiblemente no les parezca que tenga importancia pero mi mamá usaba las empanadas como excusa para entrar en una conversación seria conmigo. En esa conversación, ella me explicó por qué había invitado a Luis a México. ¿Recuerdan su razón?¿Por que habia invitado mi mama a Luis a México?
RAQUEL (VO): Creía que me gustaría verlo de nuevo. Tenía miedo de mis relaciones con Arturo.
RAQUEL: Mi mamá me dijo que tenía miedo de mis relaciones con Arturo.
MARÍA: Es que tengo miedo.
RAQUEL: Pero, Mamá. ¿Por qué crees que me voy a la Argentina? ¿Porque me gusta Arturo?
MARÍA: Sí. Una madre siente estas cosas.
RAQUEL: Ese momento fue muy difícil para mi mamá. Ella no es una persona que pueda expresar sus sentimientos fácilmente. La verdad es que yo no podría ir a vivir a la Argentina. No sé cuándo Arturo y yo vamos a hablar de estas cosas. Bueno.
RAQUEL (VO): Después, mi mamá y yo bajamos para buscar a mi papá y a Arturo. En la recepción,

me dijeron que alguien me había dejado un mensaje. ¿Recuerdan de quién era?
RAQUEL: El mensaje era de Luis. Luis había decidido regresar a Los Ángeles. En su nota me decía que había sido una sorpresa para él encontrarme a mí con Arturo en el hotel.
LUIS (VO): Pensé darte una sorpresa, pero el sorprendido fui yo, al encontrarte con Arturo.
RAQUEL: Pobre Luis. Sé que la decisión no fue fácil para él, pero la verdad es que así es mejor. Yo no sabía cómo decirle que tenía razón, que estoy enamorada de Arturo. Bueno, ya lo he dicho. Estoy enamorada de Arturo.
RAQUEL y ARTURO: Ja, ja.
RAQUEL: ¿…que irías a Puerto Rico? ¡Ja, ja, ja! Sí, puedo decir ahora que aunque ha pasado poco tiempo, estoy enamorada de Arturo. Menos mal que mi mamá ha cambiado de actitud hacia Arturo, ¿no?
MARÍA: Arturo, ¿por qué no viene con nosotros a Guadalajara?
ARTURO: Pues… no sé si Uds.…
MARÍA: Yo no veo ningún inconveniente. ¿Y tú, Pancho?
PANCHO: No. Ninguno.
MARÍA: Entonces, está decidido. Arturo vendrá con nosotros a Guadalajara.
RAQUEL: Bueno. Hay tiempo para mí y para Arturo en el futuro. Lo importante ahora es el encuentro entre don Fernando y sus nietos. Debo ir a ver lo que está pasando.

Episodio 47

Tengo dudas (*I Have Doubts*)

ÁNGELA: ¿Por qué tienes que ser tan desconfiado? No entiendo por qué todos le tienen tanta antipatía a Jorge.
ROBERTO: Porque queremos protegerte de ese don Juan...
ÁNGELA: ¡No tienes derecho a decir que es un don Juan! ¡Tú no lo sabes!
ROBERTO: Entonces, ¿quién era la mujer que contestó cuando lo llamaste a su casa?
ÁNGELA: Unos amigos de Nueva York que están en Puerto Rico. Están alojados en su casa. ¿Qué hay de malo en eso?
ROBERTO: ¿Tú crees eso?
ÁNGELA: ¡Por supuesto!
GUIDE: Bienvenidos al Episodio 47 de *Destinos*. Primero, algunas escenas de este episodio.
CARLOS: Mira, Arturo, quería hablar contigo porque, pues, tengo unos problemas, y pensé que, como tú eres psiquiatra....
ARTURO: Te escucho. ¿De qué se trata?
CARLOS: De mi mujer, Gloria.
GUIDE: En este episodio no hay vocabulario nuevo. Uds. no tienen que hacer nada más que ponerse cómodos y gozar de la historia, porque en este episodio, don Fernando finalmente conoce a sus nietos.
ÁNGELA: Yo soy Ángela... y éste es mi hermano, Roberto.
DON FERNANDO: Vengan. Quiero verlos de cerca.
GUIDE: En el episodio previo, don Fernando regresó a La Gavia. En Guadalajara, el médico le había dicho a Mercedes que ya no había nada que hacer... y que don Fernando podía regresar a casa a pasar sus últimos días con su familia. Mientras tanto, Arturo y Pancho, el padre de Raquel, conversaron durante el desayuno. Era evidente que Arturo le caía bien a Pancho. Y la madre de Raquel, a quien no le gustaba Arturo, le confesó a Raquel sus temores.
MARÍA: No es que no me guste tu amigo Arturo, es que tengo miedo. Raquel, tu papá y yo somos viejos. No tenemos a nadie. ¡Yo no quiero que te vayas a la Argentina!
GUIDE: Más tarde, Raquel, Arturo, Pancho y María dieron un paseo... y María empezó a conocer a Arturo. Ángela y Roberto hablaron del apartamento... y decidieron no venderlo por el momento. Por la tarde, fueron a La Gavia con Arturo y Raquel para conocer por fin a su abuelo paterno.
RAQUEL: Don Fernando, quiero presentarle a sus nietos.
ÁNGELA: Abuelo, yo soy Ángela... y éste es mi hermano, Roberto.
DON FERNANDO: Vengan. Quiero verlos de cerca.
ROBERTO: Abuelo. Abuelo, éste es nuestro tío, Arturo. El medio hermano de nuestro papá.
DON FERNANDO: Arturo... gracias por haber ayudado a Raquel. Te estoy muy agradecido.
ARTURO: Quien tiene que dar las gracias soy yo. Gracias a Ud. he puedo conocer a mis sobrinos... y por fin conocer el destino de Ángel.
DON FERNANDO: Dígame, Arturo... Rosario... ¿Fue feliz?
ARTURO: Sí, lo fue. Le he traído una foto de ella.
DON FERNANDO: Está tan bella como el día en que nos casamos.
ARTURO: Mi madre siempre sintió un afecto por Ángel. Ahora, me doy cuenta que fue por Ud. Tengo una foto de Ángel cuando tenía veinte años. Supongo que Uds. le habrán contado lo que pasó con Ángel...
DON FERNANDO: Sí. Mi hermano Pedro me lo ha contado todo. Tú te sientes culpable, ¿verdad? Pero no hay ningún motivo para que te sientas así. Ángel sólo hizo lo que pensó que era necesario.
MERCEDES: Papá, ¿estás bien?
DON FERNANDO: ¿Que si estoy bien, hija mía? ¡Me estoy muriendo!
PEDRO: Vamos. Vamos. Mejor dejemos a mi hermano para que pueda descansar.
DON FERNANDO: Sí, sí. Vayan. Déjenme solo un rato. Necesito tiempo para reponerme.

JUAN: Disculpen. Voy a dar un paseo para tomar un poco de aire fresco. ¿Me permiten?
ARTURO: Sí, andá. No hay problemas.
MERCEDES: Juan está pasando por un período difícil. Bueno, estamos organizando todo para la cena de esta noche. Tú te quedas, Raquel, ¿no?
RAQUEL: Pues, no lo sé, mis padres acaban de llegar de Los Ángeles.
MERCEDES: ¡Pues los invitamos a ellos también!

RAQUEL: Gracias, pero no creo que acepten, La Gavia está muy lejos. Además, ésta es una reunión muy importante para Uds.
ARTURO: Raquel, quedate sólo por esta noche. Ésta es una ocasión única. Desde mañana podrás estar con tus padres todo el tiempo que quieras.
RAQUEL: Está bien. Los voy a llamar.
CONSUELO: Aquí hay recámaras para todos. Pueden quedarse hasta mañana. Así no tendrán que viajar toda la noche.
RAQUEL: De acuerdo. Voy a telefonear al hotel.
ARTURO: Antes de que hagás eso, Raquel, me gustaría dar un paseo. Quisiera conocer la hacienda. Además, tengo que hablar de algo muy importante con vos.
RAQUEL: Bueno, si quieres. Gracias.
ARTURO: Gracias. Permiso.
PEDRO: ¿Podemos hablar un momento en la oficina?
CARLOS: Sí, está bien.
PEDRO: Voy a buscar a Ramón.
CARLOS: No sé qué decir.
PEDRO: Carlos, es difícil enfrentar un problema como el que tiene Gloria. Tu error fue ocultarlo en lugar de pedir ayuda, pero es comprensible.
CARLOS: ¿Y la oficina?
PEDRO: Pues, ya es demasiado tarde para salvar nuestra sucursal en Miami. Uds. tendrán que venirse a vivir a México.
RAMÓN: Tal vez a Gloria le haga bien.
PEDRO: Sí, tal vez le ayude. Si está rodeada de una familia que la quiere, que no la juzga...
CARLOS: Me siento muy agradecido por la comprensión y... y el apoyo de Uds. Pero, ¿qué vamos a hacer con los negocios? ¿Y qué va a pasar con La Gavia?
PEDRO: Todavía no lo sabemos.
RAMÓN: Lupe me contó una historia, de cuando Papá compró La Gavia, de como pensaba. No creo que podamos venderla. Mercedes, tú dijiste que tenías una idea...
MERCEDES: Así es. No sé lo que les parecerá, pero es ésta: ¿No creen que el lugar es ideal para fundar un hogar para niños que no tienen familia?
PEDRO: ¿Un orfanato?
MERCEDES: Algo así. Para recoger a los niños huérfanos. Una escuela para educarlos.
RAMÓN: Necesitamos dinero para hacer reformas al edificio, contratar personal...
MERCEDES: Podemos comenzar con unos pocos niños. Y estoy segura de que por una causa así, podremos conseguir dinero de instituciones o de personas. ¿Me comprenden?
PEDRO: Sí, pero es una gran responsabilidad. Traer niños sin tener asegurados los fondos económicos. No es tan fácil.
RAMÓN: ¿Bueno? Sí, ¿cómo está Ud., Sra. López Estrada?... Sí, mi padre ya está de regreso... No, todavía no... Claro, está descansando del viaje... No, justo ahorita estábamos platicando del tema... Mire, lo mejor es que yo le llame cuando hablemos con mi padre, ¿de acuerdo?... Gracias, hasta pronto.
RAMÓN: Yo creo que lo mejor será que no hablemos de esto hasta que hablemos con Papá.
MERCEDES: Estoy de acuerdo.
PEDRO: Yo también.
RAMÓN: ¿Bueno?... ¿Sí?... ¿Larga distancia?... Ángela Castillo... Sí, un momento. Está aquí, voy a llamarla. Le hablan a Ángela de Puerto Rico. Un tal Jorge.

ARTURO: Raquel, quiero hacerte una pregunta.
RAQUEL: ¿Sí?
ARTURO: Bueno, no es fácil. Luis...
RAQUEL: Ah, sí. Luis. Luis ha regresado a Los Ángeles. Esta mañana recibí un mensaje de él. Han pasado diez años y yo he cambiado. Fue bueno verlo. Pero fue bueno que también regresara a Los Ángeles.
ARTURO: ¿Estás segura?
RAQUEL: Segura. Luis pertenece al pasado y yo no quiero volver al pasado.
ARTURO: Entonces, quiero hablarte del futuro. Quiero que regreses conmigo a Buenos Aires.
RAQUEL: Arturo, no es fácil. Yo tengo una profesión y una carrera que quiero seguir. Además, mi familia vive en Los Ángeles, mis padres, no puedo abandonarlos.
ARTURO: Pero, yo tengo buenos contactos en Buenos Aires, tengo amigos abogados. Podrías establecerte perfectamente. En cuanto a tus padres, tengo una casa grande. Podrían venir a vivir

con nosotros.
RAQUEL: Arturo, eres muy amable. Pero, ¿crees sinceramente que podría sacar a mis padres de Los Ángeles? Es todo lo que conocen. No podrían adaptarse a otro país.
ARTURO: Comprendo.
RAQUEL: Además, también para mí, empezar de nuevo, en un país extraño. Todo sería diferente, las leyes, el sistema jurídico… No sería tan fácil como crees.
ARTURO: Bueno, entonces, sólo me queda un camino…
RAQUEL: Arturo…
ARTURO: Con tal de estar cerca de ti, me iría a vivir a Los Ángeles.
RAQUEL: Pero, Arturo. ¡Piensa en lo que eso significa!
ARTURO: Lo he pensado mucho. ¿Qué tengo en Buenos Aires? No tengo familia… Amigos, muy pocos. Podría comenzar de nuevo en Los Ángeles. Claro, tengo que mejorar mi inglés… What seems your problem, Miss Jones?
RAQUEL: Arturo. Piensa en lo que eso significa. Dejarías Buenos Aires, saldrías de tu país, vivirías en un mundo muy diferente al tuyo.
ARTURO: Lo único que me importa es estar contigo.
RAQUEL: No esperaba eso en mi vida.
ARTURO: Yo tampoco. Pero hablo en serio.
RAQUEL: ¿No crees que deberíamos pensarlo mejor?
ARTURO: Deberíamos. Pero yo no quiero hacerlo. Quiero actuar. ¡No quiero que me dejés!

DON FERNANDO: ¡Lupe! ¡¡Lupitaaa!!
LUPE: ¿Le pasa algo, don Fernando?
DON FERNANDO: Sí. ¡Que me voy a levantar! Dame algo decente que ponerme.

ARTURO: Está tan lindo todo esto…
CARLOS: Disculpen si interrumpo... pues... Arturo, ¿podríamos platicar un momento?
ARTURO: Sí, claro, cómo no.
CARLOS: ¿No te molesta, Raquel? Es muy importante.
RAQUEL: Claro que no. Aprovecharé para llamar a mis padres. Con permiso.
CARLOS: Sí.
ARTURO: ¿Nos sentamos ahí?
CARLOS: Sí. Mira, Arturo, quería hablar contigo porque, pues, tengo unos problemas, y pensé que, como tú eres psiquiatra…
ARTURO: Te escucho. ¿De qué se trata?
CARLOS: De mi mujer, Gloria. Hace tiempo, años, empezó a jugar. Le gustaban los casinos, la ruleta, tú sabes...
ARTURO: Sí.
CARLOS: Pues, al principio no me pareció mal. A mí también me gustaba jugar un poco, de vez en cuando, como diversión...
ARTURO: Pero ella ya no lo hace por diversión...
CARLOS: ¡Eso es! Es como... como un vicio. Empieza a jugar, y ya no para.
ARTURO: ¿Y han hablado de esto entre Uds.?
CARLOS: Sí. Dice que va a parar, promete, pero luego...
ARTURO: Lo hace otra vez.
CARLOS: Sí. Se escapa. Se va a San Juan, a las Bahamas y hasta que no pierde todo el dinero, no regresa. ¿Qué crees que puedo hacer?
ARTURO: Hay que averiguar qué es lo que la lleva a hacer esto. Seguramente necesita ayuda profesional.
CARLOS: ¿Cómo qué?
ARTURO: Bueno, hay terapias individuales, hay terapias de grupo, además, si Uds. van a Estados Unidos, allí hay organizaciones que dan apoyo emocional.
CARLOS: Tengo que confesar que es difícil hablar de esto.
ARTURO: Es natural. Vamos a caminar y si querés, seguimos hablando un poco más.

ROBERTO: Pero, ¿cómo averiguó Jorge el teléfono de aquí?
ÁNGELA: No lo sé.
ROBERTO: ¿Tú le diste el teléfono de Pedro?
ÁNGELA: ¡Ay, no! ¿Pero qué importa? Habrá llamado al Tío Jaime.
ROBERTO: Es que me extraña. ¿Qué quería?

ÁNGELA: Hablar conmigo, saber cómo estoy. ¿Qué te extraña?
ROBERTO: Ángela, te conozco muy bien...
ÁNGELA: Además, ¿no te vas a enfadar si te lo digo?
ROBERTO: No, no me voy a enfadar. Te lo prometo.
ÁNGELA: Quería darme una buena noticia: ha encontrado una increíble oportunidad, un teatro viejo. Queda en la calle de la Cruz. Ay, Jorge está muy contento y quería contármelo.
ROBERTO: ¿Nada más que contártelo?
ÁNGELA: ¡Nada más! ¿Por qué tienes que ser tan desconfiado? No entiendo por qué todos le tienen tanta antipatía a Jorge.
ROBERTO: Porque queremos protegerte de ese Don Juan.
ÁNGELA: ¡No tienes derecho a decir que es un don Juan! ¡Tú no lo sabes!
ROBERTO: Entonces, ¿quién era la mujer que contestó cuando lo llamaste a su casa?
ÁNGELA: Unos amigos de Nueva York que están en Puerto Rico. Están alojados en su casa. ¿Qué hay de malo en eso?
ROBERTO: ¿Tú crees eso?
ÁNGELA: ¡Por supuesto! Y mira, terminemos con esta discusión. No hay nada malo en Jorge. Tiene una vocación y yo quiero ayudarlo.

RAQUEL: ¿No están en el hotel? Entonces, por favor, quiero dejar un mensaje. Dígales por favor que llamó su hija... que regresaré mañana y que llamaré más tarde. Sí, sí. Gracias. Bueno, mis padres no están y les dejé un mensaje. Esta noche voy a quedarme aquí en La Gavia a cenar con la familia Castillo. ¡Qué emocionante el encuentro entre don Fernando, Ángela, Roberto y Arturo! ¿Recuerdan lo que le trajo Arturo a don Fernando?
ARTURO: ... le traje una foto de Ángel...
RAQUEL (VO): Arturo trajo dos fotos: una de Ángel y otra de Rosario.
RAQUEL: Pero no pasamos mucho tiempo con don Fernando. Con la emoción, necesitaba descansar. Entonces, Arturo y yo salimos a dar un paseo.
RAQUEL (VO): Arturo quería dar un paseo para hablar conmigo sobre algo importante. Yo sabía dos cosas: sabía que él quería hablar de nuestro futuro. Y también sabía que él iba a pedirme que yo me fuera a vivir a la Argentina.
RAQUEL: Cuando yo le dije que no podía, que tenía mi profesión y mi familia en Los Ángeles, su respuesta realmente me sorprendió. ¿Qué dijo Arturo que haría? Arturo dijo que se iría a vivir a Los Ángeles. Pues, claro, ¡yo no esperaba eso! Y le respondí que no era fácil lo que me proponía. Pero ahora que lo pienso, sus razones son lógicas.
ARTURO: ¿Qué tengo en Buenos Aires? No tengo familia... Amigos, muy pocos. Podría comenzar de nuevo en Los Ángeles.
RAQUEL: Seguramente vamos a hablar más de eso. Por el momento, no sé. Me siento muy feliz, pero también un poco preocupada. Salir de la Argentina para irse a vivir a Los Ángeles, pues, no le será fácil a Arturo. Pero la idea me gusta mucho. Sí, me gusta mucho.

ÁNGELA: No sé, pero ya me siento muy bien aquí entre esta gente.
RAQUEL: Es tu familia, Ángela. Quieren que te sientas cómoda.
RAMÓN: ¿Y dónde está Lupita?
MERCEDES: ¡Papá! ¿Qué haces? ¡Deberías estar en la cama!
DON FERNANDO: Sí, posiblemente.
PEDRO: Fernando...
DON FERNANDO: Escuchen.
DON FERNANDO: Yo estaba en la cama pensando. Tengo grandes dudas.
PEDRO: ¿Dudas?
DON FERNANDO: Sí, dudas. Raquel, quiero que me hables de la investigación... detalle por detalle. ¿Realmente Ángela y Roberto son mis nietos?

Episodio 48

Así fue: I (*That's How It Happened: I*)

GUIDE: Bienvenidos al Episodio 48 de *Destinos: An Introduction to Spanish.* En este episodio, Raquel le cuenta a don Fernando y su familia de su investigación en España.
RAQUEL: Bueno, como Uds. saben, primero fui a España buscando a la Sra. Suárez.
TAXISTA: ¡Oiga! ¿Está la Sra. Suárez? ¡Oiga! No contestan.
RAQUEL: Yo tengo que hablar con esa señora.
GUIDE: No hay información nueva. Escuchen a los personajes, mientras ven, una vez más, algunas de las escenas que sucedieron en España.
MIGUEL: Aquí está una señorita de los Estados Unidos. Tiene una carta tuya que le escribiste a un señor en México.
SRA. SUÁREZ: Dile que me visite a Madrid.
MIGUEL: ¿A Madrid?

GUIDE: En el episodio previo, Don Fernando por fin conoció a sus nietos, Ángela y Roberto y la relación entre Raquel y Arturo empezó a tomar un nuevo camino.
ARTURO: Deberíamos, pero no quiero hacerlo. Quiero actuar. No quiero que me dejés.
GUIDE: Durante la noche, se reunieron todos para gozar de una gran cena… y se sorprendieron cuando Don Fernando, enfermo y débil, se presentó a cenar.
MERCEDES: ¡Papá! ¿Qué haces? ¡Deberías estar en la cama!
DON FERNANDO: Sí, posiblemente.
PEDRO: Fernando...
DON FERNANDO: Escuchen.
DON FERNANDO: Yo estaba en la cama pensando. Tengo grandes dudas.
PEDRO: ¿Dudas?
DON FERNANDO: Sí, dudas. Raquel, quiero que me hables de la investigación… detalle por detalle. ¿Realmente Ángela y Roberto son mis nietos?
RAQUEL: Bueno, como Uds. saben, primero fui a España buscando a la Sra. Suárez.
RAQUEL: Buenos días. Tengo que ir a la calle Pureza, número veintiuno. ¿Ud. sabe dónde está?
TAXISTA: Sí, claro. Éste es en mi barrio, el barrio de Triana. Suba, por favor.
TAXISTA: Ud. no es española, ¿verdad?
RAQUEL: No, no. Soy de los Estados Unidos.
TAXISTA: ¿Le gusta Sevilla? Es muy bonita, ¿no?
RAQUEL: Ah, sí. Es preciosa.
TAXISTA: ¿A qué número va en la calle Pureza?
RAQUEL: Al veintiuno.
TAXISTA: ¿Tiene familia allí?
RAQUEL: No, señor. ¿Me podría esperar unos minutos?
TAXISTA: Sí, claro. Pero, tendrá que pagar.
RAQUEL: Por supuesto.
TAXISTA: Cómo se llama la señora que busca?
RAQUEL: La Sra. Teresa Suárez.
TAXISTA: ¡Oiga! ¿Está la Sra. Suárez? ¡Oiga! No contestan. ¿La llevo al hotel?
RAQUEL: No, yo tengo que hablar con esa señora. ¿Puede esperar cinco minutos más?
TAXISTA: Sí, sí, como Ud. quiera.
RAQUEL: Gracias.
RAQUEL (VO): En el barrio, encontramos a dos muchachos que conocían a la Sra. Suárez.
TAXISTA: ¡Ey, chico! Ven, por favor.
RAQUEL: Hola.
MIGUEL: Hola.
RAQUEL: Hola. Ando buscando a una señora, la Sra. Teresa Suárez. ¿La conocen?
MIGUEL: Sí. Es mi abuela.
RAQUEL: ¡Ah! ¿Vive con Uds.?
MIGUEL: Ya no.
RAQUEL: ¿Y dónde vive ahora?
MIGUEL: Ahora vive en Madrid.
RAQUEL: Ah, en Madrid… ¿Y saben su dirección en Madrid?
MIGUEL: No. Pero la sabe mi madre.

RAQUEL: ¿Y... dónde está tu mamá?
JAIME: Mamá está en el mercado.
RAQUEL: ¿Me pueden llevar allí?
JAIME y MIGUEL: Sí, sí. Vamos.
ELENA: Jaime, ¿qué haces aquí?
JAIME: Ahí está una señorita que busca a la abuela Teresa.
AMIGA: Bueno, yo me marcho, ¿eh?
ELENA: Bien.
MIGUEL: Mamá, esta señorita busca a la abuela.
RAQUEL: Perdone, señora. Soy Raquel Rodríguez y vengo de los Estados Unidos.
ELENA: Elena Ramírez. Mucho gusto.
RAQUEL: Mucho gusto. Siento mucho molestarla. Pero necesito hablar con la Sra. Suárez.
ELENA: ¿Mi suegra? ¿Por qué?
RAQUEL: Bueno, es una larga historia. ¿Podríamos hablar unos minutos?
ELENA: Por supuesto que sí.
RAQUEL (VO): Al lado del río nos sentamos y allí le conté toda la historia.
RAQUEL: Esta carta se la escribió la Sra. Suárez a mi cliente, don Fernando Castillo.
RAQUEL (VO): Mi cliente don Fernando vive en México. Está gravemente enfermo. Este señor tiene cuatro hijos: Mercedes, su hija y tres hijos, Ramón, Carlos y Juan. Mercedes y Ramón viven con Fernando, pero Carlos vive en Miami y Juan en Nueva York. Todos están muy preocupados por la salud de su padre. La esposa de don Fernando, Carmen, murió. Don Fernando ha revelado últimamente un secreto a su familia. Carmen no fue su única esposa. Él no nació en México. Nació en el norte de España. Antes de la Guerra Civil, conoció a una mujer joven y bella—Rosario. Rosario era amiga de Teresa Suárez. Don Fernando siempre creyó que Rosario había muerto en la guerra. Pero la Sra. Suárez dice que no. Y además, don Fernando cree que tiene un hijo con Rosario.
RAQUEL: ¿Sabe Ud. algo de esto?
ELENA: Todo esto es nuevo para mí.
RAQUEL: ¿La Sra. Suárez nunca le habló de Rosario o de don Fernando?
ELENA: No. Nunca. Jamás. Posiblemente le haya mencionado algo a mi esposo.
RAQUEL: ¿Podría hablar con su esposo?
ELENA: Por supuesto que sí. ¡Esto es fascinante! Mi esposo ahora está trabajando, pero esta noche puede hablar con él.
RAQUEL: ¿Puedo ir a su casa?
ELENA: Tengo una idea mejor.
RAQUEL (VO): Siguiendo la sugerencia de Elena, esa noche fui a una cervecería donde conocí a su esposo, el hijo de Teresa Suárez.
RAQUEL: Miguel, ¿Elena le ha contado lo de la carta?
MIGUEL (PADRE): Sí, y además, ya hablé con mi madre por teléfono.
SRA. SUÁREZ (VO): ¿Qué tal Miguel?
MIGUEL: Aquí está una señorita de los Estados Unidos. Tiene una carta tuya que le escribiste a un señor en México.
RAQUEL: ¿Y qué dijo? ¿Mencionó algo de Rosario?
MIGUEL (PADRE): Realmente, no.
RAQUEL: ¿Dijo algo de mi cliente don Fernando?
MIGUEL (PADRE): No, no dijo nada.
RAQUEL: Mi cliente don Fernando quiere saber qué pasó con Rosario. ¿Podría yo hablar por teléfono con su madre?
MIGUEL (PADRE): No creo. Mi madre prefiere que Ud. vaya a Madrid.
MIGUEL: ¿Quieres que te llame por teléfono?
SRA. SUÁREZ: Dile que me visite a Madrid.
MIGUEL: ¿A Madrid? Pero, Mamá...
SRA. SUÁREZ: Nada de «peros». Dile a esa señorita que vaya a verme a Madrid.
RAQUEL: ¿A Madrid? Entonces tengo que ir.
MIGUEL (PADRE): Pues, si está de viaje...
RAQUEL: Voy a ver si puedo salir para Madrid mañana.
MIGUEL (PADRE): Mañana, no.
RAQUEL: ¿Por qué no?
MIGUEL (PADRE): Porque mi madre no está ahora en Madrid.
RAQUEL: ¿Dónde está?

MIGUEL (PADRE): En Barcelona, con uno de mis hermanos.
RAQUEL: ¿Y cuándo regresa a Madrid?
MIGUEL (PADRE): Pasado mañana.
RAQUEL (VO): Así fue como dos días después, salí para Madrid en tren a encontrarme con la Sra. Suárez. En el tren, occurió algo que jamás esperaba.
ALFREDO: ¿Grabando?
JOSÉ MARÍA: Sí, grabando.
ALFREDO: Buenas tardes a todos. Aquí estoy en el rápido de Sevilla a Madrid. Conmigo está la ganadora del premio especial de la Organización Nacional de Ciegos...
RAQUEL: ¿La lotería?
ALFREDO: Ud. estará muy contenta de su buena suerte.
RAQUEL: Perdone, pero no sé de qué habla.
ALFREDO: Esta maestra de primaria es la Sra. Díaz. Su clase de sexto grado le compró un cupón y...
RAQUEL: Perdone, creo que se ha equivocado. Yo no soy la Sra. Díaz y tampoco soy maestra.
ALFREDO: ¿Qué dice?
RAQUEL: Que no soy la Sra. Díaz. Me llamo Raquel Rodríguez.
ALFREDO: Entonces, ¿Ud. no es la persona que ha ganado el premio especial de la Organización de Ciegos?
RAQUEL: No, señor.
ALFREDO: ¿Y Ud. no es la maestra de sexto a quien su clase le compró el cupón?
RAQUEL: No.
ALFREDO: ¡Corta! Hay un error. Ésta no es la señora que buscamos.
RAQUEL (VO): Más tarde, en el comedor del tren...
ALFREDO: A propósito, yo soy Alfredo Sánchez, y éste es José María.
RAQUEL: Mucho gusto. ¿Sabe cuánto falta para llegar a Madrid?
ALFREDO: A ver... son las dos y media... El tren llega a las seis... Faltan cuatro horas y media.
SR. DÍAZ: Perdón. Faltan tres horas y media.
ALFREDO: Tiene Ud. razón. Gracias.
SR. DÍAZ: No hay de qué.
ALFREDO: Y Ud., ¿qué hace en España? ¿Está de vacaciones?
RAQUEL: No. Busco a una persona.
ALFREDO: ¿A una amiga?
RAQUEL: Bueno en realidad, es la amiga de otra persona.
ALFREDO: Ud. subió en Sevilla. ¿Vive allí esta amiga?
RAQUEL: Antes, sí. Pero ahora vive en Madrid.
ALFREDO: ¿Y la otra persona es americana o española?
RAQUEL: Bueno. Nació en España. Pero ha vivido en México desde la Guerra Civil.
ALFREDO: Me tiene que perdonar si le hago muchas preguntas. Soy reportero.
RAQUEL: Le comprendo perfectamente. Yo soy abogada y también hago muchas preguntas por mi trabajo.
ALFREDO: ¿Abogada? ¿Es esta persona un cliente?
RAQUEL: No le puedo decir nada más. Es un secreto.
ALFREDO: ¿Un secreto? Si es un secreto, creo que el caso puede ser muy interestante para un reportaje de la televisión.
RAQUEL: Quizás sí, quizás no.
RAQUEL (VO): Cuando por fin llegué a Madrid, me encontré otra vez con el reportero.
ALFREDO: Quería decirle adiós y desearle buena suerte.
RAQUEL: Ah, gracias. Yo también le deseo buena suerte en su próximo reportaje.
ALFREDO: Le acompaño hasta la parada de taxis.
RAQUEL: Gracias.
ALFREDO: Le va a gustar mucho Madrid.
RAQUEL: Ah, allí hay un taxi. Muchas gracias, Sr. Sánchez.
ALFREDO: Alfredo.
RAQUEL: Muchas gracias, Alfredo.
ALFREDO: Que disfrute de su estancia en Madrid. ¿En qué hotel se queda?
RAQUEL: En el Hotel Príncipe de Vergara. Gracias, Alfredo.
ALFREDO: Al Hotel Príncipe de Vergara.
RAQUEL: Me gustaría pagar con tarjeta de crédito.
RECEPCIONISTA: No es necesario en este momento, señorita...
RAQUEL: ¡Huy! No encuentro mi cartera. Estará en el taxi. Perdone. Perdone. Creo que dejé mi

cartera en el taxi. ¿Lo vio salir?

DOORMAN: Lo siento, señorita.

RAQUEL: ¡Ay! ¡Qué tonta! ¿Cómo es posible que la haya dejado en el taxi?

RAQUEL (VO): Aunque el reportero se presentó más tarde en el hotel no le dejé saber nada del caso. Me iba a encontrar con él por un favor que me hizo. Pero al bajar del ascensor, otra persona me detuvo.

FEDERICO: Perdone. ¿Es Ud. la Srta. Raquel Rodríguez?

RAQUEL: Sí...

FEDERICO: ¡Por fin! Estuve llamando, pero estaba comunicando. Mucho gusto. Soy Federico Ruiz.

RAQUEL: ¡Ah, sí! ¡Mucho gusto! El hijo de la Sra. Teresa Suárez.

FEDERICO: Mi hermano Miguel ha llamado para contarnos de Ud. También nos ha contado la historia de Jaime y el perro.

AMBOS: Ja, ja.

RAQUEL: ¡Y qué historia!

FEDERICO: Mi madre está muy agradecida y quiere invitarla a cenar con nosotros en casa esta noche.

RAQUEL: Será un placer. Tengo muchas ganas de ver a su madre, pero no quiero causarle molestias.

FEDERICO: Por favor, no es una molestia y para mi madre será un placer. Vamos. Tengo el coche en frente.

RAQUEL: Federico, lo siento...

RAQUEL (VO): Como Ud. se puede imaginar, estaba muy ansiosa. Por fin, iba a conocer a la amiga de Rosario.

FEDERICO: Mamá, te presento a Raquel Rodríguez.

RAQUEL: Mucho gusto, Sra. Suárez.

SRA. SUÁREZ: Tanto gusto, señorita. Siéntese.

RAQUEL: Gracias por su invitación. Es Ud. muy amable.

SRA. SUÁREZ: No hay de qué. Federico, ofrécele algo a la señorita.

FEDERICO: Les traigo un poco de jerez, ¿vale?

SRA. SUÁREZ: Un fino estaría bien.

RAQUEL: Sí, gracias.

SRA. SUÁREZ: Bueno, Ud. está aquí porque quiere saber algo más de Rosario.

RAQUEL: Sí, así es. Mi cliente, el Sr. Fernando Castillo...

SRA. SUÁREZ: Sí, sí, yo le escribí una carta a él.

RAQUEL: Sí. En su carta Ud. le dice que Rosario no murió en la guerra...

SRA. SUÁREZ: Es verdad. Rosario no murió. Gracias a Dios, escapó de esa tragedia... pero ella creía que Fernando había muerto.

RAQUEL: Ay...

SRA. SUÁREZ: Sí. Todo este asunto es muy triste.

RAQUEL: También en su carta, Ud. le dice que Rosario tuvo un hijo.

SRA. SUÁREZ: Sí.

RAQUEL: ¿Y qué nombre le puso?

SRA. SUÁREZ: Ángel... Ángel Castillo.

RAQUEL: ¿Y dónde nació Ángel?

SRA. SUÁREZ: En Sevilla, claro. Es allí donde conocí a Rosario.

RAQUEL: ¿Y dónde vive Rosario ahora?

SRA. SUÁREZ: Después de la guerra se fue a vivir a la Argentina.

RAQUEL: ¿A la Argentina?

SRA. SUÁREZ: Sí, sí. Como Ud. sabe, muchos españoles salieron del país después de la guerra.

RAQUEL: ¿Y sabe dónde se estableció Rosario?

SRA. SUÁREZ: Muy cerca de Buenos Aires. La última carta que recibí de ella fue cuando se casó de nuevo.

RAQUEL: ¿Se casó de nuevo?

SRA. SUÁREZ: Pues, sí. Rosario era muy atractiva, muy simpática. Y como ella creía que Fernando había muerto...

RAQUEL: Sí, sí. Lo comprendo. ¿Y con quién se casó?

SRA. SUÁREZ: Con un hacendado, un argentino, llamado Martín Iglesias.

RAQUEL: Martín Iglesias. ¿Y sabe Ud. la dirección?

SRA. SUÁREZ: Sí, un momento.

RAQUEL: ¿Son cartas de Rosario?

SRA. SUÁREZ: Sí. En ellas está la dirección.

RAQUEL: Estancia Santa Susana.

SRA. SUÁREZ: Ya tiene Ud. la información que buscaba.
RAQUEL: Quiero hacerle otra pregunta. ¿Cómo supo que don Fernando vivía en México?
SRA. SUÁREZ: ¡Ah, sí! Tiene el mismo nombre... las circunstancias son iguales. No podía ser pura coincidencia.
DON FERNANDO: Tengo sueño.
RAQUEL (VO): Al volver al hotel, hablé a Elena, la nuera de la Sra. Suárez. Yo necesitaba obtener pruebas del nacimiento del hijo de Rosario en Sevilla.
RAQUEL: ¿Elena? Habla Raquel... Raquel Rodríguez. Sí, sí. Ah, es una maravilla y lo pasé tan bien en su casa. Oiga, tengo un gran favor que pedirle si es tan amable. Necesito obtener el certificado de nacimiento del hijo de Rosario. Sí, nació en Sevilla. Ángel Castillo del Valle. En 1937. Sí, estoy en el Hotel Príncipe de Vergara.
RAQUEL (VO): Al día siguiente, compré un pasaje de avión para Buenos Aires. Sabía que debía continuar mi investigación en la Argentina.
AGENTE: Sí, señorita. Dígame.
RAQUEL: Buenos días. Tengo una reservación para ir a Buenos Aires mañana.
AGENTE: Ah, sí. Ud. será la Srta. Rodríguez.
RAQUEL: Sí. Raquel Rodríguez.
AGENTE: Sí. Aquí está. Le va a gustar mucho la Argentina. La primavera...
RAQUEL (VO): Ese mismo día, la Sra. Suárez y su hijo me llevaron a conocer a María, la novia de Federico. Fui a cenar con ellos y luego me despedí.
FEDERICO: Aquí está tu taxi, Raquel.
RAQUEL: ¡Ah! Gracias, Federico. Les deseo mucha suerte a los dos.
FEDERICO y MARÍA: Gracias.
RAQUEL: Adiós, señora.
SRA. SUÁREZ: Adiós.
RAQUEL: Adiós, María.
MARÍA: Adiós.
RAQUEL: Adiós, Federico.
FEDERICO: Adiós. Y que tengas un buen viaje a la Argentina.
RAQUEL: Gracias.
MARÍA: Raquel, ¿no tienes tiempo para visitar el Museo del Prado?
RAQUEL: Mañana voy. Mi vuelo no sale hasta las cinco.
MARÍA: A mí me encanta ir al Prado. Te va a gustar mucho.
RAQUEL: Ya lo creo. Señora, le diré a Rosario que le escriba pronto. Aquí tengo su carta. No me voy a olvidar de ella.
SRA. SUÁREZ: Gracias, Raquel. Que tenga muy buen viaje.
RAQUEL: Gracias, señora.
SRA. SUÁREZ: Si vuelve otra vez a Madrid, ya sabe que aquí tiene unos amigos.
RAQUEL: Muchas gracias.
SRA. SUÁREZ: Y algo más. Hay algo más en la vida que el trabajo. Hay que dedicarle tiempo al corazón.
RAQUEL (VO): El día siguiente, yo tenía algo de tiempo libre porque mi avión no salía hasta por la tarde. Pude visitar el Museo del Prado. Cuando volví a mi hotel, el recepcionista me dio algo muy importante.
RAQUEL: ¿Me pone éstas en el correo, por favor?
RECEPCIONISTA: Sí. Cómo no, señorita. Ah, esto llegó para Ud.
RAQUEL (VO): Entonces, sí, era cierto. Don Fernando tenía otro hijo.

Episodio 49

Así fue: II (*That's How It Happened: II*)

GUIDE: Bienvenidos al Episodio 49 de *Destinos: An Introduction to Spanish*. En este episodio, Raquel sigue contándole a don Fernando y su familia de su investigación. Escuchen bien mientras Raquel explica como conoció a Arturo y como los dos emprendieron la búsqueda de Ángel.
HÉCTOR: ¿Qué querían? Ángel... Claro que lo recuerdo bien. Era mi amigo.
RAQUEL: ¿Sabe dónde se encuentra? ...Y luego, fui a la Argentina, donde conocí a Arturo.
RAQUEL (VO): Al llegar al hotel, hubo una confusión con mi reservación. Felizmente, lo pude arreglar simplemente sin problemas y le pregunté al recepcionista si conocía la estancia Santa Susana.
RECEPCIONISTA: Siento mucho la inconveniencia, señorita.
RAQUEL: Está bien, gracias. Ah, se me olvidaba. Necesito un carro para mañana. Tengo que salir fuera de la ciudad.
RECEPCIONISTA: ¿Para qué hora lo necesita?
RAQUEL: Voy a una hacienda que se llama Santa Susana.
RECEPCIONISTA: Sí, la conozco. Es la estancia Santa Susana. Está a unos cien kilómetros de aquí.
RAQUEL: ¿Ud. conoce la estancia?
CHOFER: Sí, conozco toda la zona. Ahora estamos por Escobar, cerca de Los Cardales. ¿Ud. no es de aquí, no?
RAQUEL: No, soy de Los Ángeles. Éste es mi primer viaje...
CHOFER: ¡Los Ángeles! Yo tengo un amigo en Los Ángeles. Se llama Carlos López... Claro, Ud. no lo conocerá, ¿no?
RAQUEL: No hay ninguna señal...
CHOFER (VO): No se preocupe. Falta poco.
RAQUEL (VO): Cuando llegué a la estancia, tenía muchas esperanzas, claro. Pero cuando toqué en la puerta, un joven contestó y me dijo que Rosario no vivía allí, que posiblemente uno de los empleados la conociera y supiera algo de ella.
SEÑOR JOVEN: ...tal vez Cirilo lo sepa.
CIRILO: Buenas, moza. Para mí es un gusto conocerla. Así que, ¿Ud. anda buscando a la Sra. Rosario?
RAQUEL: Sí, ¿Ud. la conoce?
CIRILO: Claro que la conozco, muy buena la doña. Lástima que se ha mudado para capital...
RAQUEL: ¿Y Ud. sabe la dirección?
CIRILO: Vea, moza, ella vivía con el hijo, el doctor...
RAQUEL: ¿El hijo es médico?
CIRILO: ¡Claro! Y muy buen hombre. Vivía en la calle Gorostiaga... al novecientos, eso. Una casa blanca, muy linda casa.
RAQUEL: En la calle Gorostiaga...
CIRILO: Gorostiaga.
RAQUEL: Número novecientos...
CIRILO: Novecientos.
RAQUEL: Pues, muchas gracias, señor.
CIRILO: Por nada.
RAQUEL: Hasta luego.
CIRILO: Que le vaya bien moza.
RAQUEL (VO): Volví en seguida a Buenos Aires. Aunque no tenía el número exacto de la casa, sabía que podía encontrar a Rosario si preguntaba por su hijo.
RAQUEL: Voy a preguntar en esa casa a ver si conocen a Ángel Castillo.
EL AMA DE CASA: Buenas tardes.
RAQUEL: ¿Está el doctor?
EL AMA DE CASA: Sí, por supuesto. Pase. Tome asiento.
RAQUEL: Gracias.
ARTURO: Sigue adelante.
EL AMA DE CASA: Una nueva cliente doctor.
ARTURO: Bueno. Buenas tardes. Adelante, por favor. Pase.
RAQUEL: Bien.
ARTURO: Por aquí. Tome asiento. ¿Quién la envía?
RAQUEL: Eh, perdone Ud.... mi nombre es Raquel Rodríguez. Soy abogada y vengo de Los Ángeles. Estoy buscando a una persona.

ARTURO: ¡Ah! Disculpe. Pensé que era una paciente. Bien. ¿En qué la puedo servir?
RAQUEL: Mire Ud. Mi cliente, un señor de México, me ha enviado a buscar a su primera esposa. Una señora llamada Rosario del Valle de Iglesias. Tengo entendido que su hijo, Ángel Castillo, es médico y vive, o vivía, en esta calle. Perdone que lo haya molestado, pero pensé que, siendo colegas, tal vez Ud. podría conocerlo.
ARTURO: Señorita, Ud. está hablando de mi madre y de mi hermano....
RAQUEL: ¿Su hermano?
ARTURO: Sí, Ángel. Bueno, quiero decir mi... mi medio hermano. Lleva el apellido de su padre, pero el primer esposo de mi madre murió. Debe haber un error... él murió en la Guerra Civil española.
RAQUEL (VO): Como Arturo estaba desconfiado, le di la carta de Teresa Suárez y comencé a contarle de mi viaje a España y de cómo la señora Suárez me había dado la dirección de su madre y de su hermano.
SRA. SUÁREZ: Rosario no murió. Gracias a Dios, escapó de esa tragedia... pero ella creía que Fernando había muerto.
RAQUEL: Necesito hablar con su madre. Tengo también una carta para ella, de parte de Teresa Suárez. ¿Está en casa?
ARTURO: Señorita, mis padres... murieron hace años.
RAQUEL: Lo siento mucho. ¡Pobre don Fernando! Pero al menos podrá conocer a Ángel. ¿Dónde vive?
ARTURO: No lo sé. Perdimos contacto hace muchos años...
RAQUEL: ¿Perdieron contacto? ¡Qué lástima! ¿Y puedo saber lo qué pasó?
RAQUEL (VO): Arturo me llevó al cementerio y allí vi la tumba familiar . Era verdad. Rosario había muerto en Buenos Aires unos años antes.
ARTURO: Aquí están enterrados mis padres.
RAQUEL: ¿Puedo tomar una foto para mostrársela a don Fernando?
ARTURO: Sí, por supuesto.
RAQUEL: ¿Le molesta que hablemos de esto ahora?
ARTURO: No.
RAQUEL (VO): Entonces, Arturo comenzó a contarme lo que había pasado entre Ángel y su familia.
ARTURO (VO): Mi padre era un hombre muy estricto. Quería que Ángel estudiara ciencias económicas. Pero Ángel tenía otras inclinaciones. Mi madre sentió un afecto especial por mi hermano. Ángel fue su primer hijo... Una vez mis padres y yo vinimos a Buenos Aires a visitar a Ángel. En esa visita, mi padre descubrió que Ángel había abandonado sus estudios. Hubo una escena horrible, pues mi padre estaba furioso. Esa misma noche, mi padre sufrió de un ataque cardíaco. Yo nunca perdoné a Ángel. Dicen que Ángel se embarcó como marinero y que se fue a Buenos Aires. Un día llegó una carta para mi madre. Pero Ángel nunca volvió de Buenos Aires.
RAQUEL: Ud. sabe que yo tengo que buscar a su hermano, ¿verdad?
ARTURO: Sí, claro. Y por mi parte, creo que ya es hora que yo perdone a mi hermano... que resuelva este asunto. Srta. Rodríguez, ¿podría ayudarla en su investigación?
RAQUEL: Su ayuda será indispensable.
ARTURO: Bien. Salgamos de aquí... y pensemos en nuestra estrategia.
RAQUEL (VO): Al día siguiente, emprendimos la búsqueda de Ángel. Fuimos a La Boca, una zona de Buenos Aires que frecuentaba Ángel.
ARTURO: Ésa es la calle Caminito. La última vez que vi a mi hermano, fue aquí. Sus amigos vivían por aquí. El problema es encontrar a alguien que lo recuerde.
RAQUEL: ¿Y si preguntamos en las tiendas?
ARTURO: Empecemos por ahí.
RAQUEL (VO): Comenzamos a preguntar a diferentes personas si conocían al hombre de la foto.
ARTURO: Gracias. ¿Qué tal? Perdone, ¿eh? ¿Alguna vez vio Ud. a este hombre? ¿Me puede dar un dato de él? ¿Sabe de alguien que lo conoce?
HOMBRE: Eh, verdaderamente, no lo he visto nunca, no lo conozco. Pero de todas maneras...
ARTURO: Sí.
HOMBRE: ...Ud. preguntar aquí al lado.
CLIENTE 2: Buenos días.
PESCADERO: Buenos días. Buenos días, señores. ¿Desean algún pescado para el almuerzo? ¿O prefieren langostino, mejillones? Tengo de todo y muy fresco.
ARTURO: No. Estamos buscando a una persona que frecuentaba esta zona. Ésta es su fotografía.
PESCADERO: No, no lo conozco. ¿Por qué no preguntan en el negocio de al lado? La señora conoce a todo el mundo.
ARTURO: Muchas gracias.

Arturo: Estoy buscando a mi hermano, con el cual perdí contacto hace muchos años.
TENDERA: Si es tan buen mozo como Ud., a lo mejor yo lo tengo escondido.
ARTURO: Se llama Ángel Castillo.
TENDERA: No.
ARTURO: Buenas tardes.
MARIO: Buenas tardes.
ARTURO: Estamos buscando a mi hermano... y lo último que supimos es que se había embarcado como marinero, que tenía amigos por aquí... A lo mejor Ud. lo pueda reconocer.
MARIO: Mmnn... Sí, creo que lo recuerdo... pero, no estoy seguro. Lo siento.
RAQUEL: Por favor, trate de recordar. Es muy importante.
MARIO: No, al principio me pareció... pero no, no lo conozco.
ARTURO: Bueno, gracias.
MARIO: Nada.
ARTURO: Vamos.
MARIO: ¡Ah! El que puede saber es José.
ARTURO y RAQUEL: ¿José?
MARIO: Sí, José. El fue marinero. Vive acá al lado. Vengan. ¡Doña Flora! ¡¡Doña Flooooraaa!!
DOÑA FLORA: ¿Quién es?
MARIO: ¡Mario, doña Flora! ¡Unos señores quieren ver a José!
DOÑA FLORA: ¿A José? ¿Para qué?
MARIO: Son amigos, doña Flora...
DOÑA FLORA: ¿Amigos? ¿Y no lo buscaron en el bar?
MARIO: Doña Flora, a esta hora está trabajando, ¿no?
DOÑA FLORA: Bueno. Entonces, vayan a buscarlo donde trabaja—en el barco.
MARIO: Gracias, doña Flora. Debe estar por allá, pasando el puente.
ARTURO: ¡Buenos días! ¿Alguno de Uds. es José?
MARINERO: ¡¡Josééé!!
JOSÉ: ¿Qué?
MARINERO: ¡Te buscan!
JOSÉ: ¿Quién?
MARINERO: ¡Tu mujer! Ah, ya sabe de tus escapadas, ¿eh? Ja, ja.
JOSÉ: Yo soy José. Sí, señor.
ARTURO: Disculpe la molestia. Mario nos dijo que tal vez Ud. puede conocer a Ángel Castillo, mi hermano.
JOSÉ: ¿Ángel Castillo?
ARTURO: Sí, es mi hermano. Perdimos contacto hace muchos años. Tenía amigos acá. Pintaba. Le gustaban los barcos.
JOSÉ: Lo siento, no lo conozco. ¿Ya hablaron con Héctor?
ARTURO: No, ¿quién es?...
JOSÉ: Sí. Tienen que hablar con Héctor. Él ha vivido siempre en este barrio. Conoce a todo el mundo. Seguro que conoció a su hermano.
RAQUEL: ¿Y dónde podemos encontrar a Héctor?
RAQUEL (VO): Al día siguiente, por la noche, regresamos a La Boca para buscar a Héctor en una fiesta.
CANTANTE: Señoras y señores, ¡Tengo el honor de presentarles a alguien que nos va a deleitar con sus canciones!... ¡Damas y caballeros!... ¡Nada más y nada menos queee... ¡Héctor Condotti! ¡Vamos, Héctor!
TODOS: ¡¡¡HÉÉÉCTOOORRR!!! ¡Que cante! ¡Que cante!
HÉCTOR: Dicen que preguntan por mí.
ARTURO: Sí, quisieramos hablar con Ud., pero, con este ruido... ¿Podemos hablar afuera?
HÉCTOR: Sí, salgamos. Acompáñenme a casa. ¿Qué querían? Ángel... Claro que lo recuerdo bien. Era mi amigo.
RAQUEL: ¿Sabe dónde se encuentra?
HÉCTOR: Viajamos mucho juntos. No era un buen marinero, pero lo recomendé igual... era un buen chico. Ángel consiguió trabajo en un barco de carga. Creo que iba al Caribe... pero de eso hace muchos años.
RAQUEL: ¿Al Caribe? ¿Está seguro?
VECINO (VO): ¡A ver si dejan dormir!
HÉCTOR: Una vez recibí una carta de él....
DOÑA FLORA (VO): ¡Héctor!

HÉCTOR: ¡Ay!
DOÑA FLORA (VO): ¡Héctor! ¡Desgraciado, yo sé que estás ahí! ¡Mentiroso! ¡Dios! ¡Yo sabía! ¿Sabés la hora que es? ¡Salí, atorrante! ¡Siempre lo mismo…
VECINOS (VO): ¡Dejen dormir!
DOÑA FLORA (VO): …pasando la tarde con tus amigotes!
RAQUEL: ¿Y ahora qué hacemos?
ARTURO: No sé. Por lo menos sabemos dónde vive. Podemos venir mañana.
RAQUEL: Tal vez sea lo mejor…
HÉCTOR: Oiga. Este cuadro me lo dio Ángel.
ARTURO: ¿Ud. no sabe dónde podemos encontrar a Ángel?
HÉCTOR: No. Recibí una carta de él hace años. Ángel se había quedado a vivir en el extranjero… en otro país.
RAQUEL: ¿Se quedó a vivir en el extranjero?
HÉCTOR: Sí. No recuerdo bien qué país era, ¿saben? Creo que era Puerto Rico, pero no estoy seguro. Era un país en el Caribe... No sé si Puerto Rico, pero estoy seguro que era en el Caribe. Sí, posiblemente Puerto Rico.
RAQUEL: ¿Y la carta?
HÉCTOR: ¡Claro! ¡La carta! La tengo que buscar.
ARTURO: Es muy importante para mí.
HÉCTOR: Sí, comprendo. Mire, Ud. sabe dónde encontrarme. Necesito un par de días para buscar la carta.
ARTURO: Bueno. Se lo agradezco muchísimo.
HÉCTOR: No hay de qué. Ángel era mi amigo.
ARTURO: Tome.
HÉCTOR: No, no, no. Es para Ud. Es de su hermano.
ARTURO: Bueno, gracias de nuevo. Buenas noches.
HÉCTOR: Buenas noches. Buenas noches.
DOÑA FLORA (VO): ¡Héctor! Va a venir acá inmediatamente.
HÉCTOR: Muy buenas noches. Buenas noches. Buenas noches. Buenas noches. Shht. La la la…
RAQUEL: Es una buena pintura. Tenía razón cuando decía que Ángel tenía talento.
ARTURO: Sí. Ángel tenía talento. Bueno, es tarde. ¿Querés tomar un café?
RAQUEL (VO): Después de unos días, Héctor llamó a la casa de Arturo para decirle que había encontrado la carta.
ARTURO: Bien. Allí estaremos. Bueno, gracias. Hasta luego.
RAQUEL: ¿Qué hubo?
ARTURO: Tiene la carta, pero se va a pescar.
RAQUEL: ¿A pescar?
ARTURO: Sí, vamos a buscarlo al puerto.
RAQUEL: ¿Estás seguro de que es aquí?
ARTURO: Me dijo que aquí.
RAQUEL: ¡Arturo! ¡Está aquí abajo!
ARTURO: Está fechada en San Juan de Puerto Rico. Le da las gracias por su recomendación... Dice que no es un verdadero marinero y que sigue pintando… Ha viajado por muchos países, Francia, Inglaterra, Alemania y también España, su país de origen. Piensa quedarse a vivir en Puerto Rico. No quiere volver nunca más a la Argentina. Aquí está su dirección.

Episodio 50

Así fue: III (*That's How It Happened: III*)

GUIDE: Bienvenidos al Episodio 50 de *Destinos: An Introduction to Spanish*. En este episodio, Raquel sigue contándole a don Fernando y su familia de su investigación. Escuchen bien mientras Raquel cuenta como conoció a Ángela y lo que le pasó en Puerto Rico.
DOÑA CARMEN: En el nombre del Padre, del Hijo y del Espíritu Santo...
RAQUEL: ¿Qué pasó?
JAIME: Su hermano tuvo un accidente en la excavación.
RAQUEL: Entonces, fui a San Juan para buscar a Ángel. Disculpe.
ESTUDIANTE: Sí.
RAQUEL: Estoy buscando la calle del Sol, número cuatro.
ESTUDIANTE: La calle del Sol es ésa que está en el frente, el número cuatro es a la derecha.
RAQUEL: ¿A la derecha?
ESTUDIANTE: Exacto.
RAQUEL: Gracias.
ESTUDIANTE: De nada.
VECINA: Señorita, ¿a quién busca?
RAQUEL: Buenos días, señora. Busco al Sr. Ángel Castillo.
VECINA: ¿No sabe Ud., señorita? El Sr. Castillo murió.
RAQUEL: ¿Cuándo murió?
VECINA: Hace poco. Es una pena, tan buenos vecinos que eran. Nunca se repuso de la muerte de su esposa.
RAQUEL: ¿Entonces era casado?
VECINA: Sí. Su señora era una mujer muy linda. Era escritora. Pero murió ya hace varios años. Los dos están enterrados en el antiguo cementerio de San Juan.
PICAPEDRERO: Buenos días.
RAQUEL: Perdone. Busco la tumba de Ángel Castillo.
PICAPEDRERO: Siga Ud. derecho, hacia la capilla, allí, doble hacia la derecha. Tres líneas más, la encontrará.
RAQUEL: Gracias.
ÁNGELA: Perdone. ¿Qué hace Ud. aquí?
RAQUEL: Estoy tomando una foto.
ÁNGELA: ¿De la tumba de mis padres?
RAQUEL: ¿De sus padres?
ÁNGELA: Sí. De mis padres.
RAQUEL: Perdóneme. Tengo que sentarme.
ÁNGELA: ¿Se siente mal? ¿Por qué no nos vamos a la sombra?
RAQUEL (VO): Allí, en la sombra de la capilla, le expliqué a Ángela porque yo estaba en Puerto Rico y le dije que tenía un tío en Buenos Aires que no conocía y también un abuelo en México.
ÁNGELA: ¡No lo puedo creer! ¡Tengo un abuelo que vive en México!
RAQUEL: Así es, Ud. tiene un abuelo que vive en México.
ÁNGELA: ¿Y mi abuelo creía que Rosario había muerto?
RAQUEL: Exactamente. Y Rosario también creía que Fernando había muerto.
ÁNGELA: ¡Qué historia! Tengo que llamar a mi familia. Y Ud. debe venir conmigo. Mi familia querrá hacerle muchas preguntas. ¡Milagro! Un lugar donde estacionar. Mi apartamento está a la vuelta. Cruzamos la plaza y luego vamos a la derecha.
RAQUEL: ¡Qué suerte! La vecina me dijo que tu mamá era escritora.
ÁNGELA: Pues sí. Mamá escribía cuentos para niños. Entra.
RAQUEL: Gracias.
ÁNGELA: ¡Tengo una sed increíble! Voy a traer limonada para las dos.
RAQUEL: Ah... ¡Perfecto! Tienes un apartamento muy lindo.
ÁNGELA: Gracias. Pero voy a mudarme pronto.
RAQUEL: ¿Te mudas? ¿De aquí? ¿Por qué?
ÁNGELA: No aguanto este lugar sin mis padres. Y tú, ¿cómo puedes viajar tanto? ¿No tienes problemas con la oficina?
RAQUEL: ¿Yo? No. Éste es un caso especial. Además yo llamo a mi oficina de vez en cuando.
ÁNGELA: Voy a ver si están mis tíos.
RAQUEL: De acuerdo.

RAQUEL (VO): Mientras esperábamos a los tíos de Ángela, ella me platicó de su familia. En ese momento, supe que Ángela tenía un hermano.
RAQUEL: ¿Quién es?
ÁNGELA: Ah, es mi hermano, Roberto.
RAQUEL: ¿Su hermano?
RAQUEL (VO): También me dijo Ángela que había relaciones muy estrechas entre Ángel y su suegra, la abuela de Ángela. Yo me preguntaba si la abuela de Ángela, doña Carmen, sabía algo del pasado de Ángel.
RAQUEL: Casi todas las madres tienen un hijo favorito. ¿Tiene tu abuela un hijo favorito?
ÁNGELA: Según mi abuela, su hijo predilecto era mi padre, que en realidad era su yerno.
RAQUEL: Así que había relaciones muy estrechas entre suegra y yerno.
ÁNGELA: Eran más que suegra y yerno. Eran como madre e hijo.
RAQUEL (VO): Y por fin llegaron los tíos de Ángela.
ÁNGELA: Como les dije por teléfono, Raquel nos trae importantes noticias de México.
OLGA: ¿Puede explicarnos de qué se trata, por favor?
RAQUEL: Sí, cómo no. Deben estar bastante preocupados.
OLGA: El padre de Ángela, que en paz descanse, nunca mencionó nada de su familia.
JAIME: ¿Trae algún documento ?
OLGA: ¿Por qué no vino el señor… cómo se llama?
RAQUEL: Fernando Castillo.
OLGA: Sí, este Sr. Castillo. Si es el padre de Ángel, ¿por qué no vino en persona?
ÁNGELA: Si la dejan hablar, ella contestará todas sus preguntas.
RAQUEL: Bueno, es una historia un poco larga...
ÁNGELA: ¿Desean tomar algo? Tengo jugo de parcha.
OLGA: Si la dejas hablar, Ángela, quizás pueda contestarnos nuestras preguntas.
RAQUEL: Si me permiten, todo empezó durante la Guerra Civil española.
RAQUEL (VO): Y así, una vez más, tuve que contar la historia de mi investigación y de los sucesos que me habían llevado a San Juan.
RAQUEL: …y como don Fernando está gravemente enfermo en el hospital, es importante que Ángela vaya a México pronto.
OLGA: Creo que eso va a ser imposible.
ÁNGELA: ¿Por qué?
OLGA: Ángela, no conocemos a esa gente. Puede ser peligroso.
ÁNGELA: Titi Olga, por favor.
OLGA: Me imagino que tu hermano no sabe nada de esto.
ÁNGELA: Llamé a Roberto, pero no estaba en su casa. Nunca está en su casa.
OLGA: No puedes ir a México sola.
ÁNGELA: No te preocupes.
RAQUEL: Si quieren saber algo más…
OLGA: Yo quiero hacerle una pregunta. ¿Por qué Ángel nunca mencionó a su familia?
RAQUEL: Lamentablemente, no sé la respuesta.
JAIME: Ángela, ¿hablaste con tu abuela?
ÁNGELA: Todavía no. La voy a llamar ahora mismo.
DOÑA CARMEN: ¿Sí? Oh, Ángela. ¿Cómo estás, querida? Sí… ¿Cómo dices? ¿A México? Pero Ángela, ¿tienes que ir a México ahora?
ÁNGELA: Sí, abuela. El Sr. Castillo, mi abuelo, está en el hospital. Está muy enfermo.
DOÑA CARMEN: Quiero conocer a esa Srta. Rodríguez.
ÁNGELA: Mañana podemos ir a tu casa.
DOÑA CARMEN: Está bien. Hablamos entonces. Que tengan un buen viaje.
ÁNGELA: Gracias, abuela. Adiós.
DOÑA CARMEN: Un momento, Ángela. Quiero hablar con tus tíos.
ÁNGELA: Sí, abuela. Mañana voy a su casa.
CARLOS: Bien.
ÁNGELA: Quiere hablar con Uds.
OLGA: Dámela. Yo quiero hablar con ella primero. Gracias. Mamá.
ÁNGELA: ¡Ay! Esa Olga. ¿Viste? La Inquisición española.
RAQUEL: Bueno, Ángela, es que están muy preocupados. ¿Y tu abuela?
ÁNGELA: No te preocupes. Ella entiende la situación.
RAQUEL: Porque Ángel era su yerno favorito, ¿verdad?
ÁNGELA: Exacto. Mi abuela quiere conocerte. ¿Puedes ir conmigo mañana a visitarla?

RAQUEL: Si es necesario para que tú puedas ir a México. ¿Vive cerca de San Juan?
ÁNGELA: No, vive en el suroeste de la isla. Mira. Allí es, San Germán.
RAQUEL (VO): Entonces, al día siguiente, Ángela, yo y una prima suya salimos para San Germán.
RAQUEL: ¡Qué hermoso es esto!
RAQUEL (VO): ¿Qué pueblo es ése?
ÁNGELA (VO): Se llama Cayey. Tiene una magnífica universidad. Esas montañas son la Cordillera Central. Es una cadena de montañas que se extienden de este a oeste.
RAQUEL (VO): Camino a San Germán, tuvimos problemas con el carro lo cual nos hizo tardar en llegar a la casa de doña Carmen.
LAS TRES: ¡Ay, ah, ay!
ÁNGELA: ¿Qué pasa ahora? Vamos, nos falta mucho para llegar a San Germán.
LAURA: ¿Qué tiene el carro, Titi?
ÁNGELA: No tengo idea.
RAQUEL: Algo le pasó al carro.
MECÁNICO: El carro está muy mal. No creo que lo pueda arreglar hoy.
ÁNGELA: ¿Qué?
MECÁNICO: Estará listo mañana por la mañana.
LAS TRES: ¡¡Oh!!
RAQUEL: Y ahora, ¿qué hacemos?
MECÁNICO: Tendrán que pasar la noche aquí.
ÁNGELA: ¿Y cree Ud. que podríamos conseguir un hotel?
MECÁNICO: Claro. Hay varios. Busquen cerca del Parque de Bombas.
RAQUEL (VO): No fue hasta el día siguiente que llegamos a San Germán.
ÁNGELA: Bueno, ya hemos llegado.
RAQUEL: La casa es muy bonita. Ahora podremos hablar con tu abuela acerca de ese viaje a México.
LAURA: ¿Y yo las puedo acompañar a México?
ÁNGELA: Cuando estés más grande, Laurita. Por ahora, lo más lejos que puedas viajar conmigo es aquí a San Germán.
ÁNGELA: ¿Abuela? Abuela, ya llegamos.
DOLORES: Hola.
ÁNGELA: ¡Dolores! ¿Cómo estás?
DOLORES: Bien.
ÁNGELA: Quiero presentarte a Raquel Rodríguez. Dolores Acevedo.
DOLORES: Mucho gusto.
RAQUEL: El gusto es mío.
ÁNGELA: ¿Y la abuela?
DOLORES: Fue a la iglesia. Debe estar por llegar.
ÁNGELA: Vamos a buscarla entonces.
DOÑA CARMEN: En el nombre del Padre, del Hijo y del Espíritu Santo. Amén. Señor, ayúdanos en este momento. Ayuda a mi nieta para que pueda comprender a su padre...
DOÑA CARMEN (VO): Padre Nuestro que estás en los cielos, sanctificado sea tu nombre... Ay, por fin llegaron.
ÁNGELA: ¡Ay, abuela! ¿Cómo estás? Te he extrañado mucho.
DOÑA CARMEN: ¿Por qué no vienes más a menudo a San Germán entonces?
ÁNGELA: Sabes que tengo mucho trabajo.
DOÑA CARMEN: ¿Trabajo? ¡Qué va! Yo sé que tu tiempo lo pasas con Jorge.
ÁNGELA: ¡Ay, abuela! ¡No vas a comenzar con eso ahora!
DOÑA CARMEN: Verás. Si lo que te digo de Jorge no es verdad.
ÁNGELA: Quiero presentarte a Raquel.
DOÑA CARMEN: Ay, mucho gusto. La estaba esperando.
RAQUEL: Yo también tenía muchos deseos de conocerla.
DOÑA CARMEN: Pues, bienvenida a San Germán.
ÁNGELA: Vamos caminando. Tenemos mucho de que hablar.
DOÑA CARMEN: Ay, Ángela, ¿Laura comió?
ÁNGELA: Por supuesto. ¡Laura!
DOÑA CARMEN: Siempre tiene hambre esa chica.
ÁNGELA: ¡Laura! ¡Ay! Me gusta mucho venir a esta casa.
RAQUEL: ¿Te gustaría vivir aquí?
ÁNGELA: Yo estudié en este pueblo. En San Germán hay una universidad.
RAQUEL: ¿Por qué no estudiaste en San Juan?

ÁNGELA: Al principio, prefería el pueblo. Después, mi mamá se enfermó y yo me quedé con mi abuela a cuidarla.
DOÑA CARMEN: El padre de Ángela venía todos los fines de semana... hasta que murió mi hija. Luego dejó de venir.
ÁNGELA: Fue una época muy triste.
DOÑA CARMEN: Para todos.
ÁNGELA: Abuela, quiero acompañar a Raquel a México. Así podré conocer a mi abuelo.
DOÑA CARMEN: ¿Y qué? ¿Quieres mi permiso?
ÁNGELA: Pues, así como te metes en mis relaciones con Jorge...
RAQUEL: Ángela, perdona que interrumpa pero me parece que tu abuela está de acuerdo en que vayas conmigo a México. ¿No es así, señora?
DOÑA CARMEN: ¡Por supuesto! Esta chica tiene que conocer a su abuelo.
RAQUEL: Don Fernando se va a poner muy contento.
DOÑA CARMEN: Ángela, ¿y tu hermano?
ÁNGELA: No hemos podido hablar con él. Tío Jaime prometió llamarlo ayer.
RAQUEL: Como Roberto está en México, esperamos que pueda ir a la capital.
DOÑA CARMEN: ¿Sabes, Ángela? Tú y tu hermano nunca limpiaron el cuarto de tu padre.
ÁNGELA: Ay, lo sé, abuela, pero está tan desordenado.
DOÑA CARMEN: Pues, allí habrá cosas de tu padre.
RAQUEL: ¿Quieres mirar?
ÁNGELA: ¿Tú quieres?
RAQUEL: Quizá haya algo importante.
ÁNGELA: Posiblemente. Pero vamos, que es tarde.
RAQUEL: Pues, vamos.
RAQUEL (VO): Entonces, Ángela y yo fuimos al cuarto donde estaban las cosas de Ángel. No sabíamos de la sorpresa que nos esperaba.
ÁNGELA: Éste era el baúl de mi padre.
RAQUEL: ¿Qué es eso?
ÁNGELA: Son unas hojas. Es la letra de mi padre. *Recuerdos.*
ÁNGELA (VO): Mi madre me contaba de los horrores de la Guerra Civil. Mi padre murió... y yo nunca lo conocí. Éstos son recuerdos de mi dura infancia. El mar. La primera vez que vi el mar fue en ruta a la Argentina. Éste es mi hermano Arturo, o por lo menos el recuerdo de él. Nos llevábamos como perros y gatos. Me gustaría verlo otra vez. Pero es imposible. Es muy tarde. Mi madre, ¡cuánto la extraño! A veces siento su presencia. Éstos son mis amigos del puerto, los primeros en decirme que me dedicara a la pintura. Mi esposa, María Luisa. Recuerdo de ella su ternura, su voz, sus ojos y su hermoso pelo negro. Mis hijos. Ahora lo más importante de mi vida, Ángela y Roberto. El mar. Mi inspiración... y mi destino final.
RAQUEL: Ángela. Ángela, no llores.
ÁNGELA: Raquel. No comprendo. Estas cosas que... que mi padre nunca me contó... ¿Por qué?
RAQUEL: Ángela, tienes que entender que la juventud de tu padre fue muy difícil. Dejar su tierra natal. No tener padre. Romper con su familia. Era un pasado que él quería olvidar.
ÁNGELA: Eso sí lo entiendo. Pero, ¿por qué nunca confió en nosotros?
RAQUEL: Eso no lo sé. Debemos llevar esto a México para mostrárselo a don Fernando, ¿no crees? También se lo podemos mostrar a Arturo. Le gustará verlo.
ÁNGELA: Sí.
RAQUEL (VO): Esa noche, regresamos a San Juan. Gracias a Dios, no volvimos a tener problemas con el carro de Ángela. En el hotel, llamé a Arturo con quien todavía no me había comunicado. Arturo no sabía nada de la muerte de su hermano.
RAQUEL: Habla Raquel.
ARTURO: ¡Raquel! Esperaba que me llamaras. ¿Qué tal? ¿Cómo estás?
RAQUEL: Bien. Tengo malas noticias. Ángel ya...
ARTURO: ¿Cuándo?
RAQUEL: Hace unos meses. Era un artista muy conocido en Puerto Rico. Y estaba casado.
ARTURO: ¿Has hablado con su esposa?
RAQUEL: No. Ella murió hace unos años.
ARTURO: Ángel murió solo, entonces.
RAQUEL: No. Sus hijos estaban con él.
ARTURO: ¿Sus hijos?
RAQUEL (VO): Así supo Arturo que tenía dos sobrinos y hablamos sobre encontrarnos en México.
RAQUEL: Después, saliendo del hotel de San Juan, supimos que hubo un accidente en la excavación.

JORGE: Ángela, si no salimos para el aeropuerto ahora, no vamos a llegar a tiempo.
RAQUEL: Tiene razón. Se hace tarde. Trataré de llamar desde el aeropuerto y si no, llamaré tan pronto como lleguemos a México.
ÁNGELA: No sé qué haré si pierdo a mi hermano.

Episodio 51

Así fue: IV (*That's How It Happened: IV*)

JAIME: Tienes que ir directamente a ver a tu hermano cuando llegues a México.
ÁNGELA: ¿Cómo? No comprendo.
GUIDE: Bienvenidos al Episodio 51 de *Destinos: An Introduction to Spanish.* En este episodio, Raquel resume lo que le pasó a ella y a Ángela desde que se fueron de San Juan.
HOMBRE 1: ¡Es Villa!... ¡Es Villa! ¡¡Es Andrés Villa!!... ¡¡¡Y está bien!!!
ÁNGELA: ¡Roberto! ¡Roberto! ¡Roberto! ¡Roberto! ¡Roberto!
GUIDE: Raquel sigue contándole a don Fernando de su investigación. Los demás escuchan atentamente.
RAQUEL: Después, saliendo del hotel de San Juan, supimos que hubo un accidente en la excavación.
JAIME: Ángela. Me alegro mucho de encontrarte, Ángela.
ÁNGELA: ¿Qué pasa, Tío? Estás muy preocupado.
JAIME: Tienes que ir directamente a ver a tu hermano cuando llegues a México.
ÁNGELA: ¿Cómo? No comprendo...
JAIME: Sucedió un accidente en la excavación.
RAQUEL (VO): Cuando Ángela y yo llegamos a México, alquilamos un carro y fuimos manejando directamente al sitio de la excavación.
RAQUEL: Verás que tu hermano está bien. Pronto podrás hablar con él.
GUARDIA: Ha habido un accidente. No se puede pasar.
RAQUEL: ¡Ay, por favor, señor! El hermano de ella estaba en la excavación... no sabemos lo que le ha pasado.
GUARDIA: En ese caso deben ir al pueblo. Por allá, a no más de 15 minutos. En el hospital, le dan información a todos los familiares.
ÁNGELA: ¿Es cierto que hay hombres atrapados?
GUARDIA: No lo sé, señorita. En el hospital le pueden dar toda la información.
ÁNGELA: Buenos días. ¿Sabe Ud. algo de los trabajadores de la excavación? Mi hermano estaba allí.
RECEPCIONISTA: ¿Y su nombre, por favor?
ÁNGELA: Roberto Castillo Soto. Es un estudiante de Puerto Rico.
RECEPCIONISTA: Castillo Soto, vamos a ver... No, aquí no está. No lo han traído al hospital.
ÁNGELA: ¿Y es cierto que algunos hombres están atrapados? ¿Vivos?
RECEPCIONISTA: Creemos que sí...
RAQUEL: Pero dígame, por favor, ¿sabe dónde se encuentran los que no resultaron heridos?
RECEPCIONISTA: Todos han pasado por el hospital para ser observados. Algunos ya se fueron a su casa, pero todos están en la lista. No hay ningún Castillo Soto... Mire Ud. misma.
ÁNGELA: ¡Mira! Aquí hay un R. Castilla.
RAQUEL: ¡Sí! ¡Puede ser un error! ¡Puede ser Roberto Castillo! Señorita, aquí hay un R. Castilla. ¿No será Roberto Castillo?
PADRE RODRIGO: Disculpe, pero yo sé que ése es Rodrigo Castilla. Lo conozco bien, vive aquí cerca.
RAQUEL: ¿Ha estado Ud. en la excavación?
PADRE RODRIGO: Sí, señorita. Aquí hacemos lo que podemos para ayudar. ¿Tiene Ud. algún familiar allí?
ÁNGELA: Sí, mi hermano... es un estudiante... de Puerto Rico. Se llama Roberto Castillo Soto, ¿lo ha visto?
PADRE RODRIGO: No.
ÁNGELA: Es como de este tamaño, blanco, de pelo castaño corto...
PADRE RODRIGO: No. No lo recuerdo. Lo siento.
ÁNGELA: Entonces, ¿podría estar entre los hombres atrapados?
PADRE RODRIGO: Puede ser, pero no sabemos quiénes son. Están excavando para sacarlos...
HOMBRE: ¡Vengan, vengan! Están a punto de rescatar a los hombres atrapados.
RAQUEL: ¡Nosotras tenemos carro!
PADRE RODRIGO: ¡Bueno! ¿Y qué esperamos?
PADRE RODRIGO: Está bien, está bien, soy yo. Gracias.
RAQUEL: Ya verás que todo irá bien...
ÁNGELA: Ay, gracias, Raquel. Me alegro de que estés aquí conmigo.
PADRE RODRIGO: Espérenme aquí, no se muevan. Voy a ver qué pasa.
PADRE RODRIGO: Ángela, lo que temíamos es cierto. Tu hermano Roberto es una de las personas atrapadas... pero hay esperanzas. Contestan los llamados con golpes en las piedras.

ÁNGELA: Entonces, ¿están vivos?
PADRE RODRIGO: Sí, seguro.
RAQUEL: ¿Podemos hacer algo?
PADRE RODRIGO: No. Lo único que podemos hacer es esperar, con fe.
HOMBRE 1: ¡Es Villa!... ¡Es Villa! ¡¡Es Andrés Villa!!... ¡¡¡Y está bien!!!
ÁNGELA: ¡Ay, Dios mío! ¿Será Roberto?
RAQUEL: Ten calma, Ángela. Ten calma.
ÁNGELA: ¡Ojalá que sí!
JULIO: Llévenlo a la tienda.
RAQUEL (VO): Después que se llevaron a las dos personas, Ángela y yo nos quedamos a ver si sacaban a Roberto también, pero occurió algo que no esperábamos.
HOMBRE 2: ¡Se derrumbó! ¡Se derrumbó!
ÁNGELA: ¡Roberto! ¡Roberto! ¡Roberto! ¡Roberto!
JULIO: ¡Rápido! ¡Llévenla a la tienda!
ÁNGELA: No, no... ¡Mi hermano!... Yo me quiero quedar...
JULIO: Ahora no puedes hacer nada aquí.
RAQUEL (VO): Más tarde, en la tienda de la Cruz Roja...
JULIO: Estará mejor. Le he dado un calmante.
ÁNGELA: Raquel. No está muerto, ¿verdad?
RAQUEL: No, Ángela, hubo otro derrumbe pero creen que está bien.
ÁNGELA: Ay, Raquel. !Yo fui tan dura con Roberto la última vez que nos hablamos!
RAQUEL: Ángela, no te desesperes. Pronto podrás hablar con él. Ya verás.
PADRE RODRIGO: Han comenzado a excavar de nuevo.
ÁNGELA: ¿Tardarán mucho?
PADRE RODRIGO: Bueno, eso no lo sé. Hay que abrir una parte del túnel de nuevo.
ÁNGELA: Pobre Roberto, debe estar muy mal...
PADRE RODRIGO: Sabe que irán por él. Ahora hay que esperar y tener fe. Verás como la Virgen cuidará a tu hermano.
RAQUEL: Parece que está durmiendo.
PADRE RODRIGO: Será muy difícil para ella...
RAQUEL: Sus padres ya han muerto y perder ahora a su hermano, ¡qué golpe sería para ella!
RAQUEL (VO): Al día siguiente, todo siguió igual. Todavía no habían sacado a Roberto de allí.
ÁNGELA: ¡Ay, Raquel! Dormí mucho.
RAQUEL: Sí y te hizo bien. Así estarás más descansada.
ÁNGELA: ¿Y Roberto?
RAQUEL: Todavía no se sabe nada. Siguen trabajando.
ÁNGELA: Pero, ¿están seguros de que tiene suficiente aire?
RAQUEL: Ven, vamos a ver. Así estarás más tranquila.
ÁNGELA: Sí. Vamos.
PADRE RODRIGO: ¡Hola! Miren. Están poniendo unos tubos. Así el aire fresco podrá llegar hasta Roberto. Por favor, café para las señoritas y para mí.
ÁNGELA: Gracias.
RAQUEL: Gracias. Deberíamos ir al pueblo, a telefonear.
ÁNGELA: Tienes razón.
RAQUEL: ¡Ojalá pueda comunicarme con la familia y también con Arturo!
RAQUEL: Buenas. ¿Podría usar su teléfono?
VENDEDORA: Sí, señorita. Puede Ud. usarlo.
RAQUEL: Gracias.
RAQUEL (VO): Fue entonces que Ángela y yo tratábamos de llamar a Pedro de la tienda, pero la línea estaba siempre ocupada. Pero, por suerte, pude comunicarme con el recepcionista del hotel, así que le dejé un mensaje para Arturo.
RECEPCIONISTA: Recepción, buenos días.
RAQUEL: Buenos días, me llamo Raquel Rodríguez...
RECEPCIONISTA: ¡Ah! Srta. Rodríguez, la esperábamos ayer.
RAQUEL: Sí, es que ha habido un accidente....
RECEPCIONISTA: ¿Un accidente? ¿Se encuentra Ud. bien?
RAQUEL: Sí, yo estoy bien, pero....
RECEPCIONISTA: ¿Desea cancelar la reservación?
RAQUEL: No, no, no, no. No deseo cancelar la reserva, sólo quiero saber si ha llegado el Sr. Arturo Iglesias.

RECEPCIONISTA: Sí, señorita. ¿La comunico con su habitación?
RAQUEL: Sí, por favor, muchas gracias. No contesta. No está en su habitación. No hay caso. Tendré que llamar otra vez.
PADRE RODRIGO: ¿Lograron comunicarse?
ÁNGELA: Yo hablé con mi familia en Puerto Rico. Raquel está intentando llamar a México otra vez. ¿Hay algo nuevo?
PADRE RODRIGO: No, mira, yo creo que tendremos que esperar hasta la tarde.
ÁNGELA: ¿Tanto tiempo?
PADRE RODRIGO: Van lento, Ángela, pero seguro.
ÁNGELA: ¡Pobre Roberto! Estará desesperado.
PADRE RODRIGO: Tendrá que tener paciencia. Ya no falta tanto.
RAQUEL: Bueno, por fin pude dejarle un mensaje a tu Tío Arturo pero en casa de Pedro la línea está siempre ocupada.
ÁNGELA: ¿Podemos ir a la excavación?
PADRE RODRIGO: Mira, no vale la pena. ¿Por qué no se quedan aquí en el pueblo? Necesitan descansar.
RAQUEL: Tiene razón. ¿Hay un hotel?
PADRE RODRIGO: No. Pero se pueden quedar con la hermana María Teresa. Ella es muy buena y les puede dar dónde bañarse y descansar.
HERMANA MARÍA TERESA: Vámonos. José María, no te quedes atrás. Haces la tarea, Victor. Adiós.
NIÑOS: Adiós.
HERMANA MARÍA TERESA: Hasta mañana. Hasta mañana. Adiós.
RAQUEL: Buenas tardes.
HERMANA MARÍA TERESA: Muy buenas tardes.
RAQUEL: ¿Es Ud. la hermana María Teresa?
HERMANA MARÍA TERESA: Sí, la misma. Uds. no son de aquí, ¿verdad?
RAQUEL: No. Me llamo Raquel Rodríguez y esta es mi amiga, Ángela Castillo.
HERMANA MARÍA TERESA: Pues, mucho gusto.
RAQUEL: El padre Rodrigo nos dijo que Ud. nos permitiría descansar aquí. El hermano de Ángela es uno de los atrapados en la excavación.
HERMANA MARÍA TERESA: Ah, sí. El padre me habló de eso ayer. ¡Qué horrible todo eso! Pero Dios nos protege a todas, mi hijita. No te preocupes. Pronto sacarán a tu hermano.
ÁNGELA: Gracias, hermana. Así espero.
HERMANA MARÍA TERESA: Y por supuesto pueden quedarse aquí. ¡Pasen, pasen!
RAQUEL: Ángela, ¿por qué no sacamos las maletas del carro? Así nos podemos cambiar de ropa.
HERMANA MARÍA TERESA: Bueno, yo las espero adentro. No necesitan tocar, pueden pasar con sus cosas. Voy a buscar un lugar para Uds., mientras tanto.
RAQUEL: Gracias, hermana.
HERMANA MARÍA TERESA: No hay de qué. No hay de qué.
RAQUEL (VO): Gracias a la hospitalidad de la hermana María Teresa, pudimos descansar y refrescarnos.
HERMANA MARÍA TERESA: ¿Cómo te sientes, mejor?
RAQUEL: Sí, mucho mejor. Hermana, quiero agradecerle…
HERMANA MARÍA TERESA: Nada de gracias. Ésta es una casa de Dios y todos son bienvenidos.

HERMANA MARÍA TERESA: Mira. Te voy a traer una taza de café, ¿te parece? Tu amiga vendrá pronto, ¿no?
RAQUEL: Creo que sí.
HERMANA MARÍA TERESA: Bueno. Traigo otro para ella también. Siéntate, si quieres.
RAQUEL: Gracias. ¡Qué curioso!
HERMANA MARÍA TERESA: Aquí está el café.
RAQUEL: Gracias.
HERMANA MARÍA TERESA: Hola, Ángela. Te ves muy bien. Parece que ese bañito te refrescó mucho, ¿eh? ¿Gustas un poquito de café?
ÁNGELA: Ay, no, muchas gracias. Estoy muy preocupada por mi hermano y quiero regresar al lugar de la excavación cuanto antes. ¿Estás lista?
RAQUEL: Sí, momentito. Ahora, vamos.
ÁNGELA: Espero que ya hayan sacado a Roberto.
RAQUEL: Yo también. ¡Ojalá hayan podido avanzar en el túnel! Gracias por el café, hermana.
HERMANA MARÍA TERESA: De nada. Las veo luego, ¿no?

RAQUEL: Sí. Hasta luego.
ÁNGELA: Hasta luego, hermana. Y muchas gracias.
HERMANA MARÍA TERESA: ¡Vayan con Dios! Pobre muchacha con su hermano atrapado. Dios, te pido que lo saquen pronto.
RAQUEL (VO): Cuando llegamos al sitio de la excavación, bajaban a un hombre a la tumba. Teníamos muchas esperanzas.
HOMBRE: ¡Roberto! ¡Roberto! ¡Roberto!
HOMBRE: ¡Roberto! ¡Roberto! ¡Lo tengo! ¡Lo tengo! ¡Está vivo! ¡Lo tengo!
OTRO HOMBRE: ¡Lo encontraron! ¡Lo encontraron!
ÁNGELA: ¡Ay! No puedo ver bien, ¿y tú?
RAQUEL: Yo tampoco. Debes tener paciencia, Ángela. Todo saldrá bien.
TRABAJADOR: ¡Lo tengo! ¡Ayúdenme!
PADRE RODRIGO: Miren. Deben sentarse allí para no estorbar. Yo las busco tan pronto como sepa algo.
ÁNGELA: Pero...
PADRE RODRIGO: Nada de eso. Vayan a sentarse. Raquel, llévala, por favor.
RAQUEL: Sí, vamos, vamos.
RAQUEL (VO): Así, mientras esperábamos, Ángela y yo conversamos un poco.
ÁNGELA: Sólo Roberto podría escoger una profesión tan peligrosa. ¿Por qué no estudia para ser médico, ingeniero o abogado como tú?
RAQUEL: Es curioso. Ahora que lo dices, recuerdo que de niña yo quería ser profesora.
ÁNGELA: Sí. Yo también. Después pensé en ser actriz. Quería ser rica y famosa.
RAQUEL: Si supieras las carreras y las profesiones en las que pensé yo.
ÁNGELA: A ver...
RAQUEL: Bueno, una vez pensé en ser profesora, de historia. Y luego pensé en ser veterinaria.
ÁNGELA: ¿Tú? ¿Veterinaria? ¡Ja!
RAQUEL: No te burles. Es en serio. Me gustan mucho los perros y se me ocurrió que ser veterinaria podría ser interesante.
ÁNGELA: Pues, yo nunca pensé en eso. Como sabes, finalmente estudié computación y ahora soy programadora. Mi papá esperaba que yo fuera abogada o mujer de negocios.
RAQUEL: ¿Mujer de negocios tú? ¡Ja! Mi mamá quería que yo estudiara para ser abogada. «Raquel,» me decía, «estudia para abogada. Es una buena profesión.»
ÁNGELA: Parece que seguiste los consejos de tu mamá. Mi papá nunca le dijo nada a Roberto. Aunque yo sé que él prefería que estudiara para ser médico o para ingeniero. Ahora comprendo por qué.
RAQUEL (VO): Parecía que hubieran pasado años y años, pero por fin sacaron a Roberto. El padre Rodrigo vino a buscarnos y fuimos corriendo a la tienda.
ÁNGELA: ¡Roberto!
JULIO: No se preocupe, señorita. Está inconsciente, pero parece que está bien.
ÁNGELA: ¿No está seguro?
JULIO: Aparentemente está bien. Respira normalmente, no tiene fracturas, la temperatura y la presión son normales, considerando lo que ha pasado. De todos modos, es necesario llevarlo a un hospital para hacerle un examen completo. Veré que lo lleven a México directamente.
RAQUEL (VO): Poco después, metieron a Roberto en helicóptero y lo llevaron a la capital. A la mañana siguiente, Ángela y yo salimos del pueblo, esperando que cuando llegáramos al hospital, Roberto estuviera bien.
ÁNGELA: ¿Sabes, Raquel? Aunque le he tenido un poco de envidia a Roberto la verdad es que lo admiro.
RAQUEL: Sí, lo sé. Creo que también admiras a Jorge.
ÁNGELA: Ay, bueno, sí. Pero es distinto, Jorge es mi novio.
RAQUEL: Pero lo admiras, como admiras a Roberto.
RAQUEL (VO): De vuelta a la Ciudad de México, pasamos un susto terrible. Casi tuvimos un accidente.
ÁNGELA: ¿Qué pasó?
RAQUEL: ¡Ay! Es que venía un camión y no lo vi.
ÁNGELA: ¡Ay! ¡Qué susto!
RAQUEL (VO): Llegamos finalmente al hospital y fue allí, por primera vez, donde Arturo conoció a sus sobrinos.
ARTURO: ¡Raquel!
RAQUEL: ¡Arturo! ¿Qué haces aquí? ¿Qué tal Pedro? ¿Cómo estás?

PEDRO: Bien, muy bien. Raquel, quiero agradecerte por todo lo que has hecho.
RAQUEL: No es nada, Pedro. ¿Cómo sigue Roberto?
ARTURO: Bien, bien. La médica me dijo que hay que dejarlo dormir y mañana estará bien.
RAQUEL: ¡Cuánto me alegro! Hemos pasado un susto tremendo.
ARTURO: Me imagino. Óyeme, la chica que entró corriendo, ¿es...?
RAQUEL: Sí, ella es Ángela, tu sobrina.

Episodio 52

Siempre lo amó (*She Always Loved You*)

PEDRO: ¿Qué le estará pasando a Fernando? Nunca lo había visto tan desconfiado.
RAQUEL: Es natural, Pedro. Quiere estar seguro y necesita pensarlo un poco más.
ARTURO: Claro. Yo recuerdo muy bien mi reacción cuando vi por primera vez a Raquel en mi casa en Buenos Aires.
PEDRO: Tal vez tengan Uds. razón, pero yo conozco muy bien a mi hermano. Algo le está pasando.
GUIDE: Bienvenidos al episodio final de *Destinos*. En este episodio concluimos la historia de Raquel, don Fernando y los otros miembros de la familia Castillo.

DON FERNANDO: Mercedes, diles a Ángela, Roberto, Raquel y Arturo que los espero en mi habitación.
MERCEDES: Por supuesto, Papá.
RAQUEL: Don Fernando, la Sra. Suárez me dijo que Rosario nunca dejó de pensar en Ud., que siempre lo amó.

RAQUEL: Y de la excavación, fuimos al hospital, y de ahí, vinimos para acá y fue así, don Fernando, como sucedió todo.
DON FERNANDO: Muy interestante, Raquel. Te agradezco la paciencia y el interés que pusiste en este caso. Bueno, ya es tarde. Se hizo de noche y tengo sueño. Mañana quisiera hablar con Ángela y Roberto para estar seguro de que son mis nietos. Mercedes, ayúdame. Con permiso. Que sigan gozando del resto de la noche.
PEDRO: ¿Qué le estará pasando a Fernando? Nunca lo había visto tan desconfiado.
RAQUEL: Es natural, Pedro. Quiere estar seguro y necesita pensarlo un poco más.
ARTURO: Claro. Yo recuerdo muy bien mi reacción cuando vi por primera vez a Raquel en mi casa en Buenos Aires.
PEDRO: Tal vez tengan Uds. razón, pero yo conozco muy bien a mi hermano. Algo le está pasando.
RAQUEL: Ángela, trajiste la copa de Puerto Rico, ¿no? Ésa es la prueba que don Fernando quiere.
ÁNGELA: Ay, claro. ¡La copa! Está en mi carro.
ROBERTO: Vamos a buscarla. Es importante mostrársela al abuelo.
ÁNGELA: Sí. Es que la emoción de estar aquí, la dejé en el carro. Vamos.

MERCEDES: ¿Necesitas algo más, Papá?
DON FERNANDO: No, gracias, hija.
MERCEDES: Papá. Ángela y Roberto son tus nietos. Estoy segura.
DON FERNANDO: Me gustaría que así fuera. Pero necesito más pruebas. He esperado tanto tiempo para conocerlos que puedo esperar hasta mañana para estar seguro de su identidad.
MERCEDES: Sí, Papá.

GUIDE: Llega la noche y como todas las noches en La Gavia, reina una gran tranquilidad. Al día siguiente, el futuro de La Gavia se revela cuando llega una visita inesperada.
AGENTE DE BIENES RAÍCES: Disculpen que haya venido sin avisarles.
RAMÓN: Está bien, Sra. López. Le presento a mi hermana, Mercedes. Ya conoce a mi tío, don Pedro.
PEDRO: ¿Cómo le va?
RAMÓN: Bien. Pase por aquí, por favor. Ud. dirá.
AGENTE DE BIENES RAÍCES: Mi cliente ha insistido en que venga a verlos, para decirles que tiene mucho interés en la propiedad.
JUAN: ¿Podemos pasar?
RAMÓN: Mis hermanos, Carlos y Juan. La Sra. López Estrada.
AGENTE DE BIENES RAÍCES: Mucho gusto.
CARLOS: Está Ud. en su casa.
JUAN: Bienvenida a La Gavia.
AGENTE DE BIENES RAÍCES: Como decía, mi cliente quiere comprar la propiedad. Quiere que Uds. pongan el precio. Yo se lo transmitiré inmediatamente.
RAMÓN: Sra. López, todavía no hemos decidido si vamos a venderla o no. Yo le dije que la llamaría.
AGENTE DE BIENES RAÍCES: Comprendo, y me disculpo por venir así. Lo que ocurre es que mi cliente ha visto otra propiedad, y aunque prefiere La Gavia, debe decidirse cuanto antes, o puede perder las dos.

PEDRO: Por amor de Dios, Fernando. ¡Caray!
DON FERNANDO: Entonces, dígale que compre la otra. La Gavia no está ni estará nunca en venta.

RAQUEL: Buenos días, Lupe.
LUPE: Buenos días, licenciada. Buenos días, doctor.
ARTURO: Buenos días.
RAQUEL: ¿Y los demás?
LUPE: Están reunidos en el despacho. ¿Gustan desayunar?
RAQUEL: Sí, gracias.
ÁNGELA y ROBERTO: ¡Buenos días!
ARTURO: ¡Hola, buenos días! ¿Qué tal? ¿Durmieron bien?
ROBERTO: ¡Muy bien!, ¿Y Uds.?
ARTURO: Yo muy bien.
RAQUEL: ¿Quién no? En este lugar hay tanta paz.
ÁNGELA: Sí, es verdad. Nos vamos a quedar unos días con el abuelo, ¿verdad?
RAQUEL: Yo debo regresar a México, por mis padres.
ARTURO: Yo también vuelvo. Pero Uds. pueden quedarse. Necesitan estar con su abuelo. Además hay la cuestión de la copa.
ÁNGELA: Sí, es verdad. Aquí la tengo. No sé cuándo será el momento oportuno.

GUIDE: Mientras Roberto y los demás desayunan, Mercedes revela su plan para La Gavia.
MERCEDES: ...entonces se me ocurrió que tal vez, si pudiéramos conseguir el dinero, podríamos fundar un orfanato aquí en La Gavia, o una escuela, o ambos. Así alojaríamos a niños huérfanos, no sólo mexicanos, sino también de Centroamérica.
DON FERNANDO: ¿Y Uds. qué piensan?
PEDRO: Creo expresar la opinión de todos, y digo que nos parece una idea maravillosa. Pero, no sabemos ni de dónde ni cómo conseguir los fondos. Es una gran responsabilidad, ¿no es verdad?
CARLOS: Sí.
MERCEDES: Y tú, Papá, ¿qué dices?
DON FERNANDO: Hija, siempre creí que podía leer tu mente, saber lo que pensabas, pero, no sabía que tú también pudieras leer la mía.
MERCEDES: ¿Cómo dices?
DON FERNANDO: Les voy a decir un secreto: hace muchos años tuve esta misma idea. Fue entonces cuando decidí reconstruir La Gavia. Pero un orfanato cuesta mucho dinero, y como Uds. bien dicen, es una gran responsabilidad. Así que quise hacer bien las cosas, y abrí una cuenta.
PEDRO: ¿Una cuenta?
DON FERNANDO: Sí. He ido depositando, poco a poco, los fondos necesarios. Y hoy día, creo que con las ganancias y los intereses acumulados, debe haber lo suficiente para iniciar una fundación.
MERCEDES: Entonces, ya lo tenías decidido, ¿eh?
DON FERNANDO: Está en mi testamento.
PEDRO: ¿Hablas de una fundación privada?
DON FERNANDO: Sí. Pero he hablado también con políticos y empresarios. En cuanto la fundación exista, tendrán ayuda oficial, y también del extranjero.
MERCEDES: ¡Papá! ¡¡Eso es fantástico!!
DON FERNANDO: Mercedes y Carlos son los más indicados para organizar y administrar el orfanato.
CARLOS: ¿Yo?
DON FERNANDO: Sí, tú, hijo. Hacía bastante tiempo que tenía pensado cerrar la oficina de Miami. Y como tú tienes esa facilidad para tratar con los niños.
CARLOS: Bueno, pues, sí, a mí me gustan mucho los niños.
DON FERNANDO: Pues por eso mismo eres indispensable. Tú, Ramón, puedes continuar ocupándote de los negocios.
RAMÓN: Papá, tú sabes que siempre podrás contar conmigo.
DON FERNANDO: Juan, tú y Pati tienen sus carreras en Nueva York. Allí tienen su vida. No veo por qué tienen que regresar a México, a menos que lo quieran. Naturalmente, también todos cuentan con el mejor abogado: mi hermano Pedro.
MERCEDES: ¿Y tú, Papá?
DON FERNANDO: Yo ya estoy muy viejo. Pronto descansaré en paz.
JUAN: Papá, por favor.
CARLOS: Por favor, Papá.

DON FERNANDO: Hablando de descansar, me voy a mi habitación. Mercedes, ¿diles a Ángela, Raquel, Roberto y Arturo que los espero en mi habitación?
MERCEDES: Por supuesto, Papá.

ARTURO: Raquel, cuando quieras nos vamos. Tus padres te estarán esperando.
RAQUEL: Sí, voy a buscar mis cosas, y a ver si Don Fernando está despierto, para despedirme de él.
MERCEDES: Muy buenos días.
TODOS: Buenos días.
MERCEDES: ¿Durmieron bien?
ÁNGELA: Yo sí. Me encuentro muy bien en este lugar.
ROBERTO: Yo también
MERCEDES: Me alegro. Miren, Papá dice que quiere verlos ahora. Está en su cuarto.
ROBERTO: Parece que el momento oportuno ha llegado, hermana.
ÁNGELA: Parece que sí. Vamos.
ARTURO: Adiós, Lupe.
LUPE: Adiós, señor.

PEDRO: ¿Prefieres que te dejemos a solas con tus nietos?
CARLOS: Sí, Papá. Creo que es mejor.
DON FERNANDO: No, esperen. Luego podrán irse. ¿Por qué no van a buscar a Consuelo y a Gloria? Me gustaría que estuvieran aquí también.
RAMÓN: Voy a buscarlas.
DON FERNANDO: Juan.
JUAN: Sí, Papá.
DON FERNANDO: ¿Cómo estás, hijo?
JUAN: ¿Yo? Bien, bien.
DON FERNANDO: Extrañarás a Pati...
JUAN: Sí, claro.
DON FERNANDO: No hay nada más importante que la familia.
JUAN: Es verdad.
DON FERNANDO: Creo que deberías irte a Nueva York.
JUAN: ¿Pero qué dices?
DON FERNANDO: Te agradezco lo que has hecho, que quieres estar aquí conmigo. Pero soy un viejo... he vivido una larga vida. Tú eres joven y debes vivir tu propia vida, con tu familia, con tu mujer. Ser feliz—eso es el mejor regalo que un hijo le puede hacer a un padre.
JUAN: Gracias, Papá. Gracias.
RAQUEL: Don Fernando, Arturo y yo venimos a despedirnos.
DON FERNANDO: ¿Cómo? ¿Tan pronto ya?
RAQUEL: Sí, mis padres me esperan en México.
DON FERNANDO: Entonces, ve. Pero regresa cuando quieras. Ésta es tu casa.
RAQUEL: Gracias, don Fernando.
DON FERNANDO: Y tú, Arturo... eres hijo de Rosario... eres como un hijo verdadero para mí. Recuerda: ésta es también tu casa, nosotros somos tu familia.
ARTURO: Gracias, don Fernando.
DON FERNANDO: Me alegro. Todos están aquí. Me gusta ver a toda la familia junta.
ÁNGELA: Abuelo, anoche decías que querías estar seguro de que éramos tus nietos. Traje esto de Puerto Rico. Lo encontré entre las cosas de Papá. ¡Ojalá sea la prueba que buscas!
DON FERNANDO: Mercedes. En aquella gaveta encontrarás otra caja. Por favor, dásela a Ángela. Ábrela.
DON FERNANDO: Rosario y yo brindamos con dos copas el día de nuestra boda. Ésa es la otra.
ÁNGELA: Abuelo, no sabes lo contento que estamos.
DON FERNANDO: Gracias. El contento soy yo. Sí. Ahora estoy seguro de que son mis nietos.
RAQUEL: Don Fernando, me parece que ahora querrá quedarse a solas con sus nietos. Arturo y yo nos queremos despedir.
DON FERNANDO: Gracias, gracias a los dos, y no se olviden: vuelvan siempre que puedan. Ésta es su casa.
RAQUEL: Gracias, don Fernando.
DON FERNANDO: Gracias a Uds.
ARTURO: Gracias, don Fernando. ¿Vamos, Raquel?
RAQUEL: Sí.

ROBERTO: Ángela, vamos a acompañarlos al hotel. Luego podemos estar con el abuelo.
PEDRO: Vamos todos a acompañarlos al carro para despedirnos de Uds. Todos, todos estamos muy agradecidos.
DON FERNANDO: ¡Raquel!
RAQUEL: Mande.
DON FERNANDO: Acércate. Quiero darte mis gracias una vez más. Hiciste muy bien. Estoy muy contento.
RAQUEL: Yo también, don Fernando, por Ud. y su familia.
DON FERNANDO: Y si me permites la confianza, Raquel, te quiero decir algo. No se me ha escapado la forma en que Arturo y tú se miran.
RAQUEL: Parece que todo el mundo se ha dado cuenta.
DON FERNANDO: Lo que te sientes por él. Es serio, ¿verdad?
RAQUEL: Creo que sí. Aunque sí, que hace poco que lo conozco, la investigación nos ha unido.
DON FERNANDO: No tienes que explicarme nada. Sigue los consejos de un viejo. O tú te vas para Buenos Aires o él se va para Los Ángeles. Pero no dejen perder un amor verdadero.
RAQUEL: Gracias por los consejos, don Fernando. Arturo y yo ya hemos hablado un poco sobre eso.
DON FERNANDO: Muy bien, hija, muy bien. Bueno. Adiós, pero no dejes de volver siempre que puedas. Eres como una hija para mí.
RAQUEL: Don Fernando, la Sra. Suárez me dijo que Rosario nunca dejó de pensar en Ud., que siempre lo amó.

ÁNGELA: Raquel, te voy a extrañar mucho. Ya eres como una hermana para mí.
RAQUEL: Y para mí también, Ángela.
ROBERTO: Raquel, Raquel, déjame darte un abrazo también. Apenas nos conocemos pero, ya eres como una hermana para mí también.
RAQUEL: Cuídala a tu hermana, Roberto. Y tú Ángela, cuídalo a él también.
ÁNGELA: Tío, te veremos en un par de días, ¿no?
ARTURO: Sí. Regresaré a La Gavia antes de volver a la Argentina.
ÁNGELA: Entonces, no será un adiós sino un hasta luego.
ARTURO: Así es.
ROBERTO: Vamos. Buen viaje, ¿saben?

ARTURO (VO): Raquel, he estado pensando.
RAQUEL (VO): ¿En qué?
ARTURO (VO): Mi vida ha cambiado tanto desde que te conocí. Creo que Los Ángeles me gustaría mucho. Descríbeme un poco cómo es.
RAQUEL (VO): Pues, Los Ángeles es una ciudad única. No hay otra ciudad igual en los Estados Unidos. Primero están las famosas carreteras. Ah, y las fiestas de Cinco de Mayo. Hay mucha gente que habla español, ¿sabes?